# Erzählte Zeit

## 50 deutsche Kurzgeschichten der Gegenwart

Herausgegeben von
Manfred Durzak

Philipp Reclam jun. Stuttgart

Interpretationen zu den Kurzgeschichten dieser Anthologie bietet der Darstellungsband von Manfred Durzak: Die deutsche Kurzgeschichte der Gegenwart. Autorenporträts, Werkstattgespräche, Interpretationen. Stuttgart: Reclam, 1980.

Universal-Bibliothek Nr. 9996

Fotosatz: Bauer & Bökeler, Denkendorf
Druck und Bindung: Reclam, Ditzingen
Printed in Germany 1994

ISBN 3-15-009996-X

# Inhalt

*Restauration in Ruinen: Probleme der Nachkriegszeit*



*Erreichte Wunder, überdeckte Wunden: Die fünfziger Jahre*



*Auflösungserscheinungen einer Festveranstaltung: Die sechziger Jahre*



*Das Zeitgefühl der Unruhe: Die siebziger Jahre*

*Das andere Deutschland: Leben in der DDR*

# Einleitung

Einem bekannten klassischen Verdikt zufolge galt der deutsche Romancier lange Zeit nur als Halbbruder des Dichters. Der Kurzgeschichtenautor gilt, das Bild dieser poetischen Genealogie einmal fortgesponnen, im Höchstfall als sein Adoptivsohn, von ungewisser, teils europäischer, teils amerikanischer Herkunft, dem man seine hypothetischen Eltern – sieht man einmal von Maupassant und Tschechow ab –, nämlich die großen amerikanischen Erzähler von Poe bis Hemingway, als unerreichbare Vorbilder vorhält.

Freilich, von dem Glanz, den diese Lieblingsgattung amerikanischer Autoren seit der Mitte des 19. Jahrhunderts auch in den Augen der breiten, literarisch interessierten Öffentlichkeit umgibt – die Initiation und der Rang eines Autors konnten und können sich dort auf Kurzgeschichten gründen –, ist die hierzulande notorisch unterschätzte Kurzgeschichte weit entfernt. Dabei sind freilich jene anderthalb Jahrzehnte unmittelbar nach 1945 auszuklammern, als die »verlorene Generation« junger deutscher Autoren aus der Trostlosigkeit des Krieges in ein in jeder Beziehung bankrottes Deutschland zurückkehrte und, mit den Folgen einer Politik der »verbrannten Erde« auch im Kulturellen konfrontiert, aus der erzwungenen Traditionslosigkeit eines Neuanfangs heraus die Kurzgeschichte als *die* literarische Gattung entdeckte und wiederentdeckte, die dem damaligen Zeit- und Lebensgefühl am ehesten entsprach.

Hier schien die Möglichkeit vorhanden, das aufgestaute Schweigen fast eines Jahrzehnts, die in der propagandistischen Gehirnwäsche des Dritten Reiches aufgebauten Widerstände und die auf den katalaunischen Feldern des Krieges gesammelten Erfahrungen direkt und unverstellt in Sprache umzusetzen.

Die Kurzgeschichte war in dieser Situation eine von den

Autoren enthusiastisch aufgegriffene Alternative: einmal zu der fragwürdig gewordenen unmittelbaren Gefühlsaussprache im Gedicht, das von den Formansprüchen der Gattung und den erlesenen Gewürzwörtern der Sprache her sich gegen die Authentizität der Wirklichkeitserfahrung sperrte, und zum andern zu den artistischen Manövern großangelegter Romankonzeptionen, die eine produktive Distanz voraussetzen, die den Autoren damals weder gegeben war noch als wünschenswert vorschwebte. Das Übermaß dessen, was man auszusagen hatte, war mit dem Zweifel an dem tradierten literarischen Formenarsenal verbunden, das im vorangegangenen Jahrzehnt zu häufig korrumpiert worden war, wenn man nur an die für die heroische Stilisierung des einzelnen und unter diesem Aspekt ideologisch anfällige Novelle, die der Short Story verwandte Prosa-Kurzform, denkt.
Zugleich ließ sich der Druck der aufgestauten Erfahrungsfülle nicht durch kunstvoll errichtete literarische Schleusen ableiten, sondern nur durch einen gleichsam permanenten Neubeginn, durch ein willentliches Aufreißen aller Dämme, durch direkte und komprimierteste Aussprache in einer Form, die von ihrer Kürze und Flexibilität her am ehesten geeignet schien, der Umkehrung der Prioritäten in der Literatur – Wahrheit vor Schönheit, Wirklichkeitsausdruck vor Wirklichkeitsumsetzung, Information vor ästhetischer Erhebung, engagierte Anteilnahme vor kulinarischem Vergnügen – gerecht zu werden.
Ein anderes geschichtliches Faktum hat auf diese Situation entscheidend eingewirkt. Die künstliche Quarantänesituation, die während des Dritten Reiches die produktive künstlerische Arbeit belastete, wurde ja nicht nur dadurch herbeigeführt, daß ein Großteil der innovativsten und lebendigsten Literatur in die Emigration getrieben wurde, sondern auch durch die Abschnürung von dem, was sich literarisch im Ausland tat. Das Vakuum, in dem man literarisch lebte und das durch den ideologischen Sog offiziöser NS-Literaturpolitik noch verheerender wirkte, wurde nach

1945 in einem hektischen Nachhol- und Genesungsprozeß wieder mit frischer Luft von außen gefüllt. Man atmete in jeder Beziehung wieder auf. Französische und englische Literatur wurden enthusiastisch rezipiert und vor allem die amerikanische, deren Vitalität und Reichtum von der Heimkehrergeneration mit Erstaunen und wachsender Faszination wahrgenommen wurde und als – gewissermaßen zweite – Neuentdeckung Amerikas das Klima des kulturellen Lebens und des intellektuellen Gespräches im ersten Jahrzehnt der Nachkriegszeit in Deutschland auf weiten Strecken bestimmte.

Dabei ist sicherlich nicht zu vergessen, daß verschiedene außerliterarische Faktoren auf diesen Vorgang eingewirkt haben: die Tatsache etwa, daß einige der wichtigen jungen Autoren, die sich später zur Gruppe 47 zusammenschlossen, in nordamerikanischen Kriegsgefangenenlagern mit der Literatur und Lebensweise der Amerikaner in engere Berührung kamen oder daß im Rahmen des sogenannten Re-Education-Programms die Literatur – vor allem auch die übersetzte amerikanische – von den Alliierten als kulturelles Aufbauelement eingesetzt wurde bei dem Versuch, Fundamente für eine neue demokratische und kulturelle Tradition in Deutschland zu legen.

Nicht zuletzt hat auch die politische Entwicklung in der ersten Nachkriegsphase, die Formation von zwei großen Machtblöcken, deren Konfrontation mitten durch Deutschland verlief, mit dazu beigetragen, daß die als Überlebenschance akzeptierte Allianz zumindest von einem großen Teil der deutschen Autoren in den sogenannten westlichen Zonen als Aufruf zu einem kulturellen Gedankenaustausch und zu wechselseitiger Annäherung verstanden wurde.

Es bedarf keiner ausführlichen Belege, um darzustellen, wer in dieser Situation der Gebende und wer der Nehmende war. Die deutschen Autoren haben wahrgenommen, aufgenommen und übernommen und auch noch Jahrzehnte später im Rückblick hervorgehoben, daß es nicht nur die

materiellen Hilfen waren, die eine Bewältigung der schwierigen Anfangsphase ermöglichten, sondern auch die Anregungen, Hinweise, die intellektuelle Nahrung, die sie aus der Literatur eines Landes sogen, das mit einigen großen Autoren – Hemingway, Saroyan, Thornton Wilder, Tennessee Williams, Faulkner, O'Neill, Wolfe, Sherwood Anderson, O. Henry, Thurber, um nur einige zu nennen – beherrschend in ihre Vorstellungswelt eintrat und sie beeinflußte und prägte.
Der Short Story kommt in diesem Zusammenhang eine Schlüsselfunktion zu. Sie war und ist als Lieblingsform amerikanischer Autoren nicht nur in der Literatur dieses Landes von vornherein exponiert, sondern bot sich darüber hinaus in ihrer überschaubaren Kompaktheit für die deutschen Autoren als idealer Zugang zu einer Literatur an, die seit Irving, Hawthorne und Poe traditionsgemäß die Kurzgeschichte immer wieder in ihren Möglichkeiten erprobt, variiert und erweitert hat. Bei gleichzeitiger Einschränkung von formalen und sprachlichen Verständnisbarrieren, die zum Beispiel den Zugang zu den andern Gattungen in der amerikanischen Literatur viel schwieriger machten, vereinte die Short Story gleichsam die Entwicklungsgeschichte und den Themenkatalog der amerikanischen Literatur permanent wie in einem Brennpunkt.
Sicherlich haben auch die über einen längeren Zeitraum hinweg ausgebildeten Gesetzmäßigkeiten des literarischen Marktes in Amerika zu dieser Schlüsselrolle der amerikanischen Kurzgeschichte beigetragen: die Entstehung zahlreicher Zeitschriften und Journale, die Short Stories gegen relativ hohes Honorar druckten, das Interesse einer großen Leserschaft, die Literatur nicht von vornherein als Bildungsritual zu sehen gewohnt war. Diese Haltung gilt erst recht für viele amerikanische Autoren, die das Schreiben in der Schule des Journalismus gelernt haben und die Grenzen zwischen Gebrauchsliteratur und hoher Literatur als akademisch-künstlich ansahen.
Vielen der jungen deutschen Autoren schien das ein heilsa-

mes Korrektiv gegen gefährliche ideologische Verblasenheit oder ästhetische Abkapselung, die als literarische Komplementärphänomene im Dritten Reich nebeneinander existierten, einmal als öffentliche und politisch akklamierte Literatur und zum andern als die in die innere Emigration gegangene »Insel-Literatur«.
An dieser historischen Rahmensituation, die die deutsche Kurzgeschichte mit der Phase nach 1945 und dem Einfluß der amerikanischen Literatur verbunden zeigt, läßt sich grundsätzlich nicht deuteln. Es ist ein literaturhistorisch zwar mögliches, aber müßiges Geschäft, eine innerdeutsche literarische Herkunftsgeschichte der Short Story oder Kurzgeschichte konstruieren zu wollen, von den Texten eines E.T.A. Hoffmann, eines Johann Peter Hebel, Heinrich von Kleist oder von den expressionistischen Erzählern her, oder früher anzusetzende, regionale literarische Ausformungen wie die Kalendergeschichte, den Schwank, die Dorfgeschichte oder die Anekdote als literarische Verpuppungen der späteren deutschen Kurzgeschichte interpretieren zu wollen. Das ist ebenso möglich und vergleichsweise ergiebig wie das Postulat, das den Roman bereits als späthellenistische Kunstform reklamiert, obwohl er erst mit dem Erstarken des Bürgertums im späten 18. und 19. Jahrhundert seine historische Repräsentanzfunktion gewinnt, oder die Haltung, das Epos im Hinblick auf Nachzügler wie Spitteler oder Däubler als zeitlose Kunstform zu verkünden, während es doch schon bei Goethe in *Hermann und Dorothea* archivarisch und im Ausdrucksspektrum merkwürdig eingeengt wirkt. Ganz zu schweigen davon, daß sich solche Ableitungsbemühungen in definitorischen Nomenklaturen verheddern, da jeweils das, was Begriffsübereinkunft etwa als Erzählung, Schwank oder Novelle akzeptiert, in verdeckte oder versteckte Kurzgeschichten umbenannt werden muß.
Selbst wenn man Autoren wie Maupassant und Tschechow, die auf weiten Strecken ihres erzählerischen Werks hervorragende Beispiele von Kurzgeschichten geschaffen

haben, in die Überlegung mit einbezieht, läßt sich bei aller zeitlichen Vorläuferrolle dieser Autoren dennoch nicht übersehen, daß ihre Wirkung auf die deutsche Literatur punktuell blieb und, von einigen Ausnahmen abgesehen, nicht jenes produktive Echo ausgelöst hat, das für die amerikanische Short Story in der Nachkriegssituation gilt.
Andere Unschärferelationen, die bei einer solchen Grenzziehung gravierender sind, betreffen zeitlich vorgeschobene Brückenköpfe der Kurzprosa in der deutschen Literatur. An die Prosaskizzen Robert Walsers ist zu denken, an die Parabeln Franz Kafkas oder die den Duktus der Kalendergeschichten aufnehmenden Lehrgeschichten Bertolt Brechts. Aber auch hier ist der Rezeptionsfaktor zu berücksichtigen. Auf die große Resonanz beim lesenden Publikum – hier spielten sicherlich die Bedingungen der Zeitgeschichte eine wichtige Rolle – stießen diese Arbeiten erst wesentlich später, obwohl es unterirdische Verbindungen von Autor zu Autor (etwa von Walser zu Kafka) und in diesem Sinne produktive Rezeption zum Teil schon wesentlich früher gegeben hat.
Am grundlegenden Muster der literarischen Situation nach 1945 im Nachkriegsdeutschland ändert sich nichts. Was sich durch zahlreiche gleichlautende Bekenntnisäußerungen von namhaften deutschen Erzählern eigens belegen ließe, ist auch so evident: die deutsche Kurzgeschichte und Kurzprosa ist ohne die literarische Patenschaft der amerikanischen Short Story nicht denkbar. Ihre imponierende Tradition innerhalb der amerikanischen Literatur wurde von den deutschen Autoren dankbar aufgenommen, aufgearbeitet, adaptiert und von den anderen historischen, sozialen und kulturellen Voraussetzungen aus weitergeführt.
Aus diesen Überlegungen ergeben sich implizit bereits die Prinzipien, die dieser Auswahl von deutschsprachigen Kurzgeschichten zugrunde liegen. Der Gattungsbegriff Kurzprosa, Short Story oder Kurzgeschichte wird hier mit aller terminologischen Offenheit verwendet und primär von diesem Konnex mit der amerikanischen Literatur her

gerechtfertigt. Das Jahr 1945 wird als entscheidende Zäsur nicht in Zweifel gezogen, und zwar von den skizzierten Bedingungen her und nicht vom hypothetisch gesetzten Dogma eines literarischen »Kahlschlags« – wie das berühmte Diktum Wolfgang Weyrauchs lautet – oder von einer Nullpunktsituation her, die eine Tabula rasa in der literarischen Tradition Deutschlands voraussetzt, die schon angesichts der biographischen Entwicklungsgesetzlichkeit vieler Autoren postulierte Züge trägt.

Die Zurückweisung des Nullpunktes ist, soweit es andere literarische Gattungen betrifft, etwa die Lyrik, die sich nur sehr schwer von den Konventionen des Kalligraphischen lösen konnte und, allmählich auch hier ausländische Anregungen aufnehmend, ein neues Idiom entwickelte, sicherlich richtig. Bezogen auf die Gattung der Kurzgeschichte ist das Postulat des Neubeginns auch retrospektiv überzeugend. Denn auch im Rückblick hat sich ihre damalige Bedeutung nicht eingeschränkt, Experimentierfeld der literarischen Neuansätze im ersten Nachkriegsjahrzehnt in Deutschland gewesen zu sein. Was sich an neuen literarischen Talenten artikulierte, was an Innovationen und Neuansätzen, bisher noch nicht erprobten Techniken manifest wurde, war großenteils an die Kurzgeschichte gebunden, den »Stolz der deutschen Nachkriegsliteratur« (Reich-Ranicki).

An dieser Stelle gilt es, einer auf die deutsche Nachkriegsliteratur angewendeten populären Fehlkonzeption zu widersprechen, nämlich als sei die Kurzgeschichte, an ihrem produktiven Anteil an der deutschen Gegenwartsliteratur insgesamt gemessen, inzwischen überholt, als sei sie ganz und gar mit jenem ersten Jahrzehnt der deutschen Nachkriegsliteratur identisch und mittlerweile nur noch von archivarischem Interesse. Nichts ist falscher als das.

Daß diese schiefe Optik entstanden ist, hat mit der Wirkungsweise des literarischen Marktes in der Bundesrepublik zu tun, mit dem Fehlen großer literarischer Zeitschriften, die als Publikationsforen von Kurzgeschichten dienen könnten – mit rühmlichen Ausnahmen natürlich wie den *Akzenten* oder *Westermanns Monatsheften*, die sich der deutschen Kurzgeschichte auch durch die jährliche Preisverleihung für die beste Kurzgeschichte besonders angenommen haben –, mit der Abstinenz von Kurzgeschichten in den Feuilletons der großen Tageszeitungen, mit der vom kaufmännischen Kalkül bestimmten Vorliebe der Verleger für das Marketing-Überlegungen viel eher entsprechende Romanprodukt.

Im Magazin der Wochenzeitung *Die Zeit*, wo seit Oktober 1978 wieder jeweils wöchentlich eine deutsche oder aus anderen Literaturen übertragene Original-Kurzgeschichte vorgestellt wurde (und mit Unterbrechungen wird), wurde nicht ohne Plausibilität die folgende Überlegung angestellt: »Es könnte ja eine Art ›literary drift‹ geben, zufällige Geschmacksverschiebungen im Sinne sich selber erfüllender Prophezeiungen. Irgendwo druckt die Presse etwas weniger oft Storys, also werden weniger geschrieben, also werden noch weniger gedruckt, und so driftet eine ganze Gattung langsam ins Abseits – oder umgekehrt.«[1]

Auch die literarische Kritik – das läßt sich nicht verkennen – hat mit ihrem Sichkaprizieren auf die Stichwortgeber der jeweiligen Saison – und das sind zumeist Romanciers und Dramatiker – mit dazu beigetragen, daß die Kurzgeschichte wirkungsgeschichtlich solcherart auf ein schmales Terrain abgedrängt wurde. Von der werkgeschichtlichen Kontinuität der einzelnen herausragenden Kurzgeschichtenerzähler her geurteilt, etwa Bölls, Schnurres, Siegfried Lenz', Benders, Weyrauchs oder jüngerer Autoren wie Kunerts, Kluges, Wohmanns, ist das eine ungerechtfertigte Perspektive, da diese Autoren der Kurzprosa treu geblieben sind und über einen großen Zeitraum hinweg beeindruckende Beispiele kurzgeschichtlichen Erzählens in einem dichten Werkkontext vorgelegt haben.

Diese gattungsgeschichtliche Kontinuität, die sowohl für

1 Dieter E. Zimmer, »Allen Gerüchten zum Trotz: Die Story lebt«, in: *Zeit-Magazin* Nr. 43 v. 20.10.1978, S. 1.

das Werk einzelner herausragender Autoren als auch für den Anteil der Short Story an der deutschen Nachkriegsliteratur generell gilt, ist gleichfalls als Kriterium für die hier vorgelegte Auswahl von deutschen Kurzgeschichten ausschlaggebend gewesen. Die formale Komprimierung und inhaltliche Verkürzung, die zur grundsätzlichen Charakteristik dieser Prosaform gehören, beleuchten zugleich die Schwierigkeit, den künstlerischen Rang isolierter Beispiele aus sich heraus zu bestimmen. Subjektive Attitüde und kulinarische Aura, die zu oft Begleiterscheinungen einer Wertungshaltung sind, die apodiktisch dekretiert, was die jeweils beste Kurzgeschichte sei, sollten dadurch vermieden werden, daß eine bestimmte werkgeschichtliche Kontinuität im Verfassen von Kurzgeschichten für die Berücksichtigung des jeweiligen Autors entscheidend war und Gelegenheitswürfe und isolierte Beispiele von Autoren, die sich am Rande auch einmal in dieser Gattung versuchten oder versuchen, unberücksichtigt blieben.

Elisabeth Langgässer hatte seinerzeit über die berühmt gewordene Kurzgeschichtenanthologie Wolfgang Weyrauchs *Tausend Gramm* nicht zu Unrecht ausgeführt: »Welch eine Vermessenheit außerdem, kleine und kleinste Sterne in die Nähe der großen Sonnen zu rücken, die ihren bescheidenen Glanz verdunkeln, der ohne sie sichtbar wäre. [...] Wo der erfahrene Könner standhält, der wirkliche Dichter sich erst bewährt, muß der schwächere untergehen. Er muß es vor allem dort, wo die Sprache in einer äußersten Konzentration die reine Substanz anfällt: in der Lyrik, der Kurzgeschichte.«[2]

Zu den Intentionen dieser Auswahl hat es also nicht gehört, wenig bekannte oder gar unbekannte Autoren als Neuentdeckungen vorzustellen. Vielmehr war eine Bestandsaufnahme exemplarischer deutscher Kurzprosa beabsichtigt, die von jenen drei erörterten Kriterien – Entstehungschronologie, Konnex mit der amerikanischen Litera-

2 »Das Kreuz der Kurzgeschichte«, in: *Süddeutsche Zeitung* v. 9.12.1949, S. 9.

tur und werkgeschichtlicher Kontinuität – bestimmt ist. Dabei ist der Begriff »exemplarisch« noch im einzelnen zu erläutern.

»Exemplarisch« hat einmal mit der Repräsentanz der jeweiligen Autoren zu tun, die vom Kontext ihres Werks getragen und begründet wird. Zum andern meint »exemplarisch« das sichtbare Hervortreten von künstlerischen Möglichkeiten in dieser Prosaform, die insgesamt das Gattungspotential der Kurzgeschichte veranschaulichen. Was alles unter diesem Gattungspotential zu verstehen ist, soll an dieser Stelle nicht von den Selbstbekundungen der Kurzgeschichtenautoren her – solche theoretischen Bestimmungen existieren in erstaunlicher Fülle – oder deduktiv von einer systematisch angelegten Typologie kurzgeschichtlichen Schreibens her postuliert werden – der diese Anthologie begleitende Darstellungs- und Interpretationsband[3] wird das alles aufarbeiten –, vielmehr sollen hier die ausgewählten Beispiele für sich selbst sprechen.

Dennoch ist es erforderlich, in diesem Zusammenhang darauf hinzuweisen, daß diesem Gattungspotential zwei deutliche Einschränkungen innewohnen, die mit einer inhaltlichen Besonderheit der Kurzgeschichte zu tun haben, einem konstitutiven Merkmal ihrer Gattungsidentität. Die Kurzgeschichte ist, unabhängig davon, mit welchem literarischen Raffinement sie erzählt wird, prinzipiell eine *Geschichte*, d.h. eine Handlungssituation, ein Plot, steht in ihrem Mittelpunkt, in welcher Weise diese Handlung auch immer dargestellt und entwickelt wird. Die Kurzgeschichtenautoren sind nicht monologische Schreiber, sondern auf literarische Kommunikation bedachte Geschichtenerzähler. Sich als experimentell verstehendes Schreiben also, das die auf Wirklichkeitsmimesis gerichteten Handlungsmodelle, Plots und Fabelstrukturen generell auflöst und Wirklichkeit pointellistisch in bestimmten sprachlichen Beobachtungsdetails und Satzmustern einzufangen versucht und

3 *Die deutsche Kurzgeschichte der Gegenwart. Autorenporträts, Werkstattgespräche, Interpretationen.* Stuttgart 1980.

konsequent den Gattungsbegriff der »Geschichte« durch den des »Textes« ersetzt, siedelt die so entstandenen Prosaarbeiten jenseits des Gattungshorizontes der Short Story an.
Ein Autor wie Reinhard Lettau verdeutlicht in seinen Arbeiten beispielhaft diesen Prozeß der bewußten Auflösung von Plot-Strukturen und bewegt sich in seinen frühen Texten noch häufig an der Grenze, die ein Autor wie Jürgen Becker etwa in seinen zahlreichen Textbänden längst überschritten hat. Andere Beispiele, die in diesen Zusammenhang gehören, bieten die Autoren Ror Wolf und Helmut Heißenbüttel.
Den andern Pol – um die traditionelle Novellistik von vornherein auszuklammern – bezeichnen Texte, die der herkömmlichen Großerzählung verwandt sind und bereits im Grundriß eine vielschichtig gelagerte und verschränkte Struktur aufweisen, die sie als »verpuppte« Romane zu erkennen gibt, mit einer kompliziert ineinander verschachtelten Zeitdarstellung, einem Ensemble von Akteuren, mit Bedeutungsimplikationen, die bewußt über den Kontext der einen Erzählung hinausweisen: mit einer extensiven und nicht intensiven Aussagestruktur.
Der von Edgar Allan Poe und Ambrose Bierce als Definitionskategorie in die theoretische Diskussion der Short Story eingebrachte Rezeptionsaspekt des durchgängigen, einheitlichen Leseaktes, der Lektüre in einem Zug, als Charakteristikum der Kurzgeschichte ist der äußerlichste Gesichtspunkt, der diese Großerzählungen bzw. Erzählungen von Kurzgeschichten unterscheidet. Es liegt auf der Hand, daß der Unterschied im konkreten Einzelfall nicht immer eindeutig zu benennen ist – es gibt gewiß Grenzfälle –, aber es bedarf andererseits keiner weiteren Begründung, warum Erzähltexte wie die von Ingeborg Bachmann oder Heinar Kipphardt – um nur zwei Beispiele zu nennen – aus dieser Sammlung ausgeschlossen blieben.
Die zuvor beleuchtete Besonderheit der Kurzgeschichte begründet auch die Gliederung der ausgewählten Textbei-

spiele. Denn in dem Maße, in dem kurzgeschichtliches Schreiben noch an mimetischen Handlungsmodellen und einem Leser als Adressaten festhält, orientiert es sich auch an wiederzugebender Wirklichkeit, selbst noch im Stadium der surrealen oder fabulierenden Verfremdung. Es bot sich daher an, das Entwicklungsspektrum der deutschen Kurzgeschichte seit 1945 auf das Darstellungsspektrum deutscher Zeitgeschichte zu beziehen. Die intendierte Dokumentation der Gattungsgeschichte der Short Story in der deutschen Nachkriegs- und Gegenwartsliteratur wird so zugleich zum künstlerischen Spiegel der deutschen Nachkriegsgeschichte. Die entscheidenden Phasen dieser Zeitgeschichte und die Auseinandersetzung der Autoren mit ihr lassen sich an den Texten ablesen.

Im programmatischen Nachwort von Wolfgang Weyrauchs legendärer Kurzgeschichtenanthologie *Tausend Gramm* werden mit dem Blick auf die Zukunft der deutschen Literatur die von ihm aufgenommenen Geschichten der damals jungen Autoren als »die Fibel der neuen deutschen Prosa« bestimmt. Diese Wendung sei hier im doppelten Sinne des Wortes für diese Sammlung von 50 deutschen Kurzgeschichten aufgegriffen: sie ist als Lehr- und Lesebuch deutscher Gegenwartsliteratur gemeint. Sie fördert die Erkenntnis über die Themen, die Möglichkeiten und den Reichtum dieser Literatur, und sie ist darüber hinaus eine Einladung zu einer vergnüglichen, spannenden und bewegenden Lektüreexpedition in eine Literaturlandschaft von großem Reiz.

# Die Doppelbödigkeit der Welt: Wirklichkeit im Krieg

WOLFDIETRICH SCHNURRE

## *Das Manöver*

In Kürze schon konnte der Ordonnanzoffizier der Manöverleitung melden, daß sich kein menschliches Wesen mehr innerhalb der Sperrzone befand. Der General ordnete zwar noch einige Stichproben an, doch seine Sorge erwies sich als unbegründet: jedes der untersuchten Gehöfte war leer; die Übung konnte beginnen.
Zuerst setzten sich die Geländewagen der Manöverleitung in Marsch, gefolgt von der Jeepkette der Militärdelegationen. Den Abschluß bildete ein Sanitätsfahrzeug. Es herrschte strahlendes Wetter; ein Bussardpaar kreiste vor der Sonne, Lerchen hingen über der Heide, und alle paar hundert Meter saß in den Büschen am Weg ein Raubwürger oder stob leuchtend ein Goldammernschwarm ab.
Die Herren waren blendender Laune. Sie hatten nicht mehr lange zu fahren, eine dreiviertel Stunde vielleicht; dann bog das Fahrzeug des Generals, langsam von den anderen gefolgt, vom Feldweg ab und hielt am Rand eines kurzen, mit Ginster bestandenen Höhenzugs. Hier war schon alles vorbereitet. Eine Goulaschkanone dampfte, Marketenderware lag aus, Feldkabelleitungen wurden gezogen, Klappstühle standen herum, und durch die bereitgehaltenen Ferngläser konnte man weithin über die Ebene sehen.
Der General gab zunächst einen kurzen Aufriß der geplanten Gefechtsübungen; sie sollten vornehmlich von Panzern und Infanterieeinheiten bestritten werden. Der General sprach abgehackt, wegwerfend und in leicht ironischem

Tonfall; er wünschte, man möchte ihm anmerken, daß er dieses Manöver für eine Farce hielt, denn es fehlte die Luftwaffe.
Das Manövergelände wurde im Norden von einer ausgedehnten Kusselkiefernschonung und im Süden von einem verlandeten Luch abgegrenzt. Nach Osten zu ging es in eine dunstflimmernde Heidelandschaft über. Es war schwer zu übersehen, zahlreiche Wacholdergruppen und allerlei mit Heide oder Ginster bewachsene Hügel und Bodensenken würden es den Panzern nicht leicht machen; zudem waren die dazwischen verstreuten Gehöfte, wie sich der Adjutant ausgedrückt hatte, für PAK- und IG-Nester geradezu prädestiniert.
Es war Mittag geworden. Die Ordonnanzen hatten eben die Blechteller, von denen die Herren ihr Essen zu sich genommen hatten, wieder eingesammelt, und allerorts auf dem Hügel stiegen blaue Zigarettenwölkchen in die reglose Luft, da mischte sich in das Lerchengedudel und das monotone Zirpen der Grillen von fern das dumpfe Gleitkettenrasseln und asthmatische Motorgedröhn der sich nähernden Panzerverbände. Zugleich wurden überall im Gelände wandernde Büsche sichtbar, die jedoch ständig wieder mit dem Landschaftsbild verschmolzen. Lediglich die unruhig hier und dort aufsteigenden Goldammerntrupps ließen vermuten, daß die Infanterie dort Stellung bezog.
Es dauerte eine halbe Stunde vielleicht, da brachen, mit den Ferngläsern eben erkennbar, aus den Kusselkiefern die ersten Panzer hervor, dichtauf von kleineren, jedoch ungetarnten Infanterieeinheiten gefolgt; und nicht lange, und man sah auch um das Luch herum sich ein tief gestaffeltes Feld von Panzern heranschieben. Die Luft dröhnte; der Lärm hatte den Lerchengesang ausgelöscht, es blieb jedoch zu vermuten, daß er weiter ertönte, denn die Lerchen hingen noch genauso in der Luft wie zuvor. Die getarnte Infanterie hatte sich inzwischen eingegraben. Auch die in der Nähe der Gehöfte in Stellung gegangenen IG's und PAK's waren ganz unter ihren Tarnnetzen verschwunden.

Jetzt sahen sich allmählich auch jene Offiziere genötigt, ihre Ferngläser vor die Augen zu heben, die bisher etwas gelangweilt abseits gestanden hatten, denn nun eröffneten die Panzer das Feuer. Anfangs streuten sie zwar noch wahllos das Gelände ab, doch als dann auch das sich von Süden her nähernde Feld beidrehte, um sich durch eine weit ausholende Zangenbewegung mit dem nördlichen zu vereinigen, fraßen sich die Einschläge immer mehr auf das eigentliche Übungsgelände zu.
Die eingegrabenen Infanterieverbände ließen sich überrollen. Sie warteten, bis das Gros der Panzer vorbei war; dann erst ging Gruppe um Gruppe, unterstützt von PAK's und IG's, zum Angriff teils auf die begleitende Infanterie, teils, mit allerlei Spezialwaffen, auf die einzelnen Panzer über, die sich nachhaltig, wenn auch etwas schwerfällig, zur Wehr setzten. Nun war die Schlacht in vollem Gang.
Unglücklicherweise war aber ein Wind aufgekommen, der die Staub- und Pulverdampfwolken auf den Hügel der Manöverleitung zutrieb, so daß den Offizieren einige Zeit jede Sicht entzogen war. In die Ginsterbüsche um sie herum waren indes allerlei verängstigte Vögel eingefallen, Stieglitze, Goldammern und einige Raubwürger. Ihre Angst hatte sie zutraulich gemacht, sie schienen die Offiziere ebenfalls für eine Schar durch die Schlacht in Mitleidenschaft gezogener Heidebewohner zu halten.
Der General mußte sich Mühe geben, sich sein Ungehaltensein nicht anmerken zu lassen. Es gelang ihm nur schwer; er ärgerte sich, daß der Wind sich ihm widersetzte.
Plötzlich flaute der Gefechtslärm unvermutet ab, und als im selben Augenblick eine Bö den Qualmschleier zerriß, bot sich den Offizieren ein merkwürdiges Bild.
Das gesamte Übungsgelände, durch die Zangenbewegung der Panzer nun etwa auf einen knappen Quadratkilometer zusammengeschrumpft, wimmelte von Schafen, die, von offensichtlicher Todesangst gejagt, in mehreren unglaublich breiten, gegeneinander anprallenden und ineinander

verschmelzenden Strömen zwischen den Panzern umherrasten.
Die Panzer hatten gehalten und, um die Tiere nicht noch kopfscheuer zu machen, auch ihre Motoren abgestellt. Die PAK's und IG's schwiegen ebenfalls, und durch die Ferngläser konnte man erkennen, wie hier und dort in den Fenstern der zunächst gelegenen Gehöfte neugierige Soldatengesichter erschienen, die gebannt auf das seltsame Schauspiel herabsahen. Auch die Turmluks der Panzer gingen jetzt auf, immer zwei bis drei ölverschmierten Gesichtern Raum lassend, und plötzlich war die Luft, eben noch bis zum Bersten geschwellt vom Gefechtslärm, mit nichts angefüllt, als dem tausend- und abertausendfachen Getrappel der Schafhufe, einem Geräusch, das sich auf dem ausgedörrten Boden wie ein gewaltiger, drohend aufbrandender Trommelwirbel anhörte, der lediglich hin und wieder mal ein halb ersticktes Blöken freigab. Der General, fleckig vor Zorn im Gesicht, sah sich nach seinem Ordonnanzoffizier um, der mit der Evakuierung des Geländes beauftragt gewesen war.
Der war blaß geworden. Er stammelte einige unbeholfene Entschuldigungen und vermochte sich nur mühsam soweit zu rechtfertigen, daß er behauptete, die Schafe könnten einzig von außerhalb des Gefechtsgeländes eingebrochen sein.
Mit Rücksicht auf die anwesenden Gäste verbiß sich der General eine Erwiderung und rief den Gefechtsstand an. Die Schafe, befahl er mit bebender Stimme, hätten umgehend zu verschwinden, die verantwortlichen Herren sollten sofort die entsprechenden Befehle erteilen.
Die Offiziere am Gefechtsstand sahen sich an. Auch ihnen war die Peinlichkeit der Situation klar. Doch wie sich gegen diese Flut von Sinnen gekommener Schafherden zur Wehr setzen? Sie fanden, daß der General es sich etwas leicht machte. Immerhin, sie gaben an die nördliche Flanke einen Feuerbefehl und befahlen gleichzeitig den Panzern auf dem südlichen Flügel, den Tieren einen Durchlaß zu

öffnen, in der Hoffnung, daß das immer noch wirr durcheinanderwogende Feld so fluchtartig sich ordnen und ausbrechen werde.
Doch die Tiere gehorchten anderen Gesetzen. Als die Schußsalve ertönte, fuhr zwar ein großer Schreck in die einzelnen Herden, aber vor der erhofften Ausbruchstelle stauten sich die Tierströme plötzlich, bäumten sich auf und fluteten, womöglich noch kopfloser als vorher, wieder in den Kessel zurück, wobei die in ihren Erdlöchern kauernden Infanteristen alle Mühe hatten, sich der über sie wegdonnernden Schafhufe zu erwehren.
Nun konnte der General sein Ungehaltensein nicht länger verbergen. Er rief abermals den Gefechtsstand an und schrie in die Muschel, er werde die verantwortlichen Offiziere nach Beendigung des Manövers zur Rechenschaft ziehen, und sie sollten jetzt gefälligst mal achtgeben, wie man mit so einer Schafherde umspränge, er, der General, würde es ihnen jetzt vorexerzieren. Darauf entschuldigte er sich bei den Delegationen, befahl dem Ordonnanzoffizier, ihn zu vertreten, begab sich den Hang hinunter zu seinem Jeep und ließ sich, so weit es ging, in das Getümmel der Schafleiber hineinfahren.
Es ging aber längst nicht so weit, wie er gedacht hatte; die Tiere scheuten zwar vor den Panzern, doch der Jeep des Generals war ihrer Angst zu unbedeutend, und im Nu war er derart eingekeilt, daß er weder vorwärts konnte noch rückwärts.
Der General hatte eigentlich vorgehabt, ein paar Züge Infanterie zusammenzuraffen und mit ihrer Hilfe die Schafe zu jener Ausbruchstelle zu treiben; jetzt mußte er einsehen, daß das unmöglich war. Aber er sah noch etwas ein; er sah ein, daß er sich lächerlich gemacht hatte. Er spürte im Nakken, daß die Militärattachés auf dem Hügel ihn durch die Ferngläser beobachteten, und in Gedanken hörte er sie lachend allerlei Witzeleien austauschen.
Ein maßloser Zorn stieg plötzlich in ihm auf; ihn, der sich in zwei Weltkriegen und Dutzenden von Schlachten be-

währt hatte, ihn sollte dieses Gewimmel dumpfer, nur ihrem Herdeninstinkt gehorchender Tiere der Lächerlichkeit preisgeben?
Er spürte, wie ihm das Blut ins Gehirn stieg, er schrie den Chauffeur an, er solle Gas geben und weiterfahren; der Chauffeur gehorchte auch, aufheulend fraßen die Räder sich in den staubigen Boden; aber der Wagen rührte sich nicht, der Gegendruck der ihn umwogenden Schafherden war stärker. Da riß der General, verrückt fast vor Zorn, die Pistole aus dem Gurt und schoß, wahllos in die Herden hineinhaltend, sein Magazin leer. Im selben Augenblick wurde der Wagen auf der einen Seite eine Kleinigkeit angehoben, er schwankte, als würde er von windbewegten Wellen getragen, neigte sich etwas, und ehe noch der General und der Chauffeur sich hätten auf die entgegengesetzte Seite werfen können, stürzte er langsam und fast vorsichtig um.
Es dauerte eine Weile, bis der General sich gegen die über ihn hinrasenden Schafhufe nachhaltig genug zur Wehr setzen konnte und die schmerzenden Beine unter der Jeepkante hervorgezogen hatte. Benommen erhob er sich und blickte sich um.
Die Welt schien nur aus Schafen zu bestehen; so weit das Auge reichte, reihte sich Wollrücken an Wollrücken, die Panzer ragten wie zum Untergang bestimmte Stahlinseln aus dieser Tierflut hervor.
Jetzt erst bemerkte der General, daß sich um ihn und den Jeep ein winziger freier Platz gebildet hatte, die Schafe schienen vor irgend etwas zurückgewichen zu sein. Der General wollte sich eben dem Chauffeur zuwenden, der sich den Kopf angeschlagen hatte und ohnmächtig geworden war, da gewahrte er, daß sich noch jemand innerhalb des Bannkreises befand: ein riesiger, schweratmender Widder.
Reglos stand er da, den zottigen Schädel mit dem unförmigen Schneckengehörn abwartend gesenkt; das Weiß seiner Augen spielte ins Rötliche, Brust und Vorderbeine des Tie-

res zitterten wie von einem im Innern laufenden Motor erschüttert, Hals und Gehörnansatz wiesen mehrere frische Schußwunden auf, aus denen in schmalen Rinnsalen fast tiefschwarzes Blut quoll, das sich langsam im klettenverklebten Brustfell verlief.

Der General wußte sofort: dieses Tier hatte er vorhin verwundet, und diesem Tier würde er sich jetzt stellen müssen. Er tastete nach seiner Pistolentasche, sie war leer. Behutsam, ohne den Widder dabei aus den Augen zu lassen, machte er einen tastenden Schritt zum Jeep hin, den er gern zwischen sich und den Widder gebracht hätte. Doch kaum sah der sich den Gegner aus seiner Starre lösen, da raste er mit zwei, drei federnden Sätzen heran, der General warf sich zur Seite, und der Kopf des Widders krachte gegen die Karosserie. Er schüttelte sich und starrte einen Augenblick betäubt vor sich nieder. Dem General schlug das Herz bis in den Hals, er spürte, wie ihm Stirn und Handflächen feucht wurden. Sein Zorn war verflogen. Er dachte auch nicht mehr an die Bemerkungen der Herren auf dem Manöverhügel, er dachte nur: Er darf mich nicht töten, er darf mich nicht töten. Er war jetzt kein General mehr, er war nur noch Angst, nackte, bebende Angst; nichts anderes hatte mehr in ihm Platz, nur diese Angst.

Da warf sich der Widder herum; der General spürte einen wahnsinnigen Schmerz in den Eingeweiden, eine Motorsäge kreischte in seinem Kopf auf, er mußte sich übergeben, er stürzte, und noch während er umsank, stieß ihm der Widder abermals das klobige Schneckengehörn in die Bauchgrube; der General spürte, wie etwas, das ihn an diese Erde gebunden hatte, zerriß, dann ging das Kreischen der Motorsäge in einen unsagbar monotonen Geigenstrich über, und ihm schwanden die Sinne.

Niemand hatte geahnt, daß der General sich in Lebensgefahr befunden hatte. Einige der Panzerbesatzungen und die Offiziere auf dem Manöverhügel hatten zwar, als der Jeep umgekippt und dann plötzlich der Widder auf den General losgegangen war, den Eindruck von etwas Ehrenrührigem und Peinlichem gehabt, aber auf die Idee, der Widder könnte dem General gefährlich werden, war niemand gekommen. Die Offiziere fühlten sich daher, als der General sich nicht wieder erhob, etwas merkwürdig berührt; ein Teil versuchte sich abzulenken; ein Teil überlegte aber auch, wie man durch dieses Meer von Tierleibern hindurch zu ihm hingelangen könnte.

Es waren die Schafe selbst, die die Herren der Peinlichkeit ihres Untätigseinmüssens enthoben. Ganz plötzlich, wie auf einen unhörbaren Befehl hin, entstand nämlich inmitten der immer noch hektisch gegeneinander anbrandenden Herden so etwas wie eine Art ordnender Wirbel, der ständig breitere Tierströme mit einbezog, bis sich auf einmal eine gewaltige Sogwelle von ihm ablöste, die ihn im Nu aufgerollt hatte und, das gesamte Feld hinter sich herreißend, sich ostwärts in die dunstflimmernde Heide ergoß, wo die Tiere, innerhalb kürzester Frist, hinter einer riesigen rötlichen Staubwolke verschwunden waren.

Als der Ordonnanzoffizier, zugleich mit den Offizieren vom Gefechtsstand, bei dem umgestürzten Jeep angelangt war, hatten die Sanitäter, unterstützt von einigen Panzersoldaten, den Leichnam des Generals schon auf eine Leichtmetallbahre gehoben und waren dabei, ihn zum Krankenwagen zu tragen; der Chauffeur des Generals half ihnen dabei.

Eine Wiederaufnahme der Gefechtsübungen erschien nicht ratsam. Da die Panzer sich hierfür wieder auf ihre Ausgangsposition hätten zurückziehen müssen, was gleichbedeutend mit einem gut dreifachen Spritverbrauch gewesen wäre, glaubte der rangälteste Offizier es verantworten zu können, die Übung kurzerhand abzublasen.

Enttäuscht schlenderten die Herren wieder zu ihren Geländewagen, die Fahrer ließen die Motoren an und langsam, vorbei an den schwerfällig wendenden Panzern und den Trupps sich sammelnder Infanterie, setzte die Jeepkette sich in Marsch; den Abschluß bildete der Sanitätswagen.

Es dauerte nicht lange, da zog auch die Infanterie ab; ihr

folgten die PAK's und IG's; und zuletzt war nur noch die Feldküche übrig, auf die die Ordonnanzen die Klappstühle verluden, während zwei Nachrichtenleute die Feldkabel abbauten. Bald war auch diese Arbeit getan. Der Fahrer der Feldküche pfiff die Leute zusammen, sie stiegen auf, und einen sorgsam mit Wasser besprengten Aschenhaufen zurücklassend, rollte die Feldküche mit halb angezogenen Bremsen den Abhang hinab.
Nun kehrte den Vogelscharen, die zu Beginn des Gefechts auf den Ginsterhügel eingefallen waren, der Lebensmut wieder. Sie schüttelten sich, sie putzten sich umständlich, und Schwarm nach Schwarm stoben sie ab, hinab in die Ebene, über der immer noch, fast unbeweglich, die Lerchen hingen, deren Gesang nun wieder mit dem monotonen Zirpen der Grillen, dem Summen der Bienen und dem trunkenen Schrei des Bussardpaares verschmolz.

JOHANNES BOBROWSKI

## *Der Tänzer Malige*

Was zu erzählen ist vom Tänzer Malige, ist eine Geschichte und fängt an im August 39, in den letzten Tagen dieses Monats, in einer kleinen, vor lauter Unübersichtlichkeit kaum beschreiblichen Landstadt.
Da ist in der Mitte, wie überall in solchen Städtchen, ein ziemlich großer Marktplatz, ganz leer. Nicht nur am Tag, jetzt, in diesem heißen Monat, wo man lieber an den niedrigen Giebelhäusern entlangschleicht als den Platz zu queren, mit vergehendem Atem sich durch diesen weichen, gleichwohl massiven Block glühender Luft zu zwängen, der wie zurechtgeschnitten und eingepaßt den viereckigen Platz genau bis an die Fassaden der ihn eingrenzenden Häuserreihen ausfüllt.
Auch abends, wenn es ein bißchen kühl herüberkommt,

von irgendwo her, vom nordwestlich gelegenen See oder den feuchten Wiesen im Süden, nach dem Dorf Paradies zu und weiter nach Venedien hinunter, bleibt man lieber nahe bei den Häusern, in die man eintreten kann, wenn man will, und ausruhen, Abend ist eine müde Zeit, und man wär allein auf dem weiten Platz. Und dann kommt auch das Mondlicht bald und macht das Buckelpflaster so merkwürdig glänzen.

Was findet man nicht alles an Gründen, nur um nicht über einen Marktplatz gehen zu müssen, allein, in diesem Jahr 39.

Im Spätsommer. Der sehr warm ist. Wo beginnt, was zu erzählen ist vom Tänzer Malige.

Er steckt jetzt in dieser Kaserne am Stadtrand, angezogen als ein Soldat, sitzt am Tisch mit anderen, sie spielen Karten, immer so üblich herum um den üblichen Kasernentisch, es ist schon beinahe lästig, wie ihm die Karten in der Hand immer wieder zu einem Kunststück ansetzen, einem komischen Orakel, einem waghalsigen Zahlenzauber, natürlich einem Trick, leicht aufzuklären, erlernbar also und unsolide doch. Das mag ja sonst alles zur guten Laune dienen, mag ja sein, aber beim Spiel wohl nicht, wo es um Zehntelpfennige geht, trotz Blömkes Angebot zu einem Dreipfennigskat.

Also Malige, und nun Blömke, und außerdem Kretschmann und Naujoks. Die anderen vor den offenen Militärspinden, mit Stiefelputzen befaßt, für den Stadtausgang. Blömke schmeißt die Karten hin. Spielen kann man mit dir nicht, sagt er. Und Kretschmann und Naujoks nicken dazu. Also werden sie, wenn die andern hinaus sind, hinüberwechseln in die Kantine und eine Weile Bier trinken und reden, bis Blömke in Rage gekommen ist und, statt der Karten, die Fünfzigmarkscheine auf den Tisch blättert und saufen läßt, was saufen will. Dann ist Reservist Blömke, mit dem Dienstgrad Soldat, in einem Nu avanciert, zum Herrn Blömke, von dem man weiß, daß er einen Kohlenhandel betreibt.

Das geht schon den fünften Tag so. Kasernendienst: Exerzieren, rechtsum linksum, Gewehrreinigen, Stiefelappell. Die halbe Kaserne steckt voll Reservisten. Gastwirt Zelt zieht sich mit beiden Armen am Geländer hoch wegen eines jämmerlichen Muskelkaters, Kretschmann ist Hafenarbeiter, Lastträger in der Provinzialhauptstadt, ihn stört das Hantieren mit dem Gewehr oder dem Holzschemel nicht, Naujoks hat ein gleichmütiges Naturell, er fragt, wenn der Offizier beim Appell mit empörtem Abscheu auf einen Fleck am Gewehrlauf deutet: Kennst nicht Rost, Herr Leutnant?
Es sind ältere Leute, Reservisten, wie gesagt, eingezogen und hier versammelt in diese Kleinstadt. Man redet viel, auch vom Krieg, aber mehr von Mannestugenden, deutschen Tugenden, man glaubt nicht sehr an einen neuen Krieg, es gibt da Städte nach Masuren hinunter, die tragen noch die Spuren des letzten. Also denkt man: eine Militärübung, wie gehabt. Es gibt da ja diesen Nichtangriffspakt, das sollte einen beruhigen können. Aber Blömke ist Geschäftsmann, er nimmt Malige beiseite. Wenn man Zigarrenstummel frißt, sagt er, und der Tänzer beendet: Kriegt man das Kotzen. Na schön, sagt Blömke, aber wenn immer wieder –? Darauf lautet die Auskunft eines erfahrenen Mannes: Dann werden sie denken, du hast Magengeschwüre. Und das ist auch schon alles, was Blömke wissen muß.
Ein paar Tage später rennen die Hauptfeldwebel und jungen Offiziere aufgescheucht herum, die neuen Einheiten, die geteilten und mit Reservisten aufgefüllten Kompanien werden verladen, teils auf Lastwagen, teils auf Eisenbahnzüge, es gibt noch einmal ein großes Durcheinander bei der Verteilung und Erprobung der Gasmaske 30, wie das Ding heißt. Das ist zu nichts gut, sagt Kretschmann, höchstens zum Leuteverrücktmachen.
Ach, Malige, was ist das alles? Du hast deine Arbeit gehabt, zuletzt im Lunapark, vorher in Bremerhaven, vorher in Kopenhagen im Tivoli, deswegen füllst du noch einen

Zettel aus: letzter Auslandsaufenthalt, deine Arbeit, Kraftakt genannt: Handstand einarmig auf einem grünen Flaschenhals, jedenfalls in den letzten Jahren, vorher Fänger, Untermann im Varieté, aber eigentlich Tänzer, man glaubts, wenn man dich sieht, schlank und mit einem Gang von natürlichster Auffälligkeit, die Fußspitzen ein wenig zu weit auswärts gesetzt. Sag uns war Rechtes, Malige, statt deiner Späße.
Halten Sie bloß die Schnauze. Das ist Leutnant Anflugs Bubenstimme, zu hören auf der Straße in Mlawa, da sind sie über die polnische Grenze und Soldat Malige hat irgendetwas antworten wollen, das einem wie Sand zwischen die Zähne gerät, ein Wort oder zwei: auf Anflugs Mannesrede von Polengesindel und Verjudung, sozusagen im Anschluß an Reserveunteroffizier Benedikts Kasernenvortrag: Das Reich als Ordnungsmacht in Europa. Aber was hat er eigentlich gesagt, dieser Tänzer? Er geht in ein Polenhaus und spielt Klavier. Ist das alles?
Und Kretschmann, angesoffen, rennt um einen Bretterstall mit geschwungenem Seitengewehr und nagelt ein Huhn an die Erde. Und Küchenunteroffizier Markschies kauft es ihm ab, für Zigaretten. Und Naujoks hat ein Gespräch mit Polen. Und Zelt handelt mit Brot. Wenn schon die älteren Leute nichts wissen? Wiechert sagt: Du glaubst doch nicht, daß der Krieg morgen zuende ist?
Das ist hier ein Städtchen, an einem Flüßchen, das eine Ufer flach, das gegenüberliegende mit mäßigen Hängen von wechselnder Höhe, ein auseinandergestreutes Dorf, oder viele Dörfer, städtische Bauwerke einfach dazwischen, Krankenhaus, Schule, soetwas, eine katholische Kirche, eine Synagoge. Die Leute hier sind nicht viel Gutes gewohnt, scheint es, und so arglos nicht, wie sie sich geben: mit Herumstreichen um die Soldaten, mit Gesten und ein paar Brocken Deutsch.
Leutnant Anflug residiert auf dem Hochufer. Da sind seine Nachrichtenfahrzeuge aufgestellt, Vermittlung und Kabelwagen, und dorthin ist Sanitätsgefreiter Maschke unter-

wegs, und Malige, den er auf der Holzbrücke trifft, schließt sich ihm an, wegen Blömkes Krankmeldung, von der ihm Maschke erzählt: Leibschmerzen, aber mit Fieber.
Maschke, auf kurzen Beinen, weiß, als Drogist, Symptome zu deuten. Malige meint auch: Magengeschwüre. Hat mir ja schon immer die halbe Schachtel ausgefressen – na ja: Kohlekompretten. Und dann sind sie, von seitwärts, den Abhang hinauf.
Hier oben weht ein Lüftchen. Anfang September. Ein schönes Jahr. Man kann sich umdrehn und auf die Stadt zurückschaun. Maschke tut das für einen Augenblick, täte es vielleicht länger, aber er wendet sich sofort wieder um, Malige hat gesagt: Sieh doch mal, – nicht lauter als sonst, doch in einem so eigenartigen Ton, daß es einen einfach auf dem Absatz dreht.
Na ja, da ist also etwas zu sehen.
Unten am Ufer ein Haufen Juden, schwarze Kaftane, Bärte, schwarze Hüte, um eine schwere Kabeltrommel herum, die sie sich aufzuladen versuchen und doch wieder absetzen für einen erneuten Versuch, alte Männer, und jetzt zerren sie zu dritt oder viert die Trommel den Abhang hinauf, gelangen so bis zur halben Höhe, und Anflug steigt ihnen entgegen und tritt ihnen das Ding aus den Händen. Soll wohl getragen werden. Da rollt es hinunter. Aufhalten, schreit Anflug. Na ja, soll ja wohl nicht absaufen im Fluß.
Das ist so ein Spaß. Die Juden hat sich Anflug aus der Synagoge drüben geholt, wo sie sich versammelt hatten, der ganze Haufen. Und was hat das nun für einen Sinn: Hinunterrollen lassen, wieder hinauftragen, wieder hinunterrollen lassen? Arbeiten lernen, meint Anflug. Maschke findet es komisch.
Malige wohl auch. Denn er springt ein paar Schritte vor, hat jetzt die Beine in einen Tanzschritt gebracht, so eine Art Prozessionsschritt, Hüpfer, schnelle Schrittfolgen, plötzliches Stehnbleiben, vor, zwei Schritte zurück. An An-

flug vorbei, der es sehen müßte, aber anderes zu tun hat, bis zur Kante des Abhangs vor. Und jetzt – das ist nun schon wahre Kunst – mit der gleichen Schrittfolge den Hang hinab, nicht ein bißchen schneller, Zeitlupe sozusagen. Wohl verrückt geworden, schreit Anflug. Das kann er jetzt nicht mehr übersehen, dieses Affentheater.
Maschke läßt seinen Blömke Blömke sein, nämlich krank, er rennt an den Abhang, steht, sieht: Malige ist unten angekommen, breitet die Arme, bewegt sie wie Flügel, ein grüner Vogel in einem Dohlenschwarm, fordert offenbar seine Zuschauer, die alten Herrschaften dort unten, zum Platznehmen auf, er, Malige, werde sich mit einer Gratisvorstellung präsentieren – aber er sagt ja wohl, wie fachüblich, produzieren –, hat die Kabeltrommel auch bereits ergriffen, sie aufgehoben – wie ein Zauberkistchen, wo gleich die Tauben herausflattern werden und hinterher ein Sonnenschirm, der sich von selber öffnet, so leicht jedenfalls –, und ist noch immer in seinem Tanzschritt, den Kopf zurückgeworfen. Und jetzt, die Trommel vor sich her tragend, als müßte er sie festhalten, sie flöge ihm sonst fort, den Hang aufwärts, nicht ein bißchen langsamer oder schneller.
Anflug oben schwankt, setzt einen Fuß vor, greift nach seiner Feldmütze, nach dem Koppelzeug, hat zu schreien begonnen, schreit, schreit wie ein Tier, Befehle oder was, ein sinnloses Durcheinander. Und Malige, sieht er, tanzt auf ihn zu, immer näher, ein paar Meter noch, mit zurückgeworfenem Kopf, offenem Mund.
Von den Wagen herüber, der ganze Zug kommt gerannt – Kretschmann, Zelt, Wiechert, Markschies, Naujoks –, steht, blickt dem Tänzer entgegen, tritt zur Seite, als er über den Hang auftaucht, vor der Kante noch einmal den Schritt zurück tut, die vier kurzen Schrittchen folgen läßt und nun, oben angekommen, die Kabeltrommel im Arm, auch noch den Hüpfer.
Zu Anflugs Geschrei, der die Pistole herausgerissen hat, beim Durchladen das Magazin verliert, sie fallen läßt,

plötzlich, und kehrt macht, davonläuft, noch immer schreiend.
Das ist eigentlich schon die ganze Geschichte. Am Anfang eines Krieges. Auf einem polnischen Ufer. Über einer Stadt, die bald in Rauch aufgeht. Am Anfang eines Krieges, der noch lange geht. In dem Blömke seinen Entlassungsschein bekommt, wegen Magengeschwüren, und zwei Jahre danach erneut eingezogen wird. In dem Naujoks stirbt, an einer Kugel, und Kretschmann den Heldentod erleidet, im Keller einer Brauerei, wo er vierzehn Tage später ertrinkt. In dem sich Gastwirt Zelt einen Hund zulegt, einen Terrier namens Lady, aber das ist schon im Jahr darauf, in Frankreich.
Leutnant Anflug wird fortgebracht. Zu einer anderen Einheit versetzt. Unmögliches Verhalten. Und die Geschichte mit Malige wird erst einmal vergessen, am Anfang des Krieges. Vielleicht, daß er noch lange lebt. Dann kommt er wohl zu einem Frontkabarett, bei seinem Können wahrscheinlich oder immerhin möglich, obwohl sie da lieber Damen nehmen, ich weiß es nicht. Ich weiß nur, was ich erzählt habe.
Höchstens noch: daß es Abend wird, nach dieser Geschichte. Daß auf dem hohen Ufer, ein Stück hinter den Fahrzeugen Strohschober stehen und sonderbar glänzen, als sich das Mondlicht auf sie herabläßt. Während die Nebel aufstehen über dem Fluß. Und daß nichts einen hindern würde, über die Brücke zu gehn und durch die Stadt, jetzt in der Dunkelheit, – begegnete man sich nicht selber, ausgerechnet hier, in dieser polnischen Stadt, ohne auch nur einen Grund dafür zu finden.

HANS BENDER

## *Die Schlucht*

»Mir war, daß aus der Schlacht ich jäh versank
In Schluchten, abgrundtief, uralt, gehöhlt –«
*Wilfried Owen*

Sonderbar, sie schreien wieder Hurra! Sie sind jenseits der Höhe. Der Widerstand ist gebrochen. Ich höre es aus ihren Stimmen. Ob sie noch an mich denken? Der Kleine, der mir die Erkennungsmarke abgebrochen hat, denkt vielleicht an mich. – Wie gut habe ich es jetzt. Ich liege im Tal. Das Blut ist verkrustet. Kühle umweht mich, und ich habe weder Hunger noch Durst.
Er hat keine Auszeichnungen und ist ganz jung, sagten sie untereinander, als ich vor zwei Tagen zu ihnen kam. Ihre gefleckten Zelte standen in den Gärten. Sie sprangen nackt in den Bach und wuschen ihre vorgestellten Schenkel. Hektor, drüben über dem Bach, sprach so laut, daß man jedes Wort verstand: Unser Angriffsziel: Serenaja-Bucht. – Seht auf die Karte. – Das ist die Serenaja-Bucht. – Dazwischen Schluchten. – Viele Schluchten. – Die Feindstellung ist rot eingezeichnet. – Überall rot. – Panzergräben. Schützengräben. Schützenlöcher, Bunker, Forts --- Ich sprach nicht gern vor vielen Leuten. Die Sätze werden gewöhnlich, wenn man vor vielen spricht. Ich ging zu den einzelnen hin und fragte nach ihren Namen. Jeder hatte einen anderen Namen. Einer hieß Freddy, er war klein und hatte ängstliche Augen. Ich behielt die Namen. Setzt euch, raucht eine Zigarette, sagte ich. Sie suchten in ihren Taschen, schlugen mit den Handballen auf die Rädchen, die die Feuersteine ritzten, daß die Funken die benzingetränkten Dochte entflammten. Eine Zigarette, eine leichte Benommenheit, ein wenig Gift im Blut, Rauch, der zerfließt, nach oben schwebt, ein Wölkchen vor der Stirn. – Dann kam der Chef aus seinem Haus im Dorf, stieg herab in die

Gärten. Seine Stiefel glänzten, sein Hemdkragen blendete, und sein Gesicht war rot vom Wein. Achtung! Achtung, riefen sie vor einem Menschen, der lebt. Vor einem Toten schweigen sie.

Hinter der Höhe ist es ruhig, nur in weiten Fernen klopfen die Maschinengewehre. Es dämmert. Es dunkelt.

Ich saß auf dem Balkon und sah auf das Meer. Xenia im Hof vor dem gemauerten Herd hielt den Topf über die Flammen. Sie war barfuß, sie hatte junge Füße, kurze, ebenmäßige Zehen mit breiten Nägeln, die sich in den Sand krallten. Woran denkst du? fragte sie, aber sie erwartete keine Antwort. Die Abende am Meer und Xenia, und die Nacht mit Xenia. Alig hieß ihr Junge. Er trug ein gesticktes Tatarenkäppchen und eine lange, weite Hose, die eine Kordel festhielt. Sein Oberkörper war schmal wie ein Buch. Zwei dünne Arme hingen herab und die Muscheln kleiner Hände. Er schlief in meinem Zimmer, auf einer Matratze neben der Tür. Als ich mit meinem Quartierschein in der Nacht ankam, wollte Xenia, die seine Mutter war, ihn schlafend aus dem Zimmer tragen. Ich sagte, er störe mich nicht. Alig lag mit erschrockenen Augen wach und ließ seine Blicke zwischen mir und meiner Pistole auf dem Stuhl hin und her gehen. In der zweiten Nacht kam Xenia. Alig sprach im Traum. Die Karbidlampe blies ein blaues Licht. Die Fotografie ihres Mannes hing an der Wand. Ich vergaß die Scham, aber das Vergessen war kurz. Ich war erleichtert, als sie ging. Wir haben uns nicht geküßt. Eva hatte ich nur geküßt. Ein Wunsch blieb offen, doch es ist gut, wenn Wünsche offen bleiben.

Am Abend vor der Schlacht zogen wir die Serpentine zum Ölberg hoch. Die Generalstäbler hatten den Berg so getauft. Die Namen bleiben, auch wenn man gegen das übrige gleichgültig geworden ist. Auf dem Ölberg sollten wir uns in der Nacht bereitstellen und am Morgen unter dem Feuerschlag der Artillerie und dem Hagel der Bomben die Höhe mit der Bastion erstürmen. Eine kalte Nacht mit nahen Sternen. Auch der Mond hing tiefer. Hintereinander

gingen wir entlang der Straße. Fahrzeuge fuhren, Räder knarrten, Hufe klappten, Befehle kamen von vorn. Die Leute wandten die Gesichter und gaben die Befehle zurück. Wir rasteten. Robert holte eine Melone aus dem Brotbeutel und schnitt sie in Scheiben. Saftiges, kühles Fleisch, das im Mund zerging. Sprechen ist gut, wenn etwas bevorsteht. Zweimal kamen Sanitäter vorbei, die Bahren trugen, auf denen Verwundete lagen, stöhnende, dunkle Klumpen mit weißen Augen. – Weiter geht's!
Am Hinterhang des Ölbergs fanden wir Höhlen, in den Fels gehauen, und Gräben, durch die steinige Erde geschürft. Wir warteten, und jeder war mit sich allein, doch nicht so allein, wie ich jetzt bin. – Neben mir hockten die Melder mit angezogenen Knien. Die Köpfe hingen vornüber, und der Atem hob und senkte die Rücken. Robert schnarchte, erschrak vor seinem Schnarchen, zuckte zusammen, erwachte für Sekunden und fiel in neuen Schlaf. Die Ausdünstungen der Melder füllten die Höhle wie Qualm. Die Kerze brannte hinab, bis der Docht im Wachs verzischte.
Dachte ich damals an den Tod? Ich dachte an das Sterben. Ich hatte Angst vor dem Sterben, vor der Plötzlichkeit und dem Schmerz des Sterbens. Es war einfacher. Es war ein dunkles, zähflüssiges Wasser, in dem ich mit offenem Mund ertrank. Nun liege ich auf dem Grund dieses Wassers, ruhig, wunschlos und hellwach.
Warum haben wir uns da oben aufgerieben, eine Höhe zu besetzen? Warum Bomben, Granaten und Geschosse zur Explosion gebracht, um einige Meter vorwärtszukommen? Die Offiziere schrien, ich schrie. Wer hat uns so zugerichtet, daß wir glaubten, jenseits der Höhe säße der Feind, und es sei notwendig, ihn zu töten und die Stadt an der Bucht zu besetzen? Nichts war notwendig. Der Tod nimmt alles. Von den Höhen der Insel sieht man die Sonne aus dem Meer steigen. Sie hat andere Farben als unsere Sonne zu Hause. Zu Hause scheint sie gelb oder rot, hier glänzt sie in den sieben Farben des Regenbogens, und das Wasser

spiegelt ihre Farben wider. Der Nebel des Wassers mischt sich hinein, ein lichtes Grau dampft auf. Die Vögel steigen aus dem Nebel und durchschneiden das Licht mit ihren Flügeln. – Ein Sonnenstrahl fiel vor die Höhle, in der wir saßen. Wir taumelten hinaus, streckten die Arme, schüttelten die Beine. Die Artillerie begann den Feuerschlag, Flugzeuge zogen zur Bucht, und die Bomben fielen aus den Rümpfen. Nach dem Feuerschlag traten wir an, gingen aufrecht nach vorn, die Gewehre an die Hüfte gepreßt, die Augen geradeaus. Wir liefen über die Höhe des Ölbergs, an den Trichtern unserer Granaten vorbei. Die Stellungen des Feindes waren eingestürzt, leer, sinnlos. Die Büsche standen ohne Blätter, dürre Reiser, vom Staub gepudert. An Toten vorbei, an jungen, eben gefallenen Toten mit klaffenden Wunden, aus denen Blut sickerte, Toten mit blutdurchnäßten Uniformen, abgerissenen Gliedern, Hände neben Armstümpfen, Füße, meterweit von gespaltenen Beinen. Die alten Toten waren halb verwest, Mumien mit gelber, lederner Haut. Ameisen krochen in die Haare, und Käfer schlüpften erschreckt in ihre Nasenlöcher, wenn unsere Schatten darauffielen. Ein Toter lag auf dem Rücken, die Hände vor den Bauch gestemmt, die Finger in die schleimige Wunde gekrallt. – Wie gräßlich, zu sterben, dachte ich damals.
Ich bin ein junger Toter. Zehn Stunden bin ich tot. Meine Augen stehen offen, ich erinnere mich, ich denke, ich sehe die Wände der Schlucht und den Himmel in der Farbe des Abends. Wenn jemand vorbeikäme, könnte ich sein Gesicht sehen und seine Gedanken lesen, aber es kommt keiner vorbei. Sie sind jenseits der Höhe, und ich wünsche doch so sehr, daß einer kommt und nach mir sieht.
Am vorderen Rand des Ölbergs, der zur Schlucht abbricht, erhielten wir das erste Maschinengewehrfeuer. Jeder Dritte in unserer ausgeschwärmten Reihe sackte zusammen, warf die Arme in die Luft und stürzte vornüber. Hektor geriet in die Wut des Kämpfers. Er schrie: »Auf! Marsch, marsch! Hurra!« Sein Zug fiel in dieses »Hurra«. Die Maschinenge-

wehrschützen und Gewehrschützen feuerten. Sie liefen den Vorderhang zur Schlucht hinab, ein dichtgeballter Haufen, zu dicht, hinter Hektor her, der an der Spitze lief und die Maschinenpistole über dem Stahlhelm schwenkte. Er stieß Tierlaute aus, wild und langgezogen. Wir krochen in die Falten und Löcher der Erde. Eine Granate schlug ein. Eine Erdfontäne zerbarst. Hektor war tot, und viele andere waren tot und zerfetzt. Granaten haben den Zorn angegriffener Tiere. Wenn sie den Angreifer vernichtet haben, beruhigen sie sich; sie treffen nicht mehr, sie streuen zu weit und zu kurz, werden seltener und bleiben ganz aus. Ruhe folgt, in die die Verwundeten klagen, ihr Ächzen und Stöhnen wimmern und schreien »Sanitäter«. Ein Melder kam gehoppelt. »Wo ist der Leutnant?« – »Hier!« – »Befehl! Sie sollen in die Schlucht vorstoßen! Befehl! Strikter Befehl!« »Hat dein Chef da hinten gesehen, wie es Hektor und seinem Zug erging?« »Er hat es durch sein Scherenfernrohr gesehen«, sagte der Melder. – »Uns kann er auch gleich sehen – durch sein Scherenfernrohr.« – »Befehl! Strikter Befehl«, sagte der Melder. – »Habt ihr gehört?« fragte ich meine Leute. Sie antworteten nicht. Sie drückten ihre Gesichter in die Erde, auch die Augen, die Stirn, den Mund. »Wir stoßen in die Schlucht vor. Habt ihr gehört?« – Einer gab Antwort, der Unteroffizier, der rechts von mir lag. »Wo ist der Feldwebel?« – »Hier!« Eine Hand hob sich aus der Erde, dann sein Gesicht im Schatten des Stahlhelms. Seine Augen blickten mich an. Augen, diese Widerstände. »Befehl! Strikter Befehl!« schrie ich. »Der Unteroffizier gibt Feuerschutz! Der Feldwebel und seine Leute – mir nach!« – Ich stand auf, und der Kleine stand auf. Der Feldwebel stand auf, und sein Maschinengewehrschütze stand auf, und der, der den Munitionsgurt über die Schulter trug, und der mit den schweren Munitionskästen stand auf. Robert stand auf, und die anderen hinter ihm standen auf. Ich schwenkte die Maschinenpistole und brüllte: »Auf! Marsch, marsch! Hurra!« Hinter mir schrien sie »Hurra!«, zuerst einer, dann zwei, drei, vier, alle, aber vielleicht doch nicht alle. Wir liefen den Hang hinab wie Kinder, die sich freuen, weil ihre Füße allein laufen. Vom Ölberg die Gewehrschüsse des Unteroffiziers und seiner Leute. Der Kleine und ich überwanden den Grund der Schlucht, stiegen schon bergan, als die Maschinengewehre des Feindes einsetzten. Der Feldwebel fiel. Seine Leute sahen ihn fallen. Sie liefen zurück, den Hang hinauf. Die Maschinengewehre hatten Ziele, senkrechte, breite, bepackte Rücken, Koppeln, mit Waffen und blinkenden Geschirren behängt. Die Geschosse rissen hinein. Robert rief »Leutnant« und stürzte auf sein Gesicht. Der Schweiß brach aus, die Füße brannten, und die Uniform klebte vor der Brust. Der Kleine und ich waren allein in der Sohle der Schlucht. Ich schnallte die Flasche vom Gurt und gab ihm zu trinken. Er trank zwei Schlucke und reichte die Flasche herüber. »Danke.« Ich trank und gab ihm wieder die Flasche. Er trank einen Schluck und gab die Flasche zurück. Blut tropfte aus seiner Braue. Ein Splitter saß zwischen den Härchen und spitzte heraus wie ein Dorn. Der Kleine hielt den Hals steif, und ich bekam den Splitter zu fassen, ein vielzackiger Splitter. »Das gibt eine schöne Narbe«, sagte ich. – »Ja«, sagte er. – »Die Mädchen haben Narben gern.« Er wurde rot. »Willst du noch trinken?« »Nein«, sagte er. Ich schraubte die Flasche zu. In der Ferne streute die Artillerie. Explosionen schütterten, und Flakgeschütze belferten. »Wir warten, bis die Nacht kommt«, sagte ich. – »Ja, wir warten, bis die Nacht kommt«, sagte er. Es wäre gut gewesen, er hätte mehr gesprochen. Er lag neben mir und sah zur Erde, auf der es nichts zu sehen gab als dürre Halme und die Risse im Lehm. Auf dem Ölberg wurde es still, und die Toten am Hang waren noch stiller. Sie lagen, wie ich jetzt liege, langgestreckt und steif.

In der Nacht gingen wir zurück. Wir fanden die anderen. Sie freuten sich, als wir kamen, und wir freuten uns, bei ihnen zu sein. – In dieser Nacht lernten wir uns kennen. Die zwei Tage vorher zählten nicht. Sie sagten: »Ich bin achtzehn« – »Ich bin einunddreißig« – »Ich habe zwei Kinder«

– »Mit meiner Frau verstand ich mich nicht« – »Ich habe ein Mädchen, es heißt Elisabeth« – »Maria ist schöner« – »Ich bin katholisch, ich bin froh, katholisch zu sein« – »Ich habe Angst« – »Ich war mal im Bordell« – »Nach dem Tod ist alles aus« – »Wir haben einen Garten zu Haus« – »Wein möchte ich trinken« – »Nichts ist schöner als ein Bett, ein weißes Bett« – »Hier sind die Sterne größer« – »Wer weiß einen schweinischen Witz?« – »Nur keinen Bauchschuß« – »Gleich ins Herz, das ist am besten.« Sie hatten Tränen in den Augen, sie lachten, sie legten einander die Hände auf die Schulter, teilten ihr Brot und ihre Zigaretten und rückten zusammen im Schlaf. Ich konnte nicht schlafen. Nach Mitternacht kam der Melder. »Feuerschlag X Uhr. – Angriff durch die Schlucht. – Angriffsziel: Höhe mit Bastion. – Sie haben die Verantwortung!« – Ich faltete das Blatt zusammen, steckte es in die Tasche und schwieg. Der Kleine sah, wie ich es las. Ihm legte ich die Hand auf die Schulter und sagte: »Schlaf.« – »Ja«, sagte er. – Bis zum Morgen war ich allein. Die Nacht war lang, und das waren meine Gedanken:

Ich gehe allein in die Schlucht. Ein Befehl, der so unsinnig und schwer ist, wird besser von einem allein ausgeführt als von dreißig oder fünfzig. Es ist besser, einer verliert sein Leben als viele. »Sie haben die Verantwortung.« Die Nacht war zu lang, deshalb kam ich auf solche Gedanken. – Ich stand auf und ging zu den Posten vorn in den Ständen hinter den aufgelegten Maschinengewehren. Ich stellte mich neben sie und sah in die Nacht. Wir hörten drüben die Fahrzeuge und die Kommandos in der fremden Sprache. Die Nähe der Posten war gut, ihre geflüsterten Fragen und Antworten, ihre ruhigen Bewegungen und der Hauch vor dem Mund. »Sie haben die Verantwortung.« Zwei Minuten vor dem Feuerschlag sagte ich zu dem Kleinen: »Ich springe allein. Ihr wartet oben, bis ich Grün schieße. Verstehst du?« – »Sie können doch nicht allein«, sagte er. – »Ich habe einen Plan. Paß auf, bis ich Grün schieße.« – »Nehmen Sie mich mit«, bettelte er. – »Nein, du wartest«,

sagte ich. – »Jawohl«, sagte er. – Während des Feuerschlags sprang ich aus dem vordersten Stand. Ich lief hinab in die Schlucht, in der noch die Kälte der Nacht lag.
Drei Splitter rissen in meinen Körper, in die Stirn, in die Brust, in den rechten Oberschenkel. Feuer brannte in mich hinein, ich verlor mein Gewicht, ich fiel, ich ertrank, die Fäden, an denen meine Arme und Beine hingen, waren durchgeschnitten. Ich war tot, und die Verantwortung war weggenommen. Ich lag auf dem Rücken. Hinter mir stieg eine grüne Leuchtkugel hoch, eine Leuchtkugel des Feindes. Sie zischte über mich hinweg, erlosch und schwelte im Gras. Die auf dem Ölberg nahmen es als mein Zeichen. Sie liefen den Hang herab, der Kleine voraus. Er schwenkte die Maschinenpistole, wie sie Hektor und ich geschwungen hatten. Er schrie: »Hurra!«, und die anderen fielen in dieses »Hurra!«. Der Kleine kam zu mir, sah mir erschreckt in die Augen, betastete mich – und brach die Erkennungsmarke ab. Als er sich über mich beugte, hörte ich sein Herz klopfen. Die Toten hören das Herz der Lebenden klopfen, laut und eilig, wie eine Uhr, die auf Holz steht, deren Räder verrostet sind, die knarrt und kracht, die jede Sekunde stehenbleiben kann und dennoch weiterpocht der nächsten Stunde zu.
Stunden tobte oben der Kampf. Die Soldaten der Reserve stolperten vorbei, die Funker, die Melder, die Munitionsträger. Die Sanitäter trugen Verwundete zurück. Die Geschosse gurgelten in höheren Bogen, und die Bomben der Flugzeuge detonierten ferner. Gab es nicht Erzählungen, die sagten, die Toten griffen in den Kampf der Lebenden ein? Es ist nicht wahr. Sie können nicht eingreifen, sie wollen nicht eingreifen. Sie haben das Unbekannte, das die Lebenden in den Kampf zieht, durchbrochen. Die Toten liegen hinter den Lebenden, horchen und lächeln ein wenig über sie.
Sie schreien wieder »Hurra«, aber ihre Kehlen sind heiser. Die Nacht kommt. Ich bin zu müde, zu horchen, zu warten, teilzunehmen, was oben geschieht. – Wer hat jetzt die

Verantwortung? – Ob der Kleine noch kämpft? – Sein Herz wieder hören. – Werden auch Tote müde? – Die Lider stehen offen, doch die Welt wird schwarz. – Dort waren die Umrisse des Ölbergs. – Eine schwarze Wand. – Der Himmel, ein rußiges Glas. – Die Sterne? – Wann kommt Gott? – Ich sehe nichts mehr, ich höre nichts mehr, ich falle, ich falle.

HERBERT EISENREICH

## *Doppelbödige Welt*

Es war gar nicht so gewesen, wie ich es gefürchtet hatte. Das Schlimmste an der ganzen Sache war die Angst gewesen, die Angst vorher, den ganzen Abend lang dieses 4. Jänner. Und die Angst war auch eine der Ursachen gewesen; vielleicht die letzte, die entscheidende Ursache.
Es dämmerte, als wir unseren Bunker verließen, und dann marschierten wir stundenlang. Wir kamen durch eine geräumte Ortschaft, dann durch einen zerstörten Vorort der Stadt. Dort fragten wir in der Wachstube eines Stabes, aber sie wußten nicht mit Sicherheit, wo das Korpskommando lag, und wir marschierten weiter. Am Nachmittag war wieder Schnee gefallen, in Schichten haftete er den Schuhsohlen an, wir ermüdeten rasch auf diesen Stöckeln. In der Stadt verirrte sich Täding mehrmals, obwohl er seit seiner Heirat dort beheimatet war: er erkannte sie in den Trümmern nicht wieder. Der Mond, welcher zeitweis durch die Wolken trat, profilierte die Ruinen unbarmherzig hart und scharf, wie aus Pappendeckel geschnitten ragten die Mauern. Wir hielten uns meist auf der linken Seite der Straßen, weil ein einzelnes Geschütz, von der anderen Seite des Flusses herüber, in wechselnden Abständen seine Geschosse in die Gegend setzte; seit mehr als einer Stunde schon hörten wir die Einschläge, manche weit weg, manche ziem-

lich nahe: sie schossen planloses Störfeuer. Die Stadt war fast menschenleer. Einmal begegneten wir einer Patrouille, und auf der Brücke stand ein Posten. Der wies uns den Weg nach Völklingen. Die Hoffnung, heut noch das Korpskommando zu finden, hatten wir ohne viel Worte aufgegeben, Täding wollte in der Wohnung seiner Schwiegereltern übernachten. Ich sagte zu ihm: »Am besten, wir übernachten hier irgend wo.« Er war nicht so müde wie ich, nicht so hungrig wie ich, und er hatte keine Angst, oder nicht so viel Angst wie ich, und er sagte: »Ich hab' mich schon zurechtgefunden, es ist nicht mehr weit.« Ich fragte: »Wie weit?«, und er antwortete: »Zwanzig Minuten höchstens.« Die Straße nach Völklingen war leer, nur einmal huschte ein unbeleuchtetes Auto in rascher Fahrt an uns vorbei. In Abständen von fünf oder sechs, sogar bis zehn Minuten krepierten die Granaten, nahe und fern, als tappe blindlings ein Finger eine Landkarte ab. Rechts war es finster, links senkte sich das unbebaute Land kilometerweit sanft zum Fluß hinab; hier hoben sich, dicht am Straßenrand, einzelstehende Ruinen gegen den Himmel ab. Sonst gab es wenig Deckung, untertags war die Straße zweifellos eingesehen und kaum passierbar. Nach einer halben Stunde kamen wir an ein Haus, das anscheinend wenig gelitten hatte, denn hinter einem Fenster zu ebener Erde brannte Licht; ich sah es in zwei schmalen Streifen links und rechts neben dem Verdunkelungsvorhang. Ich sagte zu Täding: »Wir sollten hier übernachten.« Täding war Unteroffizier, ich war ihm ausgeliefert. Er sagte: »Noch zehn Minuten höchstens, dann sind wir dort.« Der augenlose Finger wanderte unstet über die Gegend, es ließ mir keine Ruhe und ich fragte: »Können wir nicht eine Weile rasten?« Wir klopften an das Fenster. Ein älterer Mann in schmuckloser Uniform ließ uns ein. In dem Zimmer saßen drei oder vier Landwehrsoldaten, sie gaben uns Milch, und wir rauchten mit ihnen eine Zigarette. Ich wäre gern geblieben, aber Täding sagte, indes er sich die erwarmenden Hände rieb: »Bei mir zu Hause gibt's richtige Betten, wir können uns ausschlafen, wir können uns waschen, wir können uns saubere Wäsche anziehn: das ist doch eine feine Sache!« In wechselnden Abständen krepierten die Granaten, aber ich konnte ihn zu nichts zwingen. Der Mann, der uns eingelassen hatte, begleitete uns bis zur Tür. Wir gingen einige hundert Schritt weit, dann sah ich, wie sich links, jenseits des Flusses, der Himmel in einem schwachen Halbkreis rötete, rosarot wie ein gemalter, ganz kleiner, eng begrenzter lieblicher Sonnenaufgang. Ich machte zwei Schritte, noch immer den Kopf zur Seite gewandt. Aber pfeifen hörte ich es nicht mehr. Nachher wußte ich nur, daß es blendend hell gewesen war, und daß es betäubend laut gewesen war, und als ich das wußte, indes das Geläute zahlloser winziger Schellen in meinen Ohren verlöschte, rieselten kleine Steine, Dreck und gefrorene Erdbrocken auf mich herab, und ein Stein war mir auf die rechte Schulter gefallen, denn als ich die Mütze, die sich im Hinwerfen gelockert hatte, wieder fest auf den Schädel zog, um ihn vor den herabfallenden Brocken zu schützen, schmerzte das Gelenk und ich hatte Mühe, den Arm zu bewegen. Es war ein tauber Schmerz, ohne bestimmbare Spitze, ganz anders als der Schmerz im Fuß; dieser brannte, stach und konzentrierte sich auf einen ganz bestimmten begrenzten Ort. Als keine Steine und Erdbrocken mehr herunterkamen, merkte ich, daß es still war. Täding war einige Schritte links neben mir gegangen, ich rief in diese Richtung: »Harry, mich hat's erwischt!« Keine Antwort kam. Ich wußte, was das zu bedeuten hatte: ich lag allein, bewegungsunfähig, mählich verblutend auf der leeren Straße, mitten in finsterer Nacht. ›Das also ist das Ende‹, dachte ich bei mir, und ich rief nochmals: »Harry, mich hat's erwischt!« Als ich's gerufen hatte, stand er neben mir. Ich sagte: »Am Fuß.« Er packte mich um die Brust, ich hüpfte auf dem linken Bein. Nach wenigen Schritten schon gab alles in mir nach und ich glitt aus seiner Umklammerung. Er packte mich wieder; aber auf dem Rücken, wie er's versuchte, konnte er mich nicht tragen, weil ich mich mit dem kraftlosen rechten Arm nicht an ihn anklammern konnte. So schleifte er mich quer über die Straße, an die zwanzig Schritt weit, bis zu einem ausgebrannten Haus, zerrte mich in den finstern, von Mauerbrocken und verkohlten Gebälkresten knirschenden Flur, Glasscherben knackten unter seinen Sohlen, und dann lief er zurück zu den Landwehrsoldaten. Der Fuß schmerzte, ich dachte an die Milch, ich versuchte mich zu erinnern, ob ich, als die Granate krepierte, mich selber hingeschmissen, oder ob es mich umgeworfen hatte, und ich überlegte, wie spät es sein mochte: zehn Uhr, oder schon später; und ich dachte an die Nacht vor dem Heiligen Abend, als ich von Mitternacht an mit dem siebzehnjährigen Kussitzki auf Posten stand und ihm von der Demokratie erzählte, mein Gott, ich meinte es gut, aber ich sagte es verdammt schlecht, er muß mich völlig mißverstanden haben, und nach einer Stunde schickte ich ihn zurück in den Bunker, denn ich gönnte ihm seinen Schlaf, und ich zündete mir eine Zigarre an und legte mich in der leeren Villa gleich hinter der Holzbrücke, welche den Panzergraben überspannte und, wenn vorn an einer bestimmten Stelle zwei Mal zwei grüne Leuchtkugeln geschossen würden, von uns zu sprengen gewesen wäre, auf ein Bett und beobachtete das Glimmen der Glut, ihren kaum merklichen Fraß und die Spur von Helligkeit in dem Zimmer, wenn ich kräftig zog daran, und ich baute einen Turm aus weißer Asche, und als es an die Türe pochte, rührte ich mich nicht, und als es abermals pochte, stand ich auf, der Aschenturm brach ab und zerschellte lautlos auf dem Boden, ich drückte die Glut an meiner Stiefelsohle aus, und als ich zur Türe kam, sah ich zwei Männer im Türrahmen stehen, den einen kannte ich, es war ein Gefreiter vom Nachbarabschnitt, der andere trug eine Offiziersmütze, und ich sagte, daß ich plötzlich Leibkrämpfe gehabt und mich deshalb ein wenig hingelegt habe, und der Offizier sagte nichts Besonderes und ging mit seinem Begleiter zur Brücke zurück, und ich schlenderte hinter ihnen her, und als ich auf der Brücke war, hörten sie meine Tritte und drehten sich um, der Offizier blieb stehen und fragte mich, ob ich der Posten sei, und ich sagte: »Jawohl!«, und er sagte: »Sie haben ja nicht einmal eine Waffe mit«, er sagte es ganz ruhig, fast uninteressiert, und eben so ruhig und uninteressiert schob ich meine Pistole am Koppel nach vorne und zog sie aus der Tasche, und er sagte nichts und ich steckte die Pistole zurück und schob die Tasche wieder nach hinten übers Gesäß, und er fragte, warum ich keinen Stahlhelm trage, und ich sagte, ich habe ihn verloren, und er sagte: »Wie kann man einen Stahlhelm verlieren!«, und ich dachte bei mir: ›Ach herrje, wenn du dort gewesen wärst, wo ich gewesen bin, hättest du mehr als deinen Stahlhelm verloren‹, und dann ließ er sich den Bunker meines Vorgesetzten zeigen, das war Täding, er schlief in meinem Bunker, und was sich oben abspielte, erfuhr ich erst nachher, er kroch in den Bunker hinein und weckte Täding, und er sagte zu ihm: »Ich komme von der Armee, um die Wachsamkeit des Westwalls zu überprüfen«, er nannte seinen Namen, er war Leutnant, und er sagte: »Ihr Posten draußen schläft, ich mußte den Mann aus einem Haus herbeiholen«, und Täding, schlaftrunken, ärgerlich und verdutzt, sagte: »Verflucht nochmal, und wo ist der zweite?«, und der zweite, nämlich Kussitzki, flog von seiner Schlafstelle herunter, warf sich die Jacke um die Schultern, stülpte einen Helm auf den Kopf und griff nach dem nächsten Gewehr, und draußen fror er erbärmlich, weil er den Mantel nicht angezogen hatte, und drinnen sagte der Leutnant: »Ach so, ein Doppelposten . . .«, und dann ließ er sich von Täding das Stellungssystem beschreiben, wie die Bunker ausgestattet, mit wie viel Leuten sie belegt, welche Waffen eingebaut waren, was mit der Brücke zu geschehen habe, und Täding erklärte ihm alles, er zeigte sich aufs genaueste informiert, um die Scharte wenigstens einigermaßen und für seine Person auszuwetzen, und als er fertig war, sagte der Leutnant: »Und auf den Gedanken, daß ich ein Spion sein könnte, sind Sie nicht gekommen?«, und er blickte Täding fragend an, und er sagte: »Sie erzählen mir alles über die Stellung, ohne mich zu kennen, ohne einen Ausweis von mir zu fordern!«, und er machte sich nicht einmal eine Notiz, er hatte nicht gebrüllt, kein lautes, kein unfreundliches Wort gesagt, aber am nächsten Tage wußten wir's, wie gefährlich dieser Mensch war, wir wurden zum Chef befohlen, und nachher meinte Täding: »Tja, wenn einer brüllt wie ein Stier, dann braucht man keine Angst zu haben, aber wenn einer so leise ist wie der, dann ist's gefährlich«, und als wenige Tage später die Kompanie nach hinten verlegt wurde und nur ein Nachkommando, welchem auch Täding und ich angehörten, in den Bunkern zurückblieb, erfuhren wir, daß Kussitzki zwar noch nicht inhaftiert worden war, daß er aber seine Waffen und sein Koppel hatte abliefern müssen, wir wußten also, was uns bevorstand, und daran dachte ich, als ich in dem finsteren Hausflur lag und auf Täding wartete, und ich dachte daran, daß ich ihn mit seinem Vornamen gerufen hatte, ich, der Gefreite, den Unteroffizier – ich dachte an lauter sinnlose, für mich völlig unbrauchbare Dinge; und ich horchte auf jeden Einschlag, aber keiner war ganz nahe. ›Hoffentlich kommt Täding durch‹, dachte ich auch, und ich dachte an den kaum zwanzigjährigen Leutnant Priene, der nach unserem Einsatz an der Invasionsfront, von wo ein knappes Drittel der Kampfgruppe unverwundet zurückgekommen war, sich erkundigt hatte, wer zurückgekommen und wer nicht zurückgekommen sei, und, als er erfuhr, daß auch Täding zurückgekommen war, sagte: »Der hätte meinetwegen draußenbleiben können«, und ich versuchte, mir das fahle, ein wenig aufgedunsene Gesicht mit den verquollenen, blauwäßrigen Augen und den dicken, sehr blassen Lippen unter der breiten Nase recht gegenwärtig zu machen, unter dem dünnwüchsigen, lang zurückgestrichenen aschblonden Haar die massive, wulstige Stirn, auf der sich stets, wenn er die Mütze abnahm, deren Innenrand mit einer etwas schiefen, geschwungenen roten Linie abzeichnete: Täding war kein Held, er war ein verläßlicher Kamerad. Dann war er da. Zwei der Landwehrsoldaten kamen mit ihm, sie hatten eine

Tragbahre gesucht, deshalb hatte ich so lange warten müssen. Ich hatte früher einmal gewußt, wie viel Blut der Mensch verlieren kann, ohne ernstlich Schaden zu nehmen, aber ich vermochte nicht, es zu erinnern. Sie hoben mich ungeschickt auf die Bahre, der Fuß schmerzte bei jeder Bewegung, und wenn ich mich nicht bewegte, schmerzte er auch. Im Freien trieb ich sie zur Eile an; denn ich wußte, daß sie drüben ihre Geschütze auf bestimmte Punkte eingerichtet hatten, so daß sie – wie wir zu sagen pflegten – nur auf den Knopf zu drücken brauchten. Straßenkreuzungen hatte ich gesehen, deren allernächster Umkreis von hundert und mehr Einschlägen umgeackert war. »Lauft!« rief ich meinen Trägern zu, »so lauft doch, verdammt nochmal!« Und wirklich, sie liefen; sie schleppten mich in stolperndem Laufschritt zurück in das Haus, in dem wir die Milch getrunken hatten. In dem selben Zimmer stellten sie die Bahre ab, dann machten sie sich über mich her. Sie versuchten, mir den Stiefel vom Fuß zu ziehen, es tat erbärmlich weh und ich sagte: »Aufschneiden, Leute, aufschneiden!« Sie hantierten ungeschickt und unerfahren, zögernd und so vorsichtig, als hätten sie's mit einem Neugeborenen zu tun. Das ärgerte und belustigte mich zugleich. Während sie mir die Fußwunde verbanden, schälte mich Täding aus dem schweren Mantel. Er sah, daß die Bluse blutig war, und sie schnitten mir Bluse, Pullover und Hemd mit kleinen, fahrigen Schnitten auf. Ich trug ein kragenloses Hemd, das einige Wochen vorher weiß gewesen war, nach einer Woche hatte ich es umgedreht und nach zwei weiteren Wochen hatte ich es nochmals umgedreht, weil es nun auf der richtigen Seite weniger schmutzig war, ich hatte es in einem verlassenen Pfarrhof mitgenommen, es war ein Ministrantenhemd, aber jetzt war es dunkelrot und klebrig von Blut, und es war feucht und schwer. Ich betrachtete die roten Fetzen, die sie mir vom Leibe lösten, ich dachte, daß es also doch kein Stein gewesen war, und ich fühlte eine gelinde Wollust bei der Vorstellung, daß nun all die Läuse, die ich wochenlang vergeblich bekämpft hatte, in dem vielen Blut ertrinken müßten. Sie legten die Schulter bloß, reinigten die Umgebung der Wunde vorn und die der anderen Wunde hinten, der Splitter hatte die Schulter durchschlagen, und sie wickelten Verbände herum. Alle blickten ernst vor sich hin. Mich fröstelte, ich bat um Schnaps. Sie gaben mir ein Gläschen, aber als ich noch eins begehrte, sagten sie zu einander: »Es ist gewiß nicht gut, wenn er so viel trinkt.« Ich fühlte mich nicht kräftig genug, um darüber zu diskutieren, und ich schwieg; eigentlich hielt ich sie für geizig.

Täding bekam meine Pistole. Der gerippte hölzerne Griff war schwarz gemustert von Blut. Es war aber nicht das meine, sondern das längst vertrocknete Blut des Feldwebels Schenk, der die Pistole, an einer geflochtenen Lederschnur, in der Hosentasche getragen hatte, als er, das Gesicht nach unten, mit dem Bauchschuß in der Hecke hing, zwei Stunden lang unter der mittäglichen Julisonne zwischen den Linien, bis er nicht mehr lebte; und Bertram wurde abgeknallt und Eckel kriegte einen Schuß ins Bein, als sie versuchten ihn herauszuholen, und grad als er starb, kamen Schanko und Eisemann, die Rote-Kreuz-Fahne schwenkend, zu ihm gekrochen, und bevor sie ihn freikriegten aus dem steifen Gestrüpp, sah er sie an, und wenn er noch hätte sprechen können, hätte er sicherlich etwas gesagt, vielleicht hätte er gesagt: »Ihr seid eine gottverfluchte Saubande, aber ihr seid feine Kerle, ich werd's euch eine Zeitlang nicht vergessen, daß ihr mich aus dieser gottverfluchten Schweinerei herausholt«, jedoch er konnte nicht mehr sprechen, er sah sie nur an und starb, und als mir Schanko die Pistole gab, sah ich in seinem dreckverschmierten Gesicht, daß er geweint hatte. Jetzt gab ich die Pistole an Täding weiter. Ich hatte niemanden damit getötet, außer ein Huhn, auf das ich ein ganzes Magazin verfeuerte, und während ich das neue Magazin einschob, flatterte es in die offene Holzhütte hinein und verkroch sich, todwund, so tief hinter den gestapelten Scheitern, daß ich es nicht mehr sah und nicht mehr aufstöbern konnte, und da ich mich ärgerte über die ganze Sache, verging mir der Appetit; Täding jedoch würde sicherlich jemanden töten damit, denn seine Frau war totgeschossen worden von einem Jagdflieger, der Jagd machte auf alles, was über den Erdboden kroch: auf Autos, Pferde, Pflüge, Panzer, Radfahrer, Eisenbahnzüge; und Täding, der sie vom Bahnhof abholen wollte, hatte sie gesehen im Wartesaal, wo sie aufgebahrt lagen, die Männer und Weiber und Kinder und Soldaten, er hatte sie gesehen mit zerfetzter Brust, Blut zwischen den Lippen, unerweckbar tot, und ich glaube, daß er oft daran denken mußte, und sicherlich wird er immer dran denken müssen, wenn er diese gottverdammte fremde Uniform sieht, und das kann ein Unglück sein für den, der drinsteckt. Mir war es gleich, was Täding mit der Pistole tun würde. Jetzt zwängte er sie in seine Manteltasche.

Ich war verbunden worden, es gab nicht mehr viel zu reden. Der Mann, der bei unserem ersten Aufenthalt in dem Hause uns eingelassen und dann bis zur Tür begleitet hatte, sagte zu Täding: »Als wir's krachen hörten, hab' ich zu meinen Kameraden gesagt: Hoppla, ich fürchte, denen ist was passiert. So habe ich gesagt. Ich bin zur Tür gegangen, aber es war nichts zu sehen und nichts zu hören, doch ich hab' mir's nicht nehmen lassen, daß euch was passiert ist.« Sie breiteten eine Decke über meinen halbnackten Körper, von den Füßen zogen sie den braunen Kotzen herauf bis zum Hals. Im Herbst, als ich krank in einem Feldlazarett lag, in welchem so wenig Platz war, daß viele chirurgische Fälle in der internen Abteilung untergebracht werden mußten, wurde ein Mann mit einem Unterarmschußbruch eingeliefert, er bekam das Bett schräg gegenüber dem meinem, im Eck neben einer Querschnittslähmung. Außerdem gab es eine Gehirnerschütterung, eine Gelbsucht, eine schwere Rückgratverwundung, eine Darminfektion, eine Beinamputation nach Gasbrand und einen leichten Bauchschuß. Der Neue, er hieß Engelmann, war am Vormittag eingeliefert worden, gegen Abend kaufte er von der Stationsschwester einen Rasierapparat und eine Zahnbürste. Etwas später klingelte er und verlangte eine Leibschüssel. Die Nachtschwester schob sie ihm unters Gesäß und wartete neben seinem Bett. Sie sah – wie sie nachher erzählte –, daß er seine Beine in Krämpfen streckte, es kam ihr sonderbar vor und sie rief den Unterarzt. Der sah sich die Sache an und holte den Chef. Sie gaben ihm eine Spritze, und nach einer Weile, während der sie schweigend vor seinem Bett verharrten, legten sie ihn auf eine rasch geholte Bahre. Ich lag in dem Bett neben der Tür, sie stellten die Bahre neben mein Bett. Ich sah ihn liegen, unbewegt, mit geschlossenen Augen. Ich wunderte mich über die spitze Nase. Die Schwester nahm die Decke vom Bett und breitete sie über ihn. Von den Füßen zog sie die Decke hinauf, über die Beine, den Bauch, die Brust, bis zum Hals, und weiter über das Gesicht und den ganzen Kopf. Da erst merkte ich, was los war, mir klopfte das Herz und ich sprach hastig ein Vaterunser für Engelmann, dem sie die Decke über das Gesicht gezogen hatten.

Wir warteten auf das Sanitätsauto. Ich war müde, aber es war nicht so schlimm gewesen, wie ich es immer gefürchtet hatte. Ich wollte schlafen, aber der schmerzende Fuß hielt mich wach. Die Männer glaubten, ich schliefe; sie redeten leise, ohne die Augen von mir zu wenden. Sie sahen aus, als wäre ihnen ein Mißgeschick widerfahren, über dessen Ausmaß und Wichtigkeit, oder Unwichtigkeit, sie sich noch nicht klar geworden waren. Sie glaubten, ich schliefe, oder sie glaubten, ich stürbe schon; und sie blickten einander mit ernsten, hilflosen Gesichtern an, und sie sagten mit undeutlichen Worten und mit deutlichen Mienen und Gebärden, daß all ihre Mühe vergeblich gewesen, daß für mich nichts mehr zu tun und nichts mehr zu hoffen, daß ich verloren sei. Sie schüttelten ratlos die Köpfe, ganz vorsichtig und verheimlichend, um mich nichts merken zu lassen. Flüsternd sagten sie zu einander: »Nein, er schafft es nicht. Es ist ganz ausgeschlossen, daß er es schafft. Mit diesen Wunden, nach diesem Blutverlust . . .« Sie gaben mir keine Chance mehr, sie beerdigten mich bei lebendigem Leib. Ich merkte, daß es ihnen leid tat, aber es war mir nicht mehr wichtig. Sie hätten es laut zu mir sagen können: »Hör uns, du«, hätten sie sagen können, »du hast wirklich keine Chance mehr. Es tut uns leid, es dir sagen zu müssen, und es tut uns leid um dich; aber wir machen uns keine Illusionen, und es ist am besten für dich, wenn auch du dir keine Illusionen machst.« So hätten sie sagen können zu mir, ohne mich zu verwirren. Denn ich spürte kein Interesse mehr an mir, und ich hatte nur den einen Wunsch, daß die Schmerzen im Fuß nicht ärger würden. Dann interessierte mich auch der Fuß nicht mehr sehr.

Wir warteten auf das Sanitätsauto. Wenn irgend wo draußen eine Granate krepierte, hörte es sich herinnen an wie das über die eigene Schwäche ärgerliche Pfauchen jener Handgranate, die Kroll in das Ofenrohr unseres Bunkers hatte fallen lassen, um den Kamin zu reinigen, wir lungerten im Halbkreis, sieben oder acht Schritt entfernt von dem Blechrohr, das aus der grasbewachsenen Erdkuppe über dem Bunker herausragte, und Kroll zog ab und ließ die Handgranate in das Rohr gleiten und sprang zurück, wir warteten auf eine paffende Rauchwolke, auf einen schwarzen Pilz, auf einen Aschenregen hinterher, aber nichts geschah, bis plötzlich, vor unseren Füßen fast, außen an der Bunkerwand, die Handgranate krepierte, denn diese Bunker waren verdammt praktisch gebaut, der Kamin war innen vergittert, und ober diesem Gitter führte ein schräger, abwärts geneigter Schacht nach außen, sonst wär' es gar zu leicht gewesen, einen Bunker von oben her auszuräuchern, und daran hatte keiner von uns gedacht, und Kralik hatte einen kleinen Splitter im Oberschenkel sitzen, aber sonst war nichts passiert, und unser Ofen qualmte uns weiter den Bunker voll; aber da war auch jene andere Handgranate, in jener Mondnacht, als der Angriff des Nachbarregiments scheiterte, während in unserem Abschnitt ein Stoßtrupp eingedrungen war, und Täding hatte die Handgranate fliegen gesehen, genau dort hin, wo ich lag, und es hatte

keine Möglichkeit gegeben für ihn, mich zu warnen, er hatte es gesehen, aber er konnte nichts mehr dagegen tun, er mußte warten, bis sie krepierte, und sie krepierte nicht, und am nächsten Morgen sprachen wir darüber, und jetzt dachte ich daran. Aber diese Erinnerung war, wie all die anderen, völlig unbrauchbar.
Einer der Männer hatte sofort telephoniert, aber wir mußten lange warten; es ging wohl schon gegen Mitternacht. Mir selber kam die Zeit weder lang noch kurz vor, aber daß sie lang war, merkte ich an der Zahl der Zigaretten, die Täding rauchte. Wenn er mir eine Zigarette gereicht hätte, ohne Aufforderung, von sich aus, hätte ich auch geraucht. Aber er reichte mir keine Zigarette, und ihn darum zu bitten, kam mir nicht in den Sinn; als scheute ich die Anstrengung des Formulierens. Und doch sind Zigaretten eine wichtige Sache. An jenem 19. Juli, an dem Tag, an dem ich zum einzigen Male weinende Soldaten gesehen habe, hielt mich Glaser in der Diele des Bauernhofes, der als Gefechtsstand eingerichtet war, mit der Bitte um eine Zigarette auf, ich war zum Chef unterwegs und hatte Eile, und ich sagte: »Nachher.« Und nachher war Glaser tot, zwei Geschosse zerrissen ihm den Hals. Er war aber nicht sogleich tot, sondern hatte noch Zeit, an etwas zu denken, vielleicht dachte er an eine Zigarette, angeblich denkt man in den letzten Minuten an lauter unwichtige, völlig unbrauchbare Dinge; aber ich weiß es nicht.
Als das Auto da war, legten mich die Sanitäter auf eine andere Bahre, stemmten mich hoch und schoben mich, mit den Beinen voran, in den Wagen. Täding drückte mir die Hand und reichte mir die lederne Kartentasche, in der ein Buch, ein Notizkalender, ein paar vielfach gefaltete, zerknitterte Landkarten, ein Beutel mit Zigarettenstummeln, ein angebrauchtes Päckchen Zigaretten, mein Soldbuch, eine Geldtasche, ein paar leere Feldpostkarten, einige monatealte Briefe von zu Hause und ein kleines Ledersäckchen mit meiner Erkennungsmarke und einer kaputten Damenarmbanduhr staken. Ich hörte, wie die Tür des Autos

von außen verschlossen wurde, ich war im Finstern allein; dann fuhr es los. Die Straße war löcherig, Bombentrichter hatte man rasch und uneben zugeschüttet, Trümmer lagen umher, der Schnee war nicht geräumt, so daß das Fahrzeug holperte, wackelte, rumpelte und schlitterte. Man hatte mich in der Eile so ohne Bedacht gebettet, daß der verletzte Knöchel genau über der unteren Querlatte der Bahre lag, und jeder Stoß des schlecht gefederten Wagens übertrug sich auf den beschädigten Fuß. Die ganze Fahrt hindurch dachte ich daran, aber ich dachte nicht an Abhilfe; vielleicht auch wäre ich schon zu entkräftet gewesen, um das Bein hochzuheben, anzuziehen und anders wo zu lagern.

Einmal hörte ich einen fernen Einschlag, er war leise, der Schall hatte sich auf dem Weg zu mir zerdehnt, der kompakte Schrei des Pulvers im Eisen war fransig geworden, es war etwas ganz anderes als die Einschläge damals, als wir den Weinkeller ausräumten; gleich war nur die Stunde der Nacht. Tags zuvor hatten wir einem durchfahrenden Soldaten sein Kettenkrad abgehandelt, er bekam eine Flasche Schnaps dafür und war sehr zufrieden. An dem folgenden Nachmittag sah ein junger Infanterist, welcher bei uns rastete, daß wir Schokolade hatten, für eine Tafel wollte er uns einen Weinkeller zeigen. Wir hatten drei Kohlensäcke voll Schokolade, wir hatten sie im Wäscheschrank eines verlassenen Kaufhauses gefunden, wir gaben ihm eine Tafel und er führte uns zu dem Weinkeller. Es war in dem Ort, bei dessen Verteidigung etliche Tage später der kleine Winkler gefallen ist, er war frisch vom Ersatz gekommen, schweigsam, träumerisch, fremdlinghaft, blöde, er war mir der Liebste von allen. Der Infanterist nahm einige Flaschen und verdrückte sich, Slavik, welcher mit mir war, und ich packten ein paar Tragkörbe voll, nachdem wir von jeder Sorte gekostet hatten, gekostet ohne zu entkorken, wir schlugen die Hälse ab, und bevor wir mit unserer Beute zurück zu unserem Lagerplatz gingen, erschoß Slavik den Hund, der im Hofe angekettet bellte. Mit zwei Pistolenschüssen erledigte er ihn, das Tier legte sich nieder, als hätte ihm sein Herr befohlen; aber die Augen, ehe sie brachen, blickten mich an, voll Unverstehen und Verwunderung. Menschenaugen flehen um Hilfe oder beschuldigen dich, aber davon war keine Spur in diesem Blick. Heimlich verwünschte ich Slavik, aber damit war dem Hund nicht mehr gedient. In der Nacht gingen wir zu viert in das Dorf, um noch einmal Wein zu holen, wir zogen einen Infanteriekarren mit. Wir arbeiteten eine Stunde lang, und als wir das kleine Gefährt nahezu voll beladen hatten, fing die Schießerei an. Wir warfen uns in den seichten Straßengraben, die Einschläge lagen in nächster Nähe; ganz kurz nur hörten wir die Granaten heranpfeifen, dann rissen und rüttelten die Detonationen an unseren Trommelfellen, und die Splitter schlugen Funken aus dem Pflaster der Straße, und es klirrte in den von Splittern zerscherbten Weinflaschen, und das dauerte ein paar endlos lange Minuten, in denen ich hundertmal gelobte, nie wieder Wein zu stehlen, es war ein richtiger Feuerüberfall von zwei Batterien, und als sie aufhörten, konnte Slavik nicht gerade auftreten, aber es war weiter nichts als ein Splitter, der in der Schuhsohle stak. Wir luden den Rest der Flaschen auf den Karren und eilten im Laufschritt hinaus aus dem Ort und hinunter zu unserem Lagerplatz. Am nächsten Morgen fuhren wir mit einem Auto hinauf und räumten den Keller restlos aus.

Das Sanitätsauto hielt mit einem jähen, erschütternden Ruck, der Motor setzte aus, es war still, als wäre ein Tier verendet, ich wurde ausgeladen und in ein Gebäude getragen, dessen Inneres mir seltsam vertraut erschien: ich hatte die Vorstellung eines Schulhauses. In einem dunklen Gang wurde die Bahre abgesetzt, ein Sanitäter kauerte neben mir. Er sprach ruhig und leise, kein Wort von der Verwundung, kein Wort vom Krieg. Er fragte um meinen Beruf, und was ich werden wolle. Ich sagte, weil mir nichts anderes einfiel, daß ich in einem Verlag unterzukommen hoffe, und er sagte, daß er selber in einem Verlag sei. Ich erfuhr nicht (denn ich fragte nicht), ob er dort Bote war oder Lektor, und nicht, ob es ein schöngeistiger Verlag oder ein Verlag illustrierter Wochenblätter war. Ich hatte jedoch das Gefühl, daß er ein nobler Mensch war, denn er belästigte mich nicht mit unnützen und weitläufigen Fragen, er irritierte mich nicht, weder durch medizinische Andeutungen noch mit der Aufforderung, an daheim zu denken oder zu beten. Dann lag ich auf einem Tisch, noch immer kam mir alles dunkel vor; doch muß es hell gewesen sein, denn man hantierte an mir, auf einmal hatte ich etwas auf der Nase, ich mußte zählen, ich zählte von eins bis sieben, immer langsamer, schweratmiger werdend, aber ohne Unlust, Beklemmung oder gar Ekel, ich hörte mich die Zahlen hersagen, langsam, deutlich, hell, wie zum Spaß.

Am nächsten Tage öffnete ich die Augen. Daß es der nächste Tag war, merkte ich daran, daß es hell war, schneehell und winterdunkel zugleich, wie jeder Tag im Jänner. Ich erwachte, weil ein Mann in Offiziersuniform an meinem Bette stand; er sprach ein paar formelhafte Worte und legte mir eine Urkunde und das Verwundeten-Abzeichen auf die Bettdecke. Die Stimme des Mannes – es war wohl ein höherer Arzt – war unaufdringlich, sachlich, erfahren, ohne Geheimnis. Es war der einzige Orden, den ich mir erwarb. Meine erste Verwundung, fünf Monate vorher, hatte ich nicht gemeldet; der winzige Splitter im Handteller, knapp über der Wurzel, eiterte von selber heraus, ich bekam feuchte Umschläge, Salben und Verbände von unserem Sanitäter, und ich blieb bei der Truppe. Während der Mann in der Offiziersuniform mir das Verwundeten-Abzeichen verlieh, sah ich in einer Ecke, halbrechts von mir, ein Bündel blutig verschmierter, zerschlitzter Kleider liegen: die grauen Fetzen meiner Uniform und die weißen, schwarzrot gefleckten, verklebten Reste der Wäsche.

Wieder öffnete ich die Augen gegen Abend, als ich in ein nahes Feldlazarett der Luftwaffe transportiert wurde, wo ich ein oder zwei, vielleicht auch drei Tage lang blieb. Man schob mir eine dreieckige Schiene, ein mit Papierbinden gepolstertes Drahtgeflecht, unter den seitwärts gewinkelten

Arm und wickelte feuchte Verbände herum, welche rasch erstarrten, und der Fuß wurde in einer kurzen Schiene ruhiggelagert. Einmal trat ein junger Arzt an mein Bett und sagte, indem er auf die Zigarette in meiner Hand deutete: »Das darfst du, wenn du's schon nicht lassen kannst«, und indem er auf meine nackten Beine zeigte, von denen ich mir die Decke weggezogen hatte: »Aber das darfst du nicht, mein Junge, sonst gibt's eine Lungenentzündung, und dann ist's bös.« Mit dem gesunden Bein schob und strampelte ich die Decke zurecht, denn ich war gewohnt, den Ärzten zu gehorchen; vielleicht auch wollte ich seine Freundlichkeit nicht enttäuschen. Zu meiner Rechten lag ein Mann, dem ein Geschoß die Bauchdecke geschlitzt hatte, quer durch von rechts nach links, ein paar Finger unter dem Nabel; es war eine lange, gegen die Mitte zu klaffende Wunde, auf die er sehr stolz war, denn das Gedärm war nicht einmal angeritzt. Sonst war nichts von Bedeutung in diesem Lazarett; nichts war böse, nichts war erfreulich. Gegessen habe ich ein Stück Schokolade in der Größe eines Suppenwürfels. Ein größeres Stück lag auf dem Schemel neben dem Kopfende meines Bettes, aber ich aß es nicht. Genau so wie jene Tafel Schokolade, die mir Brunner aus dem Panzer reichte, an jenem 8. August, inmitten der großen Schlacht in der Ebene hinter Le Mans, die still und sauber war wie ein Tischtuch, auf dem etwas serviert wird, über der die Luft so erstarrt war, als hielte ein überlebensgroßes Maul den Atem an, vibrierend aber wie unter zahllosen sich nähernden Fußtritten, ohnmächtig unter dem wütigen Druck einer Sonne, die keinem Untergang sich zuzuneigen schien, sondern unbeweglich hing wie eine Glühbirne über der Mitte eines Tisches; und wir, um die paar Panzer geschart, die uns in den Wirren der letzten drei Tage noch intakt geblieben waren, als die heranflutende Masse des Feindes ihre blitzschnellen, sehnigen Fangarme ausreckte, auswarf, einwinkelte und zusammenzog, uns niemals richtig angreifend, aber zerfetzend, mit der Umklammerung bedrohend, endlich einkreisend, bis wir irgend wo durchstießen, mehr auf gut Glück als einem strategischen Konzepte folgend, mit krampfhaft geschlossenen Augen gleichsam, und immer blieb ein Viertel oder ein Drittel oder die Hälfte der Kampfgruppe hängen an einem dieser unermüdlichen Fangarme, bis dann die schwere Masse über die armen Reste sich hinwegwälzte, sie erstikkend, zermalmend, vernichtend, und uns blieb keine ruhige Rast, am Tage nicht und nicht in der Nacht, und so, um unsere letzten Panzer geschart, in Deckung hinter einer verlassenen Villa in einem zertrampelten und gewalzten Gärtchen, erbebten wir mit, wir erwarteten uns nichts mehr, ganz ferne ein paar ungebrochene Feuerstöße aus einem Maschinengewehr, zehn Mann auf dem Panzer sitzend, abspringend, wieder Deckung suchend hinter dem Fahrzeug, in einem Straßengraben, hinter einem Erdwall, nachher Sammeln in einer Schottergrube, unglaublich, daß fast alle da sind, neue Einteilung der Gruppen, verständnisloses Studium steifer, zerknitterter Landkarten, kurze Märsche, wieder Deckung, da hin und dort hin Ausschau haltend, für fünf Minuten die Stiefel von den Füßen gestreift, auf dem Rücken im Grase liegend, Wiesenduft in den staubverkrusteten Nasenlöchern, im blauen Himmel ein einsames Flugzeug, gradaus durch die dimensionslose Bläue strebend, fast ohne Geräusch, unwirklich und silbern, und dahinter plötzlich ein zweites Flugzeug, eben so gradaus durch die dimensionslose Bläue strebend, eben so fast ohne Geräusch, eben so unwirklich und silbern, exakt hinter dem ersten Flugzeug, wie im Schlepp des ersten Flugzeugs, aus dem jäh ein schwarzer Punkt sich löst, über dessen Fall eine weiße dichte Wolke aufflattert, sich bläht, sich formt, stillsteht vor der schmerzenden Bläue des Himmels, den Punkt, welcher sich dehnt und im Pendeln senkrecht streckt, unter sich festhaltend, unbewegt in der erstarrten Luft, aber auf einmal schon viel größer, schon näher, rasend schnell fallend, verschwunden schon hinter einem hochragenden Wäldchen, während die beiden Flugzeuge unablässig geradeaus streben, sich mit der Farbe des dünstenden Himmels vermengen, seltener ihre Silberblitze schon schleudernd, das erste auch jetzt noch, da es immerfort der Spitze einer sich hinter ihm verlängernden Rauchtüte zu entkommen sucht, geradeaus, als wollte es sich, das waidwunde, in den Himmel bohren und ihn aufwühlen, aufreißen in einem waagrechten Todessturz, das zweite nun sanft, kaum merklich, nach rechts wegkurvend, nicht als nähme es Abstand von einer erledigten Aufgabe, sondern so, als hätte es sich eines andern besonnen, als ließe es sich, einer lässigen Sommerlaune folgend, treiben; und wir herunten, überwach bis zum Umfallen, staubverschmiert, schweißgetränkt, verwundet manche, längst hinausgekrochen aus dem Netz der gesunden Müdigkeit, die uns in den anderen Nächten schlafen ließ, heraus aus diesem Topf der physischen Erschöpfung, in den wir anfangs immer wieder zurückfielen bei dem Versuch, die steilen, glatten Wände hochzukriechen, zurückfielen bis auf den Grund, aber heraußen jetzt aus diesem Topf der Erschöpfung, über die Ränder gelaufen wie übergekochte Milch in der Hitze dieses Sommers in der Hitze unsrer Panzer in der Hitze dieser Kämpfe, nicht mehr geeignet zum Schlafen, nicht mehr geeignet zum Müdesein, denn der Rest der letzten Nacht auf dem bloßen Erdboden unter dem Panzer, zwischen den Raupen, war kein Schlafen gewesen, auch nicht die Stunde vormittags in dem Heuschober, gekitzelt von den Halmen, die im Tuch der Uniformen und im Stoff der Wäsche hängengeblieben, gekitzelt von dem Heustaub, der unter das Tuch und unter den Stoff drang und an der rotgescheuerten Haut sich einfraß, die bloßgelegten Nerven kitzelnd, bis uns einer unserer Unteroffiziere aufschreckte und wir heraustorkelten, geblendet, steif, fröstelnd trotz der hohen Sonne, bis wir wieder hinter irgend einem Erdwall in Deckung lagen, aber wir sahn keinen Feind, keinen einzigen feindlichen Stahlhelm mit dem Netz darüber sahn wir sich über eine Böschung heben, aus einem Straßengraben auftauchen, hinter einem Mauereck sich vorschieben, es war eine große Schlacht, aber wir gingen nur in Stellung, wir nahmen Deckung, wir marschierten hin und her, bis uns jede Orientierung verlorengegangen war, es gab keine zerstörten Häuser wie jene etwa in Périers, wo wir durchkamen fünf Minuten nach den Bomben, und wir sahn die Häuser halbiert, auf den Tischen standen die Teller mit den unverzehrten Mahlzeiten, von einer grauen Schicht aus Mörtel und Staub bedeckt, grau gezuckerte Eierspeis, drei große flache Teller und ein kleines Schüsselchen, vor diesem ein durch aufgeschnallte Polster erhöhter Stuhl, und wir sahen die Häuser zusammengeklappt, die Mauern verschoben und die Dächer gelüftet, wie freche Hütlein saßen manche auf den kalkweißen Gesichtern, und aus anderen sahen wir Rauch in steilen Säulen zum Himmel steigen, mitunter abgeteilt von Verdikkungen, Rauchgeschwülsten, jäh zerflatternden Kapitälen, hier aber gab es keine zerstörten Häuser, hier gab es keine Straßensperren, keine Deckungslöcher links und rechts von der Straße, keine Erdbefestigungen und keine Betonbunker, hier sahen wir nichts als Natur, welche sich selbst versehrte, welche unsere mutlosen Berührungen ignorierte und nur der Sonne alles gestattete, bis zur Verbrennung, und es gab keinen Feind, wir waren nur eingesperrt in einen Käfig, dessen ferne, unsichtbare Gitterstäbe klirrten von riesigen Schritten, die ihn lauernd umkreisten, aber wir sahn keinen Feind, außer dem Flugzeug, das auf unseren Panzer niederstürzte, als wollte es ihn mit seiner Nase rammen, und wir alle, acht oder neun Mann, die wir auf dem Panzer saßen, sprangen von dem plötzlich im Zickzack rollenden Fahrzeug herunter, indes die Besatzung drinnen die Lukendeckel zuklappte, wir sprangen herunter auf die Straße und hinein in das Gebüsch am Straßenrand, und als wir unten lagen, zerschunden und zerkratzt und mit geprellten Knöcheln, kurvte das Flugzeug wieder hoch, keine Bombe war gefallen, kein Schuß hatte sich aus den Bordkanonen gelöst, und das Flugzeug zog hoch in die Luft, wackelte, als hätte es einen Ärger abzuschütteln, zeigte uns den Schwanz, als verschmähe es uns, diese billige Beute, und strich, über Häuser hüpfend und über ein Wäldchen gleitend, davon, und der Panzer war schon weit weg, hielt nicht mehr an, und wir trotteten auf der Straße dahin, enttäuscht, zerschunden, geprellt, vorbei an einem Haus, an dessen niedrigem Dachrand eine Rote-Kreuz-Fahne hing, starr wie aus Metall, und vor der Türe hockte ein Mann in zerschlissener Uniform, das linke Bein vom Fuß weg bis zum halben Oberschenkel, wo die Hose fransig abgeschnitten war, in einer tadellos weißen Bandage, er blickte unverwandt auf die Zehenspitzen des bandagierten Fußes, und hinter ihm stand ein Mann mit dem Rücken zu uns, sein Kopf war weiß verhüllt, eben so sauber wie die Bandage des anderen, und er trommelte mit beiden Fäusten gegen das Holz der Türe, stumm marschierten wir, einer hinter dem andern, an ihm vorüber, lange noch hallten diese dumpfen Gongschläge in meinen Ohren, und als ich mich später umwandte, sah ich den Mann noch immer an die Türe trommeln, lautlos schon für uns, und ich spürte, daß dieser Mann so ferne war von uns allen, daß er niemanden in den wahnsinnig unermüdlichen Rhythmus seiner Schläge, in den Sinn seiner Botschaft würde einfangen können, und in einer senkrecht auf die Straße stoßenden Allee standen einige Troßfahrzeuge, ein offener Kübelwagen, zwei Limousinen, ein schwerer Lastwagen mit einer Feldküche hinten dran, ein Panzer dazwischen, an dessen Motor sich ein paar Leute zu schaffen machten, dann noch zwei Lastwagen und eine Limousine, ein Fahrrad lehnte an einem Baum, wir gingen vorbei und sahn, daß einer der Soldaten, die auf den Trittbrettern ihrer Fahrzeuge saßen und rauchten, aufstand und uns winkte, wir gingen weiter, er rief uns etwas zu, wir hielten an und sahen, daß es Mayerhofer war, und daran erkannten wir, daß es unser Abteilungstroß war, oder das, was davon noch übrig war, wir gingen hin, die Blätter der Zweige, die zur Tarnung auf den Kühlern, über dem Fensterglas und den Windschutzscheiben und an den Bordwänden staken, raschelten hart bei jeder Berührung, wir warfen unsere Helme ins Gras und ließen uns

umfallen, nach kurzer Zeit kam der Kommandeur, wir saßen auf und fuhren zurück, aber das war schon gegen Abend, da hatte ich schon meinen Splitter in der Hand stecken, von einem Geschoß, das weit weg wo krepiert war und seine Splitter mit einer Unzahl von winzigen, kaum hörbaren Surrtönen über das Land verspritzt und ausgeschüttet hatte, um die Mittagszeit jedoch schon hatte mir Brunner, als ich, den Karabiner auf dem Unterarm, neben seinem Panzer einhertrottete, die Tafel Schokolade heruntergereicht, sie war weich von der Hitze im Panzer, biegsam wie heißes Wachs, sie bog sich von selber, dank ihrer eigenen Schwere, über die Finger, welche sie hielten, und ich wickelte sie aus dem Stanniol, kleine silbrige Fetzen blieben kleben an der braunen Masse, und ich biß hinein, doch das angebissene Eck löste sich nicht, meine Zähne rissen und zerrten daran, als wäre es rohes Fleisch, und als ich den Bissen endlich im Munde hatte, zog und dehnte er sich und war unzerbeißbar wie Gummi, und es kam mir vor, als schwelle er im Munde an, den ganzen Rachen erfüllend mit seiner zähen, unlöslichen Masse, schwoll und quoll auf wie Germteig, und so schmeckte es auch: wie Wachs, wie rohes Fleisch, wie Gummi, wie noch nicht garer Teig, und ich würgte es, dem Erbrechen nahe, hinunter und warf die angebissene Tafel weit von mir; ich aß sie nicht, genau wie jenes Stück Schokolade, das auf dem Schemel am Kopfende meines Bettes lag.
In dem selben Ort gab es eine Krankensammelstelle, von der aus, wie ich bald an mir selber erfuhr, die Verwundeten in die Heimatlazarette abtransportiert wurden. In diese Krankensammelstelle wurde ich verlegt. Mein Bett stand in der Ecke des Zimmers, neben dem Fenster. Auf dem Fensterbrett lag so, daß ich mit meiner Linken hinlangen konnte, meine Kartentasche, daneben die Zigaretten. Wir bekamen täglich fünf Zigarillos, ich rauchte sie ohne Gier und ohne Genuß, aber ich verzichtete nicht darauf, weil ich sie bekam. Mit den fünf Zigarillos reichte ich nicht, und ich war froh, die Zigaretten zu haben. Es war ein blaues Päck-

chen mit Zigaretten aus schwarzem Tabak. Aus diesem Päckchen hatte ich, als der Wachsoldat nicht herschaute, dem Gefangenen aufgewartet, mit dem ich am Tag vor meiner Verwundung gesprochen hatte. Einige Tage vorher hatte ich sie geplündert, mit Täding zusammen. Die Frontlinie hatte sich um einige Kilometer feindwärts verschoben, unsere Bunker gehörten zur zweiten Linie, und einige standen leer. Deren Panzertüren waren nicht versperrt, sondern bloß mit starken Drahtschlingen verschlossen. In jedem Bunker gab es zwei Kisten mit Notverpflegung: Schokolade, Gemüse- und Fleischkonserven, Keks, Zigaretten, Wachslichter, und wir brachen eines Abends, zur Dämmerzeit, einige dieser Bunker auf und plünderten die Kisten. Wir nahmen nur Schokolade und Zigaretten. Zuerst füllten wir die Taschen, dann ließen wir die Päckchen und Schachteln und Tafeln in die unten zugeschnürten Beinlinge unserer Hosen rutschen, und dann stopften wir's vorn in die Blusen hinein; und als wir nichts mehr unterbringen konnten, fiel uns das Gehen schwer. Wir mußten sehr vorsichtig sein, denn auf die unbefohlene Verwendung des Notproviants, auf das eigenmächtige Erbrechen und gar auf das Plündern der Kisten stand die Todesstrafe, und wir wußten, daß damals nicht mehr leer gedroht wurde. Anderthalb Jahre vorher, noch drüben im Osten, war ein Zwanzigjähriger erschossen worden, vor der ganzen, im Karree angetretenen Abteilung, weil er sich, als er im Postdienst verwendet wurde, Pakete angeeignet hatte, vierunddreißig Diebstähle hatte er einbekannt; die schäbigen Fäustlinge und dünnen Unterhemden, die hundekuchenharten Keks und die paar Zigaretten, die unsere Mütter und Frauen damals schickten, kosteten ihm das Leben. Wir aber hatten Glück gehabt, niemand war uns begegnet, als wir steif und ungelenk aus den Bunkern schlichen, und weil ich mit den fünf Zigarillos nicht auskam, war ich jetzt froh, von diesen Zigaretten noch zu haben. Gegessen habe ich zwei Bissen weiches Fleisch und ein Viertel einer faustgroßen Kartoffel und einmal ein Schälchen dunkelblau schillerndes Kompott, und ein andermal noch etwas Kompott. Die leeren Kompottbüchsen kamen auf die Stuben, wir brauchten sie dringender als den Inhalt, denn es gab keine Urinflaschen. Betreut wurden wir wenig von Schwestern; die hatten keine Zeit, oder sie hatten keine Lust, sich all zu viel mit uns abzugeben, oder es waren zu wenige da. Aber es gab Mädchen aus der Stadt, in ihren bürgerlichen Kleidern, die das Nötigste verrichteten. In dem Bett neben dem meinen lag ein Mann, der am Bein verwundet war, er humpelte manchmal im Zimmer umher und tat kleine helfende Handgriffe. Als meine Zigaretten zu Ende waren, drehte er mir Zigaretten aus den Stummeln, die ich in dem Gasplanebeutel gesammelt hatte. Auch bot er sich mir als Briefschreiber an, und ich diktierte ihm eine beruhigende Karte an meine Mutter. Er war freundlich zu mir, wahrscheinlich deshalb, weil ich sehr jung war, neunzehn Jahre war ich alt, und vielleicht weil er den Eindruck hatte, es ginge mir sehr schlecht. Ich selber merkte nicht viel von meinem Zustand, zwar hustete ich, zum ersten Mal in meinem Leben, und hatte fortwährend Abführen, aber ansonsten lag ich stumm auf dem Rücken und interessierte mich für nichts. Ich sah, wie neue Verwundete eingeliefert wurden, steif wie Salzheringe; ich hörte die Mädchen mit den Soldaten scherzen, ich hörte langes Bombenrollen und zittriges Fliegergebrumm und kurze Detonationen und dazwischen das Stottern der Bordwaffen. Ich hörte, wie die Verwundeten fluchten, stöhnten, lachten, nach der Schwester riefen und nachts ganz irrsinnig träumten. Aber es berührte mich nicht tief. Drei oder vier Tage lang blieb ich dort, aber ich verspürte keine Sehnsucht darnach, an diesen Vorgängen um mich herum teilzunehmen.

Eines Abends ging ein Transport mit Leichtverwundeten ab, und am nächsten Mittag kam die Nachricht, daß der Lazarettzug von Tieffliegern beschossen worden war, und daß es mehr als vierzig Tote gegeben hatte. An diesem Vormittag war ich für den nächsten Schwerverwundetentransport eingeteilt worden, aber die Nachricht berührte mich kaum. Ich lag reglos in meinem Bett, auf dem sich allmählich wundliegenden Rücken, eingekapselt in meine Ohnmacht, welche mich ganz übermannt und nur meinen Sinnen eine gewisse Bewegungsfreiheit gelassen hatte; ausgeschlossen mein Inneres von den Ereignissen rund um mich. Es gab keine gangbaren Wege für diese Sinne, auf denen sie in mich eingedrungen, mich von innen her erfaßt, ergriffen, gerüttelt, auf denen sie mich erfüllt hätten. Es war wie in dem Winter zuvor, als wir eine Postenkette bildeten, alle vierzig bis sechzig Schritt ein Mann, das Seitengewehr aufgepflanzt, fünf Schuß im Magazin, fünfundzwanzig Schuß in den Patronentaschen, rund um das Forsthaus, welches zwei Mal innerhalb einer Woche von den Partisanen überfallen worden war, in diesem milchglasüberwölbten galizischen Winter, und der Wind peitschte die Zweige über den harten Schnee, als schiebe sich ein Körper heran, und ein dürres Blatt, das sich in einer tiefen verharschten Fußtapfe gefangen hatte, tobte und hüpfte winzig leise in seinem Verlies, metallen klackend wie ein Gewehrverschluß, und eine Lage Schnee, die von einem Ast herabschwebte, fiel auf die Erde wie ein sorglich geheimgehaltener Tritt, und jeder Busch gab mit jedem Schwanken seiner Zweige einen mondbeglänzten Fleck frei, schmal blitzend wie ein Messer, breit leuchtend wie ein Gesicht, und der nächste Posten war vierzig bis sechzig Schritt weit entfernt, nicht zu sehen und nicht zu hören, und so lange wir auf Posten standen, war kein Partisan zu hören und keiner zu sehen, ganz ferne knallte eine Pistole, und nach einer starren, summenden Pause knallte die Pistole noch vier oder fünf Mal, und am nächsten Morgen wußte niemand, was es gewesen war; so daß nichts von uns übrig blieb in den drei Mal zwei Stunden jener Nächte als die Beschränktheit auf die mißverstehenden Sinne, ohne Ordnung, ohne die Aussicht auf endliche Orientierung, nur Eindruck in einer unabsehbaren Isolation, so wie ich jetzt in meinem Bette lag, aus mir selber gestülpt wie jenes Ministrantenhemd, das ich umdrehte, als es schmutzig war, und noch einmal umdrehte, weil es auf der richtigen Seite dann doch wieder nicht mehr so schmutzig war; ich war nicht tot, aber ich hatte aufgehört zu leben, ohne es gemerkt zu haben, denn alles Rückwärtige lag nicht mehr rückwärts, sondern außerhalb und deshalb so weit innen, daß ich nicht hinabreichen konnte; und ohne es zu merken, denn ich begehrte nichts, erhoffte nichts, befürchtete nichts, es gab keine Spannung zwischen dem Leben und meinem Zustand jenseits des Lebens, es gab nichts, gegen das ich mich hätte stemmen oder zur Wehr setzen können, wie der Tod gegen das Leben. Aber ich war ja nicht tot. Ich war eine Kerze, die nicht angezündet war; weiß und schmal und lang: so lag ich im Bett; die dunklen Haare über dem weißen Gesicht, ein dicker, fransiger schwarzer Docht, waren seit Monaten nicht geschnitten worden, an den Schläfen wuchsen sie über die oberen Ränder der Ohrmuscheln zurück. Meine Sinne nahmen auf, was sich ihnen bot: von fern das Knistern und Flackern der Front, herinnen das Geschwätz, das Stöhnen der Verwundeten, ihre Ausdünstungen, den Eitergeruch, ihre schweren, langwierigen, entmutigten Gebärden, und das Plappern und flüsternde Lachen der beiden Mädchen, und vom Gang herein zuweilen ein gefilterter Aufschrei, das Geklapper und Klirren von Geschirr und die Tritte genagelter Stiefel auf den Fliesen, das Öffnen und Schließen einer krächzenden Tür, das hohle Kluckern des Urins gegen die Wandung einer Blechbüchse, die Handhabungen des Personals. Aber das alles fügte sich nicht in eine Ordnung, ergab sich nicht einer allumfassenden Besitzergreifung. Die Eindrücke reichten nicht tief genug hinab, jedes Wahrgenommene blieb an den Rändern des Geistes hängen, wie Trümmer an den Strand geschwemmt nach einer Katastrophe. So lag ich in meinem Bett, nicht wach und nicht schlafend, aber auch nicht dösend, dämmernd, träumend, sondern bloß: nicht wach, so wie ich auch, ohne tot zu sein, nicht lebte. Was meine Augen sahen, sahn sie durch die herabgelassenen Lider, wie ganz grelles Licht durch die Lider bricht, konturlos, gestaltlos, undefinierbar. Und so sah ich auch das Mädchen vor mir stehen, das große, biegsame, hüftgelenke, hellblonde Mädchen mit den winzigen Goldkörnern in den Ohrläppchen, welches mit den Verwundeten, die dazu imstande waren, scherzte und harmlosen Unfug trieb; sie stand am Fußende meines Bettes, neben zwei Verwundeten und neben dem anderen Mädchen, und sie blickte mich an, und sie sagte, auf einmal allen Scherz und allen Unfug weit und bedenkenlos hinter sich lassend, zu sich selber, nicht zu den beiden humpelnden Männern, an denen sie plötzlich gar keinen Gefallen mehr finden konnte, und nicht zu dem anderen Mädchen, mit welchem sie keine Gemeinsamkeit, nicht einmal die des ungestillten Geschlechtes, mehr verband, sie sagte zu sich selber, oder zu jemandem, der in ihr wohnte, tief innerhalb von Scherz und Unfug und sogar von Reflexion, Absicht und Ziel, zu einem Wesen, das in ihrem Leibinnersten möglich war: »Schau dir diesen Jungen an! Schade um ihn.« Sie sprach es halblaut, aber laut in der Stille, die mit ihrem Stillesein eingetreten war, verharrte eine kleine stumme Weile, in einer tiefweltlichen Andacht, vor dem Bett und wandte sich dann ab: mit einem langsamen, engen Schwung, der einen endgültigen Verlust hinter sich ließ, der eine notwendige Abkehr von dem Unwiderruflichen enthüllte, jenseits von Trauer, Schmerz und Mitleid, aber aus einer tiefen natürlichen Erkenntnis des Unvermeidlichen, aus einer wahrhaftigen Einsicht, Einfühlung, Einordnung in den Lauf der Welt und ihrer Dinge, aus einem ehrlichen Einverständnis mit dem Schicksal, aus einer grenzenlosen Liebe heraus, welche außerhalb jeder männlichen Vorstellung, welche in Individuen denkt, in ihr gedieh und in ihr waltete. Ich aber spürte den doppelten Boden der Welt, welche unsere ist. In jenen Tagen hatte ich all mein Gewicht verloren und damit das Gefühl des Bodens unter mir, und dieser Verlust bedeutete ein währendes Fallen, aber nun war ich aufgeprallt auf den anderen Boden, nun hatte ich festen Grund unter mir verspürt, einen Grund, von dem ich mich abzuschnellen imstande sein mußte. Nun stand für mich das Spiel wieder auf Tod und Leben, so blieb es während der viertagelangen Fahrt im Lazarettzug, so blieb es in den Lazaretten daheim; die Schmerzen kehrten wieder, die Vertrautheit des Körpers kehrte wieder, die Fremdheit der Welt kehrte wieder; stumm lag ich in meinem Bett, aber ich hatte den Widerstand entdeckt, gegen den ich mich aufbäumen konnte: eigentlich war ich gerettet. Der Rest war eine Sache der Ärzte, der Medikamente, der Herztätigkeit und der Blutkörperchen.

# Zerstörung und Verstörung: Auswirkungen des Krieges

WOLFGANG BORCHERT

## *Nachts schlafen die Ratten doch*

Das hohle Fenster in der vereinsamten Mauer gähnte blaurot voll früher Abendsonne. Staubgewölke flimmerte zwischen den steilgereckten Schornsteinresten. Die Schuttwüste döste.
Er hatte die Augen zu. Mit einmal wurde es noch dunkler. Er merkte, daß jemand gekommen war und nun vor ihm stand, dunkel, leise. Jetzt haben sie mich! dachte er. Aber als er ein bißchen blinzelte, sah er nur zwei etwas ärmlich behoste Beine. Die standen ziemlich krumm vor ihm, daß er zwischen ihnen hindurchsehen konnte. Er riskierte ein kleines Geblinzel an den Hosenbeinen hoch und erkannte einen älteren Mann. Der hatte ein Messer und einen Korb in der Hand. Und etwas Erde an den Fingerspitzen.
Du schläfst hier wohl, was? fragte der Mann und sah von oben auf das Haargestrüpp herunter. Jürgen blinzelte zwischen den Beinen des Mannes hindurch in die Sonne und sagte: Nein, ich schlafe nicht. Ich muß hier aufpassen. Der Mann nickte: So, dafür hast du wohl den großen Stock da?
Ja, antwortete Jürgen mutig und hielt den Stock fest.
Worauf paßt du denn auf?
Das kann ich nicht sagen. Er hielt die Hände fest um den Stock. Wohl auf Geld, was? Der Mann setzte den Korb ab und wischte das Messer an seinem Hosenboden hin und her.
Nein, auf Geld überhaupt nicht, sagte Jürgen verächtlich. Auf ganz etwas anderes.

Na, was denn?
Ich kann es nicht sagen. Was anderes eben.
Na, denn nicht. Dann sage ich dir natürlich auch nicht, was ich hier im Korb habe. Der Mann stieß mit dem Fuß an den Korb und klappte das Messer zu.
Pah, kann mir denken, was in dem Korb ist, meinte Jürgen geringschätzig, Kaninchenfutter.
Donnerwetter, ja! sagte der Mann verwundert, bist ja ein fixer Kerl. Wie alt bist du denn?
Neun.
Oha, denk mal an, neun also. Dann weißt du ja auch, wieviel drei mal neun sind, wie?
Klar, sagte Jürgen und um Zeit zu gewinnen, sagte er noch: Das ist ja ganz leicht. Und er sah durch die Beine des Mannes hindurch. Dreimal neun, nicht? fragte er noch mal, siebenundzwanzig. Das wußte ich gleich.
Stimmt, sagte der Mann, genau soviel Kaninchen habe ich.
Jürgen machte einen runden Mund: Siebenundzwanzig?
Du kannst sie sehen. Viele sind noch ganz jung. Willst du?
Ich kann doch nicht. Ich muß doch aufpassen, sagte Jürgen unsicher.
Immerzu? fragte der Mann, nachts auch?
Nachts auch. Immerzu. Immer. Jürgen sah an den krummen Beinen hoch. Seit Sonnabend schon, flüsterte er.
Aber gehst du denn gar nicht nach Hause? Du mußt doch essen.
Jürgen hob einen Stein hoch. Da lag ein halbes Brot. Und eine Blechschachtel.
Du rauchst? fragte der Mann, hast du denn eine Pfeife?
Jürgen faßte seinen Stock fest an und sagte zaghaft: Ich drehe. Pfeife mag ich nicht.
Schade, der Mann bückte sich zu seinem Korb, die Kaninchen hättest du ruhig mal ansehen können. Vor allem die Jungen. Vielleicht hättest du dir eines ausgesucht. Aber du kannst hier ja nicht weg.

Nein, sagte Jürgen traurig, nein nein.
Der Mann nahm den Korb und richtete sich auf. Na ja, wenn du hierbleiben mußt – schade. Und er drehte sich um. Wenn du mich nicht verrätst, sagte Jürgen da schnell, es ist wegen den Ratten.
Die krummen Beine kamen einen Schritt zurück: Wegen den Ratten?
Ja, die essen doch von Toten. Von Menschen. Da leben sie doch von.
Wer sagt das?
Unser Lehrer.
Und du paßt nun auf die Ratten auf? fragte der Mann.
Auf die doch nicht! Und dann sagte er ganz leise: Mein Bruder, der liegt nämlich da unten. Da. Jürgen zeigte mit dem Stock auf die zusammengesackten Mauern. Unser Haus kriegte eine Bombe. Mit einmal war das Licht weg im Keller. Und er auch. Wir haben noch gerufen. Er war viel kleiner als ich. Erst vier. Er muß hier ja noch sein. Er ist doch viel kleiner als ich.
Der Mann sah von oben auf das Haargestrüpp. Aber dann sagte er plötzlich: Ja, hat euer Lehrer euch denn nicht gesagt, daß die Ratten nachts schlafen?
Nein, flüsterte Jürgen und sah mit einmal ganz müde aus, das hat er nicht gesagt.
Na, sagte der Mann, das ist aber ein Lehrer, wenn er das nicht mal weiß. Nachts schlafen die Ratten doch. Nachts kannst du ruhig nach Hause gehen. Nachts schlafen sie immer. Wenn es dunkel wird, schon.
Jürgen machte mit seinem Stock kleine Kuhlen in den Schutt.
Lauter kleine Betten sind das, dachte er, alles kleine Betten.
Da sagte der Mann (und seine krummen Beine waren ganz unruhig dabei): Weißt du was? Jetzt füttere ich schnell meine Kaninchen und wenn es dunkel wird, hole ich dich ab. Vielleicht kann ich eins mitbringen. Ein kleines oder, was meinst du?
Jürgen machte kleine Kuhlen in den Schutt. Lauter kleine

Kaninchen. Weiße, graue, weißgraue. Ich weiß nicht, sagte er leise und sah auf die krummen Beine, wenn sie wirklich nachts schlafen.
Der Mann stieg über die Mauerreste weg auf die Straße. Natürlich, sagte er von da, euer Lehrer soll einpacken, wenn er das nicht mal weiß.
Da stand Jürgen auf und fragte: Wenn ich eins kriegen kann? Ein weißes vielleicht?
Ich will mal versuchen, rief der Mann schon im Weggehen, aber du mußt hier solange warten. Ich gehe dann mit dir nach Hause, weißt du? Ich muß deinem Vater doch sagen, wie so ein Kaninchenstall gebaut wird. Denn das müßt ihr ja wissen.
Ja, rief Jürgen, ich warte. Ich muß ja noch aufpassen, bis es dunkel wird. Ich warte bestimmt. Und er rief: Wir haben auch noch Bretter zu Hause. Kistenbretter, rief er.
Aber das hörte der Mann schon nicht mehr. Er lief mit seinen krummen Beinen auf die Sonne zu. Die war schon rot vom Abend und Jürgen konnte sehen, wie sie durch die Beine hindurchschien, so krumm waren sie. Und der Korb schwenkte aufgeregt hin und her. Kaninchenfutter war da drin. Grünes Kaninchenfutter, das war etwas grau vom Schutt.

HEINRICH BÖLL

## *Wanderer, kommst du nach Spa ...*

Als der Wagen hielt, brummte der Motor noch eine Weile; draußen wurde irgendwo ein großes Tor aufgerissen. Licht fiel durch das zertrümmerte Fenster in das Innere des Wagens, und ich sah jetzt, daß auch die Glühbirne oben an der Decke zerfetzt war; nur ihr Gewinde stak noch in der Schrauböffnung, ein paar flimmernde Drähtchen mit Glas-

resten. Dann hörte der Motor auf zu brummen, und draußen schrie eine Stimme: »Die Toten hierhin, habt ihr Tote dabei?«
»Verflucht«, rief der Fahrer zurück, »verdunkelt ihr schon nicht mehr?«
»Da nützt kein Verdunkeln mehr, wenn die ganze Stadt wie eine Fackel brennt«, schrie die fremde Stimme. »Ob ihr Tote habt, habe ich gefragt?«
»Weiß nicht.«
»Die Toten hierhin, hörst du? Und die anderen die Treppe hinauf in den Zeichensaal, verstehst du?«
»Ja, ja.«
Aber ich war noch nicht tot, ich gehörte zu den anderen, und sie trugen mich die Treppe hinauf. Erst ging es in einen langen, schwach beleuchteten Flur, dessen Wände mit grüner Ölfarbe gestrichen waren; krumme, schwarze, altmodische Kleiderhaken waren in die Wände eingelassen, und da waren Türen mit Emailleschildchen: VI a und VI b, und zwischen diesen Türen hing, sanftglänzend unter Glas in einem schwarzen Rahmen, die Medea von Feuerbach und blickte in die Ferne; dann kamen Türen mit Va und V b, und dazwischen hing ein Bild des Dornausziehers, eine wunderbare rötlich schimmernde Fotografie in braunem Rahmen.
Auch die große Säule in der Mitte vor dem Treppenaufgang war da, und hinter ihr, lang und schmal, wunderbar gemacht, eine Nachbildung des Parthenonfrieses in Gips, gelblich schimmernd, echt, antik, und alles kam, wie es kommen mußte: der griechische Hoplit, bunt und gefährlich, wie ein Hahn sah er aus, gefiedert, und im Treppenhaus selbst, auf der Wand, die hier mit gelber Ölfarbe gestrichen war, da hingen sie alle der Reihe nach: vom Großen Kurfürsten bis Hitler ...
Und dort, in dem schmalen kleinen Gang, wo ich endlich wieder für ein paar Schritte gerade auf meiner Bahre lag, da war das besonders schöne, besonders große, besonders bunte Bild des Alten Fritzen mit der himmelblauen Uni-

form, den strahlenden Augen und dem großen, golden glänzenden Stern auf der Brust.
Wieder lag ich dann schief auf der Bahre und wurde vorbeigetragen an den Rassegesichtern: da war der nordische Kapitän mit dem Adlerblick und dem dummen Mund, die westische Moselanerin, ein bißchen hager und scharf, der ostische Grinser mit der Zwiebelnase und das lange adamsapfelige Bergfilmprofil; und dann kam wieder ein Flur, wieder lag ich für ein paar Schritte gerade auf meiner Bahre, und bevor die Träger in die zweite Treppe hineinschwenkten, sah ich es noch eben: das Kriegerdenkmal mit dem großen, goldenen Eisernen Kreuz obendrauf und dem steinernen Lorbeerkranz.
Das ging alles sehr schnell: Ich bin nicht schwer, und die Träger rasten. Immerhin: alles konnte auch Täuschung sein; ich hatte hohes Fieber, hatte überall Schmerzen. Im Kopf, in den Armen und Beinen, und mein Herz schlug wie verrückt; was sieht man nicht alles im Fieber!
Aber als wir an den Rassegesichtern vorbei waren, kam alles andere: die drei Büsten von Cäsar, Cicero, Marc Aurel, brav nebeneinander, wunderbar nachgemacht, ganz gelb und echt, antik und würdig standen sie an der Wand, und auch die Hermessäule kam, als wir um die Ecke schwenkten, und ganz hinten im Flur – der Flur war hier rosenrot gestrichen – ganz, ganz hinten im Flur hing die große Zeusfratze über dem Eingang zum Zeichensaal; doch die Zeusfratze war noch weit. Rechts sah ich durch das Fenster den Feuerschein, der ganze Himmel war rot, und schwarze, dicke Wolken von Qualm zogen feierlich vorüber ...
Und wieder mußte ich links sehen, und wieder sah ich Schildchen über den Türen O I a und O I b, und zwischen den bräunlichen muffigen Türen sah ich nur Nietzsches Schnurrbart und seine Nasenspitze in einem goldenen Rahmen, denn sie hatten die andere Hälfte des Bildes mit einem Zettel überklebt, auf dem zu lesen war: »Leichte Chirurgie« ...
Wenn jetzt, dachte ich flüchtig ... wenn jetzt ... aber da

war es schon: das Bild von Togo, bunt und groß, flach wie ein alter Stich, ein prachtvoller Druck, und vorne, vor den Kolonialhäusern, vor den Negern und dem Soldaten, der da sinnlos mit seinem Gewehr herumstand, vor allem war das große, ganz naturgetreu abgebildete Bündel Bananen: links ein Bündel, rechts ein Bündel, und auf der mittleren Banane im rechten Bündel, da war etwas hingekritzelt, ich sah es; ich selbst mußte es hingeschrieben haben ...
Aber nun wurde die Tür zum Zeichensaal aufgerissen, und ich schwebte unter der Zeusbüste hinein und schloß die Augen. Ich wollte nichts mehr sehen. Der Zeichensaal roch nach Jod, Scheiße, Mull und Tabak, und es war laut. Sie setzten mich ab, und ich sagte zu den Trägern: »Steck mir 'ne Zigarette in den Mund, links oben in der Tasche.«
Ich spürte, wie einer mir an der Tasche herumfummelte, dann zischte ein Streichholz, und ich hatte die brennende Zigarette im Mund. Ich zog daran. »Danke«, sagte ich.
Alles das, dachte ich, ist kein Beweis. Letzten Endes gibt es in jedem Gymnasium einen Zeichensaal, Gänge, in denen krumme, alte Kleiderhaken in grün- und gelbgestrichene Wände eingelassen sind; letzten Endes ist es kein Beweis, daß ich in meiner Schule bin, wenn die Medea zwischen VI a und VI b hängt und Nietzsches Schnurrbart zwischen O I a und O I b. Gewiß gibt es eine Vorschrift, die besagt, daß er da hängen muß. Hausordnung für humanistische Gymnasien in Preußen: Medea zwischen VI a und VI b, Dornauszieher dort, Cäsar, Marc Aurel und Cicero im Flur und Nietzsche oben, wo sie schon Philosophie lernen. Parthenonfries, ein buntes Bild von Togo. Dornauszieher und Parthenonfries sind schließlich gute, alte, generationenlang bewährte Schulrequisiten, und gewiß bin ich nicht der einzige, der den Einfall gehabt hat, auf eine Banane zu schreiben: Es lebe Togo. Auch die Witze, die sie in den Schulen machen, sind immer dieselben. Und außerdem besteht die Möglichkeit, daß ich Fieber habe, daß ich träume.
Schmerzen hatte ich jetzt nicht mehr. Im Auto war es noch

schlimm gewesen; wenn sie durch die kleinen Schlaglöcher fuhren, schrie ich jedesmal; da waren die großen Trichter schon besser: das Auto hob und senkte sich wie ein Schiff in einem Wellental. Aber jetzt schien die Spritze schon zu wirken, die sie mir irgendwo im Dunkeln in den Arm gehauen hatten: ich hatte gespürt, wie die Nadel sich durch die Haut bohrte und wie es unten am Bein ganz heiß wurde.
Es kann ja nicht wahr sein, dachte ich, so viele Kilometer kann das Auto ja gar nicht gefahren sein: fast dreißig. Und außerdem: du spürst nichts; kein Gefühl sagt es dir, nur die Augen; kein Gefühl sagt dir, daß du in deiner Schule bist, in deiner Schule, die du vor drei Monaten erst verlassen hast. Acht Jahre sind keine Kleinigkeit, solltest du nach acht Jahren das alles nur mit den Augen erkennen?
Hinter meinen geschlossenen Lidern sah ich alles noch einmal, wie ein Film lief es ab: unterer Flur, grün gestrichen, Treppe rauf, gelb gestrichen, Kriegerdenkmal, Flur, Treppe rauf, Cäsar, Cicero, Marc Aurel ... Hermes, Nietzscheschnurrbart, Togo, Zeusfratze ...
Ich spuckte meine Zigarette aus und schrie; es war immer gut, zu schreien; man mußte nur laut schreien; schreien war herrlich; ich schrie wie verrückt. Als sich jemand über mich beugte, machte ich immer noch nicht die Augen auf; ich spürte einen fremden Atem, warm und widerlich roch er nach Tabak und Zwiebeln, und eine Stimme fragte ruhig: »Was ist denn?«
»Was zu trinken«, sagte ich, »und noch 'ne Zigarette, die Tasche oben.«
Wieder fummelte einer an meiner Tasche herum, wieder zischte ein Streichholz, und jemand steckte mir 'ne brennende Zigarette in den Mund.
»Wo sind wir?« fragte ich.
»In Bendorf.«
»Danke«, sagte ich und zog.
Immerhin schien ich wirklich in Bendorf zu sein, zu Hause also, und wenn ich nicht außergewöhnlich hohes Fieber

hatte, stand wohl fest, daß ich in einem humanistischen Gymnasium war: eine Schule war es bestimmt. Hatte die Stimme unten nicht geschrien: »Die anderen in den Zeichensaal!«? Ich war ein anderer, ich lebte; die lebten, waren offenbar die anderen. Der Zeichensaal war also da, und wenn ich richtig hörte, warum sollte ich nicht richtig sehen, und dann stimmte es wohl auch, daß ich Cäsar, Cicero und Marc Aurel erkannt hatte, und das konnte nur in einem humanistischen Gymnasium sein; ich glaube nicht, daß sie diese Kerle in den anderen Schulen auf den Fluren an die Wand stellen.
Endlich brachte er mir Wasser: wieder roch ich den Tabak- und Zwiebelatem aus seinem Gesicht, und ich machte, ohne es zu wollen, die Augen auf: da war ein müdes, altes, unrasiertes Gesicht über einer Feuerwehruniform, und eine alte Stimme sagte leise: »Trink, Kamerad!«
Ich trank; es war Wasser, aber Wasser ist herrlich; ich spürte den metallenen Geschmack des Kochgeschirrs auf meinen Lippen, und es war schön zu spüren, welch eine Menge Wasser noch nachdrängte, aber der Feuerwehrmann riß mir das Kochgeschirr von den Lippen und ging: ich schrie, aber er wandte sich nicht um, zuckte nur müde die Schultern und ging weiter; einer, der neben mir lag, sagte ruhig: »Hat gar keinen Zweck zu brüllen, sie haben nicht mehr Wasser; die Stadt brennt, du siehst es doch.«
Ich sah es durch die Verdunkelung hindurch, es glühte und wummerte hinter den schwarzen Vorhängen, Rot hinter Schwarz, wie in einem Ofen, auf den man neue Kohlen geschüttet hat. Ich sah es: ja, die Stadt brannte.
»Wie heißt die Stadt?« fragte ich den, der neben mir lag.
»Bendorf«, sagte er.
»Danke.«
Ich blickte ganz gerade vor mich hin auf die Fensterreihe und manchmal zur Decke. Die Decke war noch tadellos, weiß und glatt, mit einem schmalen klassizistischen Stuckrand; aber sie haben doch in allen Schulen klassizistische Stuckränder an den Decken in den Zeichensälen, wenig-

stens in den guten, alten humanistischen Gymnasien. Das ist doch klar.
Ich mußte mir jetzt zugestehen, daß ich im Zeichensaal eines humanistischen Gymnasiums in Bendorf lag. Bendorf hat drei humanistische Gymnasien: die Schule »Friedrich der Große«, die Albertus-Schule und – vielleicht brauche ich es nicht zu erwähnen – aber die letzte, die dritte war die Adolf-Hitler-Schule. Hing nicht in der Schule »Friedrich der Große« das Bild des Alten Fritz besonders bunt, besonders schön, besonders groß im Treppenhaus? Ich war auf dieser Schule gewesen, acht Jahre lang, aber warum konnte nicht in den anderen Schulen dieses Bild genauso an derselben Stelle hängen, so deutlich und auffallend, daß es den Blick fangen mußte, wenn man die erste Treppe hinaufstieg?
Draußen hörte ich jetzt die schwere Artillerie schießen. Sonst war es fast ruhig; nur manchmal drang das Fressen der Flammen durch, und im Dunkeln stürzte irgendwo ein Giebel ein. Die Artillerie schoß ruhig und regelmäßig, und ich dachte: Gute Artillerie! Ich weiß, das ist gemein, aber ich dachte es. Mein Gott, wie beruhigend war die Artillerie, wie gemütlich: dunkel und rauh, ein sanftes, fast feines Orgeln. Irgendwie vornehm. Ich finde, die Artillerie hat etwas Vornehmes, auch wenn sie schießt. Es hört sich so anständig an, richtig nach Krieg in den Bilderbüchern... Dann dachte ich daran, wieviel Namen wohl auf dem Kriegerdenkmal stehen würden, wenn sie es wieder einweihten, mit einem noch größeren goldenen Eisernen Kreuz darauf und einem noch größeren steinernen Lorbeerkranz, und plötzlich wußte ich es: wenn ich wirklich in meiner alten Schule war, würde mein Name auch darauf stehen, eingehauen in Stein, und im Schulkalender würde hinter meinem Namen stehen – »zog von der Schule ins Feld und fiel für...«
Aber ich wußte noch nicht wofür und wußte noch nicht, ob ich in meiner alten Schule war. Ich wollte es jetzt unbedingt herauskriegen. Am Kriegerdenkmal war auch nichts

Besonderes gewesen, nichts Auffallendes, es war wie überall, es war ein Konfektionskriegerdenkmal, ja, sie bekamen sie aus irgendeiner Zentrale ...
Ich sah mir den Zeichensaal an, aber die Bilder hatten sie abgehängt, und was ist schon an ein paar Bänken zu sehen, die in einer Ecke gestapelt sind, und an den Fenstern, schmal und hoch, viele nebeneinander, damit viel Licht hereinfällt, wie es sich für einen Zeichensaal gehört? Mein Herz sagte mir nichts. Hätte es nicht etwas gesagt, wenn ich in dieser Bude gewesen wäre, wo ich acht Jahre lang Vasen gezeichnet und Schriftzeichen geübt hatte, schlanke, feine, wunderbar nachgemachte römische Glasvasen, die der Zeichenlehrer vorne auf einen Ständer setzte, und Schriften aller Art, Rundschrift, Antiqua, Römisch, Italienne? Ich hatte diese Stunden gehaßt wie nichts in der ganzen Schule, ich hatte die Langeweile gefressen stundenlang, und niemals hatte ich Vasen zeichnen können oder Schriftzeichen malen. Aber wo waren meine Flüche, wo war mein Haß angesichts dieser dumpfgetönten, langweiligen Wände? Nichts sprach in mir, und ich schüttelte stumm den Kopf.
Immer wieder hatte ich radiert, den Bleistift gespitzt, radiert ... nichts ...
Ich wußte nicht genau, wie ich verwundet war; ich wußte nur, daß ich meine Arme nicht bewegen konnte und das rechte Bein nicht, nur das linke ein bißchen; ich dachte, sie hätten mir die Arme an den Leib gewickelt, so fest, daß ich sie nicht bewegen konnte.
Ich spuckte die zweite Zigarette in den Gang zwischen den Strohsäcken und versuchte, meine Arme zu bewegen, aber es tat so weh, daß ich schreien mußte; ich schrie weiter; es war immer wieder schön, zu schreien; ich hatte auch Wut, weil ich die Arme nicht bewegen konnte.
Dann stand der Arzt vor mir; er hatte die Brille abgenommen und blinzelte mich an; er sagte nichts; hinter ihm stand der Feuerwehrmann, der mir das Wasser gegeben hatte. Er flüsterte dem Arzt etwas ins Ohr, und der Arzt

setzte die Brille auf: deutlich sah ich seine großen grauen Augen mit den leise zitternden Pupillen hinter den dicken Brillengläsern. Er sah mich lange an, so lange, daß ich wegsehen mußte, und er sagte leise: »Augenblick, Sie sind gleich an der Reihe ...«

Dann hoben sie den auf, der neben mir lag, und trugen ihn hinter die Tafel; ich blickte ihnen nach: sie hatten die Tafel auseinandergezogen und quer gestellt und die Lücke zwischen Wand und Tafel mit einem Bettuch zugehängt; dahinter brannte grelles Licht ...

Nichts war zu hören, bis das Tuch wieder beiseite geschlagen und der, der neben mir gelegen hatte, hinausgetragen wurde; mit müden, gleichgültigen Gesichtern schleppten die Träger ihn zur Tür.

Ich schloß wieder die Augen und dachte, du mußt doch herauskriegen, was du für eine Verwundung hast und ob du in deiner alten Schule bist.

Mir kam das alles so kalt und gleichgültig vor, als hätten sie mich durch das Museum einer Totenstadt getragen, durch eine Welt, die mir ebenso gleichgültig wie fremd war, obwohl meine Augen sie erkannten, nur meine Augen; es konnte doch nicht wahr sein, daß ich vor drei Monaten noch hier gesessen, Vasen gezeichnet und Schriften gemalt hatte, daß ich in den Pausen hinuntergegangen war mit meinem Marmeladenbutterbrot, vorbei an Nietzsche, Hermes, Togo, Cäsar, Cicero, Marc Aurel, ganz langsam bis in den Flur unten, wo die Medea hing, dann zum Hausmeister, zu Birgeler, um Milch zu trinken, Milch in diesem dämmerigen kleinen Stübchen, wo man es auch riskieren konnte, eine Zigarette zu rauchen, obwohl es verboten war. Sicher trugen sie den, der neben mir gelegen hatte, unten hin, wo die Toten lagen, vielleicht lagen die Toten in Birgelers grauem kleinem Stübchen, wo es nach warmer Milch roch, nach Staub und Birgelers schlechtem Tabak ...

Endlich kamen die Träger wieder herein, und jetzt hoben sie mich auf und trugen mich hinter die Tafel. Ich schwebte wieder, jetzt an der Tür vorbei, und im Vorbeischweben sah ich, daß auch das stimmte: über der Tür hatte einmal ein Kreuz gehangen, als die Schule noch Thomas-Schule hieß, und damals hatten sie das Kreuz weggemacht, aber da blieb ein frischer dunkelgelber Fleck an der Wand, kreuzförmig, hart und klar, der fast noch deutlicher zu sehen war als das alte, schwache, kleine Kreuz selbst, das sie abgehängt hatten; sauber und schön blieb das Kreuzzeichen auf der verschossenen Tünche der Wand. Damals hatten sie aus Wut die ganze Wand neu gepinselt, aber es hatte nichts genützt; der Anstreicher hatte den Ton nicht richtig getroffen: das Kreuz blieb da, bräunlich und deutlich, aber die ganze Wand war rosa. Sie hatten geschimpft, aber es hatte nichts genützt: das Kreuz blieb da, braun und deutlich auf dem Rosa der Wand, und ich glaube, ihr Etat für Farbe war erschöpft und sie konnten nichts machen. Das Kreuz war noch da, und wenn man genau hinsah, konnte man sogar noch eine deutliche Schrägspur über dem rechten Balken sehen, wo jahrelang der Buchsbaumzweig gehangen hatte, den der Hausmeister Birgeler dorthinter klemmte, als es noch erlaubt war, Kreuze in die Schulen zu hängen ...

Das alles fiel mir in der kleinen Sekunde ein, als ich an der Tür vorbeigetragen wurde hinter die Tafel, wo das grelle Licht brannte.

Ich lag auf dem Operationstisch und sah mich selbst ganz deutlich, aber sehr klein, zusammengeschrumpft, oben in dem klaren Glas der Glühbirne, winzig und weiß, ein schmales, mullfarbenes Paketchen wie ein außergewöhnlich subtiler Embryo: das war also ich da oben.

Der Arzt drehte mir den Rücken zu und stand an einem Tisch, wo er in Instrumenten herumkramte; breit und alt stand der Feuerwehrmann vor der Tafel und lächelte mich an; er lächelte müde und traurig, und sein bärtiges, schmutziges Gesicht war wie das Gesicht eines Schlafenden; an seiner Schulter vorbei auf der schmierigen Rückseite der Tafel sah ich etwas, was mich zum ersten Male, seit-

dem ich in diesem Totenhaus war, mein Herz spüren machte: irgendwo in einer geheimen Kammer meines Herzens erschrak ich tief und schrecklich, und es fing heftig an zu schlagen: da war meine Handschrift an der Tafel. Oben in der obersten Zeile. Ich kenne meine Handschrift: es ist schlimmer, als wenn man sich im Spiegel sieht, viel deutlicher, und ich hatte keine Möglichkeit, die Identität meiner Handschrift zu bezweifeln. Alles andere war kein Beweis gewesen, weder Medea noch Nietzsche, nicht das dinarische Bergfilmprofil noch die Banane aus Togo, und nicht einmal das Kreuzzeichen über der Tür: das alles war in allen Schulen dasselbe, aber ich glaube nicht, daß sie in anderen Schulen mit meiner Handschrift an die Tafeln schreiben. Da stand er noch, der Spruch, den wir damals hatten schreiben müssen, in diesem verzweifelten Leben, das erst drei Monate zurücklag: Wanderer, kommst du nach Spa ...
Oh, ich weiß, die Tafel war zu kurz gewesen, und der Zeichenlehrer hatte geschimpft, daß ich nicht richtig eingeteilt hatte, die Schrift zu groß gewählt, und er selbst hatte es kopfschüttelnd in der gleichen Größe darunter geschrieben: Wanderer, kommst du nach Spa ...
Siebenmal stand es da: in meiner Schrift, in Antiqua, Fraktur, Kursiv, Römisch, Italienne und Rundschrift; siebenmal deutlich und unerbittlich: Wanderer, kommst du nach Spa ...
Der Feuerwehrmann war jetzt auf einen leisen Ruf des Arztes hin beiseite getreten, so sah ich den ganzen Spruch, der nur ein bißchen verstümmelt war, weil ich die Schrift zu groß gewählt hatte, der Punkte zu viele.
Ich zuckte hoch, als ich einen Stich in den linken Oberschenkel spürte, ich wollte mich aufstützen, aber ich konnte es nicht: ich blickte an mir herab, und nun sah ich es: sie hatten mich ausgewickelt, und ich hatte keine Arme mehr, auch kein rechtes Bein mehr, und ich fiel ganz plötzlich nach hinten, weil ich mich nicht aufstützen konnte; ich schrie; der Arzt und der Feuerwehrmann blickten mich

entsetzt an, aber der Arzt zuckte nur die Schultern und drückte weiter auf den Kolben seiner Spritze, der langsam und ruhig nach unten sank; ich wollte wieder auf die Tafel blicken, aber der Feuerwehrmann stand nun ganz nah neben mir und verdeckte sie; er hielt mich an den Schultern fest, und ich roch nur noch den brandigen, schmutzigen Geruch seiner verschmierten Uniform, sah nur sein müdes, trauriges Gesicht, und nun erkannte ich ihn: es war Birgeler.
»Milch«, sagte ich leise ...

LUISE RINSER

## *Die rote Katze*

Ich muß immer an diesen roten Teufel von einer Katze denken, und ich weiß nicht, ob das richtig war, was ich getan hab. Es hat damit angefangen, daß ich auf dem Steinhaufen neben dem Bombentrichter in unserm Garten saß. Der Steinhaufen ist die größere Hälfte von unserm Haus. Die kleinere steht noch, und da wohnen wir, ich und die Mutter und Peter und Leni, das sind meine kleinen Geschwister. Also, ich sitz da auf den Steinen, da wächst überall schon Gras und Brennesseln und anderes Grünes. Ich halt ein Stück Brot in der Hand, das ist schon hart, aber meine Mutter sagt, altes Brot ist gesünder als frisches. In Wirklichkeit ist es deswegen, weil sie meint, am alten Brot muß man länger kauen, und dann wird man von weniger satt. Bei mir stimmt das nicht. Plötzlich fällt mir ein Brocken herunter. Ich bück mich, aber im nämlichen Augenblick fährt eine rote Pfote aus den Brennesseln und angelt sich das Brot. Ich hab nur dumm schauen können, so schnell ist es gegangen. Und da seh ich, daß in den Brennesseln eine Katze hockt, rot wie ein Fuchs und ganz mager. »Verdammtes Biest«, sag ich und werf einen Stein nach ihr. Ich hab sie gar nicht treffen wollen, nur verscheuchen. Aber ich muß sie doch getroffen haben, denn sie hat geschrien, nur ein einziges Mal, aber so wie ein Kind. Fortgelaufen ist sie nicht. Da hat es mir leid getan, daß ich nach ihr geworfen hab, und ich hab sie gelockt. Aber sie ist nicht aus den Nesseln rausgegangen. Sie hat ganz schnell geatmet. Ich hab gesehen, wie ihr rotes Fell über dem Bauch auf und ab gegangen ist. Sie hat mich immerfort angeschaut mit ihren grünen Augen. Da hab ich sie gefragt: »Was willst du eigentlich?« Das war verrückt, denn sie ist doch kein Mensch, mit dem man reden kann. Dann bin ich ärgerlich geworden über sie und auch über mich, und ich hab einfach nicht mehr hingeschaut und hab ganz schnell mein Brot hinuntergewürgt. Den letzten Bissen, das war noch ein großes Stück, den hab ich ihr hingeworfen und bin ganz zornig fortgegangen.

Im Vorgarten, da waren Peter und Leni und haben Bohnen geschnitten. Sie haben sich die grünen Bohnen in den Mund gestopft, daß es nur so geknirscht hat, und Leni hat ganz leise gefragt, ob ich nicht noch ein Stückchen Brot hab. »Na«, hab ich gesagt, »du hast doch genau so ein großes Stück bekommen wie ich, und du bist erst neun, und ich bin dreizehn. Größere brauchen mehr.« – »Ja«, hat sie gesagt, sonst nichts. Da hat Peter gesagt: »Weil sie ihr Brot doch der Katze gegeben hat.« – »Was für einer Katze?« hab ich gefragt. »Ach«, sagt Leni, »da ist so eine Katze gekommen, eine rote, wie so ein kleiner Fuchs und so schrecklich mager. Die hat mich immer angeschaut, wie ich mein Brot hab essen wollen.« – »Dummkopf«, hab ich ärgerlich gesagt, »wo wir doch selber nichts zu essen haben.« Aber sie hat nur mit den Achseln gezuckt und ganz schnell zu Peter hingeschaut, der hat einen roten Kopf gehabt, und ich bin sicher, er hat sein Brot auch der Katze gegeben. Da bin ich wirklich ärgerlich gewesen und hab ganz schnell weggehen müssen.

Wie ich auf die Hauptstraße komm, steht da ein amerikanisches Auto, so ein großer langer Wagen, ein Buick, glaub ich, und da fragt mich der Fahrer nach dem Rathaus. Auf englisch hat er gefragt, und ich kann doch ein bißchen Englisch. »The next street«, hab ich gesagt, »and then left and then« – geradeaus hab ich nicht gewußt auf englisch, das hab ich mit dem Arm gezeigt, und er hat mich schon verstanden. – »And behind the church is the marketplace with the Rathaus.« Ich glaub, das war ein ganz gutes Amerikanisch, und die Frau im Auto hat mir ein paar Schnitten Weißbrot gegeben, ganz weißes, und wie ich's aufklapp, ist Wurst dazwischen, ganz dick. Da bin ich gleich heimgerannt mit dem Brot. Wie ich in die Küche komm, da verstecken die zwei Kleinen schnell was unterm Sofa, aber ich hab es doch gesehen. Es ist die rote Katze gewesen. Und auf dem Boden war ein bißchen Milch verschüttet, und da hab ich alles gewußt. »Ihr seid wohl verrückt«, hab ich geschrien, »wo wir doch nur einen halben Liter Magermilch haben im Tag, für vier Personen.« Und ich hab die Katze unterm Sofa herausgezogen und hab sie zum Fenster hinausgeworfen. Die beiden Kleinen haben kein Wort gesagt. Dann hab ich das amerikanische Weißbrot in vier Teile geschnitten und den Teil für die Mutter im Küchenschrank versteckt.

»Woher hast du das?« haben sie gefragt und ganz ängstlich geschaut. »Gestohlen«, hab ich gesagt und bin hinausgegangen. Ich hab nur schnell nachsehn wollen, ob auf der Straße keine Kohlen liegen, weil nämlich ein Kohlenauto vorbeigefahren war, und die verlieren manchmal was. Da sitzt im Vorgarten die rote Katze und schaut so an mir rauf. »Geh weg«, hab ich gesagt und mit dem Fuß nach ihr gestoßen. Aber sie ist nicht weggegangen. Sie hat bloß ihr kleines Maul aufgemacht und gesagt: »Miau.« Sie hat nicht geschrien wie andere Katzen, sie hat es einfach so gesagt, ich kann das nicht erklären. Dabei hat sie mich ganz starr angeschaut mit den grünen Augen. Da hab ich ihr voll Zorn einen Brocken von dem amerikanischen Weißbrot hingeworfen. Nachher hat's mich gereut.

Wie ich auf die Straße komm, da sind schon zwei andere

da, Größere, die haben die Kohlen aufgehoben. Da bin ich einfach vorbeigegangen. Sie haben einen ganzen Eimer voll gehabt. Ich hab schnell hineingespuckt. Wär das mit der Katze nicht gewesen, hätte ich sie alle allein gekriegt. Und wir hätten ein ganzes Abendessen damit kochen können. Es waren so schöne glänzende Dinger. Nachher hab ich dafür einen Wagen mit Frühkartoffeln getroffen, da bin ich ein bißchen drangestoßen, und da sind ein paar runtergekollert und noch ein paar. Ich hab sie in die Taschen gesteckt und in die Mütze. Wie der Fuhrmann umgeschaut hat, hab ich gesagt: »Sie verlieren Ihre Kartoffeln.« Dann bin ich schnell heimgegangen. Die Mutter war allein daheim, und auf ihrem Schoß, da war die rote Katze. »Himmeldonnerwetter«, hab ich gesagt, »ist das Biest schon wieder da?« – »Red doch nicht so grob«, hat die Mutter gesagt, »das ist eine herrenlose Katze, und wer weiß, wie lange sie nichts mehr gefressen hat. Schau nur, wie mager sie ist.« – »Wir sind auch mager«, hab ich gesagt. »Ich hab ihr ein bißchen was von meinem Brot gegeben«, hat sie gesagt und mich schief angeschaut. Ich hab an unsere Brote gedacht und an die Milch und an das Weißbrot, aber gesagt hab ich nichts. Dann haben wir die Kartoffeln gekocht, und die Mutter war froh. Aber woher ich sie hab, hat sie nicht gefragt. Meinetwegen hätte sie schon fragen können. Nachher hat die Mutter ihren Kaffee schwarz getrunken, und sie haben alle zugeschaut, wie das rote Biest die Milch ausgesoffen hat. Dann ist sie endlich durchs Fenster hinausgesprungen. Ich hab schnell zugemacht und richtig aufgeatmet. Am Morgen, um sechs, hab ich mich für Gemüse angestellt. Wie ich um acht Uhr heimkomm, sitzen die Kleinen beim Frühstück, und auf dem Stuhl dazwischen hockt das Vieh und frißt eingeweichtes Brot aus Lenis Untertasse. Nach ein paar Minuten kommt die Mutter zurück, die ist seit halb sechs beim Metzger angestanden. Die Katze springt gleich zu ihr hin, und wie die Mutter denkt, ich geb nicht acht, läßt sie ein Stück Wurst fallen. Es war zwar markenfreie Wurst, so graues Zeug, aber wir hätten sie uns auch gern aufs Brot gestrichen, das hätte Mutter doch wissen müssen. Ich verschluck meinen Zorn, nehm die Mütze und geh. Ich hab das alte Rad aus dem Keller geholt und bin vor die Stadt gefahren. Da ist ein Teich, in dem gibt's Fische. Ich hab keine Angel, nur so einen Stekken mit zwei spitzen Nägeln drin, mit dem stech ich nach den Fischen. Ich hab schon oft Glück gehabt und diesmal auch. Es ist noch nicht zehn Uhr, da hab ich zwei ganz nette Dinger, genug für ein Mittagessen. Ich fahr heim, so schnell ich kann, und daheim leg ich die Fische auf den Küchentisch. Ich geh nur rasch in den Keller und sag's der Mutter, die hat Waschtag. Sie kommt auch gleich mit herauf. Aber da ist nur mehr ein Fisch da und ausgerechnet der kleinere. Und auf dem Fensterbrett, da sitzt der rote Teufel und frißt den letzten Bissen. Da krieg ich aber die Wut und werf ein Stück Holz nach ihr, und ich treff sie auch. Sie kollert vom Fensterbrett, und ich hör sie wie einen Sack im Garten aufplumpsen. »So«, sag ich, »die hat genug.« Aber da krieg ich von der Mutter eine Ohrfeige, daß es nur so klatscht. Ich bin dreizehn und hab sicher seit fünf Jahren keine mehr gekriegt. »Tierquäler«, schreit die Mutter und ist ganz blaß vor Zorn über mich. Ich hab nichts anderes tun können als fortgehen. Mittags hat es dann doch Fischsalat gegeben mit mehr Kartoffeln als Fisch. Jedenfalls sind wir das rote Biest losgewesen. Aber glaub ja keiner, daß das besser gewesen ist. Die Kleinen sind durch die Gärten gelaufen und haben immer nach der Katze gerufen, und die Mutter hat jeden Abend ein Schälchen mit Milch vor die Tür gestellt, und sie hat mich vorwurfsvoll angeschaut. Und da hab ich selber angefangen, in allen Winkeln nach dem Vieh zu suchen, es hätte ja irgendwo krank oder tot liegen können. Aber nach drei Tagen war die Katze wieder da. Sie hat gehinkt und hat eine Wunde am Bein gehabt, am rechten Vorderbein, das war von meinem Scheit. Die Mutter hat sie verbunden, und sie hat ihr auch was zu fressen gegeben. Von da an ist sie jeden Tag gekommen. Es hat keine Mahlzeit gegeben ohne das rote Vieh, und keiner von uns hat irgendwas vor ihm verheimlichen können. Kaum hat man was gegessen, so ist sie schon dagesessen und hat einen angestarrt. Und alle haben wir ihr gegeben, was sie hat haben wollen, ich auch. Obwohl ich wütend war. Sie ist immer fetter geworden, und eigentlich war es eine schöne Katze, glaub ich. Und dann ist der Winter sechsundvierzig auf siebenundvierzig gekommen. Da haben wir wirklich kaum mehr was zu essen gehabt. Es hat ein paar Wochen lang kein Gramm Fleisch gegeben und nur gefrorene Kartoffeln, und die Kleider haben nur so geschlottert an uns. Und einmal hat Leni ein Stück Brot gestohlen beim Bäcker vor Hunger. Aber das weiß nur ich. Und Anfang Februar, da hab ich zur Mutter gesagt: »Jetzt schlachten wir das Vieh.« – »Was für ein Vieh?« hat sie gefragt und hat mich scharf angeschaut. »Die Katze halt«, hab ich gesagt und hab gleichgültig getan, aber ich hab schon gewußt, was kommt. Sie sind alle über mich hergefallen. »Was? Unsere Katze? Schämst du dich nicht?« – »Nein«, hab ich gesagt, »ich schäm mich nicht. Wir haben sie von unserm Essen gemästet, und sie ist fett wie ein Spanferkel, jung ist sie auch noch, also?« Aber Leni hat angefangen zu heulen, und Peter hat mir unterm Tisch einen Fußtritt gegeben, und Mutter hat traurig gesagt: »Daß du so ein böses Herz hast, hab ich nicht geglaubt.« Die Katze ist auf dem Herd gesessen und hat geschlafen. Sie war wirklich ganz rund und sie war so faul, daß sie kaum mehr aus dem Haus zu jagen war. Wie es dann im April keine Kartoffeln mehr gegeben hat, da haben wir nicht mehr gewußt, was wir essen sollen. Eines Tages, ich war schon ganz verrückt, da hab ich sie mir vorgenommen und hab gesagt: »Also hör mal, wir haben nichts mehr, siehst du das nicht ein?« Und ich hab ihr die leere Kartoffelkiste gezeigt und den leeren Brotkasten. »Geh fort«, hab ich ihr gesagt, »du siehst ja, wie's bei uns ist.« Aber sie hat nur geblinzelt und sich auf dem Herd herumgedreht. Da hab ich vor Zorn geheult und auf den Küchentisch geschlagen. Aber sie hat sich nicht darum gekümmert.

Da hab ich sie gepackt und untern Arm genommen. Es war schon ein bißchen dunkel draußen, und die Kleinen waren mit der Mutter fort, Kohlen am Bahndamm zusammensuchen. Das rote Vieh war so faul, daß es sich einfach forttragen hat lassen. Ich bin an den Fluß gegangen. Auf einmal ist mir ein Mann begegnet, der hat gefragt, ob ich die Katze verkauf. »Ja«, hab ich gesagt, und hab mich schon gefreut. Aber er hat nur gelacht und ist weitergegangen. Und dann war ich auf einmal am Fluß. Da war Treibeis und Nebel und kalt war es. Da hat sich die Katze ganz nah an mich gekuschelt, und dann hab ich sie gestreichelt und mit ihr geredet. »Ich kann das nicht mehr sehen«, hab ich ihr gesagt, »es geht nicht, daß meine Geschwister hungern, und du bist fett, ich kann das einfach nicht mehr mit ansehen.« Und auf einmal hab ich ganz laut geschrien, und dann hab ich das rote Vieh an den Hinterläufen genommen und hab's an einen Baumstamm geschlagen. Aber sie hat bloß geschrien. Tot war sie noch lange nicht. Da hab ich sie an eine Eisscholle gehaut, aber davon hat sie nur ein Loch im Kopf bekommen, und da ist das Blut herausgeflossen, und überall im Schnee waren dunkle Flecken. Sie hat geschrien wie ein Kind. Ich hätt gern aufgehört, aber jetzt hab ich's schon fertig tun müssen. Ich hab sie immer wieder an die Eisscholle geschlagen, es hat gekracht, ich weiß nicht, ob es ihre Knochen waren oder das Eis, und sie war immer noch nicht tot. Eine Katze hat sieben Leben, sagen die Leute, aber die hat mehr gehabt. Bei jedem Schlag hat sie laut geschrien, und auf einmal hab ich auch geschrien, und ich war ganz naß vor Schweiß bei aller Kälte. Aber einmal war sie dann doch tot. Da hab ich sie in den Fluß geworfen und hab mir meine Hände im Schnee gewaschen, und wie ich noch einmal nach dem Vieh schau, da schwimmt es schon weit draußen mitten unter den Eisschollen, dann war es im Nebel verschwunden. Dann hat mich gefroren, aber ich hab noch nicht heimgehen mögen. Ich bin noch in der Stadt herumgelaufen, aber dann bin ich doch heimgegangen. »Was hast du denn?« hat die Mutter gefragt, »du bist ja käsweiß. Und was ist das für Blut an deiner Jacke?« – »Ich hab Nasenbluten gehabt«, hab ich gesagt. Sie hat mich nicht angeschaut und ist an den Herd gegangen und hat mir Pfefferminztee gemacht. Auf einmal ist mir schlecht geworden, da hab ich schnell hinausgehen müssen, dann bin ich gleich ins Bett gegangen. Später ist die Mutter gekommen und hat ganz ruhig gesagt: »Ich versteh dich schon. Denk nimmer dran.« Aber nachher hab ich Peter und Leni die halbe Nacht unterm Kissen heulen hören. Und jetzt weiß ich nicht, ob es richtig war, daß ich das rote Biest umgebracht hab. Eigentlich frißt so ein Tier doch gar nicht viel.

# Anpassung bis zum Untergang: Deutschland im Dritten Reich

ALFRED ANDERSCH

## *Die Inseln unter dem Winde*

Franz Kien war viel zu früh dran. Gestern, am späten Nachmittag, vor dem Ausgang des Deutschen Museums, hatte Sir Thomas Wilkins ihn gebeten, heute um zwei Uhr ins Hotel ›Vier Jahreszeiten‹ zu kommen, aber es war erst ein Uhr, als er schon am Odeonsplatz aus der Trambahn stieg. Er besaß eine Mark siebzig und beschloß, im Café Rottenhöfer eine Tasse Kaffee zu trinken. Gegen Abend würde er von dem Engländer den Lohn für zwei Stadtführungen erhalten; er hoffte auf zwanzig oder dreißig Mark.
Er ging nicht direkt in die Residenzstraße hinein, in der sich das Café befand, sondern er machte den Umweg durch die Theatinerstraße und die Viscardigasse. Auf diese Weise vermied er es, an dem Mahnmal der Nationalsozialisten vorbeigehen und den Arm zum Deutschen Gruß erheben zu müssen.
Das Café war um diese Zeit fast leer. Ein paar Frauen. An einem Tisch saßen zwei SA-Leute. Franz Kien hatte nicht erwartet, hier Bekannte zu finden. Noch im vergangenen Herbst war das Café Rottenhöfer der Treffpunkt ›seiner‹ Clique im Jugendverband gewesen. Franz Lehner, Ludwig Kessel, Gebhard Homolka und ein paar andere, dazu die Mädchen: Adelheid Sennhauser, Sophie Weber und Else Laub. Franz, Ludwig, Gebhard und alle anderen saßen noch immer in Dachau; von den Mädchen befand sich Adelheid in irgendeinem Frauengefängnis. Franz Kien hatte einmal den Versuch gemacht, Else Laub aufzusuchen,

aber ihre Mutter hatte die Wohnungstüre nur einen Spalt aufgemacht und wütend und leise zu ihm gesagt: »Was wollen Sie? Gehen Sie weg! Wir werden von der Polizei überwacht!«, in einem Ton, als trage Franz Kien die Schuld an dieser Maßnahme der Gestapo. Plötzlich erblickte er Wolfgang Fischer. Er saß an einem Tisch im Hintergrund des Cafés, im Gespräch mit einem jungen Mann, den Franz Kien nicht kannte.

Erfreut ging er auf Fischer zu und streckte ihm die Hand entgegen.

»Mensch, Wolfgang!« sagte er. »Das ist ja fabelhaft, dich zu sehen!«

Wolfgang Fischer war nicht Kommunist, sondern Mitglied des Internationalen Sozialistischen Kampfbundes gewesen. Franz Kien dachte bereits ganz selbstverständlich das Wort *gewesen*, obwohl er wußte, daß kleine Überreste kommunistischer und sozialistischer Gruppen noch illegal existierten. In den Augen der Jungkommunisten war der ISK eine seltsame Sekte gewesen; die ISK-Leute aßen kein Fleisch, tranken keinen Alkohol und lebten überhaupt sehr rein. Sie waren keine Marxisten, sondern Anhänger eines Heidelberger Philosophen namens Leonard Nelson. Es war offenkundig, daß sie sich als Elite fühlten, aber sie traten zurückhaltend auf, gaben sich unauffällig, das machte sie anziehend. Sie hatten engen Kontakt mit den Jungkommunisten gehalten, waren mit ihnen gemeinsam auf Fahrten gegangen und zu ihren Versammlungen gekommen, um zu diskutieren.

Wolfgang Fischer hob den Kopf und sah ihn an. Er ergriff Franz Kiens Hand nicht.

»Ja, nicht wahr«, sagte er, »es ist fabelhaft, einen Juden zu sehen?«

Wolfgang Fischer war ein paar Jahre älter als Franz Kien. Er studierte an der Münchner Universität Chemie. Er war ein nicht ganz mittelgroßer, kraftvoll rechteckig gebauter Mann mit kurzgeschnittenen fuchsroten Haaren und der rötlichen, sommersprossigen Haut der Rothaarigen. Alles

an ihm war hart: die kleinen blauen Augen mit den roten Brauen darüber, die Art, wie sich seine Haut fest über seine Muskeln und Knochen spannte. Er hatte als Langstreckenläufer eine Rolle im Arbeitersport gespielt; Franz Kien hatte einmal zugesehen, wie er die zehntausend Meter lief; er lief sie wie eine Maschine, zog nur während der letzten fünfhundert Meter das Tempo an, um alle anderen, die schon eine oder mehr Runden zurücklagen, noch einmal zu überrunden, ehe er, ohne ein Zeichen der Erschöpfung zu zeigen, den Lauf beendete. Sozialist war er aus ethischer Überzeugung. Im Gespräch mit Franz Kien vertrat er die Ansicht, der Sozialismus werde siegen, nicht weil er sich aus dialektischen Prozessen zwangsläufig entwickeln würde, sondern weil er im Recht begründet sei. Sachlich, bescheiden, ruhig trug er Franz Kien einen Extrakt aus den Lehren Kants und Leonard Nelsons vor. Franz Kien, achtzehn Jahre alt, Anfänger in Marxismus, war ihm in der Diskussion nicht gewachsen; er hatte nur gefühlt, daß, wenn Wolfgang Fischer recht hatte, die Entscheidung für den Sozialismus eine reine Willensentscheidung war, und vom reinen Willen hielt er instinktiv nicht viel. Aber er fühlte sich zu Wolfgang Fischer hingezogen: zu diesem energischen Willensmenschen, der sich geduldig, freundlich, leise mit ihm befaßte.
Einen Satz wie diesen hätte er niemals von ihm erwartet. Er war so überrascht, daß er nicht wußte, was er erwidern sollte. Langsam zog er seine Hand zurück, während er spürte, wie sein Gesicht vor Verlegenheit rot wurde.
»Wie meinst du das denn?« fragte er schließlich.
Er hatte sich auf den freien Stuhl am Tisch setzen wollen. Das hatte er für ganz selbstverständlich gehalten.
»Wie ich das meine?« Der Ton, in dem Wolfgang Fischer mit ihm sprach, war Franz Kien völlig neu. »Spiel doch nicht den Ahnungslosen! Ihr Deutschen seid euch doch jetzt alle einig über uns Juden.«
Er sprach jetzt an Franz Kien vorbei, sah ihn nicht mehr an. Aus irgendeinem Grund, den er sich erst später erklä-

ren konnte, brachte Franz Kien es nicht fertig, ihm zu erzählen, daß er das Frühjahr im KZ zugebracht hatte und sich noch immer jede Woche einmal bei der Gestapo melden mußte.
Vielleicht, dachte er, wäre es möglich, Wolfgang Fischer davon zu erzählen, wenn er bei ihm am Tisch säße. Aber so, im Stehen, das Gesicht von Blut übergossen, brachte er nur die Worte heraus: »Ich glaube, du spinnst!«
»Zu einem Juden kann man das ja jetzt sagen«, antwortete Wolfgang Fischer unverzüglich. Er deutete mit einer Schulterbewegung auf den jungen Mann, der neben ihm saß und ein ratloses Gesicht machte, weil ihm die Szene offensichtlich peinlich war. »Ich bitte dich, zu verschwinden. Wir gehen in den nächsten Tagen nach Palästina und haben noch viel zu besprechen.«
Franz Kien wandte sich jäh um und ging hinaus. In seiner Verwirrung bog er zuerst nach links ab, aber er sah noch rechtzeitig die SS-Männer, die unbeweglich neben dem Mahnmal standen, und kehrte um. Während er die Residenzstraße in Richtung Franz-Joseph-Platz entlangging, erinnerte er sich daran, daß er eigentlich eine Tasse Kaffee hatte trinken wollen. Statt dessen hatte ihn Fischer aus dem Café Rottenhöfer gejagt. Nach und nach fiel ihm ein, was er ihm hätte erwidern können. Beispielsweise hätte er zu Fischer sagen können: »Die ISK-Leute hat man nicht verhaftet. In Dachau sind keine ISK-Leute. Nicht einmal jüdische ISK-Leute. In Dachau sind nur Kommunisten, Kommunisten, Kommunisten.« Dann erinnerte er sich an die bürgerlichen Juden aus Nürnberg, die auch schon in Dachau waren.
Er ging in ein anderes Café, in dem er noch nie gewesen war. Es lag gegenüber dem Hoftheater und bestand aus einem einzigen winzigen Raum. Er hätte zu seiner Tasse Kaffee gern ein Stück Bienenstich gegessen, aber dazu reichte sein Geld nicht. Damals war er noch Nichtraucher. Nach einiger Zeit gelang es ihm, über den Vorfall mit Wolfgang Fischer den Kopf zu schütteln. Das war ja irre,

einfach irre! Nachdem er den Kaffee getrunken hatte, spürte er, weil ihm der Kuchen versagt geblieben war, einen schwachen, aber nagenden Appetit, zu dem eigentlich kein Anlaß bestand, denn er hatte zu Hause ausreichend zu Mittag gegessen. Er wußte, daß er den ganzen Nachmittag, während er mit Sir Thomas Wilkins in der Stadt herumzugehen hatte, dieses Hungergefühl spüren würde. Er würde die ganze Zeit über hoffen, daß Wilkins die Stadtführung unterbrechen und ihn zu Tee und Kuchen einladen würde. In der Bäckerei neben dem Franziskaner kaufte er zwei Semmeln und aß sie, in einem Hausgang stehend, auf. Danach fühlte er sich satt.

»Engländer, die den Titel ›Sir‹ tragen, werden immer mit diesem Titel und dem Vornamen angeredet«, hatte ihm sein Bruder eingeschärft. Infolgedessen hatte Franz Kien es gestern im Deutschen Museum vermieden, im Gespräch mit Sir Thomas Wilkins die direkte Anrede zu gebrauchen. Sir Thomas Wilkins hatte vorgestern bei Franz Kiens älterem Bruder eine Wagner-Partitur gekauft und ihn dabei gefragt, ob er einen Studenten oder irgendeinen gebildeten jungen Mann kenne, der ihm München zeigen könne. Franz Kiens Bruder hatte eine Stellung in einem Musikaliengeschäft in der Maximilianstraße, während Franz Kien immer noch arbeitslos war. Er war seit drei Jahren arbeitslos.

»Ich habe keinen blassen Schimmer, wie man jemand München zeigt«, hatte er eingewendet. »Und ich kann nicht Englisch.«

»Der Herr spricht Deutsch«, hatte sein Bruder erwidert. »Und du kennst München sehr gut. Nimm dich zusammen! Sir Thomas ist hoher englischer Kolonialbeamter. So jemand lernst du nicht alle Tage kennen. Außerdem ist es eine Gelegenheit.« Man sagte damals noch *Gelegenheit*, nicht *job*. Danach war die Belehrung über die Anrede gekommen. Franz Kien merkte seinem Bruder an, daß er am liebsten selber die Begleitung des Engländers übernommen hätte.

»Ich hab aber keine Lust«, sagte er.
»Ich hab dich schon angemeldet«, erwiderte sein Bruder. »Morgen vormittag um elf im ›Vier Jahreszeiten‹.« Er sah seinen jüngeren Bruder prüfend an. »Deine Haare sind wieder lang genug. Kein Mensch kann dir etwas ansehen.«
Franz Kiens Haare waren ihm in Dachau abrasiert worden, und es hatte merkwürdig lang gedauert, fast den ganzen Sommer, bis sie wieder gewachsen waren.
Er hatte den ganzen Abend darüber nachgedacht, wie man jemandem München zeigen könne, aber es war ihm nichts eingefallen; er war wie vernagelt gewesen.
Unbeholfen hatte er vor dem Fremden einige Möglichkeiten ausgebreitet, die Stadt zu besichtigen. Wilkins hatte plötzlich den Kopf gehoben, durch ein Fenster der Hotelhalle in den Regen hinausgesehen und erklärt, er wolle ins Deutsche Museum. Übrigens hatte sich herausgestellt, daß er schon ein paarmal in München gewesen war, wenn auch zuletzt in den zwanziger Jahren. Er sprach so sachkundig von München, daß Franz Kien sich fragte, warum er überhaupt einen Führer brauchte. Obwohl bei dem Regen tatsächlich nichts anderes zu machen war, hatte Franz Kien doch den Eindruck, als wolle ihm der Engländer aus seiner Verlegenheit helfen. Er war erleichtert, begann, sich zu verabschieden, weil zu einem Museumsbesuch ja nun wirklich kein Begleiter nötig sei, aber der alte Herr sagte freundlich und bestimmt, sie würden natürlich zusammen ins Museum gehen. Er bestellte ein Taxi. Franz Kien fuhr zum erstenmal seit sehr langer Zeit in einem Taxi. Er war froh darüber, daß Wilkins keine Lust hatte, die Bergwerke zu besichtigen. Es war langweilig, im Deutschen Museum durch die Bergwerke zu laufen. Wilkins erklärte ihm die Wattsche Balanciermaschine mit Wasserpumpe von 1813, den Vorgang der Gewinnung von reinem Stahl in der Bessemer-Birne sowie einige andere naturwissenschaftliche Prozesse, von denen Franz Kien keine Ahnung hatte. Er sprach ein ausgezeichnetes Deutsch, wenn auch mit engli-

schem Akzent. Er sagte, er habe im Jahre 1888 in Dresden studiert. Im Herbst 1933 erschien Franz Kien die Jahreszahl 1888 wie eine Sage.

Um zwei Uhr schlug Wilkins vor, etwas essen zu gehen. Er wolle »in einem Münchner Gasthaus etwas Münchnerisches essen«, meinte er, »Leberkäs oder Schweinswürstl«, zwei Gerichte, an die er sich erinnerte. Franz Kien überlegte; in der Nähe des Museums war schwer etwas zu finden; dann fiel ihm eine Wirtschaft am Paulanerplatz ein, die ein Parteilokal gewesen war. Unter dem großen schwarzen Schirm des Engländers gingen sie zusammen im Regen über eine Brücke, unter der die Isar grün schäumte, und durch einige Straßen der Vorstadt Au. Die Wirtschaft war um diese Zeit völlig leer. Der Wirt erkannte Franz Kien wieder und sagte »So, bist du wieder da!«, aber mehr auch nicht. Vielleicht war es ihm so unangenehm wie Else Laubs Mutter, daß Franz Kien wieder da war, aber er ließ es sich nicht anmerken, berührte nur einfach das Thema nicht weiter, und Franz Kien war es natürlich recht, daß er in Anwesenheit des Engländers keine Fragen stellte.

Es gab weder Leberkäse noch Schweinswürste, aber der Wirt hatte frische Milzwurst in der Küche, und so aßen sie an dem gescheuerten Tisch gebackene Milzwurst mit Kartoffelsalat und tranken Bier dazu. Beim Essen erzählte Sir Thomas Wilkins, er sei zuletzt Zivilgouverneur von Malta gewesen, vorher Gouverneur der Windward-Inseln, und davor Richter in Ostafrika. Er schien großen Wert darauf zu legen, daß Franz Kien den Unterschied zwischen einem Zivilgouverneur und einem Militärgouverneur begriff. Am längsten sprach er über die Windward-Inseln. »Ich hatte mein Haus in St. George's, Grenada«, erzählte er, »und fuhr auf meiner Yacht von einer Insel zur anderen. Aber es gab wenig zu tun. Wenig Streitigkeiten.« Er schwieg, schien zu träumen. »Aber sehr heiß ist es dort«, fügte er dann hinzu. »Meine Schwester strickte immer, und wenn ihr der Knäuel Wolle auf den Boden fiel und ich mich

bückte, um ihn aufzuheben, war ich in Schweiß gebadet.«
Die Erwähnung der Schwester fand Franz Kien so merkwürdig, daß er es wagte, Wilkins zu fragen, ob er verheiratet sei.
»Oh, natürlich«, antwortete Wilkins bereitwillig. »Ich habe zwei Kinder. Sie sind erwachsen. Meine Frau lebt in London. Wir sehen uns manchmal. Seit ein paar Jahren führt meine Schwester mir den Haushalt.«
Beiläufig, doch ohne Ironie, erläuterte er: »Man muß unbedingt einmal verheiratet gewesen sein. Aber man braucht es nicht bis an sein Lebensende zu bleiben.«
Sie gingen wieder ins Museum zurück. Wilkins war begeistert von den Planetarien. Er ging immer wieder zwischen dem ptolemäischen und dem kopernikanischen Planetarium hin und her, erklärte Franz Kien die Unterschiede und stellte sich mit ihm zusammen auf den Wagen, mit dem man unter einem beweglichen Modell der Erdbahn folgen konnte. Franz Kien hatte den Planetarien im Deutschen Museum bisher nie viel abgewinnen können. Trotz der Schwärze und der Lichteffekte, die in ihnen herrschten, fand er die Räume eigentlich nüchtern, langweilig. Auch hatte er sich noch nie für das Auffinden von Sternbildern am nächtlichen Himmel interessiert. Seit seinem sechzehnten Lebensjahr hatte er sich fast ausschließlich mit Politik beschäftigt. Er war Arbeitsloser. In Dachau war es den Gefangenen verboten gewesen, nach Eintritt der Dunkelheit die Baracken zu verlassen.
Am Abend holte er den Atlas hervor und suchte die Windward-Inseln. Er stellte fest, daß sie in seinem deutschen Atlas als ›Inseln unter dem Winde‹ bezeichnet wurden. Sie bildeten den südlichsten Archipel der Kleinen Antillen.
Er hatte sich vorgenommen, Wilkins heute mit den Worten »Guten Tag, Sir Thomas!« zu begrüßen, aber als der Engländer in die Hotelhalle kam, brachte er wieder nur eine stumme Verbeugung zustande. Wilkins hatte ihn, ohne daß es herablassend klang, ganz einfach ›Franz‹ genannt.

Southern Caribbean

»Was zeigen Sie mir heute, Franz?« fragte er jetzt.
»Als ob ich Ihnen gestern was gezeigt hätte!« sagte Franz Kien. »Sie haben mir das Deutsche Museum gezeigt.«
Wilkins lächelte. »Heute ist schönes Wetter«, sagte er, »heute sind Sie dran.«
Der Tag war wirklich sehr schön, ein früher Nachmittag im späten September. Franz Kien führte Wilkins durch fast verlassene und schmale Straßen, die gleich hinter dem Hotel begannen, zur Kirche Sankt Anna im Lehel. Er wußte nicht, ob Wilkins sich für Kirchen oder Kunst interessierte, aber er hatte sich entschlossen, dem Fremden ein paar Dinge zu zeigen, die ihm, Franz Kien, in seiner Heimatstadt gefielen. In der Kirche redete er wie ein Reiseführer über Johann Michael Fischer und die Brüder Asam. Er konnte nicht feststellen, wie das bairische Barock auf den Engländer wirkte. Auf einen Mann, der Wagner-Partituren kaufte! Sir Thomas Wilkins setzte sich in dem ovalen Raum auf eine Kirchenbank, betrachtete aber nicht eigentlich die Asam-Fresken, sondern blickte geradeaus. Franz Kien blieb neben der Bank stehen und wartete. Der Engländer mußte seine langen Gliedmaßen zusammenklappen, um in der engen Bank Platz zu finden. Er trug einen grauen englischen Bart über der Oberlippe. Sogar jetzt, im Zustande leichter Abwesenheit, blickten seine Augen noch freundlich. Weiter vorn kniete eine Frau.
Durch die Galeriestraße klingelte eine blaue Trambahn. Sie gelangten in den Hofgarten, in dem die Linden damals noch nicht gefällt waren. Der Musikpavillon verwitterte gelb unter dem Spätsommerlaub. Sie gingen unter den Arkaden entlang, und Franz Kien blieb vor den Rottmann-Fresken stehen. Die griechischen Landschaften vergingen in Flächen aus dämmerndem Blau, Braun und Rot. Es war ihnen anzusehen, daß sie nicht mehr lange halten würden. Wilkins sagte, Griechenland sei tatsächlich so. Er erzählte von Ausflügen, die er von Malta aus zu den griechischen Inseln gemacht hatte.
Sie traten auf den Odeonsplatz hinaus, an den Wilkins sich

gut erinnern konnte. Dort erblickten sie zum erstenmal wieder SA-Männer in ihren braunen Uniformen. Auch im Deutschen Museum waren welche gewesen. Franz Kien hatte erwartet, daß Wilkins etwas über sie bemerken, vielleicht sogar die politischen Verhältnisse in Deutschland betreffende Fragen stellen würde, aber er hatte nichts gesagt. Er hatte Franz Kien gefragt, wie lange er schon arbeitslos sei.

»Auch in England haben wir eine schwere Wirtschaftskrise«, hatte er gesagt, nachdem Franz Kien ihm Auskunft gegeben hatte. »Aber sie ist jetzt im Abflauen. Es wird bald besser werden, überall. Sie werden bald Arbeit finden.«

Er schien die braunen und schwarzen Uniformen zu betrachten, wie er alles betrachtete, gleichmütig und geraden Blicks. Franz Kien fragte sich die ganze Zeit, ob er ihm von seinem Aufenthalt in Dachau berichten solle, aber er konnte sich nicht dazu entschließen.

Es gelang ihm, ihn an der Feldherrenhalle vorbei in die Theatinerstraße zu lotsen, ohne daß Wilkins des Mahnmals ansichtig wurde. An der Perusastraße angekommen, blieb er stehen und sagte: »Wenn wir geradeaus weitergehen, kommen wir zum Rathaus. Es ist scheußlich. Und wenn wir rechts abbiegen, kommen wir zur Frauenkirche.« Nach einigem Zögern fügte er hinzu: »Sie ist eigentlich auch scheußlich. Wollen Sie sie sehen?«

Wilkins lachte. »Nein, natürlich nicht, wenn sie scheußlich ist«, sagte er. »Zeigen Sie mir etwas Schönes!«

Franz Kien führte ihn durch die Perusastraße und an der Hauptpost vorbei in den Alten Hof. Er war schon lange nicht mehr im Alten Hof gewesen und hatte ihn bedeutender, geheimnisvoller in Erinnerung, als er in Wirklichkeit war. In Wirklichkeit war der Alte Hof doch nicht mehr als ein Geviert aus Häusern, die wie ältere, relativ anständig gebaute Mietshäuser aussahen, in denen Behörden untergebracht waren. Immerhin gab es den Erker mit dem ›Goldenen Dach‹. Franz Kien stand verlegen neben Wilkins. Er hatte das Gefühl, sich blamiert zu haben, obwohl Wilkins den Alten Hof hübsch fand und sagte, die Häuser erinnerten ihn an gewisse mittelalterliche Häuser in Edinburgh. Vielleicht dieser Unsicherheit wegen, die ihn verwirrte, trat er mit Wilkins auf den näher gelegenen Franz-Joseph-Platz hinaus, anstatt ihn, wie er es eigentlich vorgehabt hatte, zum Alten Rathaus und über den Viktualienmarkt zu führen. Zu seinem Bedauern begann Wilkins sich dort für die Residenz zu interessieren; er betrachtete ihre Südfassade, und Franz Kien konnte ihn nicht daran hindern, ihre Westseite entlangzugehen.

Als sie bis vis-à-vis zum Café Rottenhöfer gekommen waren, blieb Franz Kien stehen. Er deutete auf die andere Straßenseite hinüber und sagte: »Das da ist das Preysing-Palais. Es ist das schönste Rokokopalais in München. Weiter vorn, an der Mauer der Feldherrnhalle, haben die Nationalsozialisten eine Gedenktafel angebracht. Dort, wo die SS-Männer stehen.«

Wilkins betrachtete die Vedute des Ausgangs der Residenzstraße, an deren linker Seite die Szene mit den beiden unbeweglichen Figuren aufgebaut war. Sogar ihre Stahlhelme waren schwarz.

»Gedenktafel?« fragte er. »Woran soll sie erinnern?«

»An den Hitlerputsch 1923«, sagte Franz Kien. »Damals haben die Nationalsozialisten zum erstenmal versucht, die Macht zu erobern. Sie machten einen Demonstrationszug, und die Polizei schoß hier auf sie. Es gab ein paar Tote.«

»Ich erinnere mich«, sagte Wilkins. »Auch General Ludendorff hat sich daran beteiligt, nicht wahr?«

»Ja.« Franz Kien wußte nicht, ob seine Stimme spöttisch klang, als er sagte: »Er ist der einzige gewesen, der aufrecht stehen blieb, als die Polizei feuerte.«

»Die Polizisten hatten sicher Anweisung, nicht auf ihn zu feuern«, sagte Wilkins. Er fügte hinzu: »Ich möchte damit nicht sagen, daß General Ludendorff kein tapferer Mann ist.«

Franz Kien sah zum Eingang des Café Rottenhöfer hinüber. Wolfgang Fischer war sicherlich längst fortgegangen.

Franz Kien hätte Sir Thomas Wilkins von der Nacht des Hitlerputsches erzählen können. Sein Vater hatte mitten in der Nacht die Uniform eines Infanterie-Hauptmanns angezogen und war fortgegangen, um sich als Anhänger des Generals Ludendorff am Hitlerputsch zu beteiligen. Wie grau und leblos die Wohnung, eine Mietwohnung in einer bürgerlichen Vorstadt, zurückgeblieben war! Franz Kien war damals neun Jahre alt gewesen. In jener Nacht hatte er gehofft, sein Vater würde als Sieger zurückkehren, den nachtblinden Garderobenspiegel im Flur mit Leben füllen. Aber als er nach drei Tagen zurückgekommen war, hatte er schweigend seine Uniform ausgezogen. Ein paar Jahre später war er gestorben. Er hatte noch erlebt, wie Franz Jungkommunist wurde. Franz dachte an seinen toten Vater. Was würde sein Vater zu Dachau gesagt haben? Er gab sich manchmal der Täuschung hin, sein Vater würde Dachau nicht gebilligt haben, besonders nicht, wenn er durch ihn, seinen Sohn, erfahren hätte, was dort geschah. Aber sein Vater hatte die Juden gehaßt. Er war ein Antisemit à la Ludendorff gewesen. Und Wolfgang Fischer würde nun also auswandern, nach Palästina.
»Alle Leute grüßen die Tafel, wie ich sehe«, sagte Wilkins.
»Es ist Befehl«, erwiderte Franz Kien.
Da er es für selbstverständlich hielt, daß der Engländer keine Lust haben würde, das Mahnmal zu passieren, wies er zur Viscardigasse hinüber.
»Wir brauchen da nicht vorbeizugehen«, erklärte er ihm. »Alle, die nicht grüßen wollen, gehen durch diese Gasse zum Odeonsplatz. Es ist nur ein kleiner Umweg.«
Er versuchte ein Lächeln, als er sagte: »Die Gasse heißt in ganz München das Drückebergergäßlein.«
»Drückebergergäßlein?« wiederholte Wilkins. »Ah, ich verstehe.«
Nach kurzem Nachdenken sagte er: »Nein, ich möchte doch lieber geradeaus weitergehen.«
Erst einige Zeit später, immer wieder seine Erinnerung an

den Nachmittag mit Sir Thomas Wilkins prüfend, machte Franz Kien sich klar, daß er in diesem Augenblick mit der Sprache hätte herausrücken müssen. Vielleicht hätte er nur zu sagen brauchen: »Entschuldigen Sie, wenn ich Sie das kurze Stück nicht begleite. Wir sehen uns gleich wieder auf dem Odeonsplatz.« Vielleicht, nein sicher, hätte Wilkins sofort begriffen und entweder keine Fragen weiter gestellt oder ihn ausgefragt. Franz Kien hatte allerdings keine Ahnung, wie Wilkins auf seine Mitteilungen reagieren würde. Es war ja möglich, daß er die Herrschaft der Nationalsozialisten in Deutschland ganz in Ordnung fand. Es war nicht ausgeschlossen, daß er mit ihnen sympathisierte. Für die Kommunisten hatte er sicherlich nichts übrig.
Aber Franz Kien war nicht geistesgegenwärtig genug gewesen. Er hatte weiter geschwiegen und war infolgedessen gezwungen gewesen, neben Wilkins weiterzugehen. Anstatt geistesgegenwärtig zu sein und auszupacken, hatte er die müßige Überlegung angestellt, was geschehen würde, wenn Wilkins, am Mahnmal vorbeigehend, nicht den Arm zum Gruß erhöbe. Franz Kien wußte, daß dann die beiden Gestapo-Beamten in Zivil, die in der Toreinfahrt zur Residenz gegenüber der Tafel standen, auf Wilkins zutreten und ihn zur Rede stellen würden, um sich unter Entschuldigungen zurückzuziehen, wenn dieser – hoffentlich so hochmütig wie möglich! – seinen englischen Paß vorgewiesen hätte. Die Überlegung war müßig, denn noch während Franz Kien sich den billigen kleinen Triumph ausmalte, sah er bereits, wie der Engländer seinen rechten Arm zum Deutschen Gruß erhob und ausstreckte. Er tat es ihm nach, ganz mechanisch übrigens, wobei er nicht zu der Tafel auf der anderen Straßenseite hinüber blickte, sondern, zur Linken von Wilkins gehend, dessen Gesicht beobachtete. Er stellte fest, daß es den gleichen Ausdruck von Ausdruckslosigkeit annahm, den es in der Sankt-Anna-Kirche im Lehel gezeigt hatte, während der Minuten, die Wilkins in einer Kirchenbank zubrachte, mit zusammengeklappten Gliedmaßen und geradeaus gerichtetem Blick.

Sie ließen gleichzeitig die Arme sinken. Wilkins schlug vor, im Annast den Tee zu nehmen. Sie bekamen einen Fensterplatz, mit Blick auf die Theatinerkirche und die Einmündung der Briennerstraße.
Während Franz Kien noch überlegte, ob der Engländer vielleicht deshalb den Deutschen Gruß entrichtet hatte, weil es ihm als eines Gentleman unwürdig erschien, durch das Drückebergergäßlein zu gehen, hörte er, wie Wilkins sagte: »Ich mache in einem fremden Land gerne alles, was die Bewohner machen. Man versteht sie besser, wenn man ihre Sitten annimmt.«
»Ich habe gehört«, sagte Franz Kien, »die Engländer blieben Engländer, wo sie auch hinkämen.«
»O ja, wir bleiben Engländer«, sagte Wilkins. »Wir wollen nur verstehen.«
Franz Kien betrachtete den ehemaligen Zivilgouverneur von Malta, Gouverneur der Windward-Inseln, Richter in Ostafrika. Ein Engländer, der mit ausdruckslosem Gesicht die Sitten der Eingeborenen studierte. Die Sitten der Eingeborenen von Malta und den Windward-Inseln, von Ostafrika und München. Dieser hier wollte wahrscheinlich nicht einmal mehr herrschen. Es genügte ihm, mit seiner Gouverneursyacht von einer Insel zur anderen zu fahren und Streitigkeiten zu schlichten, wenn man ihn darum bat. Vermutlich konnte er sich keinen Streit vorstellen, der nicht zu schlichten war. Es hätte keinen Zweck gehabt, ihm von Dachau zu erzählen.
Es hätte doch Zweck gehabt, dachte Franz Kien, als es zu spät war. Sir Thomas Wilkins hätte wahrscheinlich aus dem, was er ihm erzählt haben würde, einen vertraulichen Bericht an seine Regierung gemacht.
Wilkins schob ihm einen zusammengefalteten Hundertmarkschein hin.
»Das ist zu viel«, sagte Franz Kien.
»Es ist nicht zu viel«, erwiderte Wilkins in dem gleichen Ton, in dem er bestimmt hatte, daß Franz Kien ihn ins Deutsche Museum begleitete. Er reichte Franz Kien seine

Karte. Darauf stand nur sein Name, und in der rechten Ecke: St. James's Club, London S.W. 1.
»Ich bin viel unterwegs«, sagte er. »Falls Sie mir einmal schreiben wollen, Franz – unter dieser Adresse erreichen mich alle Briefe.«
Franz Kien schrieb ihm nie. Nach dem Krieg, als er zum erstenmal in London war, suchte er den St. James's Club auf. Der Mann am Empfang holte das Register des Clubs herbei, dann sagte er: »Es tut mir leid, Sir, aber Sir Thomas Wilkins ist am 5. März 1941 gestorben.«
Auch Franz Kien tat es leid. Auf den St. James Square hinaustretend, konnte er sich vorstellen, wie Sir Thomas – jetzt nannte er ihn im Geiste so – an der runden Gartenanlage inmitten des Platzes entlangging, bis er an der Öffnung zur Pall Mall seinen Blicken entschwand. Auf ganz ähnliche Weise war er damals in München fortgegangen, durch die Anlage auf dem Promenadeplatz, ein hochgewachsener alter Herr in einem dünnen Regenmantel, der einen eng gerollten schwarzen Schirm trug. Franz Kien war mit der Trambahn nach Hause gefahren. Er hatte noch einmal den Atlas hervorgeholt und versucht, sich den Wind vorzustellen, der so stark war, daß er den Inseln, die unter ihm lagen, trotz der Hitze, die dort herrschte, den Namen gab.

ARNO SCHMIDT

## *Er war ihm zu ähnlich*

»Oh. Geschichten weiß der Herr Rat: der könnte die Vögel von den Bäumen locken!« und sah mich von unten aus glitzernden Altersaugen an. »Jaja, gewiß, Hagemann« sagte ich diplomatisch, »aber ob sie auch alle wahr sind?« Er warf sofort die Arme mit den noch immer mächtigen Fäusten in die Luft: »Wieso denn nicht?!« nieselte er empört:

»Was hier im Lauf der Jahre alles passiert ist?! – Und dann die vielen Ins-trumente: Ohgott, wenn ich nicht so'n festen Kopf hätte – –« er entfernte sich, unglaublich murmelnd, und ich begab mich unbefriedigt wieder zur Terrasse zurück, wo man mich schon erwartete.
Vermessungsrat a. D. Stürenburg erklärte eben dem Hauptmann, daß man auch als Zivilist durchaus noch bessere Karten einer Gegend als die allgemein für das non plus ultra angesehenen Meßtischblätter erwerben könnte. »Jedes Katasteramt verkauft Ihnen anstandslos für 6,– DM die sogenannten ›Plankarten‹ im Maßstab 1 : 5000, die ebenfalls die gesamte Topographie enthalten – da haben Sie dann genau jedes einzelne Gebäude eingezeichnet; durch die Schraffierung sind Wohnhäuser von Schuppen unterschieden; Straßennamen; Alles: Sehr zu empfehlen!« Er nickte fachmännisch, und kerbte mit einem silbernen Spezialmesserchen seine Zigarre vorn ein: »Natürlich gibt es auch *noch* großmaßstäblichere Pläne; in Verbindung mit dem Grundbuch; die werden, falls Zeit ist, von den einzelnen Topographen laufend ergänzt –«, er wiegte den mächtigen Kopf und stöhnte ein bißchen.
Vom See her wogte träge ein Windstoß heran; spülte flüssigkeitshaft lau über unsere Hände; das Luftmeer war heut bester Laune. »Gut für die Ernte« bemerkte Apotheker Dettmer wichtig; Frau Dr. Waring nickte gutsherrschaftlich (obwohl sie den Teufel etwas davon verstand); Nichte Emmeline dehnte verstohlen die badelustigen Beine, und während sie noch schlau zu mir herüber sah, hob Stürenburg bereits an:
»Sie wissen ja Alle, daß ich vor zwanzig Jahren, im Dritten Reich, vorzeitig pensioniert wurde – ich komme jetzt darauf, weil es auch mit Grundstückskarten zusammenhängt. Ich hatte damals die Katasterämter westlich der Ems unter mir, und war eben im Auto auf dem Wege nach Meppen, als ich nahe einer stattlich im Park liegenden Villa ein paar Landmesser bei der Arbeit sehe; Einer hat das Stativ aufgebaut, zwei Gehilfen stehen malerisch auf die rotweißen

 Land Registry

Latten gelehnt: wie das so jeder kennt. Ich lasse Hagemann halten, steige aus, und gebe mich dem Mann am Fernrohr zu erkennen. Er sieht überhaupt nicht hoch, sagt nur scharf: ›Fahren Sie weiter!‹ Nun war mir dieses zu dick: ich war ja schließlich sein übernächster Vorgesetzter; außerdem empörte es mein altes ehrliches Geodätenherz, daß das Fernrohr des Kerls irgendwohin mitten in die Villa zeigte. Auf meine Beanstandung hin sagte er drohender: ›Gehen Sie Ihres Weges!‹; hob auch den Kopf: ich hatte das Gesicht noch nie gesehen; wo ich doch alle meine Beamten kannte! Jetzt wurde mir die Sache verdächtig; zumindest lag ja ›Anmaßung von Dienstbefugnissen‹ vor. Ich forderte ihn also auf, in meinen Wagen zu steigen, und mir zur nächsten Polizeidienststelle zu folgen. Sein Gesicht wurde sofort brutal. Er machte sich klein zum Angriff; pfiff seine Komplizen herbei; die faßten mich, und hätten mich in mein Auto gestopft, wenn nicht Hagemann eingegriffen hätte: er warf, strategisch durchaus richtig, zuerst den Rädelsführer kopfüber in den tiefen Straßengraben – Moorboden, Sie wissen ja. Dann kam er mir zu Hilfe. Die beiden Fremden bildeten sich – glücklicherweise für uns – ein, sie müßten Hagemanns Kopf mit ihren Latten angreifen; und von diesem Augenblick an war der Kampf entschieden. Durch Faustschlag, Stoß und Zähnegeknirsch drang Hagemanns Haupt, gleichzeitig Schild und Angriffswaffe, unwiderstehlich vor; schon verlor der Eine Jacke und Hemd; während ich dem anderen die Nase öffnete. Unterdessen tauchte aus dem Graben das jetzt struppige Antlitz des Anführers; er rief seinen Leuten ein Kommando zu; worauf sie sich sofort zurückzogen, sich auf drei im Gebüsch versteckte Motorräder warfen, und davonstanken.«
Der Hauptmann hatte interessiert der Schilderung des Gefechtes gelauscht, nahm jetzt einen größeren Kognak, und Stürenburg fuhr fort:
»Mein erstes war, durch das geheimnisvoll gerichtete Fernrohr zu sehen: es zeigte mitten auf die Haustür! Ich läutete den Besitzer heraus. Ein langer dürrer Mann, aschgrau vor

Angst im Gesicht, erschien. Nachdem ich ihn informiert hatte, zog er mich flehend in die Tür, verriegelte hinter sich, und berichtete kurz: Er sei Jude; und sein Haus würde seit drei Tagen von verkleideter Gestapo bewacht, die nur darauf warteten, daß einer seiner längst gesuchten Verwandten sich zu ihm stehlen wollte. Dann sollte auch er ›abgeholt‹ werden! Als er erfuhr, daß seine Wächter in die Flucht geschlagen seien, bat er mich – zitternd am ganzen Leibe, der arme Kerl: es ging ja auch buchstäblich um sein Leben! – ob ich ihn nicht rasch im Auto zur nahen holländischen Grenze befördern könne? Auf meine Einwilligung hin, rannte er treppauf, und kam sofort mit dem längst bereitgehaltenen Köfferchen zurück.«
Der Hauptmann, nicht direkt Antisemit, aber immerhin jedem vorgeschriebenen Gesetz gehorsam zu sein erzogen, knurrte unbefriedigt; während der gutmütige Dettmer fleißig nickte.
»Ich fuhr wie der Teufel die Straße nach Provinzialmoor. Er plapperte neben mir unaufhörlich, krankhaft nervös; zeigte auch ängstlich nach allen möglichen Vogelscheuchen. Ich machte vorm Schlagbaum die Kurve; er lächelte herzbrechend tapfer zum Abschied; und ich rollte nachdenklich wieder durch das flache Land zurück. Während ich noch in Meppen mit dem Leiter des Katasteramtes kopfschüttelnd den raren Fall besprach, wurde plötzlich die Straße voller Motorengeräusch; vier schwarzen Limousinen entstiegen gute zwanzig SS-Männer und umstellten die Eingänge: ich mußte mit. – Ja, natürlich; Hagemann auch. – Wir wurden zwar ein paar Tage später wieder entlassen, da unsere Unschuld an der Prügelei unschwer nachzuweisen war; und von meiner Beihilfe zur Flucht des unglücklichen Mannes schienen sie gottlob nichts zu ahnen! Immerhin wurde ich durch eine ›Verfügung‹ meines Amtes enthoben – später sogar pensioniert: keine Bemühung meiner Vorgesetzten hat etwas genützt.« Er hob die breiten Augenbrauen und fluchte bei der Erinnerung noch heut durch die Nase.

»Das für mich Niederschlagendste war, daß ich in jenen Tagen zusätzlich noch die Zeitungsanzeige vom Tode dieses betreffenden jüdischen Arztes lesen mußte. Da ich nichts zu tun hatte, kaufte ich einen Kranz und legte ihn am noch offenen Sarg nieder – er war in seiner Villa aufgebahrt, lang und dürr. Man hatte ihn also nicht durch die Grenze gelassen.«
Von Dettmer und der Tante kam ein gerührtes »Tsts«; der Hauptmann trank ehern; und Emmeline streifte sich zappelig den Rock höher: sie hätte ihn wohl über den Kopf ziehen und ins Wasser springen mögen. Aber noch sog Stürenburg unerbittlich an seiner Havanna:
»Merkwürdig war nur, daß ich 14 Tage später aus England einen eingeschriebenen Brief erhielt: darin ein begeistertes Dankschreiben meines Arztes, und – mein Führerschein! Er hätte sich keinen anderen Rat gewußt, beichtete er, als ihn während unserer Fahrt aus dem Fach am Schaltbrett zu expropriieren: mit ihm sei er anstandslos durch den Schlagbaum gelassen worden! Es stimmte auch; denn er hat mir später immer wieder dankbar geschrieben; zur Zeit lebt er in den USA und will nächstes Jahr auf Besuch kommen.«
»Ja aber –« wandte der Apotheker betroffen ein »– ich denke Sie haben ihn doch damals im Sarge gesehen?!« und auch wir Anderen nickten verwirrt.
Stürenburg zuckte nur die Achseln: »Was weiß ich? Vielleicht hat der SS-Führer, der ja wohl auch, wie damals üblich, ›mit seinem Kopf‹ für den Erfolg des Auftrages einstehen mußte, seinen ganzen Sturm antreten lassen;« er zuckte die Achseln: »– vielleicht hat ihm Einer zu ähnlich gesehen?«
Er breitete die Hände und stand gewichtig auf. »Ja aber –« schnarrte der Hauptmann betroffen; »Ja aber –« sagte die Tante unzufrieden; »Ja aber –« dachten der Apotheker und ich uns in die überraschten Gesichter. Nur Emmeline schien mit dem Ausgang der Geschichte sehr zufrieden. Vielleicht auch nur, weil sie überhaupt zu Ende war?

MARIE LUISE KASCHNITZ

## *Laternen*

Obwohl von kümmerlichem Wuchs und schwerfälligem Verstand, hatte Hellmuth Klein schon als Knabe den Wunsch, etwas Außerordentliches zu vollbringen, aber geheim, auf keinen Thron oder Ministersessel gehoben, aus dem Schatten heraus und am Ende nur wissend, dies und das habe ich bewirkt. Im Offenen und Öffentlichen zu wirken, hätte ihm wohl auch gefallen, hell, mutig, wie es seinem hierzulande fremdklingenden Vornamen angemessen gewesen wäre. Aber das schien ihm von Anfang an versagt. In der Schule erreichte er nur mit Mühe das Klassenziel, jede wichtigere Arbeit, jedes für das Zeugnis bedeutsame Abfragen erregten in ihm Übelkeit, Schweißausbrüche und Angst. Ein Heller, Mutiger, der aber Leidhold hieß, saß lange Zeit neben ihm, war nicht unbegabt, wenn auch faul und gleichgültig, jeder Kelch ging an ihm vorüber, und er nahm es wie selbstverständlich hin. Eines Tages, als der Lehrer, eine besonders gefürchtete Frage auf den Lippen, seine Blicke über die Reihen von Köpfen und Halbleibern wandern ließ und jeder der Schüler seine eigene Abwehrtaktik, gleichgültiges Im-Heft-Blättern, Verstecken, freches Anstarren, verfolgte, bemerkte Hellmuth, wie Leidhold, der die rechte Hand flach aufs Pult gelegt hatte, mit dem Zeigefinger eine Bewegung von rechts nach links machte, wobei er den Lehrer nicht ansah, sondern träumerisch vor sich hinlächelte. Hellmuth sah den Blick des Lehrers auf Leidhold, der schon lange nicht aufgerufen worden war, dann aber, wie unwiderstehlich weitergelenkt, auf sich selbst gerichtet. Er wurde gefragt, stotterte, wußte nicht zu antworten, setzte sich wieder und sah, wie der Lehrer, blaß und angewidert, eine Zahl oder ein Zeichen in sein Notizbuch schrieb. Leidhold hatte die Hand zur Faust zusammengezogen, lächelte nicht mehr und sah Hellmuth beinahe strafend an. Was hast du da gemacht, fragte Hell-

muth sofort, nachdem es geklingelt hatte, er wollte dich drannehmen, nicht mich, er hatte deinen Namen im Buch. Na und? fragte Leidhold kühl. Er konnte nicht, sagte Hellmuth erregt, du hast etwas mit den Fingern gemacht, er mußte weiter, an dir vorbei, und dabei machte er die Bewegung mit dem Zeigefinger, die er an seinem Nachbarn beobachtet hatte. Na hör mal, sagte Leidhold, das ist ein Witz, und sah ihm mit seinen hellen blauen Augen in die seinen, die ärgerlich zu tränen begannen. Aber dann sprang Leidhold plötzlich von dem Pult auf, auf das er sich elegant gesetzt hatte, und zog Hellmuth durch die aus dem Klassenzimmer flutende und brüllende Knabenschar in einen notdürftig zur Unfallstation hergerichteten Verschlag, in dem es den Schülern zuweilen gelang, den Augen der Aufsicht und damit der verhaßten frischen Luft zu entgehen. An einem mit einem roten Kreuz auf weißem Grunde als Arzeneischrank gekennzeichneten Kasten lehnte Leidhold und fing an, auf Hellmuth einzureden, der sich das spöttische Aufblitzen der blauen Augen als jäh erwachtes Vertrauen deutete und so andächtig zuhörte, als solle er das Geheimnis seines Lebens erfahren.
Sieh her, sagte Leidhold, und wiederholte seine Fingerbewegung, sieh her und paß auf, was ich sage, du bist schwer von Begriff. Du bewegst den Finger langsam von rechts nach links, damit ziehst du ihn weiter, jeden Pauker, überhaupt jeden Menschen, du mußt nur fest daran denken, vorbei, vorbei, vorbei. Hellmuth starrte ihn hilflos an und fragte: ohne hinzusehen? Und Leidhold antwortete kurz, ungeduldig: ohne hinzusehen, selbstverständlich, so etwas fällt doch auf. Übrigens, setzte er, gnädigeren Sinnes nun, hinzu, die Hauptsache ist, nur an das Zunächstliegende denken, also nicht etwa, der gerade zur Tür hereinkommt, soll das Fenster aufmachen, sondern rechtes Bein, Schritt, linkes Bein, Schritt und so weiter, rechte Hand heben, Fenstergriff fassen, du verstehst. Es hat geläutet, sagte er dann, spähte durch die Ritze des grauen Leinenvorhangs und stieß den vor Überraschung gelähmten Hellmuth in die

Herde, die sich vom Schulhof zurückkehrend dort im Korridor puffte und stieß. Hellmuth, auf seinem Platz angelangt, schob dem Nachbarn seine echtlederne Federtasche hin, die ihm angesichts dessen, was er erfahren hatte, ein armseliges Geschenk dünkte, die aber das Kostbarste war, was er besaß. Leidhold nickte einen kurzen Dank, bückte sich, weil der Geographielehrer vorne schon Ruhe brüllte, noch einmal, als suche er etwas Heruntergefallenes, unter das Pult und zischte von dort: Vorsicht, die Sache ist gefährlich, strengt die Kopfnerven an, du verstehst. Dann begann die Geographiestunde, ein gemütliches Nichtstun vor der Filmleinwand mit ihren wechselnden Landschaften, die Hellmuth interesselos und zugleich tiefbewegt betrachtete und die ihn auf kühne Gedanken brachten, auf Gedanken, die über das Ablenken eines Lehrerblicks weit hinausgingen und vor denen Hellmuth am Ende zu schwindeln begann.

Daß danach nicht sofort alles in Fluß geriet, lag daran, daß Hellmuth ein Muttersöhnchen war, von Natur vorsichtig und von der verwitweten und in kleinbürgerlichen Verhältnissen lebenden Mutter in jeder Vorsicht unterstützt. Die Warnung, die Leidhold dem Novizen seiner Künste noch hatte zuteil werden lassen, gewann ihr volles Gewicht durch die Tatsache, daß der junge Einweiher am Tage nach dem Gespräch am Rotkreuzkasten in der Schule fehlte und daß er, obwohl angeblich nur erkältet, eine Woche darauf starb – die Klasse sang ihm, vom Lehrer unauffällig dirigiert, Wehmütiges über das offene Grab. Hellmuth war tief erschüttert, er glaubte das letzte Geheimnis eines Sterbenden erfahren zu haben und deutete sich den merkwürdigen Ausdruck der seichten blauen Augen als Todesvoraussicht, war auch überzeugt davon, daß der junge Leidhold nicht an einer Erkältung, sondern an einer Überanstrengung der Kopfnerven gestorben war. So schwankte er zwischen dem Wunsch, sich des Vertrauens des Freundes würdig zu erweisen, und der Angst, sein Schicksal zu teilen, und es vergingen viele Wochen, es vergingen eine knappe Versetzung, das Osterfest und die Osterferien, ehe er zum erstenmal wagte, angesichts des im Notizbuch blätternden Lehrers träumerisch lächelnd seinen Zeigefinger zu bewegen.

In diesen Wochen war Hellmuth freilich nicht müßig gewesen. Er hatte sich sozusagen theoretisch mit der Sache, mit *seiner* Sache beschäftigt und herausgefunden, daß es bei der Ausübung einer solchen geheimen Macht keine Grenzen gab. Einen Schritt, noch einen Schritt, hinsetzen, mit der linken Hand das Papier halten, die Rechte nimmt den Federhalter in die Finger, unterschreiben, jetzt, und was da geschrieben steht, kann ein Schulzeugnis, aber auch ein Pakt mit dem Teufel sein. Von solchen Möglichkeiten des Drahtziehens träumte Hellmuth Phantastisches, die wenigen ihm aus dem Unterricht im Gedächtnis gebliebenen geschichtlichen Entscheidungen sah er jetzt in einem neuen Licht. Wer den Blick und die Absichten des Lehrers an sich vorbeilenken konnte, war auch zu Besserem imstande, zunächst etwa, die Hand zu regieren, die eine Zahl ins Notizbuch schreiben wollte, zum Balkengerüst der 4 ansetzte und dann etwas ganz anderes vollführte, schräger Aufstrich, gerader Abstrich, eine 1. Auf solche Weise noch um den Schultag kreisend, verirrten sich Hellmuths Gedanken doch auch schon in andere Bezirke, zu den Mädchen sogar, die im kühlen April unvernünftigerweise auf den Treppenstufen der Parkanlagen in der Sonne saßen und blöde kicherten. Aufrichten, aufstehen, rechten Fuß, linken Fuß, rechten, linken, die rechte Hand heben, mir die Hand geben, mir zulächeln vor allen Leuten, mir, dem verachteten, blöden Hellmuth Klein. Hellmuth versuchte noch nichts dergleichen, der Anfang mußte in der Schule gemacht werden, mit eben dem Fingerschieben, von dem Hellmuth naiverweise annahm, daß es seinen Banknachbarn ins Grab gebracht hatte, und das er trotzdem eines Tages ausführte, freilich zitternd vor Aufregung und ohne Erfolg. Halten Sie Ihre Hände still, sagte der Lehrer, stehen Sie auf, Klein, sehen Sie mich an. Hellmuth schwitzte, konnte die gleich darauf gestellte Frage nicht beantworten, nahm sich's aber nicht zu Herzen und schob seinen Mißerfolg einem technischen Versagen zu. Er hatte zu früh angefangen zu schieben, den Blick des Lehrers gerade zu sich hingelenkt, er verzeichnete das sofort in einer Rubrik, zu vermeiden, in seinem Notizbuch, während der Lehrer völlig ungehemmt in das seine einen deutlichen Vierer schrieb.

In der folgenden Woche wiederholte Hellmuth seinen Versuch, und diesmal glitt der Blick des Lehrers tatsächlich an ihm vorbei. Leichtsinnig setzte er seine Gesundheit aufs Spiel, indem er an demselben Tag noch einmal regierte, nämlich, als er allein in der Klasse zurückgeblieben war, über die Putzfrau, der er mit ›rechten Fuß, linken Fuß, rechten Arm ausstrecken‹ und so weiter lautlos befahl, ihren Eimer in der Nähe des Katheders niederzusetzen, was sie, ihn blöde anstierend, auch ohne weiteres tat. Hellmuth ging beschwingt nach Hause, er widerstand der Versuchung, beim Mittagessen seine Mutter zum Gegenstand seiner magischen Künste zu machen, was ihn da zurückhielt, war nicht nur ein beginnender leichter Kopfschmerz, sondern auch das Gefühl, einen Frevel zu begehen. Eine alte Dame, eine lästige Besucherin der Mutter, nahm er einige Tage später aufs Korn, hieß sie Schrittchen für Schrittchen zur Tür gehen, wo sie sich vor dem Weggehen auf der Stelle drehte und den Rosenstrohhut wippen ließ, wie ein Mensch, der nicht weiß, was er will. Um ein Haar hätte sich Hellmuth vor seiner erleichterten Mutter gebrüstet, das habe ich zustande gebracht, aber er erschrak noch zur rechten Zeit, auf das Nichtssagen waren ja alle Pläne gegründet, jeder Mitwisser gefährdete seinen Aufstieg zu einer geheimen und geheimnisvollen Macht.

Man ging zu dieser Zeit schon dem Sommer entgegen, einem Zeitpunkt, in dem von der Schule Briefe an die Eltern verschickt werden, Ihr Sohn muß die Ferien zum Nacharbeiten benutzen, um Ihren Sohn steht es schlecht. Auch Hellmuths Mutter bekam einen solchen Brief. Hellmuth war nämlich in diesem Sommer sehr zurückgefallen, besonders durch seine schriftlichen Arbeiten, auf die sich sein System des Blitzableitens nicht anwenden ließ. Als die Mutter ernst und ängstlich mit ihm sprach, war er keineswegs zerknirscht, drängte vielmehr darauf, die Schule zu verlassen und als Lehrling in eine Bank einzutreten, wo er, mitten im Leben stehend, ganz andere Möglichkeiten haben würde, seine Gabe auszubilden und fruchtbar zu machen. Statt in der Schule hockte er also die nächsten Jahre lang in einer düsteren kleinen Filiale der Städtischen Sparkasse, schrieb Listen und füllte Formulare aus und übte sich – das heißt, er ließ den Herrn Greindl zum Fenster und das Fräulein Erika zum Kassenschalter gehen, zielstrebig, aber gedankenleer, und brachte es sogar einmal zustande, daß der Prokurist, dem er wartend über die Schulter sah, statt seiner eigenen Unterschrift den Namen Klein schrieb, worauf er sich ärgerlich kopfschüttelnd umsah und das Schriftstück zerriß. Auf solche Glanzleistungen folgten öde Tage, der Prokurist schalt mit ihm, das Fräulein Erika, statt seine lautlosen Aufträge auszuführen, lachte ihm spöttisch ins Gesicht. Ihren jungen und hochgereckten Busen hätte Hellmuth wohl gern einmal berühren mögen, aber er hielt sich zurück. Das Mädchen mußte, sollte er nicht eine Ohrfeige zu gewärtigen haben, zu ihm kommen, und so weit war er noch nicht, begehrte die Mädchen auch noch nicht wirklich, ihren Wippschritten nachzusehen war ihm vorläufig Erregung genug. Erwachsen wurde er in diesen Jahren insofern, als er anfing, die Zeitung zu lesen, auch die Politik, über die sich zu jener Zeit manch einer ereiferte. In Deutschland war Hitler an die Macht gekommen, er hatte auch hier viele Anhänger, wer weiße Wollstrümpfe trug, bekannte sich zu ihm. Hellmuth haßte ihn vom ersten Tage an, empfand ihn als einen Nebenbuhler, der nicht zu üben brauchte, dem die Macht über die Menschen gegeben war von Anfang an. Ein einfältiges Gefühl für Gerechtigkeit und Freiheit schützte ihn selbst vor der Rattenfängerweise, die gerade die jungen Menschen betörte. In der pathetischen Redeart, die er in seinen Selbstgesprächen annahm, unterhielt er sich mit dem großen Feind, sagte, einer wird aus der Dunkelheit kommen und in die Dunkelheit zurücktreten, aber er wird dich zu Fall bringen. Wie das geschehen sollte, damit beschäftigte sich Hellmuth Tag und Nacht. Daß der Führer darauf aus war, eines Tages auch seine Heimat von dem schwarz-roten Joch zu befreien, daran bestand kein Zweifel, daß er dann, umjubelt von seinen Anhängern, durch die Straßen Wiens ziehen würde, war gewiß. An einem solchen Tag galt es nicht nur dabeizusein, sondern auch in der ersten Reihe zu stehen. Hellmuth, noch im unklaren über alles weitere, sah ein, daß er dorthin nie gelangen würde, wenn er nicht den Bekehrten spielte. Also setzte er sich am Abend im Kaffeehaus zu dem Kollegen und ehemaligen Studenten Allgäuer, ließ sich von ihm belehren und hörte sich angewidert sein Schwärmen an. Als er zum erstenmal in weißen Kniestrümpfen auf die Bank ging, traf er vor der Tür den Direktor Rosenzweig, der bei mancher seiner Nachlässigkeiten ein Auge zugedrückt hatte, und Rosenzweig wandte ihm seine alten, weisen Augen bekümmert zu. Wie schon einmal bei seiner Mutter, war Hellmuth nahe daran, sich zu verplappern, wie damals hielt er sich im letzten Augenblick noch zurück. Er lachte stumpfsinnig und ließ den Direktor vorausgehen, dachte nur, ich rette euch alle, Herr Direktor, Sie werden schon sehen.

Zum Erstaunen der Mutter erbot sich Hellmuth in der folgenden Zeit des öfteren, die auf dem Friedhof notwendigen Arbeiten, das Begießen, Jäten und Neubepflanzen des väterlichen Grabes, zu übernehmen. Er verrichtete diese Arbeiten rasch und ohne einen Gedanken an den Toten, den er nur von Photographien her kannte. Kaum daß er fertig war, eilte er, weil die Mittagspause kurz war, zum Erstaunen der Friedhofsbesucher im Laufschritt auf das Feld 57 B des riesigen Planquadrats, dorthin, wo der junge Leidhold lag, der Unerwachsene, dem die Engel wahrscheinlich noch immer lateinische Vokabeln einsagen mußten. Hellmuth setzte sich dort ins feuchte Herbstlaub, dann in den Schnee und ließ sich seinerseits von seinem kindlichen Meister einsagen – tatsächlich war dies der Ort, wo er die besten Einfälle hatte und wo ihm schließlich, als über die asiatische Öde des winterlichen Totenlandes schon die ersten Föhnwinde strichen, der entscheidende Gedanke kam.

Hellmuth ging an diesem Abend wieder ins Kaffeehaus, da war der Lehrling Allgäuer, aber längst nicht mehr allein, eine Art von Stab hatte sich gebildet, es konnte jetzt nicht mehr lange dauern, bis der Führer in seine geliebte Ostmark einzog, man mußte gerüstet sein. Hellmuth bestand darauf, daß ein genauer Plan gemacht wurde, wo die Weißstrümpfe sich aufstellten, es galt ja auch, das Leben des Führers gegen etwaige Anschläge der Schwarzen und Roten zu schützen. Der Gruppe wurde ein Standort am Ring zugesichert, und mit ungewohnter Tatkraft drang Hellmuth darauf, daß er selbst nahe einer Laterne zu stehen kam, an der er dann hinaufzuklimmen gedachte. Zu dieser altmodisch verschnörkelten Laterne ging er nun oft abends allein und stellte an Hand der vorüberfahrenden Wagen seine Berechnungen an, sprach danach in der Nacht wieder lautlos mit seinem Widersacher, sagte, eine Bombe, wo denkst du hin, die Lächerlichkeit soll dich töten, du sollst dich selbst ins Narrenhaus bringen, ein wahnsinniger Anstreicher, und die dir zugejubelt haben, schleichen beschämt nach Hause.

In der Bank galt es jetzt wieder zu üben, am Kollegen Liebstöckl, an einem vorübergehend im Schalterraum beschäftigten Elektriker Kraus. Herr Liebstöckl knöpfte sich, von dem mit gesenkten Lidern lächelnd dasitzenden Hellmuth lautlos dazu aufgefordert, tatsächlich das Jackett auf, der Elektriker verzog sein Gesicht zu einer wilden Grimasse, halt, weiter durfte man nicht gehen, ohne Verdacht zu erregen. Hellmuth wurde nach solchen Übungen geisterbleich, der Schweiß stand ihm auf der Stirne, das Fräulein Erika bot ihm Kopfwehtabletten an. Nur die Mutter merk-

te nichts. Die älplerischen Strümpfe ließen ihr den Sohn gesünder, draufgängerischer erscheinen, sie hörte fleißig Radio und summte bei der Küchenarbeit ›die Fahne hoch‹ vor sich hin.
Über alldem wurde es beinahe Frühling, Märzsonne, Märzflocken, und eines Tages war es soweit, der Führer zog in Linz, dann in Wien ein. Das Durcheinander an diesem Tage war groß, Hellmuth kam nicht auf seine Laterne, aber auf eine andere und zur rechten Zeit, und ganz von weitem schon hörte er das wahnwitzige Jubelgeschrei, das sich in Wellen fortpflanzte, bis die schwarzen Wagen in Sicht kamen und die tierisch rauhen Schreie Hellmuth in die Ohren gellten. Er zwang sich, ruhig zu bleiben, suchte mit dem Blick den Verhaßten, der, im Wagen stehend, den Arm ausstreckte, und begann seine Beschwörung, den Arm herunter, die Jacke ausziehen, die Mütze wegwerfen, Grimassen schneiden, hampelmännisch tanzen, auf das Volk spucken, was macht er denn da, ein Verrückter, und schon würde das Gebrüll zum Schweigen kommen. Hellmuth, die Wange an das kalte Eisen der Laterne gepreßt, schloß die Augen und gab lautlos, in rasender Eile, seine Anweisungen, während die Stimmen zu seinen Füßen gräßlich anschwollen und er bereits seine Ohnmacht spürte; tatsächlich fuhr der Führer drunten schon vorüber, schnitt keine Grimassen, tanzte nicht, spie nicht auf die Menge, sondern hielt den Arm unentwegt ausgestreckt und machte ein steinernes Gesicht. Hellmuth sah es blinzelnd und fiel erschöpft von der Laterne, wie eine Birne vom Baum. Er wurde aufgefangen, bedauert und gelabt, die Begeisterung war wohl zu viel gewesen für das schwache Kerlchen, eine Semmel, ein Stück Schokolade wurden ihm in die Tasche gesteckt. Mit benommenem Kopf schlich er sich endlich davon, kaufte unterwegs ein Paar Socken und ließ die weißen Stutzen in der Bedürfnisanstalt zurück.
Hellmuth ging an dem Nachmittag noch auf die Bank, er hoffte dort den Direktor Rosenzweig zu finden, den Strumpfwechsel wenigstens sollte der noch zur Kenntnis

nehmen. Aber der Direktor war nicht in seinem Zimmer und auch sonst nirgends und Hellmuth sollte ihn nie wiedersehen. Wie alle Geschäfte war die Depositenkasse des Festtages wegen geschlossen, die Pulte und Tische waren leer, nur das Fräulein Erika saß ungehörigerweise an ihrer Maschine und starrte Hellmuth, der durch den Hintereingang hereintorkelte, wie eine Geistererscheinung an. Hellmuth fiel auf seinen Stuhl, dachte verwirrt, den Arm herunter, die Jacke ausziehen, die Mütze wegwerfen, und dann plötzlich, komm, komm, komm, womit er das Fräulein Erika meinte, den einzigen Menschen, der in der Nähe war, den Menschen schlechthin. Ja, das dachte er, komm, nicht etwa, rechten Fuß, linken Fuß, Hand ausstrecken, mich berühren, sondern einfach, komm, hilf mir, ich bin am Ende, ich bin nichts. Das Fräulein Erika nahm tatsächlich die Hände von den Tasten und kam herüber, fragte nichts, bot ihm auch keine Kopfwehtabletten an. Sie war nur sehr allein und sehr beunruhigt, weil ihre Mutter Jüdin war und daheim schon die Koffer gepackt hatte und fortgereist war, Erika wußte nicht, wohin. Draußen wurde es indessen schon dunkel, aber nicht still, in Gruppen marschierten die Weißstrümpfe an den großen Fenstern vorüber und sangen. Der Schein ihrer Fackeln tanzte auf den leeren Schreibtischen und den verlassenen Stühlen des Schalterraumes, in der Ferne wurden Trommeln geschlagen, und Hellmuth und Erika drückten sich aneinander wie furchtsame Kinder, um sich endlich verzweifelt zu umarmen.

So wurden die beiden ohne Liebe ein Liebespaar, auch Eheleute später, die schlecht und recht über die ersten Kriegsjahre kamen, sich aber nicht viel zu sagen hatten, weil sie nicht zueinander paßten und nur wie Strandgut zueinander getrieben worden waren in einer stürmischen Nacht. Einmal zu Allerseelen, als sie einen Kranz zum Grab seines Vaters brachten, führte Hellmuth seine Frau auch auf das Feld 57 B, und dort, am Grabe des Schülers Leidhold, erzählte er ihr zum erstenmal, was er am 11. März des Jahres 1938 vorgehabt hatte, sprach davon wie von einer Kindertorheit, war aber dabei seltsam ergriffen, so als sei das Ganze doch denkbar gewesen und es habe ihm nur in jenem Augenblick die wirkliche Kraft gefehlt. Erika lachte schallend und bösartig, wie Frauen über Männer lachen, die sie enttäuscht haben und denen sie ihre Enttäuschung nicht verzeihen. Kurz darauf verließ sie die Bank, in der die beiden noch immer arbeiteten, und nahm eine andere Stellung an, verließ auch die gemeinsame Wohnung, so daß Hellmuth, dessen Mutter aufs Land gezogen war, nun wie ein Junggeselle leben mußte, Mahlzeiten in der Kantine, Abende im Kaffeehaus, eine Tasse Eichelkaffee, Zeitungen, ein Wasser, noch ein Wasser, wenn der Herr so gut wären, zahlen, wir schließen jetzt. Über solcher Einsamkeit kam er endlich langsam zu Verstand, er sah ein, daß ohne Einsatz nichts zu gewinnen war und daß man mit kindischen Träumen die Heimat nicht retten und die Weltgeschichte nicht ändern kann. Zunächst wegen schlechter Augen und schwächlicher Konstitution zurückgestellt, mußte er jedoch bald darauf einrücken. Er schwor auf die verhaßte Fahne, kam nach kurzer Ausbildung an die Front und war kein schlechter Soldat. Nach einigen Wochen des Kriegsdienstes wurde er von einem Tiefflieger in die Lunge geschossen und verbrachte die letzten Augenblicke seines Lebens auf dem Pflaster einer russischen Stadtstraße liegend und durch die Eisenschnörkel einer altmodischen Laterne in einen fürchterlich blauen Himmel starrend, friedlich, Hellmuth Klein, Hellmuth Kanonenfutter, aber gestorben für die Freiheit, weil am Ende alle für eine zukünftige Freiheit sterben.

Anpassung

JOHANNES BOBROWSKI

## *Lipmanns Leib*

Die Lipmann macht die Tür auf. Sie steckt den Vierkantbolzen in das Rohrstück, das an einem Bügel in der Krampe hängt, dreht ihn zwanzigmal herum, da geht das Schloß auf, sie hängt es aus, legt dann die Hand auf die eiserne Lasche und zieht, und die Kneipentür gibt nach und öffnet sich. Die strohgeflochtene Abdichtung ist schadhaft, aber die Luft von gestern hat sie brav im Haus gehalten, jetzt strömt es warm und stickig aus dem offenen Raum, Schnaps, Sauerteig, Gurkenlake, was weiß ich.
Rosa Lipmann fummelt ein Talglicht aus der Schürze. Ohne sich umzuwenden geht sie ins Haus, die Tür schließt sich. Jetzt sieht man, das mittlere Brett ist ungeschickt abgehobelt, ein heller Fleck im grauen Holz, in Brusthöhe ungefähr. Da hat etwas gestanden, ein Gruß in fremden Zeichen und mit Teerfarbe. Hat der Leib hingemalt, damals als er zurück war aus dem Krieg und jeder sehen konnte, daß er nicht bei Trost geblieben war. Er lief umher, verlor die Hose und fand sie wieder, trug sie dann überall hin und zeigte sie vor, so sehr freute er sich.
Er war noch ganz jung damals, gerade ein Jährchen verheiratet gewesen, da hatten ihn Soldaten mitgenommen, als Ortskundigen, und der Zarenoffizier hatte ihn prügeln lassen, wegen falscher Auskünfte angeblich. Hätten sie ihn nur liegen gelassen, ich hätte ihn schon geholt, sagt die Rosa immer, er wär schon wieder in Ordnung gekommen. Aber sie hatten ihn zerschlagen und mitgenommen nach Georgenburg und dort aufbewahrt.
Aus Georgenburg, wo er als junger Mensch hergekommen war, mit dem Wagen, da kam er dann zurück, zu Fuß, Lappen und Stroh um die Beine, ununterbrochen redend mit dem Weg unter den Füßen und mit dem Strom, der zur Linken davonzog, gleichmäßig, lautlos, breit.
Das Gerede mit dem Strom hatte Leib beibehalten, das mit

der Straße nicht. Er streicht das Ufer ab, bis zum Rombinus, wo er sich plötzlich erhebt und dann steil abfällt, als wollte er den Strom verschütten, wo die Erde schwarz wird, und zu den Sandgruben dort vor dem Wald. Was er findet, Steine, Vogelfedern, Glas, trägt er in den Strom, freut sich, wenn die Federn davonfahren mit langsamem Drehen und auf einmal Fahrt bekommen und wenn die Steine schnell auf den hellen Grund fallen und die Glasstücke heraufleuchten, bis der Treibsand sie zudeckt.

Stückchen Glas
Stückchen Glies
Onkel Wlas
hat ein Füß

singt er dazu, und zu den Federn sagt er: Fahr man los, ist schon besser für dich.

Rosa kommt an die Tür, blickt durch den Spalt den Weg hinunter. Der Leib wird irgendwo untergekommen sein, in einer Scheune, er findet schon immer was. Schwach ist er, blaß, mit ewig kalten Händen, aber er wird nicht krank. Er geht umher, redet ein bißchen, kümmert sich um Torf und Reisig, besorgt Seifenstein gegen Schnaps, tränkt die Pferde, wenn die Bauernwagen vor dem Krug halten, aber die Rosa nimmt ihm lieber den Eimer ab, er sagt nichts, er geht davon und ist ganz froh darüber. Er wird schon wiederkommen, denkt Rosa und schließt die Tür und sagt laut in die Stube hinein: Was ist das für ein Dorf.

Das Dorf, ja, was ist das schon. Die sieben Gehöfte über der Steigung des Ufers, wie auf einem Wall. Der ausgefahrene Sandweg kommt an den Steckenzäunen entlang und macht einen kleinen Bogen auf die Fähre zu. Da stehen die Holzbuden, die dem Zoll gehören. Ein Stückchen stromabwärts die beiden Dückdalben und die Anlegestelle für das Dampfboot. Kirschbäume, niedrig, mit geplatzter Rinde. Die vier Stangen um einen vorjährigen Strohhaufen, das zerbrochene Dach schief zwischen sich. Wo die Krähen ihre Versammlungen halten. Das Dorf. Und der Tümpel unten im Sand, von der letzten Überschwemmung, noch immer nicht ausgetrocknet. Das Dorf. Nirgends is so bunt wie inne Welt, sagen die alten Frauen. Was ist das für ein Dorf, sagt Rosa Lipmann.

Sie stammt aus der Wilnaer Gegend, wo die Lipmanns auch her sind, die berühmte Familie, der große Raw von Kowno gehört dazu. Dort um Wilna herum ist es anders. Sand und Holzhäuser auch, aber die Stadt dann mit den Toren, Bahnhof und Fabriken und die Pferdedroschken auf Gummirädern, und ihre Leute haben ein Restaurant. Nur Onkel Neum, der Vorsänger, hat nichts.

Was ist das schon, die sieben oder acht Gehöfte auf dem Uferwall. Von wo man über den Strom sieht, kilometerweit, bis dorthin, wo der Himmel hinabreicht auf die Ebene. Oder man blickt zurück, der Straße nach, die durch die Wiesen gegen den Wald verläuft. Das Dorf also. Und die Leute, die auf die Straße kommen, gegen Mittag, wenn das Dampfboot anlegt. Die Leute, Podßuweit und der versoffene Potschka und Milbredt und Papendick. Und der Lehrer Sikorski vom Kirchdorf mit seinen lauten Reden und dem ewigen Gesinge vom deutschen Rhein. Der in Naturalien eintreibt, was die unlustigen Schulbesucher an Weisheit versäumen. Die Leute.

Zehn Uhr zeigt der Regulator in Rosa Lipmanns Krug. Der alte Wlas kommt, der einbeinige Veteran, der Kalmück. Er setzt sich hin. Rosa bringt ihm ein Stück Zeitung. Er reißt eine kleine Ecke ab, dreht ein Tütchen, krümelt Schwarzen Krausen hinein. Später dann ein Schnaps. Alles ohne ein Wort. Rosa spült die Gläser. Zu reden gibt es noch genug, nachher, wenn der Viehhändler Köhn kommt, der heute wie jeden Dienstag mit dem Dampfboot zur Stadt fährt. Und der Leib ist noch nicht aufgetaucht. Auch der Kalmück hat ihn nicht gesehen. Gestern abend zum letzten Mal, wtschera wetscherom.

So ist der Abend am Strom: als würde es gar keine andere Tageszeit geben. Man geht und merkt nicht, daß man stehen bleibt. Man spürt den losen Sand unter den Füßen und steht doch wie auf einem Stein. Man hält die Hand ans

Ohr und hört, was es nicht gibt. Von den Sandgruben leuchtet es grünlich, das Ufer färbt sich schwarz, und wenn es dunkelt, wird der Strom ganz weiß. Und zieht davon, auf den finsteren Berg zu, wo die litauischen Geister und die Soldaten Napoleons wohnen und ihre Schätze behüten, jeder die seinen.

Dorther, vom Rombinus, kommt der Leib gegangen, den Wind halb im Rücken. Der Wind hat einen Namen, er heißt Antanas und erzählt immer dasselbe: In Grauden wird der Wald geschlagen, in Kraupischken ist die Post blau, in Livland wird die Milch süßgemacht. So wird es Nacht, bis der Leib vor das Dorf kommt.

Da hört er die Männer, die über den Abhang stolpern. Das ist der Potschka. Und das der Herr Köhn. Und der Lehrer vom Nachbardorf. Und noch drei, vier andere. Und der Herr Köhn redet laut, und der Sikorski will ihn belehren, über den schönen deutschen Rhein oder soetwas. Aber belehrt man denn einen reichen Viehhändler? Ein Geschrei, wie es jeder kennt, und was noch zu erzählen ist, läßt sich schnell sagen.

Da ist ja der verrückte Jud, sagt Potschka. Na sieh mal einer an, meint Sikorski. Komm doch mal her, sagt Köhn.

Juden sind ziemlich reinliche Leute, sagt Sikorski und schwankt ein bißchen. Aber der da ist dreckig, sagt Köhn. Sie sind aber sauber, beharrt Sikorski. Wie der Hund, wenn er aus dem Modder kriecht, sagt Köhn.

Du hast wohl dein Tauchbad noch nicht, du siebensinniges Aas, schreit Sikorski los und wendet sich nun wieder belehrend an den Viehhändler: Die machen nämlich sowas. Komm mal her, sagt Köhn.

Sie zerren ihn auf die Anlegestelle, über den Steg auf das Floß. Er wehrt sich gar nicht, er lacht ein bißchen. Jetzt wird er getaucht, sechsmal, siebenmal. Dreckiger Jud, sagt Potschka. Bißchen länger, sagt Köhn, der Dreck ist von Weihnachten.

Sikorski schwankt über die Bohlen zum Ufer zurück. Wir hatten da in der Kompanie einen Itzig, schreit er, der schrieb Bücher. Ach was, sagt Köhn und geht ihm nach. Und der Papendick steht auf dem Floß und weiß nicht, wo der Jud geblieben ist. Der ist ja weg, sagt er, und Potschka hat ihn auch nicht. Der ist ja weg, sagt Papendick etwas lauter. Köhn dreht sich um. Wer? fragt er zurück. Der Lipmann ihrer, sagt Potschka. Na ja, du Doofkopp, sagt Köhn, spring doch nach.

Die Männer stehen noch immer da. Haut bloß ab, sagt Köhn. Sikorski rennt das Ufer hinauf. Um das Dorf herum, denkt er, in einer Stunde bin ich zu Hause.

Vom schönen Rhein hat er genug. Der Strom hier ist anders. Ganz weiß. Man geht da entlang und weiß nicht, daß man stehen bleibt. Man spürt den losen Sand unter den Füßen und steht doch wie auf einem Stein. Man hält die Hand ans Ohr und hört, was es nicht gibt. Über die Wiesen hinauf kriecht der Nebel.

Der Regulator in Rosa Lipmanns Schnapsbude geht auf Mittag. Wlas sitzt am Tisch. Zwei Schnäpse sind es geworden, einen hat Rosa gestiftet. Die Kneipe ist leer. Drei, vier Leute, die auf das Dampfboot warten. Rosa sieht durch das Fenster. An der Anlegestelle steht der Viehhändler Köhn. Is nich rangekommen.

Nun wird der Dampfer sichtbar. Köhns Kutscher reicht eine Tasche vom Wagen, setzt sich zurecht, er kann zurückfahren.

Kinder, säuft, der Dampfboot pfeift, ruft Rosa und öffnet die Tür. Sudiev. Nur der Wlas bleibt noch.

Rosa steht auf dem Weg, sie wischt sich die Hände an der Schürze ab. Ihr fällt ein, es ist Mittag und der Leib ist noch immer nicht gekommen. Sie winkt dem Dampfer zu, der sein Schaufelrad in Gang bringt, und geht ins Haus zurück. Einen Schnaps, Onkel Wlas?

## *Ein Liebesversuch*

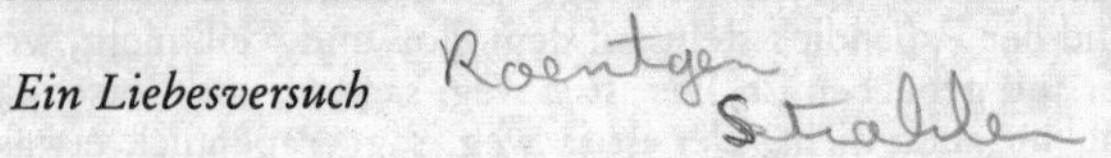


Als das billigste Mittel, in den Lagern Massensterilisationen durchzuführen, erschien 1943 Röntgenbestrahlung. Zweifelhaft war, ob die so erzielte Unfruchtbarkeit nachhaltig war. Wir führten einen männlichen und einen weiblichen Gefangenen zu einem Versuch zusammen. Der dafür vorgesehene Raum war größer als die meisten anderen Zellen, er wurde mit Teppichen der Lagerleitung ausgelegt. Die Hoffnung, daß die Gefangenen in ihrer hochzeitlich ausgestalteten Zelle dem Versuch Genüge leisteten, erfüllte sich nicht.

Wußten sie von der erfolgten Sterilisation?
Das war nicht anzunehmen. Die beiden Gefangenen setzten sich in verschiedene Ecken des dielengedeckten und teppichbelegten Raumes. Es war durch das Bullauge, das der Beobachtung von außen diente, nicht zu erkennen, ob sie seit der Zusammenführung miteinander gesprochen hatten. Sie führten jedenfalls keine Gespräche. Diese Passivität war deshalb besonders unangenehm, weil hochgestellte Gäste sich zur Beobachtung des Versuchs angesagt hatten; um den Fortgang des Experiments zu beschleunigen, befahl der Standortarzt und Leiter des Versuchs, den beiden Gefangenen die Kleider fortzunehmen.

Schämten sich die Versuchspersonen?
Man kann nicht sagen, daß die Versuchspersonen sich schämten. Sie blieben im wesentlichen auch ohne ihre Kleidung in den bis dahin eingenommenen Positionen, sie schienen zu schlafen. Wir wollen sie ein bißchen aufwekken, sagte der Leiter des Versuchs. Es wurden Schallplatten herbeigeholt. Durch das Bullauge war zu sehen, daß beide Gefangenen auf die Musik zunächst reagierten. Wenig später verfielen sie aber wieder in ihren apathischen

Zustand. Für den Versuch war es wichtig, daß die Versuchspersonen endlich mit dem Versuch begannen, da nur so mit Sicherheit festgestellt werden konnte, ob die unauffällig erzeugte Unfruchtbarkeit bei den behandelten Personen auch über längere Zeitabschnitte hin wirksam blieb. Die am Versuch beteiligten Mannschaften warteten in den Gängen des Schlosses, einige Meter von der Zellentür entfernt. Sie verhielten sich im wesentlichen ruhig. Sie hatten Weisung, sich nur flüsternd miteinander zu verständigen. Ein Beobachter verfolgte den Verlauf des Geschehens im Innenraum. So sollten die beiden Gefangenen in dem Glauben gewiegt werden, sie seien jetzt allein.
Trotzdem kam in der Zelle keine erotische Spannung auf. Fast glaubten die Verantwortlichen, man hätte einen kleineren Raum wählen sollen. Die Versuchspersonen selbst waren sorgfältig ausgesucht. Nach den Akten mußten die beiden Versuchspersonen erhebliches erotisches Interesse aneinander empfinden.

Woher wußte man das?
J., Tochter eines Braunschweiger Regierungsrates, Jahrgang 1915, also etwa 28 Jahre, mit arischem Ehemann, Abitur, Studium der Kunstgeschichte, galt in der niedersächsischen Kleinstadt G. als unzertrennlich von der männlichen Versuchsperson, einem gewissen P., Jahrgang 1900, ohne Beruf. Wegen P. gab die J. den rettenden Ehemann auf. Sie folgte ihrem Liebhaber nach Prag, später nach Paris. 1938 gelang es, den P. auf Reichsgebiet zu verhaften. Einige Tage später erschien auf der Suche nach P. die J. auf Reichsgebiet und wurde ebenfalls verhaftet. Im Gefängnis und später im Lager versuchen die beiden mehrfach, zueinanderzukommen. Insofern unsere Enttäuschung: jetzt durften sie endlich, und jetzt wollten sie nicht.

Waren die Versuchspersonen nicht willig?
Grundsätzlich waren sie gehorsam. Ich möchte also sagen willig.

Waren die Gefangenen gut ernährt?
Schon längere Zeit vor Beginn des Versuchs waren die in Aussicht genommenen Versuchspersonen besonders gut ernährt worden. Nun lagen sie bereits zwei Tage im gleichen Raum, ohne daß Annäherungsversuche festzustellen waren. Wir gaben ihnen Eiweißgallert aus Eiern zu trinken, die Gefangenen nahmen das Eiweiß gierig auf. Oberscharführer Wilhelm ließ die beiden aus Gartenschläuchen anspritzen, anschließend wurden sie wieder, frierend, in das Dielenzimmer geführt, aber auch das Wärmebedürfnis führte sie nicht zueinander.
Fürchteten sie die Freigeisterei, der sie sich ausgesetzt sahen? Glaubten sie, dies wäre eine Prüfung, bei der sie ihre Moralität zu erweisen hätten? Lag das Unglück des Lagers wie eine hohe Wand zwischen ihnen?

Wußten sie, daß im Falle einer Schwängerung beide Körper seziert und untersucht würden?
Daß die Versuchspersonen das wußten oder auch nur ahnten, ist unwahrscheinlich. Von der Lagerleitung wurden ihnen wiederholt positive Zusicherungen für den Überlebensfall gemacht. Ich glaube, sie wollten nicht. Zur Enttäuschung des eigens herangereisten Obergruppenführers A. Zerbst und seiner Begleitung ließ sich das Experiment nicht durchführen, da alle Mittel, auch die gewaltsamen, nicht zu einem positiven Versuchsausgang führten. Wir preßten ihre Leiber aneinander, hielten sie unter langsamer Erwärmung in Hautnähe aneinander, bestrichen sie mit Alkohol und gaben den Personen Alkohol, Rotwein mit Ei, auch Fleisch zu essen und Champus zu trinken, wir korrigierten die Beleuchtung, nichts davon führte jedoch zur Erregung.

Hat man denn alles versucht?
Ich kann garantieren, daß alles versucht worden ist. Wir hatten einen Oberscharführer unter uns, der etwas davon verstand. Er versuchte nach und nach alles, was sonst totsicher wirkt. Wir konnten schließlich nicht selbst hineinge-

hen und unser Glück versuchen, weil das Rassenschande gewesen wäre. Nichts von den Mitteln, die versucht wurden, führte zur Erregung.

Wurden wir selbst erregt?
Jedenfalls eher als die beiden im Raum; wenigstens sah es so aus. Andererseits wäre uns das verboten gewesen. Infolgedessen glaube ich nicht, daß wir erregt waren. Vielleicht aufgeregt, da die Sache nicht klappte.

*Will ich liebend Dir gehören,*
*kommst Du zu mir heute Nacht?*

Es gab keine Möglichkeit, die Versuchspersonen zu einer eindeutigen Reaktion zu gewinnen, und so wurde der Versuch ergebnislos abgebrochen. Später wurde er mit anderen Personen wiederaufgenommen.

Was geschah mit den Versuchspersonen?
Die widerspenstigen Versuchspersonen wurden erschossen.

Soll das besagen, daß an einem bestimmten Punkt des Unglücks Liebe nicht mehr zu bewerkstelligen ist?

GÜNTER KUNERT

## *Zentralbahnhof*

An einem sonnigen Morgen stößt ein Jemand innerhalb seiner Wohnung auf ein amtliches Schreiben: es liegt auf dem Frühstückstisch neben der Tasse. Wie es dahin kam, ist ungewiß. Kaum geöffnet, überfällt es den Lesenden mit einer Aufforderung:
Sie haben sich, befiehlt der amtliche Druck auf dem grauen, lappigen Papier, am 5. November des laufenden Jahres

morgens acht Uhr in der Herrentoilette des Zentralbahnhofes zwecks Ihrer Hinrichtung einzufinden. Für Sie ist Kabine 18 vorgesehen. Bei Nichtbefolgung dieser Aufforderung kann auf dem Wege der verwaltungsdienstlichen Verordnung eine Bestrafung angeordnet werden. Es empfiehlt sich leichte Bekleidung, um einen reibungslosen Ablauf zu garantieren.

Wenig später taucht der solchermaßen Betroffene verzagt bei seinen Freunden auf. Getränke und Imbiß lehnt er ab, fordert hingegen dringlich Rat, erntet aber nur ernstes und bedeutungsvolles Kopfschütteln. Ein entscheidender Hinweis, ein Hilfsangebot bleibt aus. Heimlich atmet man wohl auf, wenn hinter dem nur noch begrenzt Lebendigen die Tür wieder zufällt, und man fragt sich, ob es nicht schon zuviel gewesen ist, sie ihm überhaupt zu öffnen. Lohnte es denn, wer weiß was alles auf sich zu laden für einen Menschen, von dem in Zukunft so wenig zu erwarten ist?

Der nun selber begibt sich zu einem Rechtsanwalt, wo ihm vorgeschlagen wird, eine Eingabe zu machen, den Termin (5. Nov.) aber auf jeden Fall einzuhalten, um Repressalien auszuweichen. Herrentoilette und Zentralbahnhof höre sich doch ganz erträglich und vernünftig an. Nichts werde so heiß gegessen wie gekocht. Hinrichtung? Wahrscheinlich ein Druckfehler. In Wirklichkeit sei »Einrichtung« gemeint. Warum nicht? Durchaus denkbar findet es der Rechtsanwalt, daß man von seinem frisch gebackenen Klienten verlange, er solle sich einrichten. Abwarten. Und vertrauen! Man muß Vertrauen haben! Vertrauen ist das wichtigste.

Daheim wälzt sich der zur Herrentoilette Beorderte schlaflos über seine durchfeuchteten Laken. Erfüllt von brennendem Neid lauscht er dem unbeschwerten Summen einer Fliege. Die lebt! Die hat keine Sorgen! Was weiß die schon vom Zentralbahnhof?! Man weiß ja selber nichts darüber ... Mitten in der Nacht läutet er an der Tür des Nachbarn. Durch das Guckloch glotzt ihn ein Auge an,

kurzfristig, ausdruckslos, bis der Klingelnde kapituliert und den Finger vom Klingelknopf löst.
Pünktlich um acht Uhr morgens betritt er am 5. Nov. den Zentralbahnhof, fröstelnd in einem kurzärmeligen Sporthemd und einer Leinenhose, das leichteste, was er an derartiger Bekleidung besitzt. Hier und da gähnt ein beschäftigungsloser Gepäckträger. Der Boden wird gefegt und immerzu mit einer Flüssigkeit besprengt.
Durch die spiegelnde Leere der Herrentoilette hallt sein einsamer Schritt: Kabine 18 entdeckt er sofort. Er schiebt eine Münze ins Schließwerk der Tür, die aufschwingt, und tritt ein. Wild zuckt in ihm die Gewißheit auf, daß gar nichts passieren wird. Gar nichts! Man will ihn nur einrichten, weiter nichts! Gleich wird es vorüber sein, und er kann wieder nach Hause gehen. Vertrauen! Vertrauen! Eine euphorische Stimmung steigt ihm in die Kehle, lächelnd riegelt er das Schloß zu und setzt sich.
Eine Viertelstunde später kommen zwei Toilettenmänner herein, öffnen mit einem Nachschlüssel Kabine 18 und ziehen den leichtbekleideten Leichnam heraus, um ihn in die rotziegeligen Tiefen des Zentralbahnhofes zu schaffen, von dem jeder wußte, daß ihn weder ein Zug jemals erreicht noch verlassen hatte, obwohl oft über seinem Dach der Rauch angeblicher Lokomotiven hing.

FRIEDRICH WILHELM KORFF

## *Jericho*

An einem schwülen Sommerabend im Jahre 1943 wurde ich, von einer Dienstreise aus Preßburg kommend, kurz vor Wien durch eine sabotierte Zugverbindung aufgehalten und konnte, da überdies schon Sperrstunde war, nicht mehr zum Hauptquartier zurückkehren. Nach einigen ärgerlichen Telefonaten mit dem Büro des Ortsgruppenleiters bekam ich in einem Ort zwischen Grinzing und Perchtolsdorf ein kleines Zimmer zur Nacht unter einem Dach, dessen angestaute Hitze mir den Schweiß aus allen Poren trieb. Ich kleidete mich wieder in die nasse Uniform und ging aus dem Haus eine lange Gasse hinunter, die in Vorgärten mündete und schließlich an einen überbuschten Hügel stieß, aus dem Zitherklänge hallten. Es war ein Heurigenlokal, umbaut von einem Wald aus glänzenden Stechpalmenbüschen, mit einem Tor, auch aus zwei hohen Ilexstämmen gepflanzt, das ein Blechschild »Zum Felsenkeller« überspannte.

Ich befand mich außerhalb des Stadtrandes. Hier griffen die Villenvororte schon weiter aufs Land und begannen, sich mit den alten Dörfern um Wien zu vermischen. Dieses Heurigenlokal lag am Anfang eines Kiefernwäldchens zwischen zwei Villen, die von Antennenkreuzen fast eingesponnen waren. Hier stand offenbar ein Sender, oder es war das Quartier einer Fernmeldeabteilung. Ich zwängte mich auf der Gasse durch abgestellte Militärlastwagen und sah hinter dem Zaun die Mercedes-Limousinen auf dem Kies stehen, wie sie nur den höheren Offizieren und ihren Ordonnanzen zugewiesen sind. Ich war im Begriff, diesem Lokal mit seinem offenen Garten, aus denen Uniformen und fahle Kleider hervorleuchteten, unbedingt aus dem Wege zu gehen, als mich ein Blick durch das Tor auf den Wirt aufmerksam machte.

Im hellen Licht des höhlenartigen Eingangs stand ein älterer Mann mit zerfurchtem Gesicht. Daß er halblange Lederhosen trug, wollte nicht recht zu ihm passen. Die Stirn war frei, aber seine dunklen Haare, an den Wurzeln fast wie Blumendraht stark, erinnerten an einen Süd- oder Ausländer. Ich nahm an einem der freien Tische Platz. Der Wirt räumte die noch herumstehenden Gläser ab und fuhr zusammen, als man ihn aus der gegenüberliegenden Ecke rief. Er nahm einen betrunkenen krakeelenden Gefreiten wortlos an den Ellenbogen und schob ihn zum Tor hinaus.

Besorgt um Tische und Gläser, nach der Pause sogleich in die Richtung der Musik mit den Händen klatschend, damit man neu beginne, fortgehenden Frauen, ja sogar Männern »Küß die Hand« nachrufend, bediente er unruhig, fahrig und machte sich überflüssige Arbeit. Wenn Gäste Platz nahmen, zündete er die Hindenburglichtchen in den verrußten Glaskelchen auf den Tischen an und blies sie, wenn sie gegangen waren, sorgfältig wieder aus. Kopfschüttelnd trug er halbverzehrte Speisen in die Felsenhöhle, entfernte noch zu vorgerückter Stunde Flecken auf den Tischtüchern, streute Salz, legte Servietten unter und trug heißes Wasser heran. Er war hier, war dort, im Keller verschwunden, immerzu anwesend, kaum, daß man an ihn dachte, stand er da, auf einem Notizblock die Bestellung aufnehmend. Er bediente stumm und prompt, ja, es gelang ihm, obwohl er mit der freien Hand ein leuchtendes Wagenrad schwimmender Gläser trug, immer noch eine Andeutung stolzer Verbeugung.
Einmal – als er sich unbeobachtet fühlte – sah ich ihn mit weit nach hinten gezogenen Mundwinkeln beiseite ins Leere, Dunkle sprechen. Seine Musiker, ebenso böhmisch in Lederhosen gekleidet, zogen langsam, lustlos zwischen den Tischen einher und hielten den Gästen die Geige schräg ans Ohr. Auf dem Hackbrett spielten sie Operettenmelodien und etwas Bayrisches. Der Klarinettist begann auf seinem Instrument zu fletschen. Melodisch, hohl tönend, mir fast einen Schnupfen in die Nase ziehend, spielte er »Freut Euch des Lebens«.
Die Betroffenheit muß auf meinem Gesicht gestanden haben, denn der Wirt näherte sich mir mit der Serviette, wedelte die Brotkrumen vom Tisch, versetzte das Windlicht, blies in den Aschenbecher, schlug nach den Mücken, stellte sanft die Stühle zurecht und ließ im Abgehen aus seinem angepreßten Armwinkel die Speise- und Getränkekarte auf den Tisch gleiten.
Die Gäste waren zumeist deutsche Soldaten und Österreicherinnen, die in ihren bedruckten Stoffkleidern wie ausge-

liehen aussahen. Man begann das Lied von der »Lili Marleen« zu singen, aber die Stimmung – es war kaum zu ertragen – wurde durch den murmelnden Wirt, der wie ein Irrwisch von einem Tisch zum anderen fuhr, ständig gestört. Man fühlte sich freier, wenn er für kurze Zeit in dem Felsenkeller verschwunden war. Die älteren Soldaten, die an der Front ein feines Gespür für die Stimmung bekommen, schüttelten die Köpfe.
Der Vorrat mit Schmalz überstrichener Brote schien unerschöpflich in einer Zeit der Rationen. An Wein hatte der Wirt einen Goldberger Roten, der so flau süß nach Holunderbeeren schmeckte, daß ich ihn erschrocken ausspie. Der Wirt schien überhaupt nicht beeindruckt, eher getröstet zu sein. Er schüttete das halbvoll angegossene Glas mit einem Schwung in die Stechpalmen und kam dann mit einem grünen Veltliner gelaufen, der sauer und auch gestreckt, jedoch frischkalt wie Wasser war. Ich bereitete mich auf einen langen Abend mit allmählichem und ziemlich teurem Betrunkenwerden vor. Jedesmal, wenn ich ein neues Viertel bestellte, sah mich der Wirt mit trüben Augen an.
Von Zeit zu Zeit mußte ich durch den heißdampfenden Felsenkeller. Von der verrauchten Decke hingen Stalaktiten aus braunem Pappmaché. Sie erinnerten mich an jahrealte Fliegenfänger. Sehr reinliche, aber leere Goldfischbecken, gefüllt mit weißen Kieseln, standen auf den Konsolen, ebenso verwaiste Schlangenbehälter und leere Terrarien mit vertrockneten Pflanzen. In die mit Weinlachen bedeckten und weißgescheuerten Buchentische schnitzten die Gefreiten mit österreichischen Taschenmessern oder schmusten an den Frauen. Um einen Zipfel an einem Stammtisch standen sieben Unteroffiziere, tranken und setzten sich wieder. Hier hatte sich, erst leise, dann aber zackig, ein Gesang aufgetan, der den Abend lang anhielt, später zunehmend schleppend wurde und gelegentlich schon unsicher in angstvolle Fermaten ausglitt. Er unterbrach sich stündlich, wenn aus einem Radio an der Wand krächzend die Frontnachrichten kamen. Liszts Prélude und

die überlaut quakende Stimme drangen aus dem Höhlenmund und gaben dem Garten mit seinem Tischlampenlicht, das ölig auf den Stechpalmen lag, den Anflug ferner Bedeutsamkeit.

Manchmal kommen die Österreicher ihrem berühmten Charme, ja sogar ihrer eigenen Treuherzigkeit sehr nahe. Dieser Wirt aber war wirklich so. Ungezählt strich er die Reichsmark ein. Höflich nahm er Briefmarken, Lebensmittelkarten, Zigarren, Zigaretten, Andenken, unbesehen alles, was bei solcher Gelegenheit die Soldaten, wenn sie über ihre Verhältnisse leben, wie Kinder einzutauschen haben.

»Ist der Wirt ein Wiener?« fragte ich einen älteren Mann am Nebentisch, vermutlich den Lehrer des Orts, der stumm wie ich dem Treiben zusah.

»Ein Lump ist das, ein Saujud, ein verdackelter Zigeuner! Ihr habt es nur noch nicht spitz bekommen, weil seine Papiere in Ordnung sind«, stieß er hervor.

Ich sah zur Seite, um mir das Gesicht nicht zu merken, überlegte eine Weile und schwieg.

Es dauerte eine Zeit, bis er begriff. Dann hörte ich, wie er ächzend den Stuhl zurückschob und ging.

Um Mitternacht, kurz nach Zwölf mit dem letzten Glokkenschlag erbrach sich mit einem Male die Höhle. Eher ärgerlich als belustigt rückwärtsblickend, taumelten die Soldaten und Liebespaare aus dem Eingang und verbreiteten sich auf dem Kies. Ein Gefreiter stürzte und ruderte bäuchlings auf der Tanzfläche. Eine Frau, die auf irgendeine Weise ihr Kleid losgeworden war, erbettelte es sich, schwer betrunken, von den Tischen und hielt mit ausgestreckten Armen die Gehenden zurück. Die Unteroffiziere, die Einheimischen, die schwankende Gästeflut, von den Musikern flankiert, gestützt und aufgehoben, kam in Wellen auf mich zu. Hinter ihnen, hoch aufgerichtet im Eingang des Felsenkellers, stand der Wirt und blies eine Trompete, so laut, so falsch und so lange, bis der letzte Gast aus seinem Garten verschwunden war.

HEINER MÜLLER

*Das Eiserne Kreuz*

Im April 1945 beschloß in Stargard in Mecklenburg ein Papierhändler, seine Frau, seine vierzehnjährige Tochter und sich selbst zu erschießen. Er hatte durch Kunden von Hitlers Hochzeit und Selbstmord gehört.
Im ersten Weltkrieg Reserveoffizier, besaß er noch einen Revolver, auch zehn Schuß Munition.
Als seine Frau mit dem Abendessen aus der Küche kam, stand er am Tisch und reinigte die Waffe. Er trug das Eiserne Kreuz am Rockaufschlag, wie sonst nur an Festtagen.
Der Führer habe den Freitod gewählt, erklärte er auf ihre Frage, und er halte ihm die Treue. Ob sie, seine Ehefrau, bereit sei, ihm auch hierin zu folgen. Bei der Tochter zweifle er nicht, daß sie einen ehrenvollen Tod durch die Hand ihres Vaters einem ehrlosen Leben vorziehe.
Er rief sie. Sie enttäuschte ihn nicht.
Ohne die Antwort der Frau abzuwarten, forderte er beide auf, ihre Mäntel anzuziehen, da er, um Aufsehen zu vermeiden, sie an einen geeigneten Ort außerhalb der Stadt führen werde. Sie gehorchten. Er lud dann den Revolver, ließ sich von der Tochter in den Mantel helfen, schloß die Wohnung ab und warf den Schlüssel durch die Briefkastenöffnung.
Es regnete, als sie durch die verdunkelten Straßen aus der Stadt gingen, der Mann voraus, ohne sich nach den Frauen umzusehen, die ihm mit Abstand folgten. Er hörte ihre Schritte auf dem Asphalt.
Nachdem er die Straße verlassen und den Fußweg zum Buchenwald eingeschlagen hatte, wandte er sich über die Schulter zurück und trieb zur Eile. Bei dem über der baumlosen Ebene stärker aufkommenden Nachtwind, auf dem regennassen Boden, machten ihre Schritte kein Geräusch.

Er schrie ihnen zu, sie sollen vorangehen. Ihnen folgend, wußte er nicht: hatte er Angst, sie könnten ihm davonlaufen, oder wünschte er, selbst davonzulaufen. Es dauerte nicht lange, und sie waren weit voraus. Als er sie nicht mehr sehen konnte, war ihm klar, daß er zuviel Angst hatte, um einfach wegzulaufen, und er wünschte sehr, sie täten es. Er blieb stehen und ließ sein Wasser. Den Revolver trug er in der Hosentasche, er spürte ihn kalt durch den dünnen Stoff. Als er schneller ging, um die Frauen einzuholen, schlug die Waffe bei jedem Schritt an sein Bein. Er ging langsamer. Aber als er in die Tasche griff, um den Revolver wegzuwerfen, sah er seine Frau und die Tochter. Sie standen mitten auf dem Weg und warteten auf ihn.
Er hatte es im Wald machen wollen, aber die Gefahr, daß die Schüsse gehört wurden, war hier nicht größer.
Als er den Revolver in die Hand nahm und entsicherte, fiel die Frau ihm um den Hals, schluchzend. Sie war schwer, und er hatte Mühe, sie abzuschütteln. Er trat auf die Tochter zu, die ihn starr ansah, hielt ihr den Revolver an die Schläfe und drückte mit geschlossenen Augen ab. Er hatte gehofft, der Schuß würde nicht losgehen, aber er hörte ihn und sah, wie das Mädchen schwankte und fiel.
Die Frau zitterte und schrie. Er mußte sie festhalten. Erst nach dem dritten Schuß wurde sie still.
Er war allein.
Da war niemand, der ihm befahl, die Mündung des Revolvers an die eigene Schläfe zu setzen. Die Toten sahen ihn nicht, niemand sah ihn. Das Stück war aus, der Vorhang gefallen. Er konnte gehen und sich abschminken.
Er steckte den Revolver ein und beugte sich über seine Tochter. Dann fing er an zu laufen.
Er lief den Weg zurück bis zur Straße und noch ein Stück die Straße entlang, aber nicht auf die Stadt zu, sondern westwärts. Dann ließ er sich am Straßenrand nieder, den Rücken an einen Baum gelehnt, und überdachte seine Lage, schwer atmend. Er fand, sie war nicht ohne Hoffnung.

Er mußte nur weiterlaufen, immer nach Westen, und die nächsten Ortschaften meiden. Irgendwo konnte er dann untertauchen, in einer größeren Stadt am besten, unter fremdem Namen, ein unbekannter Flüchtling, durchschnittlich und arbeitsam.
Er warf den Revolver in den Straßengraben und stand auf. Im Gehen fiel ihm ein, daß er vergessen hatte, das Eiserne Kreuz wegzuwerfen. Er tat es.

# Die Blutspur zur Freiheit: Kollaboration und Widerstand

STEPHAN HERMLIN

## *Arkadien*

Für R. E.

Charlot, der in seiner ganzen Mächtigkeit auf der Schwelle stand, in der schwarzen Lederjacke, die ihn noch breiter machte und sich um die Waffen bauschte, die er darunter trug, Charlot fand, daß Marcel sich nicht verändert habe. Der sich am anderen Ende der Zelle von seinem Schemel erhoben hatte, sah aus, wie er immer ausgesehen hatte, wie ein dreiundzwanzigjähriger Hirtenjunge aus der Auvergne eben aussieht; sein Gesicht drückte Gesundheit und Ruhe aus, nur daß eine begreifliche Verwunderung es jetzt gewissermaßen von den Rändern her in Unordnung zu bringen begann: es erblaßte, langsam, unaufhörlich, als würde in dem langen Schweigen zwischen den beiden Männern auf dieses Gesicht alle paar Sekunden eine neue Schicht Blässe aufgetragen. Dabei hatte Charlot sich mittlerweile bestätigen müssen, daß Marcels unverändertes Äußeres die natürlichste Sache der Welt war. Seit den Vorfällen vom Dezember 1943, während der sie sich zum letztenmal gesehen hatten, waren gerade sechs Monate verstrichen.
»Na, Marcel, es ist soweit«, sagte Charlot.
Marcel erwiderte nichts.
›Der sieht mich an‹, dachte Charlot, ›als ob ich eine Erscheinung wäre.‹
»Gib mir deine Hand«, sagte er.
Es war nicht eine Hand, die Marcel ihm entgegenstreckte, es waren beide. Er hatte sie aneinandergelegt, so daß sich

Gelenke und Daumen berührten. Charlot trat auf ihn zu, während er ein Paar Handschellen aus der rechten Tasche seiner Jacke zog.
An der Tür salutierte der Gendarm vor Charlot, der ihn nicht beachtete. »Was soll man machen, Monsieur«, hörte Charlot ihn sagen, »wenn man könnte, wie man wollte, aber Sie wissen ja, wie es ist . . .« Charlot, der Marcel vorangehen ließ, warf noch einen flüchtigen Blick auf das zu einem ängstlichen Lächeln verzogene Gesicht des Mannes, der in seiner verschossenen schwarzen Uniform an der Tür stand, einen Schlüsselbund in einer Hand und an der unförmigen leeren Pistolentasche herumfingernd, während er die Fortgehenden mit seinem Geplapper begleitete.
»Schon gut. Adieu!« sagte Charlot über die Schulter und trat hinter Marcel auf die Straße und auf die schwarze Limousine zu, in der Louis saß.
In diesem Juni, da an den Brückenköpfen in der Normandie die Artillerieschlacht raste und Paris sich zum Aufstand rüstete, zogen die Deutschen in Aurillac es vor, dem Maquis aus dem Wege zu gehen. Die deutsche Garnison in der Stadt, die kleinen Kommandos in der Nähe, die Straßensperren und Hochspannungsleitungen bewachten, spürten den Zugriff der Partisanen, deren Stab ihnen geraten hatte, sich ruhig zu verhalten. Sie befolgten diesen Rat. Erst recht die französischen Gendarmen, die keinen Finger mehr rührten und sich, wenn die Forderung an sie erging, widerstandslos entwaffnen ließen. Allein die Miliz erwartete mit Haß und Grauen die Abrechnung. Es war nur natürlich gewesen, daß man Charlot, sobald er aufgetaucht war, ins Gefängnis eingelassen hatte. Kein Mensch hätte daran gedacht, ihn an der Entführung eines Gefangenen hindern zu wollen.
Charlot öffnete die hintere Tür des Wagens für Marcel, dem Louis schon Platz machte. Marcel stolperte über die Maschinenpistole, die auf dem Boden lag; in sein Gesicht trat von neuem die Unordnung, die er gerade daraus weggebracht hatte. Charlot drehte sich nicht um, er war bereits

mit dem Starter beschäftigt und sah aus wie ein Mann, der ganz an seinem Platz ist. Louis beobachtete ihn bei seinen Handgriffen, wie er mit der Rechten die Handbremse losmachte und nach dem Schalthebel griff; die Apparatur war eigentlich zu zierlich für diesen Obersten, der die meiste Zeit seines Lebens Fahrer von Fernlastzügen gewesen war. Selbst wenn Charlot sich nicht um ihn kümmerte, konnte Louis der Freundschaft dieses Mannes sicher sein; der väterlichen, achtungsvollen, ein wenig brummigen Freundschaft, die der klassenbewußte Arbeiter dem Intellektuellen entgegenbrachte, von dessen Wert er sich überzeugt hatte. Louis meinte in diesem Augenblick zu wissen, daß Charlots Zuneigung zu ihm ihre ganze zuverlässige Festigkeit dem Umstand verdankte, daß er, Louis, ein Deutscher war; weil vielleicht seine, Louis', Existenz die Richtigkeit bestimmter Ansichten Charlots bestätigte, auf die der Bataillonskommandant nicht einmal in dieser Zeit verzichten wollte. Louis, ehemaliger Offizier in einer Internationalen Brigade, hatte ohne Überheblichkeit, aber auch ohne falsche Schüchternheit das am Anfang noch ziemlich mangelhafte Bataillon durchorganisiert und gute und böse Tage mit ihm ertragen. Louis fühlte sich wohl beim Bataillon; in Charlots Freundschaft zu ihm empfand er die Freundschaft aller.
Kaum daß der Wagen angefahren war, zeigte Charlot schon Zeichen von Unzufriedenheit. Er murmelte etwas vor sich hin und schüttelte ärgerlich den Kopf. Schließlich warf er Louis die Worte zu: »Zum Teufel noch mal, so kann man doch nicht einfach aus der Stadt fort!« Louis erwiderte nichts, er war nur unruhig geworden. Charlot hatte unschlüssig einen Moment lang mit dem Steuer gespielt und den Wagen gebremst. Von seinem Rücksitz aus sah Louis über Marcels gefesselte Hände weg die Leute, die auf der Straße in der Sonne standen, Frauen vor einer Epicerie, Kinder im Kreis um einen Abbé versammelt. Sie fuhren wie mit einem Satz bis auf die Mitte des Marktplatzes, wo Charlot den Wagen anhielt. Louis hatte schon halb begriffen, worum es ging.

Charlot stieg mit beschäftigter Miene aus, kam an die Hintertür, sagte durch die Zähne: »Komm, Freundchen!« Er zerrte Marcel an den Handschellen auf die Straße. Louis stand auf einmal der Schweiß auf der Stirn. Während Charlot Marcel festhielt, wandte er sich den Leuten auf dem Platz zu und machte eine weite, rufende Bewegung mit dem freien Arm.

»He, ihr Leute«, brüllte Charlot, »kommt einmal her!« Überall auf dem Markt bröckelte der Lärm ab; Louis sah, wie sich von allen Seiten die weißen Gesichter ihnen zuwandten, wie Händler und Kunden auf der Schwelle der Läden erschienen, wie alles auf einmal eine Menge wurde, die rasch auf sie zulief wie Wasser nach einem tiefgelegenen Abfluß. Die Menschen hatten einen Halbkreis um den Wagen gebildet, die vordersten standen kaum zwei Meter von Charlot und Marcel entfernt. Louis dachte: ›Die Stadt ist voll von deutschen Soldaten und Miliz; und wenn sie kommen? Wie soll man bloß den Wagen loskriegen aus dieser Masse? Charlot ist verrückt geworden.‹ »Paßt einmal auf!« sagte Charlot laut, während die Leute in den vordersten Reihen auf die Handschellen des Gefangenen blickten, als wüßten sie schon, was Charlot ihnen erzählen würde. Sie bemühten sich, ihren vom Lauf heftigen Atem ruhig zu machen, und riefen Ruhe! hinüber zu den Spätergekommenen, die sich geräuschvoll an den äußeren Rand der Menge hefteten.

»Paßt einmal auf!« wiederholte Charlot. »Seht ihr den hier?«

Er machte eine Pause und zeigte auf Marcel. Seine Stimme wurde fast zu laut, wie auf einer Kundgebung: »Franzosen! Hier steht der Verräter vom Dezember! Erinnert ihr euch noch? Dieser Bursche hat den Maquis von S. auf dem Gewissen!«

Marcel war Chauffeur in Maquis gewesen, ein anstelliger Kamerad, ein guter Kumpel, wie man sagte. Im Dezember 1943 hatten ihn die Deutschen mit seinem Lastwagen gestellt. Louis hätte im Augenblick nicht mehr das genaue

Datum sagen können. Einen Tag nach seiner Verhaftung griff SS und Miliz das Berglager des Maquis von S. an; Marcel hatte ihnen den Weg gezeigt. Die Partisanen waren nachlässig gewesen; sie hatten keine Posten ausgestellt; der Überfall, der sich gegen fünf Uhr morgens ereignete, überraschte sie im Schlaf. Sie verloren neunzehn Mann. Die Überlebenden stießen später zur benachbarten Formation, die von Charlot und Louis geführt wurde. Marcel fuhr von da an den Wagen des Gestapochefs in Aurillac. Man hörte ab und zu von ihm. Einige Angehörige des Bataillons hatten sich einmal nach Aurillac gewagt; Marcel bekam Wind davon und ließ sie verhaften; man sah sie nicht mehr wieder. Die Leute in der Umgebung sahen Marcel am hellichten Tage sinnlos betrunken die Straße entlangtaumeln; nicht nur einmal; er trank jetzt so viel, daß die Leute mit Hoffnung von der Stunde sprachen, da Marcel und der Gestapochef aller Wahrscheinlichkeit nach in einem Haufen qualmender Blechtrümmer enden würden. Marcel mußte eine ganze Masse Geld haben; er warf in den Bistros Händevoll davon auf den Tisch, obwohl keiner mit ihm trinken wollte außer einem bemalten Frauenzimmer, das früher vor der Kaserne der Deutschen herumgelungert hatte und jetzt mit Marcel ging.

Am Tage, da in R. die Nachricht eingetroffen war, daß die Deutschen Marcel wegen eines Diebstahls im Polizeigefängnis von Aurillac festgesetzt hatten, war Louis mit dem Vorschlag zu Charlot gekommen, den Mann herauszuholen.

»Er hat neunzehn Mann, neunzehn Patrioten massakrieren lassen«, sagte Charlot und hielt Marcel fest, der mit dem starren Blick eines Blinden über die Herumstehenden hinsah. »Er hat Roger, Victor, Emile, Jacques angezeigt, sobald er sie durch das Kneipenfenster auf der Straße entdeckt hatte. Dafür gibt es Zeugen. Auch diese vier sind tot. Dieser Lump ist dreiundzwanzig Jahre alt und hat dreiundzwanzig Kameraden auf dem Gewissen, einen für jedes Jahr seines verdammten Lebens.«

Es ging Louis wahrscheinlich nicht anders als jedem einzelnen in der Menge: Er spürte eine dumpfe, zersprengende Wut in sich, nachdem der Fall Marcel sechs Monate hindurch für ihn eine abgeschlossene Sache gewesen war, eine Sache, deren Ausgang man kalt voraussah, sobald man sie durchdacht hatte. Louis bemerkte, daß ihm, während er Marcel beobachtete, die Nägel in die Handflächen gedrungen waren.
Eine Frau in den Fünfzigern hatte sich nach vorn gedrängt, mit strähnigem Haar, in dem sich die Nadeln gelockert hatten, und mit einer abgeschabten Einkaufstasche, deren einer Henkel ihr entglitten war. Sie hatte als einzige die unsichtbare Linie überschritten, an der sich die Menge staute. Mit dem Kopf beinahe im Nacken, um ihm ins Gesicht schauen zu können, stand sie vor dem Gefangenen und blinzelte durch die Tränen, die ihr übers Gesicht liefen.
»Das ist doch der Kleine von meiner Schwester Pierrette in Carlat«, sagte sie.
Während alles stumm blieb, begriff Louis mit einer Art Schrecken, daß es nicht Angst oder Mitleid war, was die Frau weinen machte. Er blickte von der Frau zu Marcel, der fahl war wie die Mauer zwischen den Gärten und der Straße; Marcel hatte die Augen geschlossen, als wüßte er genau, was dieses Weinen zu bedeuten hatte.
»Du Lump«, sagte sie mit einer Stimme, die vom unterdrückten Schluchzen gebrochen klang. Louis versuchte sich ihre Stimme vorzustellen, wenn sie in früheren Jahren zu Besuch nach Carlat gekommen war, in Pierrettes armseliges Pächterhäuschen, eine gute Tante, die ihrem kleinen Neffen ein neues Messer oder eine Tüte Süßigkeiten aus der Stadt mitgebracht hatte.
»Du Schuft«, hörte Louis sie sagen, und jetzt wußte er, daß nicht das Schluchzen mit ihrem Stimmklang zu tun hatte, sondern eine übermächtige Wut, die sie schüttelte wie eine Kreißende. »Du Schuft! Meine arme Pierrette!« sagte die Frau. »Du Verräter! Du Mörder!« Während die Tränen über ihr Gesicht liefen, das die Jahre den Gesichtern all der

anderen alten Frauen ringsumher ähnlich gemacht hatte, schien sie zu überlegen. Plötzlich spie sie Marcel zwischen die Augen. »Hängt ihn auf!« sagte sie leise, aber alle hatten es gehört.
Die Menge rührte sich. Von hinten rief jemand: »An den Galgen mit ihm!«
Charlot öffnete hastig die Tür und stieß Marcel auf seinen Sitz. Er ließ den Motor anspringen und fuhr den Wagen vorsichtig durch die Ansammlung, die für sie Platz machte.
Während der Wagen die Straße nach R. hinaufzog, beobachtete Louis Marcels Gesicht von der Seite her. Es hatte schnell seine gewöhnliche Farbe wieder angenommen; alle paar Sekunden striemte es der Schatten eines vorbeizischenden Chausseebaumes. Was ist das nur für ein Gesicht, fragte sich Louis. Es war durchschnittlich, gutherzig, rosig unter dem blonden Haar.
»Alles dir zu Ehren«, sagte Charlot und lachte auf. »Deinetwegen haben wir den besten Wagen aus dem Stall geholt.«
Der schwarze Matford war der einzige Wagen des Maquis, der mit Benzin und nicht mit Holzgas fuhr; man hatte bei einem Ausflug wie diesem kein Versagen riskieren können. Mit dem Wagen hier waren die siebzig Kilometer zwischen Aurillac und R. ein Kinderspiel. Sie gingen gerade in die Kurve kurz vor der Barriere, und Louis berechnete nach der Uhr, daß sie schneller gewesen waren als auf der Hinfahrt. Der Schlagbaum war geschlossen, und vorsichtshalber griff Louis nach einer Handgranate. Charlot nahm das Gas weg und hupte ungeduldig. Sie fuhren fast im Schritt durch den Schlagbaum, den der feldgraue Posten hastig in die Höhe zog, ohne nach dem Wagen zu blicken. In diesen Tagen handelte ein Landser, der Dienst an einer Straßensperre tat, immer vorsichtig, wenn er durchfahrende Wagen überhaupt nicht beachtete.
Der Schlagbaum kam außer Sicht, sie näherten sich dem Hohlweg, hinter dem die Straße wie ein schrägliegendes

Brett schnurgerade bis R. hinaufstieg. Charlot seufzte ärgerlich und hielt den Wagen an.
»Jetzt sieh dir das einmal an ...«
Holzfäller hatten über dem Hohlweg gearbeitet und die geschlagenen Stämme auf die Straße stürzen lassen. Louis war die Unterbrechung der Fahrt nicht unlieb; die Straße hatte auf einmal das Gesicht ungestörter Stille, man hätte glauben können, daß die quer über der Bahn liegenden Stämme schon seit Urzeiten da ruhten, allmählich versteinernd in dem Wind, der die Gräser an den Boden legte. Im Augenblick, da der Motor schwieg, sprachen die Männer nicht mehr. Louis sah über den Hohlweg den Himmel, durch den der Wind, unablässig an ihren Rändern nagend, violette Wolken trieb. In den Kulissen oder Landschaft verbarg sich eine unaufhörliche, blinde Bewegung; die Wälder, die sich da emportürmten, waren voll von Grotten, unsichtbaren Gewässern, Lichtungen, zyklopischen Wegen, auf denen halbwilde Ziegenherden weideten. Hinter den Höhen, dachte Louis, könnte eine Bucht liegen mit ihrem zwischen Sonnenaufgängen und Sonnenuntergängen wechselnden Licht; man sieht keine Menschen; gerade nur irgendwo das Stück eines fliegenden Gewandes oder einen Schimmer nackter Haut. Er stemmte sich bereits mit Charlot gegen das unbewegliche Holz, keuchend, schweißnaß.
»Du könntest«, sagte Louis, »wenigstens Marcel holen.«
Charlot sah ihn zweifelnd an. »In Handschellen?«
»Du hast ja schließlich etwas zum Öffnen«, sagte Louis.
Charlot überlegte einen Moment, lachte. »Na schön«, sagte er, ging zum Wagen und schloß Marcels Fesseln auf. Marcel sagte nichts; er sah eine Minute lang neben den anderen stehend, mit zusammengekniffenen Augen den Bergkamm entlang, indem er sich die Handgelenke rieb. Dann spuckte er abwesend in die Hände, und sie nahmen zu dritt die Arbeit wieder auf.
Louis wunderte sich noch über die Selbstverständlichkeit, mit der Marcel ihnen geholfen hatte, als sie in R. einfuh-

ren. Es war noch kein rechter Sommer; man fröstelte an diesem späten Nachmittag, der ein goldenes, kraftloses Licht zwischen die Häuser hing. Eine Gruppe von Partisanen, die an der Viehtränke gesessen und den Rindern zugesehen hatte, stand auf und stürzte auf das Auto los. Louis bemerkte drei Überlebende von S. unter ihnen. Sie zogen im Laufen ihre Pistolen.

»Ça va«, sagte Charlot kurz, »die Verhandlung findet morgen früh um sechs vor einem Tribunal der Republik statt. Wer etwas vorzubringen hat, sollte anwesend sein.«

Die drei Leute von S. hatten ihre Waffen wieder eingesteckt. Louis ließ sich vom Diensthabenden Bericht erstatten. Dabei dachte er nach, wo man Marcel unterbringen könnte. »Wir setzen ihn in die Wachtstube«, entschied er. Er ließ den Gefangenen auf einer Bank festbinden, ihm etwas zu essen geben und schärfte der Wache ein, daß während der Nacht außer dem Kommandanten und ihm selber kein Mensch die Stube zu betreten habe; der Posten bürge für Marcels Leben mit seinem Kopf.

Dann schlenderte er noch eine Weile auf der Dorfstraße umher, unterhielt sich mit Bauern und Partisanen, die vom Heuen nach Hause kamen, sah durch die Fenster in die Küchen, wo der Suppenkessel über dem Reisigfeuer hing. Der erste Lichtschein fiel auf die dämmernde Straße. Die alten Frauen und die Mädchen von R., seit jeher in der Gegend bekannt für ihre Kunstfertigkeit im Sticken, saßen schon seit Tagen über den Fahnen und Armbinden, die das Bataillon am Tag der Befreiung beim Défilé in Aurillac zeigen würde. Unter dem Bild des Gekreuzigten neigten sich die Frauenköpfe über die rote Seide, aus der sie einmal Kirchenfahnen hergestellt hatten. Jetzt erschienen darauf unter der Jakobinermütze in Gold die Lettern F. T. P.* Den Essenden, die in Hemdsärmeln vor ihren Kartoffeln saßen, sahen, an der Wand aufgereiht, Trikoloren in allen Größen über die Schulter.

* Franc-Tireurs et Partisans (Freischärler und Partisanen).

Louis scharrte mit dem Fuß in einer Lichtlache, die im Straßenstaub geronnen war. Die ersten Sterne erzitterten im Nachtwind. Er zog sich den Schal dichter um den Hals. Nein, das war wahrhaftig noch kein Sommer. Er dachte an Marcel. Immerhin, sagte er sich, geht das Feuer in der Wachtstube die ganze Nacht nicht aus; er wird, festgebunden, wie er ist, nicht schlafen können, aber zu frieren braucht er nicht. Louis ging unschlüssig über die Straße. ›Ich kann ja auch nicht schlafen‹, dachte er, während er in die Wachtstube trat.
Marcel lehnte an der Wand, gegen die man seine Bank geschoben hatte. In seinen gefesselten Händen drehte er eine geröstete Kastanie. Louis blieb neben ihm stehen und vergewisserte sich, daß sein Gesicht die zufriedene Gleichgültigkeit ausdrückte, die man darin zu finden gewohnt war.
»Weißt du«, sagte Louis, »ich habe mich die ganze Zeit gefragt, wie das geschehen konnte.«
Marcel ließ die Kastanie fallen; man hörte sie auf dem Holzfußboden kollern. Er sah Louis mit seinen leeren, unschuldigen Augen an, und seine Brauen hoben sich langsam bis hoch in die Stirn. »Was denn, mon Capitaine?« fragte er.
Als Louis zum zweitenmal seinen Gedanken zu äußern versuchte, war ihm, als sei die Frage falsch gestellt, als wüßte er Marcels Erklärung im voraus, als müsse es in Rede und Gegenrede immer einen Rest von Ungenauigkeit oder einfach Ungesagtem geben.
Marcel dachte sehr lange nach, ehe er erwiderte: »Wie soll ich das wissen ... Ich habe mir selber so oft die Frage gestellt. Ich hatte eben Angst.«
»Haben sie dich damals geschlagen«, fragte Louis, »als sie dich schnappten mit deinem Camion?«
Zu seiner Verwunderung bemerkte er, daß Marcel nach diesen Worten rot wurde.
»Sie brauchten mich doch nicht zu schlagen«, sagte Marcel und blickte auf seine Handschellen; in seinem Ton lag eine

Spur von Verwunderung über Louis' Frage, als wolle er sagen: Hast du das noch nicht begriffen? »Wie hätten sie mich denn schlagen sollen, wenn ich doch Angst hatte. Ich habe gleich alles gesagt.«
»Und dann hast du ihnen den Weg gezeigt?«
»Ich hatte ihnen gleich gesagt, daß ich ihnen den Weg zeigen könnte.«
Louis schwieg. Er versuchte, sich das einfache dreiundzwanzigjährige Leben Marcels, soweit es ihm bekannt geworden war, vorzusagen wie eine Schulaufgabe, um den Moment herauszufinden, in dem für Marcel alles ins Gleiten gekommen war, in dem sich für ihn alles zum Unguten und damit gegen ihn selbst gewendet hatte. Aber es gelang Louis nicht, den Zusammenhang zu finden zwischen dem Marcel, der vor ihm saß, und dem Hütejungen, der den Hund nach der Kuh Marquise laufen ließ, um sie aus dem Hafer des Nachbarn herauszubringen. Er erblickte Marcel nur momentweise vor sich, jedesmal ohne Schuld, jedesmal voller Rätsel; mit dem Kinn gerade über den Tisch reichend, während Pierrette, die Mutter, ihm auftrug, im Gemeindewald Ginster für den Winter zu schneiden; wie er über die Schwelle getreten sein mußte, vor fast genau vier Jahren, mit Augen, denen der Schrecken vor lauter Müdigkeit nichts mehr anhaben konnte, mit seiner zerfetzten Uniform, die von Dünkirchen her mit Brandflecken übersät war. Louis sah ihn auch, wie er ihn wirklich gekannt hatte – wie er neben seinem Lastwagen stand, den er immer tadellos in Ordnung hielt; wie er überhaupt gewesen war: guter Laune, eifrig, nicht immer diszipliniert, aber kein Kriecher, beliebt bei den Kameraden.
»Ich weiß nur eins, mon Capitaine«, sagte Marcel so ruhig, als rede er vom Wetter, »ich habe mich wie ein Schuft benommen, und die Leute haben recht. Natürlich werden sie mich hängen; es ist wohl auch das beste. Ich wünsche nur, es wäre bald vorbei.«
Louis erschrak. Er spürte, daß Marcel mit diesem Vorbeisein nicht die Verhandlung und die Hinrichtung meinte,

sondern sein Leben. Er öffnete das Fenster, vor dem der Posten auf und ab ging, und sah hinaus. Der Wind war stärker geworden; er schnob manchmal hart über die Kuppe weg, auf der das Dorf lag. Der Himmel war klar und schwarz.

»Nun, gut!« sagte Louis vor sich hin und schloß das Fenster. »Schön!« wiederholte er laut und wandte sich nach dem Gefangenen um, der sich nicht rührte und sich eine blonde Strähne ins Gesicht fallen ließ. »Also, bis morgen«, sagte Louis noch und ging hinaus. Draußen ermahnte er den Posten zur Wachsamkeit und ging durch die Dunkelheit hinüber in das Haus, in dem Charlot und er ein gemeinsames Zimmer bewohnten. Beim Auskleiden – er hatte kein Licht gemacht – hörte er Charlots ruhigen Atem; er war auf einmal selber müde und schlief sofort ein.

Glockenläuten weckte ihn am Morgen. Er hielt eine Weile die Augen geschlossen und erinnerte sich, daß der heutige Tag ein Sonntag war. Charlot polterte schon mit den Stiefeln über die Holzdielen. Als Louis eine Viertelstunde später aus dem Hause trat, stand er unter einem dunkelblauen, wolkenfreien Himmel. Der Wind mußte sich gegen Morgen gelegt haben; die rosa und weißen Kerzen der großen Kastanie gegenüber standen unbeweglich in der warmen Luft. Louis bemerkte die harte, zarte Linie, die Berge und Dächer vom Himmel trennte, die riesigen, schrillenden Kurven der hochfliegenden Schwalben, das Gleichmaß der Glocken in der bewegungslosen Bläue. Hinter dem jungen Grün der Gartenbäume rollten die Wälder dunkel an den Hängen hinab. Das drohende Schreien der Hähne stieg wie Stichflammen gerade in die Höhe.

Auf der Straße, über der sich Vogelrufe mit dem Knarren von Stalltüren und dem Klappern von Eimern mengten, stand der Bürgermeister von R. mit zwei alten Bauern. Louis gab ihnen die Hand, und sie traten zusammen in den Hof, in dem eine Menge von Partisanen und Bauern das Gericht erwartete. Man hatte einen Tisch und fünf Stühle in einen Schuppen gestellt, vor dem Charlot auf sie zuging:

das Tribunal war nach den Vorschriften komplett. Louis sah, während er auf seinem Stuhl Platz nahm, Marcels Gesicht vor sich als weißen Fleck in dem dunklen Raum, an den sich seine Augen nicht gleich gewöhnten. Zwei Partisanen hatten den Gefangenen hereingeführt.
Die Verhandlung dauerte nicht länger als zwanzig Minuten. Marcel hatte mit lauter, ruhiger Stimme die notwendigen Personalangaben gemacht und sich für schuldig erklärt an dem Tod von dreiundzwanzig französischen Patrioten. Er schilderte den Verlauf der Ereignisse mit einer Vollständigkeit, die eine Intervention der Zeugen unnötig machte. Das Urteil, nach sehr kurzer Beratung, lautete einstimmig auf Tod durch den Strang. Charlot hatte sich erhoben und begonnen: »Im Namen der Republik ...« Er fragte jetzt Marcel, ob er das Urteil annehme. Marcel antwortete deutlich und unbewegt: »Ja.« Louis hatte ihn genau ins Auge gefaßt; er konnte nicht das leiseste Anzeichen von Angst an ihm finden. Hättest du Dummkopf, sagte er lautlos in sich hinein, nicht damals im Dezember sterben können? Charlot, immer noch aufrecht, verkündete: »Das Urteil wird sofort vollstreckt.«
Einer der beiden Partisanen, die Marcel hereingebracht hatten, ein breitschultriger blonder Bursche, den man nur den Lockenkopf nannte, ging auf Charlots Befehl hinaus, um einen Strick zu holen. Die Leute im Schuppen und die anderen, die vor der Tür standen und aus dem sonnengleißenden Hof her ins Dunkel spähten, hatten eine halblaute Unterhaltung begonnen. Der Lockenkopf kam zurück; in der Hand hielt er eine Gardinenschnur, die er irgendwo abgeschnitten hatte. Marcel hatte einen Blick darauf geworfen. »Das ist ja unmöglich«, sagte er, daß es alle hörten; Louis dachte: ›So laut hat er in der ganzen Zeit seit Aurillac nicht gesprochen.‹ »Du bist ja verrückt, wenn du glaubst, daß du mich an so einem Bindfaden aufhängen kannst.« Mit einer Bewegung seiner gefesselten Hände, des ganzen Körpers schien er allen Leuten auf dem Hof seine physische Wucht ins Bewußtsein rufen zu wollen. Charlot

fuhr scharf dazwischen: »Mach dir keine Sorgen! Das ist unsere Sache!« Marcel zuckte die Schultern. »Ihr werdet ja sehen«, hörte Louis ihn halblaut sagen, »immerhin wiege ich zweiundachtzig Kilo.«
Wie in einem Zug, den doch nur der Zufall geordnet hatte, bewegten sich Gericht, Verurteilter und Auditorium über den Hof mit seiner Sonne, seinen Vögeln, den Glocken, die wieder angefangen hatten zu läuten. Marcel sah zum erstenmal unzufrieden aus; sein Gesicht widerspiegelte die unerklärliche Tatsache, daß er in diesem Augenblick nur an die Gardinenschnur dachte, für die sein großer, gesunder Körper zu schwer sein würde. Ganz schnell und kalt fragte sich Louis: ›Habe ich Mitleid mit ihm?‹ Es war nicht das erstemal, daß Verrat seinen Lebensweg gekreuzt hatte. Louis brauchte in seinem Gedächtnis nur einen Namen von dreiundzwanzig zu nennen oder nach dem Gesicht der weinenden Frau auf dem Marktplatz von Aurillac zu rufen, um wieder seine Nägel in den Handflächen zu finden. Er sah auch das versteinerte Gesicht des alten Bürgermeisters, der eben keinen Moment gezögert hatte, den Tod Marcels zu verlangen.
Die Menge stellte sich um einen Kirschbaum, der acht Fuß über dem Boden einen starken Ast schräg in die Luft sandte. Der Lockenkopf hatte seine Gardinenschnur schnell an dem Ast befestigt; nun hob er, zusammen mit seinem Kameraden, Marcel in die Höhe und legte ihm die Schlinge um den Hals. Louis gewahrte hinter dem Baum die Köpfe von Kindern, die sich an die niedrige Mauer lehnten und ernst auf die Leute im Hof blickten. Die Partisanen ließen Marcel in die Schlinge fallen; einen Moment lang schwebte er da in seinem weißen Hemd und den blauen Hosen, mit den Händen, die sie ihm vorher auf den Rücken gefesselt hatten, dann war die Schnur gerissen, und Marcel rollte am Boden.
Die Menge stand starr, während sich Marcel schon wieder auf die Füße gestellt hatte. Er machte ein paar krampfhafte

Bewegungen mit dem Kopf, wie einer, den ein Insekt in den Hals gestochen hat.
»Da habt ihr es«, sagte er keuchend, »ich habe es gleich gesagt. So ein Blödsinn!«
»Holt ein anderes Seil!« sagte Charlot, ohne ihn anzusehen, »ein richtiges!«
Louis fiel ein, daß nach einem alten Brauch ein zum Tode Verurteilter, bei dem der Strick riß, in Freiheit gesetzt wurde. In unserer Zeit, dachte er kalt, haben diese Bräuche keine Gültigkeit. Zugleich drängte es ihn, seine Pistole zu ziehen und Marcel zu erschießen, ehe der Lockenkopf wiederkommen würde. »So ein Blödsinn!« sagte Marcel noch einmal und sah zu den Hängen hinauf, an denen die Wälder niederstürzten wie schwarzgrüne Kaskaden. Louis begriff, daß Marcel außer dem eigensinnigen Verlangen nach dem Tode nur die Befriedigung eines Mannes fühlte, der soeben offensichtlich, unbestreitbar recht behalten hatte gegen die Meinung anderer Leute. Louis empfand deutlich die leichte Verlegenheit der Menge, von der er selber ein Teil war, gegenüber dem Mann unter dem Kirschbaum, eine Verlegenheit, die um nichts die Feierlichkeit minderte, die auf Gesichtern und Gegenständen, sogar auf der Landschaft zu ruhen schien.
Diesmal hatte der Lockenkopf ein Seil gebracht, ein festes Zugseil, das er aus einem Geschirr genommen hatte. Louis vermerkte, daß Marcel bei diesem Anblick ein leichtes, kaum wahrnehmbares Nicken der Anerkennung zeigte. Zum zweitenmal legten sie ihm die Schlinge um den Hals, hoben ihn hoch und ließen ihn, diesmal langsam und mit Vorsicht, nach unten gleiten. Man hörte keinen Laut. Die Menge sah zu, wie Marcel allmählich und sehr ruhig starb. Seine Beine zuckten nicht ein einziges Mal. Er starb mit geschlossenen Augen, das Kinn immer fester auf der Brust, in der merkwürdig gestreckten und gesammelten Haltung, die Erhängte im Tode einnehmen.
Louis rührte sich nicht. Er lauschte auf die Rufe der Vögel im Geäst, auf die leisen Tritte der Menge, die wortlos aus-

einanderging, auf das Geklirr der Spaten, die neben der Mauer schon das Grab aushoben. Er empfand die ganze dunkle Unschuld der Landschaft, ihre Wärme, ihre unergründlich-staunende Redlichkeit, in der sich jetzt überall unter dem wolkenlosen Himmel das Gewitter der Befreiung zusammenzog. Die Kinder hinter der Mauer waren weitergegangen. Louis sah nur noch zwei junge Mädchen, von der Büste abwärts von der Mauer verdeckt wie auf einem Bild. Sie standen da, jede einen Arm um den Nacken der anderen geschlungen, mit leicht geöffneten Mündern, als sännen sie einem Liede nach, und sahen mit großen Augen an dem Erhängten vorbei nach den Gärten zu und den Bergen, während auf der Brüstung neben ihren offenen braunen Händen eine Eidechse sich sonnte.

JÜRG FEDERSPIEL

## *Orangen vor ihrem Fenster*

Die nassen Stämme der Linden phosphoreszierten im Regen wie die Autopneus, deren Stieben den Frühlingsduft aus den Fliederhecken riß und ihn süß und schwer vor dem offenen Fenster zerstäubte.
Der kahlköpfige Mann im Lodenmantel hatte sich auf den Fenstersims gesetzt und sah zur Häuserfront hinüber. Rohe Latten stützten die Fensterkreuze, und die Quader der Balken hoben sich vom regenfahlen Verputz des Hauses ab. Es waren alte Mauern. Überall in diesem Quartier waren alte Mauern.
»Nachts hörte er wohl das Rieseln des Sandes in der Mauer, und er schoß aus seinem Schlaf empor, lauschte, ob dies Stimmen seien oder das Geräusch von Leder und knirschenden Schritten«, sagte der Concierge im Dunkel des Zimmers.
Er stand auf den Zeitungsblättern, die über den Boden aus-

gebreitet waren, verklebt und zerknittert, zwischen Farbtöpfen, Stofflappen, Pinseln und einem Kessel Gipsertünche; die Zeitungsblätter raschelten, wenn der alte Mann sich bewegte.
»Vier Tage, bevor hier alles zu Ende ging, holten sie ihn«, sagte er dann.
»Geschossen wurde damals nicht viel, erst in den allerletzten Tagen und Stunden, als die Widerstandsleute aus allen Löchern wie Ratten auftauchten und als in jedem Torbogen, in dem eine Zigarette aufglomm, gewiß auch einer oder mehrere mit Gewehren standen und warteten. Damals hatte er sich schon mehr als zwei Jahre im Hause versteckt; er und das Mädchen wohnten in diesem Zimmer. Er schien keine Angst zu haben, oder auch sehr viel Angst, man weiß es nie genau. Er ging aus und ein, als sei er wie jeder andere, als wüßte niemand, daß er ein Deserteur war. Sogar nachts ging er aus, obwohl die Patrouillen überall marschierten. Vielleicht hatte er so sehr Angst, alleine zu sein und warten zu müssen, daß er es vorzog, in den Straßen herumzuflanieren. Vielleicht trieb er auch Schwarzhandel oder arbeitete sogar für die Widerstandsbewegung. Jedenfalls kam er sehr oft bei Tagesanbruch zurück, und das Mädchen legte jeweils Orangen vor das Fenster, damit er wußte, daß niemand da war, daß es keine Gefahr gab –«
»Orangen«, sagte der Mann im Lodenmantel und sah noch immer auf die Straße hinunter.
»Freilich. Orangen«, wiederholte der alte Mann eifrig und stocherte mit der Schuhspitze in den Zeitungsblättern. »Weiß der Himmel, woher das Mädchen sie dauernd beschaffen konnte, und wenn mal keine Orangen da waren, dann waren es Äpfel. Da, wo Sie sitzen, lag auch immer ein Papier mit Tabakblättern, zwischen denen kleine Orangenschnitze oder Apfelstücke trockneten. Es gab ja nur wenig Tabak, aber das Mädchen beschaffte immer welchen. Der Tabak roch gut – ich bin selbst Pfeifenraucher. Er roch nach Orangen oder Äpfeln –«
Der Mann im Lodenmantel begann sich zu räuspern, stand

auf, streckte und dehnte die Arme und fuhr mit dem Handrücken in seinem narbigen, sauber rasierten Gesicht herum.
»Eigentlich sah er gut aus«, sagte der Concierge vor sich hin. »Groß wie die meisten Deutschen. Riesig sogar. Aber nachdem sie ihn in den Keller gebracht hatten und eine Viertelstunde unten geblieben waren, sah er aus wie eine Tanne im Gebirge, zerfetzt und abgestückt ... Die Zähne standen so quer wie die Ähren nach einem Gewitter, und die Fleischstücke hingen ihm vom Schlüsselbein bis zu den untersten Rippen herunter, als wären es bloß getrocknete Wursthäute. Im Keller entdeckten sie dann auch den Kohlehaufen, und sie jagten ihn etwa fünfmal hinauf. So viele Male schaffte er es. Einer stand oben und empfing ihn mit Fußtritten, so daß er wieder hinabkollerte, und die beiden andern, ein Deutscher und der Vichymann, trieben ihn mit Schürhaken und Kohlenschaufel wieder hinauf. Schließlich ließen sie ihn liegen. Leute aus der Nachbarschaft versteckten ihn dann in einem andern Keller, aber sie wagten kaum, ihn zu pflegen, und meine Frau und ich schleppten ihn nach drei Tagen wieder zu uns, auch in den Keller; wir dachten, daß sie ihn tatsächlich für tot gehalten hatten oder auch vergessen –«
Der Mann im Lodenmantel nickte und sah wieder aus dem Fenster; er stand dort, als sei er durch das Fenster und nicht durch die Tür hereingekommen.
Es regnete noch immer. Die Straßenlaternen setzten weiße Lichtkegel ins Dunkel, schwangen sanft hin und her und strahlten zwischen die Eisenstäbe mit den saftgrünen Blättern und dem Flieder, der sich aus dem Garten gegen die Straßenseite preßte.
»Ich bin Deutscher«, sagte der schwere Mann im Lodenmantel, ohne sich umzudrehen. Er lachte.
»Ich dachte es«, versetzte der Concierge und fixierte den kahlen Hinterschädel des Mannes. »Aber Sie können das Zimmer trotzdem haben. Mir haben die Deutschen nichts getan, obwohl sie mir vermutlich etwas getan hätten, wenn

sie mich einige Zeit früher erwischt hätten. Wegen der Kohlen, meine ich.«
Er holte eine dickbauchige Pfeife aus der Tasche seiner Eisenbahnerjacke und bohrte gedankenverloren in dem Tabak herum.
»Wann möchten Sie einziehen?« sagte er. Sein Fuß stieß gegen den Kessel mit Gipsertünche, und das Geräusch ließ den Mann aufschauen. »In zwei Tagen ist das Zeug trokken. Auch die Farbe. Bloß die Tür muß noch angestrichen werden. Und der Wandkasten.«
»Ich weiß nicht«, antwortete der glatzköpfige Mann. Seine Stimme klang wie durch ein Taschentuch. »Jedenfalls kann ich Ihnen eine Monatsrate im voraus bezahlen. A fonds perdu.«
»Zwölftausend. Es ist viel und doch wenig. Und baden können Sie auch. Waren Sie hier während der Besetzung?«
»Kurz«, antwortete der kahle Mann und drehte sich wieder zum Fenster. »Spielt das eine Rolle?«
Die Tür knarrte, und die beiden Männer wandten dem Fenster den Rücken zu und sahen zur halbgeöffneten Türspalte, in der schwanzringelnd eine Katze erschien, schnuppernd und aufmerksam. Gleich darauf verschwand sie wieder.
»Die Katze gehörte dem Mädchen«, sagte der Concierge und deutete mit der Rechten zur Wand, an der zwei geflochtene Sessel standen.
»Die Katze, ein Tisch, zwei Stühle, ein Bett und ein paar Decken und Kissen; Briefe und solches Zeug –«
»Was für Zeug –?«
»Zeug«, wiederholte der Concierge. »Das ist das einzige, was das Mädchen hiergelassen hat.«
»Was für ein Mädchen?« fragte der glatzköpfige Mann und fuhr mit der fleischigen Hand über seinen Hinterkopf. Handrücken und Kopf wurden eins. Dann knöpfte er seinen Lodenmantel zu.
»Das Mädchen, das mit dem Deserteur hier wohnte. Mit

dem Deutschen. Sie war sehr zierlich, fast klein, und er war ein Riese. Aber wahrscheinlich war er gar kein Riese wie die meisten Riesen, wahrscheinlich rollte er wie eine Kugel in seinem Riesenkörper herum, wie eine Fracht, die sich in einem schlingernden Schiff losgelöst hat. Oder ähnlich. Riesen sind meist verlorene Kinder. Jeder weiß das. Aber das Mädchen liebte ihn. Vielleicht deswegen. Trotz der Orangen.«

»Trotz der was –?« sagte der glatzköpfige Mann gereizt und guckte den Concierge an, der noch immer mit dem Daumen an seinem Pfeifenkopf herumschnipselte.

»Trotz der Orangen. Man weiß es nie genau. Auch das Mädchen kam oft spät nach Hause. Wir hörten, wie sie den Türknopf zog und halblaut ihren Namen rief, bevor sie den Treppenabsatz erreichte, aber sie war meist vor ihm da, und er war oft so betrunken, daß sie ihn unten holen und heraufschleppen mußte, und wir hörten, wie er oben Tische und Stühle umriß und wie im Badezimmer unaufhörlich gespült wurde und wie er zuweilen mit lautem Krach noch einmal umfiel, Gläser und Vasen zertrümmernd –«

Der alte Mann hielt inne, ging bedächtig zum Lichtschalter und drehte ihn. Die Wände waren nackt, und weiße Spritzer trockneten auf dem Linoleum und den Zeitungsblättern.

»Dann war es meist still«, sagte der Concierge, als hätte er den Satz überhaupt nicht unterbrochen – »dann war es meist still, und man hörte das Mädchen summen und singen. Sie war zierlich –«

»Ich weiß –«, unterbrach der Mann im Lodenmantel.

»Sie war zierlich und dunkelhaarig«, fuhr der Concierge fort. »Und sie hatte ein richtiges Kindergesicht. Eigentlich hätte sie sich überhaupt nicht schminken dürfen, so kindlich war ihr Gesicht; es war immer wie von Kirschen verschmiert, obwohl sie sich eigentlich recht hübsch machte. Ja, und dann kam er durch die Straße gezogen, nachts –: überall öffneten sich die Fenster, und die Leute guckten

zwischen den Läden hervor. Aber es geschah nichts. Einmal trug er einen zerfetzten Schirm in der Hand und zog einen völlig verdreckten Fuchspelz hinter sich her. Die Orangen lagen wieder vor ihrem Fenster in jener Nacht, aber das Mädchen war nicht zu Hause, und wie er oben laute Lieder grölte, deutsche Lieder, wollte ich dann schließlich hinaufgehen. Aber da kam sie gerade nach Hause. Der Riese stand halbnackt auf der Treppe und stürzte ihr entgegen, und sie trug eine Tüte voll Orangen und Äpfel und Konservenbüchsen, die die Treppe hinunterkollerten und -klapperten. Er trug sie trotz seiner Betrunkenheit die Treppe hinauf, und oben ließen sie die ganze Zeit die Tür offen. Erst nach einer Weile kam das Mädchen wieder herunter und sammelte die Büchsen und Orangen. Am nächsten Morgen wurden wir durch das Singen des Riesen geweckt. Er sang den ganzen Tag.«
Der Mann im Lodenmantel stand an der Tür und betrachtete die gipsweißen Händeabdrücke auf der abblätternden Tür.
»Die Tür wird morgen früh gestrichen«, versetzte der Concierge. »Morgen früh. In zwei Tagen ist alles trocken. Wollen wir noch ein Glas trinken? In der Küche?«

Die Küche war erfüllt vom Dampf kochender Pfannen, auf denen leise die Deckel schepperten.
»Gemüse«, sagte der Concierge und rückte die Küchenschemel ans Fenster.
Die Pinardflasche und zwei ausgespülte, tropfende Gläser standen auf dem Küchentisch.
»Eigentlich denke ich nie an jene zwei Jahre. Oder bloß dann, wenn ich die raschen Schritte einer Frau oder eines Mädchens auf der Treppe höre. Es waren Tritte, wie man sie in den Dörfern im Süden hört, auf Steintreppen oder Marktplätzen, klappernd und doch behutsam.«
Draußen auf dem Hinterhof glomm ein abgeschirmtes Licht und warf einen dämmrigen Lichtfilter auf die Eisensprossen der Hochparterretreppe.

Der Mann im Lodenmantel stellte das Glas behutsam auf den Tisch, preßte die Stirne an die Fensterscheibe und legte die Hände wie Scheuklappen an die Schläfen.
»Es regnet noch immer«, bemerkte der Concierge. »Hier geschah es dann.«
»Geschah was –?« fragte der Mann im Lodenmantel heftig. Er drehte sich um –
Der Concierge setzte sich breitbeinig auf den Küchenschemel und begann, die Pfeife auf dem Ausguß auszuklopfen.
»Das Mädchen kam zweimal mit einem deutschen Offizier nach Hause. Wir standen am Fenster. Es war spät. Der Offizier legte die Hände auf ihre Schultern und zog sie langsam an sich. Sie redeten sehr lange miteinander. Kurz darauf, in den letzten Tagen eben, kamen die Geheimpolizisten und der Vichyhäscher. Sie gingen auf den Fußspitzen die Treppe hinauf, so leise, daß man die Stufen kaum knarren hörte. Das Mädchen und der Deutsche spielten oben Boule mit den Orangen, die sie wohl kaum je aßen, trotz der schlechten Zeiten; wenn man das Zimmer betrat, lagen die Orangen entweder auf dem Fenstersims oder auf dem Teppich. Die Resultate hatten sie mit farbigen Kreiden oder Farbstiften auf die Tapeten geschrieben, und meine Frau ärgerte sich natürlich maßlos, aber wir mochten die beiden gern, und wir waren eigentlich fast stolz auf unsern Deserteur. Wir waren stolz, daß wir auch etwas taten, außer schweigen und tolerieren. Ein Deutscher weniger gegen uns, sagte ich, das ist fast so gut wie einen abschießen oder einen Eisenbahnzug sabotieren. Sabotieren stand hoch im Kurs damals.«
Der Mann am Fenster hatte sich umgewandt: für einen Augenblick glich sein Gesicht einem jener Bilder, das man aus mehreren fotografierten Gesichtsteilen zusammensetzt; bleich, passend, durchaus menschenähnlich und etwas fett.
»Meine Frau mochte zwar das Mädchen weniger. Nicht der bekritzelten Tapeten wegen. Einfach so. Man weiß es nie genau.«

»Was –?« sagte der Mann im Lodenmantel. Er saß noch immer vor dem vollen Glas und hielt den kahlen Schädel schräg gegen das Fenster.
»Ich weiß nicht«, versetzte der alte Mann langsam. »Jedenfalls hatte das Mädchen eine Stelle in einem Kino. An der Kasse oder so. Aber es war nur eine Gelegenheitsarbeit, und sie arbeitete hintereinander in mehreren Kinos, manchmal nachmittags, manchmal abends. Ja, und dann gingen eben die drei hinauf, polterten und schlugen gegen die Tür und rannten sie dann ein. Es war ein fürchterliches Schreien und Krachen oben; schließlich fiel einer der Deutschen rückwärts die Treppe hinunter. Aber zuletzt überwältigten sie den Riesen natürlich doch. Sie schleppten ihn in den Keller –«
Der Mann im Lodenmantel murmelte etwas vor sich hin. Er nippte zum ersten Male an seinem Glas, und das Glas schien durch die feiste Hand hindurch, als sei sie durchsichtig.
»Sie ließen den Riesen liegen –«, fuhr der alte Mann fort, »– und gingen dann wieder davon. Die Leute hatten sich kaum aus ihren Wohnungen gewagt, und nun erschienen sie auf dem Korridor und auf der Treppe, und später erschien das Mädchen. Leise singend. Oder auch weinend. Es ist schwer zu sagen. Sie hatte bloß ein paar farbige Kleiderfetzen übergeworfen, ungeknöpft verfaltet, und in der Hand hielt sie das rote Seidenband, das sie über der Tür angebracht hatten, damit der Riese beim Eintreten nicht mit dem Schädel anstieß. Natürlich hatte er das Merkzeichen nach einer Weile wieder vergessen, gewohnheitshalber, und man hörte ihn laut und gründlich fluchen. Ja, und dann ging das Mädchen vorbei. Lautlos. Wie ein Fisch im Aquarium ... Die Mitbewohner standen angeschmiedet an den Wänden, und zwei oder drei der Frauen streckten sogar die Hände aus, aber sie streifte sie so achtlos, wie man an Hecken und Büschen vorübergeht.
Ja, und eine Woche später zogen unsere Leute ein und die Amerikaner, und einmal erschienen ein paar randalierende

junge Leute, die ihren Patriotismus damit an den Tag zu legen versuchten, indem sie die Frauen, die man mit Deutschen gesehen hatte, verprügelten und ihnen die Köpfe glattschoren. Ich habe das Mädchen niemals wiedergesehen. Vor drei Jahren schrieb ich an ihre Verwandten in Lyon, aber auch dort wußte man nichts. Nicht einmal Beamte erkundigten sich nach ihr. Es war, als habe das Mädchen überhaupt nie gelebt. Oder doch nur so wie die alltäglichen Unbekannten, die vorbeigehen und die vielleicht gar nicht leben. Die es gar nicht gibt. Wer weiß – möglicherweise dürfen Gespenster in einer Großstadt eine alltägliche Menschengestalt annehmen. Vielleicht. Man weiß es nie genau.«
Der kahle Mann bewegte seinen Schädel hin und her und betrachtete die Innenseite seines Hutes, dessen Krempe er wie Blech zwischen seinen Fingern hielt. »Darf ich Sie zu einem Glas einladen?« fragte er schließlich.
Der Concierge zuckte die Schultern und sah zur halbvollen Pinardflasche.
»Wenn Sie wollen. Wo? Drüben?«
Das Licht im Hinterhof erlosch, und die Küchenscheiben wurden schwarz.

Die beiden Männer überquerten die öligen Regenbogenlachen, die im Schimmer der Straßenlichter auf dem Asphalt glänzten, und der Concierge öffnete die Tür zum Bistro. Eine säuerliche Wolke von warmem Biergeruch und Sägemehldunst lag über den Tischen; sie steuerten zur Theke, hinter der ihnen ein straffgescheitelter Mann die Arme entgegenschwenkte.
»Monsieur Charles!«
»Salut, Maurice«, sagte der Concierge.
Er bestellte Fine à l'eau für beide, wandte der Theke den Rücken und stützte die Ellbogen auf die Kante.
»Hier war er oft.«
»Der Riese?«
»Der Riese.«

Der alte Mann deutete mit einer Kopfbewegung hinter die Theke und senkte die Stimme.
»Als sie ihn holten, dachte ich erst an Maurice. Für eine Zigarette würde er jeden liefern. Auch einen Deserteur. Oder besonders einen Deserteur. Aber Maurice fürchtete sich damals vor allen –«
Maurice klopfte hinter ihnen aufmunternd die Gläser auf die Theke, wartete einen Augenblick und zog sich dann auf einen hohen Hocker hinter der Bar zurück. Sein ölverpappter Scheitel hing über einem Haufen von Münzen, die er zu kleinen Türmen ordnete und aufhäufte.
Das Bistro war leer.
Der kahlköpfige Mann legte seinen Hut hinter sich und starrte hilflos zur Tür.
»Was geschah weiter?«
»Mit wem?«
»Mit dem Riesen?«
»Eben, meine Frau und ich hatten ihn aus dem Nachbarkeller geholt, weil wir dachten, daß sie ihn vergessen hatten. Er war kaum je bei Bewußtsein. Vier Stunden, nachdem wir ihn geholt hatten, erschienen die drei wieder und zwei andere dazu. Vichyleute. Einer der Deutschen, ein Offizier, schien sich auszukennen. Ohne zu grüßen oder zu fragen nannte er den Namen des Riesen. Wir konnten nichts tun. Zwei der Männer holten den Deserteur schließlich aus dem Keller herauf. Der deutsche Offizier starrte die ganze Zeit die Treppe empor; dann fragte er schließlich nach dem Mädchen. Ich sagte, was ich wußte, aber er schien kaum zuzuhören. Damals glaubte ich, daß ich sein Gesicht nie vergessen würde. Er war noch ziemlich jung, mit weißblonden Wimpern und Augenbrauen und einem fast kahlen Kopf. Eigentlich schien er eher korrekt als schlecht zu sein. Aber man weiß es ja nie genau.«
»Solche Geschichten bekommt man sonst nur bei uns zu hören«, sagte der Mann im Lodenmantel. »In Deutschland. Aber man kennt diese Geschichten eigentlich zur Genüge. Was geschah weiter?«

Er rieb die Knöchel seines Handrückens an den Schneidezähnen hin und her und starrte in die halbblinden Spiegelsplitter unter einer Byrrh-Reklame.
»Sie schleppten oder trugen ihn in den Hof hinaus«, sagte der Concierge.
»Und dann die paar Treppenstufen bis zum Hochparterre im Hinterhaus, wo er gleich wieder absackte und bewegungslos im Geländer hing. Einer band ihm ein Seil um den Hals, das beinahe doppelt so lang war wie die Fallänge; es ging alles sehr rasch. Sie warfen ihn wie eine Vogelscheuche über die Brüstung und schossen hinter ihm her.
Es war alles so sinnlos. Ich meine, die Art, wie sie ihn umbrachten. Sie hätten ihn hängen können oder erschießen oder auch bloß über die Brüstung werfen – alles hätte genügt, aber sie taten so, als biete jede der Todesarten auch eine ganz besondere Chance des Überlebens. Nicht nur des Sterbens, sondern auch des Überlebens. Das war das Grauenvolle. Schließlich war die Brüstung nicht sehr hoch, und das Seil war zu lang, und sie schossen eigentlich, ohne zu zielen. Als er auf dem Asphalt aufklatschte, lebte er sogar noch für einen Augenblick. Aber sie gingen nicht einmal mehr nachschauen, sondern fuhren einfach wieder davon. Natürlich – es waren die letzten Tage. Die Schnellgerichte. Die allerletzten. Drei Tage später tanzten die Leute wie die Besessenen um die einrollenden Panzer . . .«
Der Mann im Lodenmantel wandte sich von den Spiegelsplittern ab, als hätte er vergeblich versucht, sich darin zu sehen. Er drehte sich mit einem Ruck zur Theke um.
»Es war Krieg«, versetzte der Concierge beiläufig. »Später, nun später trinkt man wieder Apéritifs, und das Grauen bleibt nicht länger in Erinnerung als eben die Toten, und die Toten verblassen sehr rasch.«
»A propos Fine«, sagte der kahlköpfige Mann und grub in den Taschen seines schäbigen Lodenmantels, der eigentlich gar nicht paßte zu dem eleganten Borsalino –
»A propos Fine –« Er holte ein Röhrchen Tabletten hervor

und schluckte etwas hinunter. »Der Arzt hat mir Alkohol eigentlich verboten. Magen und so.«
Er lachte und sah auf die Uhr.
»Übrigens muß ich gehen. Meine Frau wartet. Was das Zimmer betrifft – nun, ich werde morgen noch einmal vorbeikommen. Eigentlich ist es gar nicht für mich bestimmt, sondern für meine Frau. Sie möchte wieder hier leben. Einige Zeit wenigstens. Ich persönlich kann leider des Geschäftes wegen nicht hierbleiben.«
»Natürlich«, antwortete der Concierge. »Lassen Sie sich ruhig Zeit.«
Der schwere Mann stülpte den Hut auf seinen kahlen Schädel und blieb unschlüssig stehen.
»Ich gebe Ihnen eine Monatsrate, à fonds perdu, wie abgemacht.«
Er nestelte wahllos in seiner Brieftasche und warf ein paar Geldscheine auf die Theke.
»Es ist zuviel«, sagte der alte Mann, ohne genau hinzuschauen. »Zählen Sie nach. Es ist viel zuviel. Zwölftausend genügen.«
Die Tür fiel ins Schloß, und die Silhouette des Mannes verblich hinter der Milchglasscheibe.
Der Concierge warf ein paar Münzen auf den Zink.
»Wer war das?« ließ sich Maurice leutselig aus seiner Ecke vernehmen.
»Ein Toter«, murmelte der alte Mann.
Dann ging er zur Tür.
Der Regen perlte auf dem Filz seiner Eisenbahnerjacke. Einige Schritte weiter drängten sich die Leute aus der letzten Kinovorstellung. Die Vordersten ließen sich von den Nachdrängenden widerwillig hinausschieben; das Licht der Vorhalle drängte sie wie eine dunkle Herde in den Regen.
Andere hatten sich mit hochgeschlagenem Rockkragen an die Wand gepreßt und schienen zu warten.
Tote, sagte der Concierge. Tote. Ein paar Tote sind bestimmt darunter. Sie ziehen aus irgendeiner Finsternis hin-

ein in die Welt, endlose Tage und Nächte, und wieder hinaus in die Finsternis. Einige gingen heute vielleicht ins Kino.
Er beschloß, noch an diesem Abend Orangen vor das Fenster zu legen. Vielleicht –
Man wußte es nie genau.
Seine Pfeife brannte trotz des Regens.
Eigentlich war es gleichgültig, wer lebte oder wer nicht lebte. Er jedenfalls lebte.
Autos zischten vorbei, und es roch nach Flieder.

# Überdenken und Überleben: In der Kriegsgefangenschaft

ALFRED ANDERSCH

## *Festschrift für Captain Fleischer*

1

Das Licht in der Ladehalle war sehr hell, aber nicht kalt, sondern gelb. Hinter dem offenen Tor drang die Nacht dunkelblau in gläserne Tiefen. Vor dem Quadrat aus virginischem Indigo stand ein Marine-Offizier mit einer weiß leuchtenden Mütze.
Sie bekamen die bequem geschnittenen, olivgrünen Drillichuniformen der amerikanischen Armee, mit großen weißen Prisoner-of-War-Zeichen auf den Rücken. Franz Kien beobachtete Frerks, wie er seine deutsche Uniformjacke sorgfältig faltete und auf dem Boden des Seesacks verstaute. Einige warfen die schweren Tuchjacken weg. Franz Kien überlegte eine Weile, ob er die seine behalten solle. Sie roch nach Schweiß. Die Nacht sandte Wellen aus Wärme und Duft in die Ladehalle. Schließlich trug auch er sein Zeug zu dem Haufen gebrauchter Kleidungsstücke und Stiefel, neben dem ein amerikanischer Soldat stand, der von Zeit zu Zeit rief: »Schmeiß alles weg, kriegst alles neu!« Es war besonders angenehm, in den leichten Schuhen mit den geriffelten Gummisohlen zu gehen. In den tiefen Außentaschen auf der Brustpartie der neuen Jacke brachte er alles mögliche unter: einen Block Schreibpapier und Bleistifte, zwei Pfeifen, ein Päckchen Tabak, einen Umschlag mit Briefen und Fotos.
Ein Zug wurde in die Halle geschoben. Sie fuhren noch in der Nacht ab. Richmond war unverdunkelt. Am Tage sa-

hen sie Fredericksburg, Alexandria, Washington, Baltimore. Ehe sie nach Harrisburg kamen, überquerten sie den Susquehanna, einen weiten grauen Fluß mit Inseln, Reihern, einer Hängebrücke aus geflochtenen Ästen; in den Uferwäldern wanden sich parasitäre Gewächse um die Baumstämme. Auf dem Bahnsteig in Washington hatte ein alter Mann gestanden, den Franz Kien den Senator nannte. Der Senator war schlank, hochgewachsen, trug einen rechteckig geschnittenen grauen Bart, einen breitkrempigen Hut, eine goldene Uhrkette, hielt zwei irische Setter kurzgeschlossen. Neger gingen an ihm vorbei.
Nachdem es Franz Kien gelungen war, aus dem Krieg zu flüchten, hatte er eines Morgens den Felsen von Gibraltar gesehen, sandfarben unter einer gelbgrauen Wolke. Die afrikanischen Berge gegenüber trugen weiße Burgen auf ihren Höhen.
In den Nächten schliefen sie auf den schwarzen Lederbänken der Couch-Waggons. Der Zug wurde immer kürzer, zuletzt blieb nur noch ihr Waggon übrig. Er wurde in St. Louis an einen fahrplanmäßigen Schnellzug gekuppelt. Daß Frerks sich in ihrem Waggon befand, war sicher ein Irrtum. In den anderen Waggons waren die gewesen, die ihre deutschen Uniformjacken eingepackt hatten. In dem Waggon, in dem Franz Kien fuhr, waren die Seesäcke leichter.
In St. Louis hing Nebel über dem Mississippi. Die Amerikaner lebten in Holzhäusern, in Schaukelstühlen auf Veranden. Bei einem Ort namens Cairo floß der Ohio in einem flachen Bogen dunkelgrau durch dunkle Laubwälder in den helleren Mississippi. In einem Ort namens Carbondale wurde ihr Waggon abgehängt, mußte zwei Stunden auf einen anderen Zug warten; während dieser Zeit wurde ihnen ein Waschkorb voll Orangen hereingereicht.
»Von den Damen von Carbondale«, sagte der Sergeant, der sie begleitete, »sie haben gehört, daß hier ein Gefangenen-Transport steht.«
Er hatte in St. Louis eine amerikanische Zeitung in deut-

scher Sprache gekauft, die er herumgehen ließ. Jeder wartete ungeduldig darauf, daß die Reihe an ihn kam; nur Frerks gab sie ungelesen weiter.
»Hoffnungslos, der«, sagte Maxim Lederer halblaut zu Franz Kien.
Seine Stimme klang immer rauh, er räusperte sich oft, schloß seine fanatischen Geschichten aus der Emigration immer mit einem kurzen Auflachen. Er behauptete, in Prag in der Emigration gewesen zu sein; er habe zurückkehren müssen, weil er sonst verhungert wäre. Durch ihn erfuhr Franz, was in den vergangenen Jahren aus der Kommunistischen Partei geworden war. Es interessierte ihn nur halb. Während er die Landschaften und Städte betrachtete, hatte er genug damit zu tun, über die phantastische Tatsache nachzudenken, daß er aus dem Krieg hatte flüchten können und jetzt durch Amerika fuhr. Maxim Lederer sah selten aus dem Fenster.
In der folgenden Nacht kamen sie durch Memphis. Am Morgen überquerten sie den Mississippi auf einer hohen Brücke bei Jackson. Die Ufer des Mississippi bestanden aus Sandbänken und niedrigem Sumpfwald. Hinter den Deichen wieder feuchte Wälder mit verlandenden Gewässern, an denen Reiher und Pelikane hockten, aufflogen, sich wieder setzten. Der Zug fuhr langsam. Das Holz der Häuser in den Siedlungen der Neger war so verwittert wie die Gesichter der alten schweren Männer, die vor den Türen standen und zu dem Zug hinaufblickten. Später gelangten sie auf die flachen Trockenböden von Louisiana, leeres Land, Land für lange, eintönige Wanderungen, wie Franz Kien sie liebte, über trockenes Präriegras, das knisterte, durch brüchigen Kiefernwald. In Ruston, wo sie ausgeladen wurden, hingen weiße Reiter in ihren Sätteln, gekrümmt zwischen Texashüten und silbernen Sporen. Ihre samtbraunen leichten Pferde hoben kaum die Köpfe, denn der Septembertag war heiß und still.

2

Der Adler, der unter den schleierigen Schlierenwolken seine Kreise zog, flößte Franz Kien nicht den Wunsch nach Freiheit ein. Nach allen Gesetzen der Metaphorik, dachte Franz Kien, ist dieses Vieh dort oben dazu da, mich verrückt zu machen; doch er empfand nur die Lautlosigkeit des Flugs über dem Lager, über der ebenen Landschaft, während er auf den Stufen des hinteren Eingangs der Hospital-Baracke saß und von seinem Buch aufblickte, im milden Sonntagnachmittag-Licht des südlichen November. Der Stacheldrahtzaun in der Ferne war nichts als ein filigranes Gitter ohne Bedeutung.

Er wollte weiter lesen, als er aus dem Inneren der Baracke Schritte hörte, Stimmen. Er klappte das Buch zu, stand auf, ging die Stufen hoch und stieß die statt mit Glas mit einem Fliegengitter versehene Schwingtüre auf. Sie knarrte zweimal in den Scharnieren, ehe sie hinter ihm zufiel. Im Mittelgang des *ward*, zwischen den beiden Reihen Betten, standen zwei amerikanische Wachsoldaten, zwischen ihnen Frerks. Seine Hände waren mit einem Strick zusammengebunden. Franz Kien hatte noch niemals einen gefesselten Menschen gesehen. Einer der Amerikaner fragte, wo sie Frerks hinlegen könnten, und Franz Kien bezeichnete ihm ein Bett. Die beiden Patienten, die sich in der Baracke befanden, hatten sich in ihren Betten aufgesetzt. Jetzt kam auch Maxim Lederer herein. Die Soldaten drängten Frerks zu dem Bett hin und gaben ihm einen Stoß, als er nicht begriff, daß er sich hinlegen sollte. Er fiel, wegen der Fesseln, unbeholfen auf das Gesicht, den Bauch, blieb reglos liegen. Der Amerikaner, der redete, sagte, er würde den Doktor schicken, ehe er dem anderen folgte, der schon gegangen war.

Franz Kien und Maxim Lederer drehten Frerks herum, konnten ihn aber nicht ausziehen.

»Sollen wir ihm die Fesseln nicht abnehmen?« fragte Franz Kien. »Was ist denn eigentlich los mit ihm?«

Maxim Lederer schüttelte den Kopf. Sie deckten Frerks zu. Er starrte ins Leere, war offensichtlich nicht anwesend. Er hatte über dem Hemd einen Pullover an, trug nicht seine berühmte und verhaßte Jacke, obwohl Sonntag war.
»Frerks hat endlich durchgedreht«, berichtete Maxim Lederer mit seiner heiseren, unpersönlichen Stimme. »Er lag den ganzen Tag auf dem Bett, ging nicht zum Essen, auf einmal fing er an zu toben. Er riß Bilder herunter, dann griff er den Barackenführer an. Sie hielten ihn fest, bis die Wachen kamen.«
Er schloß jeden Satz mit seinem kurzen, kehligen, freudlosen Auflachen. Er war nicht schadenfroh. Maxim Lederer hatte nichts gegen Frerks, außer das, was alle gegen ihn hatten.
»Und wieso kommt er hierher«, fragte Franz Kien, »nicht in die Arrestbaracke?«
»Weil ich gesagt habe, er sei krank«, sagte Maxim Lederer. »Ich war unter denen, die ihn festhielten, und ich hab's ihm angesehen.«
Franz Kien nahm Frerks' Temperatur. Frerks hatte 41,5 Grad Fieber.
»Na bitte«, sagte Maxim Lederer.
»Er muß schon den ganzen Tag krank gewesen sein«, sagte Franz Kien.
Maxim Lederer blieb im Hospital, obwohl sein Nachtdienst erst um acht Uhr begann. Er und Franz Kien hatten den September über Baumwolle gepflückt, wie alle, ehe sie sich zum Sanitätsdienst meldeten, als die Jobs im Gefangenen-Hospital ausgeschrieben wurden. Die Arbeit auf den Baumwollfeldern war nicht schwer gewesen; sie gingen zwischen den endlosen Reihen der Stauden und pflückten mit beiden Händen die weißen Flocken aus den geöffneten Fruchtkapseln in die Säcke, die rechts und links von ihren Schultern hingen. Mittags lagen sie im dichten Schatten der Bäume, die das Farmhaus umstanden, und dösten vor sich hin. Das Haus brütete stumm in der Mittagshitze. Der Neger, der das Eiswasser gebracht hatte, saß an einen Baum

gelehnt und schlief. Übrigens war er der einzige Neger, mit dem sie in Berührung kamen; nicht einmal in der Ferne sahen sie Neger auf den Feldern arbeiten, die Neger sollten nicht sehen, daß es Weiße gab, die Baumwolle pflückten. Am Nachmittag arbeiteten sie weiter; wenn Franz Kien aufblickte, sah er die Gefangenen als blaue Flecken, die sich inmitten des flimmernden Meeres der Baumwollbällchen bewegten. Später hielten er und Maxim Lederer die Monotonie dieser Tage nicht mehr aus. Inzwischen waren auch die Baumwollfelder abgeerntet, die Gefangenen schlugen jetzt Zuckerrohr, mit breiten, an der Spitze gekrümmten Messern, Macheten. Wenn sie ins Lager zurückkehrten, sprachen sie über die Negermädchen, die sie während der Fahrt gesehen hatten, von den Lastautos aus, auf denen sie zu den Plantagen gefahren wurden.
Es dauerte zwei Stunden, bis der Arzt kam. An Sonntagen waren die Ärzte immer schwer zu erreichen. Franz Kien fühlte manchmal Frerks' Puls, spürte das rasend schnelle Klopfen. Daran konnte er sich erinnern, zwanzig Jahre später, an das Gefühl, das ihm Frerks' Handgelenk einflößte, während er sich an Frerks selbst nicht mehr erinnern konnte. Es war äußerst merkwürdig, aber er wußte nach zwanzig Jahren nicht mehr, wie Frerks ausgesehen hatte. Captain Fleischers Bild hingegen hatte sein Gehirn gut auswendig gelernt. Beispielsweise konnte er die Szene, wie der Arzt im Offiziersrang, Captain Fleischer, in der Abenddämmerung jenes Sonntags am Lagertor aus dem Jeep stieg, die Wachen passierte und in seinem schmalen, genau geführten Gang auf das Hospital zukam, jederzeit hervorholen und ablaufen lassen wie einen Film. Vielleicht, weil er Fleischer damals, an einem Fenster nach ihm ausspähend, so ungeduldig erwartet hatte? Fleischer hatte die linke Hand in die Tasche seiner Uniformjacke gesteckt, mit dem rechten Arm schlenkerte er ein wenig, wobei er die Hand krampfhaft nach hinten bog. Franz Kien wußte, daß er mit der linken Hand nach einer Zigarette wühlte, und wie immer zog er die Zigarette heraus und schob sie zwi-

schen seine Lippen, ohne sie anzuzünden. Weiß hing sie in seinem braunen Gesicht, unter dem schwarzen, sorgfältig geschnittenen Schnurrbart. Zwischen dem Bart und der Oberlippe war ein Abstand von drei Millimetern ausrasiert. Alles an Captain Fleischer war schmal und genau, auch seine Nase über dem Bart und die goldene Einfassung seiner Gläser. Innerhalb dieser Genauigkeit war er dann schlenkernd, lässig, mit Verkrampfungen da und dort, zum Beispiel wenn er seine Hand im Gehen nach hinten bog.
Jenseits des Hospital-Geländes lagen die niedrigen langen Baracken in Reihen unter einem grünlichen Helldunkel, wie es immer entstand, wenn der klebrige Südwind aufkam. In einigen von ihnen brannte schon Licht. Die Kies-Straßen zwischen den Baracken waren fast leer. Um diese Zeit wuschen sich die Gefangenen, ehe sie zum Abendessen gingen.
Franz Kien war froh darüber, daß nicht der ranghöhere Arzt kam, Major Moulton, sondern Captain Fleischer. Fleischer war Internist, nicht Chirurg wie Moulton. Moulton war Armee-Arzt, während Fleischer eine Privatpraxis in New York City hatte. Aber er trug die Uniform mühelos. Franz Kien vermutete, daß er sich seine Uniform von einem Schneider anfertigen ließ. Er fing Fleischer im Vorraum ab und erstattete ihm Bericht.
»Oh, it's him«, sagte Fleischer, als er Frerks erblickte.
Franz Kien wunderte sich, daß Fleischer Frerks kannte, obwohl er kaum je das Wohnareal des Lagers betrat, niemals am Sonntag in der Suite des Kommandanten erschien, wenn Oberst Taylor die Front der zum Appell angetretenen Kriegsgefangenen abschritt. Er muß wohl von diesem Gefangenen gehört, sich ihn einmal angesehen haben, dachte Franz Kien. Frerks war der einzige, der zu jedem Sonntagmorgen-Appell in seiner deutschen Uniformjacke antrat. Er hatte sie, gleich nachdem sie ins Lager gekommen waren, gewaschen und gebügelt, und er trug sie mit den Obergefreiten-Winkeln, dem Fallschirmjäger-Abzeichen, dem schwarz-weißen Bändchen des EK II, dem Ad-

ler mit dem Hakenkreuz. Sie hatten ihn ins zweite Glied geschubst, aber Oberst Taylor stellte ihn sofort ins erste, winkte den Dolmetscher herbei und unterhielt sich mit ihm über seine militärische Vergangenheit. Es verging kaum ein Sonntag, an dem der Kommandant nicht mit Frerks ein paar Worte wechselte. Er machte ihn zum Leiter eines Arbeitstrupps. Frerks wurde im Lager geschnitten. Es gab niemanden, der mit ihm sprach.

Fleischer war erstaunt, als er sah, daß Frerks angezogen im Bett lag. Er schlug die Decke zurück und erblickte die Fesseln.

»Gee«, sagte er.

Er nahm die Zigarette aus dem Mund. Manchmal war in der Art, wie Fleischer seine ärztlichen Anweisungen gab, eine leise, gefährliche Schärfe. Diesmal sah es so aus, als würde er sich gehenlassen. Aber er fing sich wieder, befahl, die Fesseln abzunehmen und Frerks auszuziehen. Franz Kien ärgerte sich, weil er nicht gewagt hatte, es selber zu tun, ehe Fleischer kam. Er wußte, daß Fleischer ihn dafür verachtete.

Frerks war kaum bei sich und fühlte sich heiß an. Fleischer untersuchte ihn, als er wieder im Bett lag. Er sagte, Frerks habe eine Lungenentzündung. Er bereitete die erste Penicillin-Injektion selbst vor. Sein Gesicht war wieder ruhig, fast gleichgültig, als er die Nadel ins Licht hielt und prüfte; die Zigarette hing wieder in seinem linken Mundwinkel. Ehe er ging, sagte er, Frerks müsse viel zu trinken bekommen.

Franz Kien blieb noch zwei Stunden im *ward* und hörte Maxim Lederer zu, wie er seine fanatischen Geschichten aus der Emigration erzählte. Maxim Lederer behauptete, die Kommunistische Partei habe ganze Zellen in Deutschland hochgehen lassen, der Gestapo ausgeliefert, wenn sie nicht mehr der Generallinie aus Prag gehorchten. Wenn seine Erzählungen stimmten, dann war die Kommunistische Partei verkommen. Wenn sie nicht stimmten, so war der, der sie erzählte, mit Vorsicht zu genießen. Er redete

nicht gern über seine Rückkehr aus Prag nach Deutschland, wich aus, wenn Franz Kien ihn fragte, was damals mit ihm geschehen war. Franz Kien wußte, daß mit Menschen, die in gewisse Verhöre, zwischen gewisse Fronten geraten waren, alles mögliche geschehen sein konnte. Eine Nacht in einem Untersuchungsgefängnis entschied da oft über ein Leben. Es wäre besser, sich von dieser undurchsichtigen Existenz fernzuhalten, dachte Franz Kien manchmal, aber er mochte Maxim Lederers hoffnungslose, unpersönliche Stimme, die mit jedem ihrer Sätze die Revolution liquidierte. Maxim Lederer sprach niemals über sein Privatleben, äußerte keine Zukunftspläne, wie alle anderen im Camp. Es war auch charakteristisch für ihn, daß man das Gespräch mit ihm einfach abbrechen konnte; er hörte dann sofort und ganz unbeleidigt auf zu reden, wandte sein kleines bleiches Gesicht, die Augen hinter der Brille aus schwarzem Horn ab, griff wieder nach der Zeitung.
Als er in seine Wohnbaracke ging, spürte Franz Kien die zerrenden, plötzlich aufflackernden Windstöße, die unter dem wolkigen Nachthimmel aus dem Golf von Mexiko kamen. Er dachte an die Revolution als an etwas Gleichgültiges. Es würde Kriege geben, Gewalt, auch Revolutionen, sicher, aber das alles war ziemlich gleichgültig. Nicht gleichgültig war es, daß es die Nacht gab, den Wind, Wolken, Adlerflüge, einen Golf, Schlafende in Baracken ...
Am Morgen hatte Frerks noch immer über vierzig Fieber, aber er schlief ruhig. Maxim Lederer sagte, Fleischer sei in der Nacht noch einmal gekommen und habe Frerks eine zweite Penicillin-Injektion gemacht.
»Ich hab ihm erzählen müssen, welche Rolle Frerks im Lager spielt«, sagte Maxim Lederer.
»Wahrscheinlich überlegt er«, sagte Franz Kien, »ob er ihn in psychiatrische Behandlung geben soll.«
»Er schien außer sich zu sein, als ich ihm erzählte, daß niemand von uns mit Frerks zu tun haben will. Ich hab versucht, ihm klarzumachen, daß Frerks sich selbst isoliert hat. Er gehört einfach nicht in dieses Lager, hab ich gesagt.«

Er räumte die Bücher und Zeitungen weg, in denen er nachts gelesen hatte. Durch die Glasscheibe des Sanitätsraumes überblickte man den Bettenraum der Baracke, in dem Frerks und die beiden anderen Patienten lagen und schliefen.
»Diese Juden mit ihren Illusionen«, sagte Maxim Lederer. »Weißt du, was Fleischer sagte, ehe er ging?« Er wartete Franz Kiens Gegenfrage nicht ab. »Er stand da am Bett von Frerks und sagte: ›It's easy to hate, easier than to love.‹«
Nicht einmal nach diesem Zitat klang Maxim Lederers Auflachen böse, höhnisch, sondern so wie immer: kurz, rauh, feststellend.
Franz Kien hätte etwas darum gegeben, zu erfahren, ob Fleischer den Satz, daß es leicht sei zu hassen, leichter als zu lieben, an Maxim Lederer gerichtet hatte oder an den bei diesen Worten sicherlich noch schlafenden oder halb bewußtlosen Frerks. Hatte er dabei einen von den beiden angesehen oder keinen, sondern vielleicht auf die Wand hinter dem Bett geblickt? Es war zwecklos, Maxim Lederer danach zu fragen, der darauf sicherlich nicht geachtet hatte. Nach allem, was vorher gesprochen worden war, mußte er Fleischers Bemerkung auf sich beziehen. Wie aber, fragte sich Franz Kien, wenn Fleischer weder den einen noch den anderen gemeint hatte, sondern sich selbst?
Der Hospital-Tag verlief ruhig, mit den üblichen Beschäftigungen: Betten richten, Temperaturen nehmen, Essen holen. Einer der Patienten hatte eine Blinddarmoperation hinter sich, durfte noch nicht aufstehen, bekam die Bettflasche, was Franz Kien nichts ausmachte. Der andere war Syphilitiker, erhielt alle zwei Stunden eine kleine Dosis Penicillin, intramuskulär. Er war wehleidig, spannte vor Angst sein Gesäß, anstatt es zu entspannen, so daß Franz Kien einen unkontrollierten Moment abwarten mußte, ehe er ihm die Nadel ins Fleisch senkte. Nach dem Mittagessen meldeten sich zwei ambulante Fälle, Männer vom Holzfällerkommando, die mit Gifteiche in Berührung gekommen

waren; Franz Kien bestrich ihre entzündeten Beine und Hände mit einer Tinktur.
Im Laufe des Vormittags war Frerks einmal so weit bei sich, daß er die nötigsten Angaben für das Krankenblatt machen konnte. Er war 1923 geboren, in einem Dorf bei Eutin, hatte noch keinen Beruf, er war bei Kriegsausbruch sechzehn gewesen, sie hatten ihn Ende 1940 eingezogen. Er sagte, er sei Offiziersanwärter. Sein Vater war Angestellter im Landratsamt. Diese Mitteilungen erschöpften ihn.
Am Nachmittag hatte Franz Kien wieder Zeit zum Lesen. Er ging auch einmal eine Viertelstunde spazieren, zwischen dem Hospital und dem Stacheldrahtzaun, in südöstlicher Richtung, wo es Partien gab, auf denen Kiefern standen, die das Camp verdeckten. Er sammelte einen Strauchzweig mit weinroten und grünen Blättern, zwei Gräser mit Blättern wie Lanzenspitzen, ein Gewächs mit traubigen roten Blüten und einem grünen Stengel, in dessen Mitte eine violette Blüte saß. In Louisiana gab es selbst im November noch Blüten, unter dem bedeckten Himmel, in der warmfeuchten Luft, die manchmal von Windstößen aufgeregt wurde.
Um fünf Uhr, als er Frerks weckte, um ihm Orangensaft einzuflößen, eine neue Spritze zu geben und sein Fieber zu messen, erinnerte er sich daran, wie er einmal im Lagerkino neben ihm gesessen hatte, während eines Films mit dem Titel *The great Flamarion.* Der große Flamarion war ein ehemaliger französischer Offizier, und es war unheimlich gewesen, zu sehen, wie in Erich von Stroheim eine Figur der alten europäischen Kriegsgeschichte aufstand und durch die fremde amerikanische Welt ging. Als das Licht wieder anging, hatte Franz Kien den ekstatischen Ausdruck in Frerks' Gesicht wahrgenommen. Diese Erinnerung war es übrigens, die ihm später beinahe dazu verhalf, sich Frerks' Gesichtszüge vorstellen zu können, aber sie entglitten ihm dann doch wieder, lösten sich in dem unge-

nauen Eindruck auf, wie ihn magere, hartknochige Jungen gewöhnlich hinterlassen.
Ehe Maxim Lederer ihn wieder ablöste, betrachtete er in einer Zeitschrift Bilder von Marsden Hartley. Die Reproduktionen waren schlecht, aber Franz Kien spürte doch, daß *Der Berg Katahdin im Herbst* ein Bild war. Marsden Hartley hatte geschrieben: »Es gibt nicht mehr als zwei Leute im Land, die Berge verstehen.« Er hatte nicht geschrieben: ». . . die etwas von Bergen verstehen.«
Fleischer kam zur Abend-Visite. Er war schon am Vormittag dagewesen und hatte Kien gezeigt, wie man Penicillin intravenös spritzt. Franz Kien fand es verflucht schwierig, und bei zwei Spritzen hatte er Frerks erhebliche Schmerzen zugefügt. Fleischer war mit Frerks' Zustand zufrieden; das Fieber war auf 39,5 Grad gefallen. Er fragte, ob Frerks Englisch spreche; Franz Kien wußte es nicht, aber er hatte beobachtet, wie Frerks, wenn Oberst Taylor ihn anredete, seine Antworten gab, noch ehe der Dolmetscher ihm Taylors Worte übersetzt hatte.
Fleischer war Anfang Oktober zum erstenmal ins Lager gekommen, als ein fremdartiger, leiser, raffinierter Mensch. Major Moulton wirkte neben ihm vierschrötig und militärisch. Der Kommandant und Major Moulton hatten es sicherlich nicht gern gesehen, daß Captain Fleischer seine Frau mit ins Camp nahm, ihr die Häuser und Einrichtungen zeigte, sie durch das Hospital führte. Captain Fleischers Frau war fabelhaft hübsch, weder ein Mädchen noch eine Dame, sondern eine junge Frau, ein schwieriges, elegantes Geschöpf. Die Gefangenen waren benommen von ihrem Anblick. Es ging das Gerücht, sie sei ein New Yorker Mannequin. Sie trug ihre weichen, blond gefärbten Haare halblang. Übrigens schien sie das Ungehörige der Situation eher zu empfinden als ihr Mann, denn Franz Kien bemerkte, daß ihr schöner, zart herausfordernder Gang etwas Unfreies bekam, wenn sie neben den wie immer eng geführten Schritten des Arztes, neben seinem lokker schwingenden und doch in der Verkrampfung der

Hand endenden Arm – die andere Hand wühlte in der Tasche nach einer Zigarette – auf das Hospital zukam.
Nach einem Besuch des Paares im *ward* hatte Franz Kien mitangehört, wie sich zwei Patienten über Captain Fleischer und seine Frau unterhielten.
»Die geilt sich ganz schön an uns auf«, hatte der eine von ihnen gesagt.
»Irrtum!« hatte der andere erwidert. »Er ist es, der sich dabei aufregt, daß er uns seine Frau vorführt.«
An diesem gemeinen Kommentar war so viel wahr, daß Fleischer wahrscheinlich wirklich den Gefangenen eine Freude bereiten wollte, wenn er seine allzu anziehende Frau mit ins Lager brachte. Eine unerhörte Fehlleistung für einen Mann von dieser Intelligenz, dachte Franz Kien, nur zu erklären aus blinder Verliebtheit. Er bemerkte, wie enttäuscht Fleischer war, daß seine Frau nicht mit den Patienten sprach, ihnen nicht die Hand reichte, immer halb abgewendet hinter ihm stehenblieb, in der Haltung eines Menschen, der entschlossen ist, bei dem geringsten Zeichen von Gefahr zu fliehen. Sie kam nach ihrem zweiten Besuch nicht wieder.
Erst am Dienstag konnte Fleischer mit Frerks sprechen. Zwar lag Frerks auch dann noch in einem Zustand von Apathie, aber er war doch bei klarem Bewußtsein. Sein Fieber war weiter gefallen, und Fleischer setzte das Penicillin ab und verordnete statt dessen Sulfonamid-Tabletten. Er zog sich einen Stuhl heran und setzte sich neben Frerks' Bett, erzählte ihm, daß er am Sonntag erst so spät habe kommen können, weil er am Mississippi gewesen sei, um sich den Dammbruch anzusehen. Es habe in Tennessee viel geregnet, erzählte er, und die Wassermassen, die der Strom mit sich führte, hätten bei Vicksburg die Deiche gesprengt. Er schilderte die Wasserwüste. Frerks sah ihn unverwandt an, aber Franz Kien konnte nicht herausfinden, ob ihn die Erzählung des Arztes wirklich interessierte. Er selbst hätte Fleischer gern über den Mississippi ausgefragt, er hatte das Gefühl, daß Fleischer den Mississippi verstand, aber er be-

griff, daß dessen Erzählung nur für Frerks bestimmt war, auch wenn es sich um ein ganz zufällig herausgegriffenes Thema handelte und Fleischer ebensogut über irgend etwas ganz anderes hätte sprechen können, über New York vielleicht oder über den zu Ende gehenden Krieg. Fleischer redete flüssig in seinem leisen Sprechstil; wenn er sich manchmal unterbrach, dann nicht, weil er nicht mehr weiter wußte, sondern weil er sich die Freiheit nahm, darüber nachzudenken, was er gesagt hatte oder sagen würde.
»Can we go a way together?« fragte er nach einer dieser Pausen.
Gleich nachdem Fleischer gegangen war, erörterte Franz Kien mit Maxim Lederer, der im *ward* erschienen war und Fleischers Monolog an Frerks' Bett mitangehört hatte, das Problem, ob sich diese Frage auf deutsch stellen lasse.
»Nein, Gott sei Dank nicht«, sagte Maxim Lederer. »Wir sind nicht so sentimental wie die Amerikaner.«
»Es klang aber gar nicht sentimental, so, wie er es sagte«, wandte Franz Kien ein.
Er mußte aber zugeben, daß der Satz *Können wir ein Stück Weges zusammen gehen* in der Situation, wie sie zwischen Fleischer und Frerks bestand, auf deutsch unerträglich gefühlvoll klang. Den deutschen Satz *Es ist leicht zu hassen, leichter als zu lieben* konnte Franz Kien sich zur Not vorstellen, er war bloß pathetisch, und etwas Pathos konnte man schlucken wie eine bittere Pille, wenn es gar nicht anders ging, während es unter keinen Umständen zulässig war, etwas locker und freundlich Hingesagtes durch Übersetzen in etwas Klebriges zu verwandeln.
Maxim Lederer ging zu Frerks' Bett hinüber.
»Hast du eigentlich verstanden«, fragte er, »was Fleischer dir alles erzählt hat?«
Frerks gab keine Antwort. Er lag da, mit geöffneten Augen, und blickte geradeaus.
»Captain Fleischer ist Jude«, sagte Maxim Lederer zu ihm. »Huh, huh, huh, richtiger Jude! Ich sag's dir nur, falls du es vielleicht nicht weißt.«

»Hör doch auf damit!« sagte Franz Kien.
Fleischer hatte keine Antwort auf seine Frage an Frerks abgewartet, sondern war aufgestanden, hatte sich mit den anderen Patienten beschäftigt, ein paar Anweisungen gegeben, ehe er ging. Franz Kien konnte nicht feststellen, ob Frerks enttäuscht war, als am nächsten Tag Major Moulton zur Visite erschien, weil Fleischer ein paar dienstfreie Tage hatte.
Er hörte die Schwingtüre mit dem Fliegengitter in ihren Angeln knarren, als er wieder einmal auf der Treppe hinter der Hospitalbaracke saß. Natürlich stand er auf, obwohl Fleischer sagte, er solle sitzen bleiben. Der Arzt stand in seiner lässigen und genauen Haltung, die Hand des rechten Arms nach hinten gebogen und verkrampft, auf der obersten Stufe und sprach sich gegen den Stacheldraht aus, auf dessen in der Ferne sich hinziehende Linie er blickte. Er sagte, man solle solche Lager ohne Stacheldraht einrichten. Dann kam er wieder auf Frerks zu sprechen, wandte sich erbittert gegen dessen unfaire Behandlung im Lager. Franz Kien notierte sich am Abend in sein Tagebuch, das er damals führte, einzelne Sätze, *Nobody talks to him* beispielsweise, und *He must be taken into the crowd, not segregated.*
Er selber sah nicht, wie Fleischer, den Stacheldrahtzaun, sondern das Tälchen dahinter, mehr eine Geländefalte, ganz in Braun und Gelb getaucht, mit den Bäumen am Horizont, zwischen ihnen das Negergehöft mit der bunten Wäsche, die immer da hing, und den schwarzen Kühen, die in dem hohen gelben Steppengras weideten.

3

Als Frerks wieder gesund war, zog er sonntags weiter seine deutsche Uniformjacke an; erst nachdem man ihnen Filme aus den Konzentrationslagern vorgeführt hatte, legte er sie ab. Er befreundete sich mit einem Kleinbauern aus der Eifel, einem alten Mann, der als primitiver Anarchist und Ei-

genbrödler vor dem Kriegsgericht gestanden hatte. Man sah die beiden lange Spaziergänge den Zaun entlang machen, miteinander redend. Das war schon nach dem Waffenstillstand.
Franz Kien verlor ihn, Maxim Lederer und fast das ganze Lager aus den Augen, weil er, zusammen mit zwanzig anderen, in ein Lager im Norden versetzt wurde. Wieder reisten sie in einem Waggon, der an reguläre Züge angehängt wurde. Sie überquerten bei Monroe den Red River, fuhren hinter Memphis wieder eine Strecke den Mississippi entlang, dann in die Ebene von Tennessee hinein.
Franz Kien überlegte manchmal, wo er, wo Maxim Lederer, wo Fleischer und Frerks zwanzig Jahre später sein würden. Oder der Neger, der ihnen das Eiswasser gebracht hatte, mittags, beim Baumwollpflücken. Wie würden sie leben, jeder für sich, zwanzig Jahre später?
Er dachte niemals an die Revolution, sondern nur an die Länder. Amerika, Tennessee, Gibraltar, Europa. An die Einsamkeit der Länder.
Er hatte einen ruhigen Herbst und Winter in Louisiana verbracht, in dem alten Sklavenland.
Ein betagter, schwerer Neger, ein Streckenarbeiter, stand neben dem Gleis, als sie an einem frühen Morgen auf einer Station in Tennessee hielten. Er trug ein Hemd aus verschossenem Ziegelrot. Als Franz Kien ihn betrachtete, sah ihn der Neger lange an, ohne sich zu bewegen, ohne zu lächeln.
Auf einem Holzhaus jenseits des Bahnhofs stand in abblätternder Schrift *Moses Playhouse Nice clean rooms Meals Cold drinks.* In der Frühe waren alle Fenster und Türen verschlossen. Hier wäre Franz Kien gerne ausgestiegen, um ein Zimmer zu nehmen.

HANS BENDER

## *Die Wölfe kommen zurück*

Krasno Scheri hieß das Dorf seit der Revolution. Es lag fünfzig Werst von der nächsten Stadt in großen Wäldern, die eine Straße von Westen nach Osten durchschnitt.
Der Starost von Krasno Scheri holte sieben Gefangene aus dem Lager der Stadt. Er fuhr in seinem zweirädrigen Karren, ein schweißfleckiges Pferd an der Deichsel. Zwischen den Knien hielt er ein Gewehr mit langem Lauf und rostigem Korn. Im Kasten hinter dem Sitz lag der Proviantsack der Gefangenen voll Brot, Salz, Maisschrot, Zwiebeln und Dörrfisch.
Die Gefangenen gingen rechts und links auf dem Streifen zwischen den Rädern und dem Rand der Felder. Als die Straße in den ersten Wald mündete, stieg der Starost ab. Er band die Zügel an die Rückenlehne und ging hinter den Gefangenen her.
Sie hielten sich an die Gangart des Pferdes. Alle Gefangenen gehen langsam. Sie senkten die Köpfe, nur einer trug ihn aufrecht, drehte ihn hierhin und dorthin, neugierig, verdächtig.
»Ich habe ein Gewehr«, dachte der Starost. »Sie haben kein Gewehr. Mein Gewehr ist zwar nicht –«
Der Gefangene blieb stehen. Er ließ drei, die hinter ihm kamen, vorübergehen, bis der Starost auf seiner Höhe war.
»Guten Tag«, sagte der Gefangene.
Seit dem ersten Krieg hatte der Starost keine Deutschen mehr gesehen. Diese Deutschen waren andere Deutsche als damals. Er sah, der Gefangene war jung. Er hatte Augen in der Farbe hellblauen Wassers.
»Gibt es Wölfe im Wald?« fragte der Gefangene.
»Wölfe?« Der Starost überdachte die Frage. »Ja, es hat Wölfe gegeben. Jetzt gibt es bei uns keine Wölfe mehr. Ihr habt sie vertrieben mit eurem Krieg. Die Wölfe sind nach Sibirien ausgerissen. Früher knackte der Wald von Wölfen,

und niemand hätte gewagt, im Winter allein diesen Weg zu gehen. Die letzten Wölfe sah ich im ersten Winter des Krieges, als die Geschütze von Wyschni Wolotschek herüberdonnerten.«
»Fünf Monate ist der Krieg vorbei«, sagte der Gefangene. »Die Wölfe könnten längst zurück sein.«
»Sie sollen bleiben, wo sie sind«, sagte der Starost. »In Sibirien. Sibirien, da gehören sie hin.«
Bis zum Abend gingen die Gefangenen und der Starost durch die Wälder. Manchmal brachen die Wälder ab, eine Wiese lag dazwischen, ein Streifen unbebautes Land mit dürren Sträuchern, dann begann wieder Wald, ein wirrer, unordentlicher Wald mit niedrigen, verkrüppelten Bäumen und wucherndem Unterholz.
In Krasno Scheri traten die Leute aus den Häusern und standen dunkel vor den Türen. Der Starost verteilte die Gefangenen. In jedes Haus gab er einen, und den jungen, der nach den Wölfen gefragt hatte und russisch sprechen konnte, nahm er mit in sein Haus.
Eine Öllampe stand auf dem Tisch. In ihrem Licht saßen ein Junge und ein Mädchen, die mit runden Pupillen zur Tür sahen, wo der Gefangene auf der Schwelle wartete.
Eine Frau kam aus der Tür des Nebenraums.
»Er heißt Maxim«, sagte der Starost, während er seinen Pelzmantel auszog. Der Gefangene ging zu den Kindern am Tisch. Aufgeschlagene Bücher lagen vor ihnen mit handgeschriebenen Buchstaben und Tiefdruckbildern.
»Und wie heißt ihr zwei?« fragte der Gefangene.
Der Junge stand rasch auf und wischte mit der Hand sein Buch über den Tisch, daß es zu Boden fiel. Er ging in die Ecke der Stube und drehte dem Gefangenen den Rücken zu. Das Mädchen sah auf und lächelte.
»Wie heißt du?«
»Julia«, sagte das Mädchen.
»Julia, ein schöner Name«, sagte der Gefangene.
»Er heißt Nikolaj«, sagte das Mädchen.
Die Frau legte das Brot auf den Tisch und stellte zwei

Schüsseln voll Suppe daneben. Der Starost setzte sich, der Gefangene setzte sich. Sie bliesen in die Löffel und aßen. Die Frau blieb vor dem Herd stehen und sagte ab und zu etwas von der Arbeit, vom Essen, von den Nachbarn, vom Wetter.
Der Junge hob das Buch auf, setzte sich an die Tischecke und begann halblaut vor sich hin zu lesen: »Heil dem Väterchen aller Kinder, Wladimir Iljitsch Lenin! – Heil dem Väterchen der kleinen Pioniere, Josef Wissarionowitsch Stalin!«
Über dem Kopf des Jungen leuchtete Papiergold, das die Engel der Dreifaltigkeit umrahmte.

Am Morgen gingen die Gefangenen, die Kolchosbauern und die Mädchen auf die Felder. Der Starost riß mit Pferd und Pflug die glasharten Schollen auf. Das Wasser in den Schrunden war gefroren. Die Eishaut zersplitterte. Die Kartoffeln waren kalt. Die Mädchen und die Gefangenen klopften die Hände in den Achselhöhlen, und der Atem rauchte vor den Mündern.
Die Sonne stieg über den Wäldern hoch, schob sich in den grünblauen, seidenreinen Himmel, der sich weit über die Horizonte spannte. Krähen schrieben darauf ihre zerfledderte kyrillische Schrift.
Das Dorf lag in der Mitte offener Felder, rundum von Wäldern umstellt. Der Weg nach Osten zog eine dünne Spur hindurch. Kinder gingen auf dem Weg, fern und klein, doch ihre Stimmen klangen nah wie Tassen, die auf ein Tablett gestellt werden.
»Sie gehen zur Schule«, sagte eine Frau zu dem jungen Gefangenen. »Hinter dem Wald liegt Rossono. Rossono ist größer als Krasno Scheri.«
»Sind auch Julia und Nikolaj dabei?« fragte der Gefangene.
»Ja, sie sind auch dabei«, sagte die Frau.
Der Gefangene winkte. Die Kinder winkten. Sie schwangen ihre Bücherbündel. Die Kinder trugen Pelzmützen und

Wattejacken, unter denen nicht zu erkennen war, wer Julia und wer Nikolaj war. Alle winkten.

Als die Kinder auf dem Weg drüben zurückkamen, fiel die Sonne in die Wälder des Westens. Ein großes Feld war geerntet, die Säcke und Körbe waren abgefahren, und alle, die gearbeitet hatten, gingen zurück, müde, mit schmerzenden Rücken und kalten Gesichtern, in Erwartung der Stube, des Feuers und der heißen Suppe.
Wieder saßen die Kinder am Tisch hinter den aufgeschlagenen Büchern.
Julia sagte: »Maxim, wir haben eine Wolfsspur gesehen!«
»Was habt ihr?« fragte der Starost.
»Wir haben eine Wolfsspur gesehen«, sagte Julia.
»Wer hat sie gesehen?«
»Zuerst hat sie Spiridion gesehen, dann Katarina, dann ich, dann Nikolaj.«
»Ich hab sie vor dir gesehen«, sagte Nikolaj.
»Eine Kaninchenspur habt ihr gesehen«, sagte der Starost.
»Nein, sie war größer«, sagte Julia. »Lauter tiefe Löcher, groß wie Äpfel, und vorn waren Krallen in die Erde gedrückt.«
»Wie war die Spur, Nikolaj?«
»Wie Julia sagt. Wie Äpfel. Und Krallen auch.«
»Unsinn«, sagte der Starost. »Die Wölfe sind in Sibirien. – Wir wollen jetzt essen.«
Bevor das letzte Feld geerntet war, fiel Schnee. Der Pflug blieb in der gefrorenen Erde stecken, und die Gefangenen saßen bei ihren Quartiersleuten und brüteten vor sich hin. Die Kinder waren in der Schule. Der Starost und seine Frau saßen am Tisch. Der Gefangene stand am Fenster und sah auf das Feld.
Der Starost sagte: »Wenn es so kalt bleibt, destillieren wir morgen Sarmagonka. – Was hältst du davon, Maxim?«
»Warum nicht?«

»Gut, wir machen morgen Sarmagonka«, sagte der Starost.
»Ich mag keinen«, sagte die Frau.
»Du sollst auch keinen trinken«, sagte der Starost. »Maxim und ich trinken ihn um so lieber.«
Vor dem Fenster, auf dem Hügel, stand auf einmal ein Tier, ein schmales, hochbeiniges Tier mit dickem Kopf und schrägen Augen, einem Hund ähnlich, und doch kein Hund.
»Da!«
Im Ausruf des Gefangenen waren so viel Schreck und Angst, daß der Starost und seine Frau schnell zum Fenster kamen und gerade noch sahen, wie das Tier sich wandte und im wirbelnden Schnee verschwand.
»Ja, es ist ein Wolf. So sieht er aus. Die Kinder hatten recht«, sagte der Starost.
»Und die Kinder sind unterwegs!« rief die Frau.
»Der Wolf ist hier, und die Kinder sind dort«, sagte der Starost.
Aber es überzeugte nicht.
»Ihr habt doch ein Gewehr! Warum gehen wir nicht hinaus?« sagte der Gefangene.
»Mein Gewehr –«
»Es ist nicht geladen«, sagte die Frau.
Der Starost stieß einen gemeinen Fluch aus.
»Ich habe keine Patronen, Maxim«, sagte der Starost. »In der Stadt haben sie mir keine gegeben, im Magazin nicht und im Lager nicht. Ich wollte nicht, daß ihr Gefangenen es wißt.«
»Dann nehmen wir eine Axt, ein Beil, eine Sense oder Stöcke.«
»Du kennst nicht die Wölfe, Maxim. Aber wenn du mitkommen willst –«

Sie gingen auf dem Weg nach Osten, und als sie auf die Höhe kamen, merkten sie, daß sie keine Mäntel angezogen hatten.

Der Starost atmete schwer. Die Flocken hingen in seinen Brauen, in seinem Bart. Ein alter Mann.
»Die Kinder müßten längst hier sein«, sagte er.
Sie gingen weiter. Es war still, nur der Schnee rauschte. Fern hörten sie die Stimmen der Kinder.
Der Starost rief: »Julia! – Nikolaj!«
Der Gefangene rief: »Julia! – Nikolaj!«
Dann riefen auch die Kinder.
Der Starost und der Gefangene gingen schneller, die Kinder gingen schneller. Wie Hühner, in die der Hund bellt, flatterten sie in die Mitte der Männer, Julia, Nikolaj, Katarina, Ludmilla, Sina, Stepan, Alexander, Ivan, Nikita und Spiridion, zehn Kinder in Pelzmützen und Wattejacken, die Bücherbündel in den steifen Fingern.
Sie redeten durcheinander von Wölfen im Wald, von brechendem Holz, Geheul und einem Netz der Spuren im frisch gefallenen Schnee.
Während sie auf dem Weg standen und redeten, kamen die Wölfe. Ihre Augen sahen sie zuerst, gefährliche, trübe Lichter im Vorhang des Schnees. Ihre Köpfe schoben sich heraus, die steifen Ohren, der Kranz gesträubter Haare um den Hals, die struppigen, zementgrauen Leiber mit den buschigen Schwänzen. Wie ein Keil stießen sie aus dem Unterholz über die Felder nördlich der Straße.
Die Kinder verschluckten das letzte Wort und klammerten sich in die Rücken der Männer. Der Starost hielt die Axt hoch, der Gefangene hielt die Sense hoch. Die Kopfhaut spannte sich, und die Gedanken verschwammen.
Die Wölfe liefen entlang der Straße, vorbei, eine stumme, wogende Meute. Reihe hinter Reihe, Rücken neben Rükken, lautlos, auf hohen Beinen. Sicher waren hinter dem Rudel andere, unsichtbare Rudel im Wirbel des Schnees, hundert Rudel. Manche Tiere kamen so nahe vorbei, daß die Rippen zu sehen waren, Knochen, Muskeln, Sehnen unter dem räudigen Fell und ihre Zungen, die lang aus den Mäulern hingen. Hunger trieb sie, Hunger machte sie blind für die Beute neben der Fährte.

So zogen Heere in die Städte der Feinde ein, durch die Mauer des Schweigens, der Verachtung, des Hasses. Die Menschen verkrochen sich vor ihnen, löschten das Licht, hielten den Atem an, schlossen die Augen und glaubten, ihr Herz klopfe gegen die Wand und die draußen könnten es hören, durch die Tür brechen und wahllose Schüsse ins Zimmer feuern.
Die Dunkelheit wuchs, und noch immer nahm das Heer der Wölfe kein Ende. Wie lange zogen sie vorbei? Wie viele waren es? Stunden. Alle Wölfe Sibiriens.
Nacht umschloß den Starost, den Gefangenen, die Kinder. Lange wagten sie nicht, sich zu lösen, zu bewegen, zu sprechen.
Der Starost sprach als erster. Er sagte: »Die Wölfe kommen zurück. Sie wittern den Frieden.«

# Restauration in Ruinen: Probleme der Nachkriegszeit

HEINZ PIONTEK

## *Verlassene Chausseen*

Damals mußte der Zug auf einem Dorfbahnhof halten, auf dem einzigen Abstellgleis, das an dem Stückchen Rampe hinlief und an Stapeln verrotteter Schwellen. Es war ein Lazarettzug angemeldet und sollte hier überholen. Zu Mittag taute es in einer Woge körnigen Lichts. Auf den Äckern glitzerte der Schnee, einzelne Furchen traten wie Rippen heraus, fast schwarz.
Als der Zug stand, flogen die Türen auf. Vermummte Frauen und Kinder sammelten sich auf dem Pfad zwischen den Schotterdämmen. Klamme verstörte Gesichter. Ein Trupp der Wartenden stapfte hinüber zum Stationsgebäude und umstellte den Beamten im blauen Mantel. Andere trampelten sich warm; die Kinder lärmten mit hungrigen und gereizten Stimmen. Allmählich wirkte das warme Licht auf sie, es tat ihnen gut, sie hockten sich auf die Trittbretter, auf einen Haufen leerer Kisten und rückten dicht zusammen auf einer abgestellten Fuhre. Sie wickelten ihre Vorräte aus und schraubten Becher von bunten Thermosflaschen – auf den ersten Blick hätte man sie für einen Schwarm Ausflügler halten können, eine hübsche Gesellschaft, die etwas früh im Jahr zu einer Landpartie aufgebrochen war und nun eine Kleinigkeit Zeit hatte bis zur Heimfahrt.
Nach der Mahlzeit fingen sich die Kinder zu schlagen an. Die Älteren zerstreuten sich zu Erkundungen. Ängstlich, erzürnt riefen die Mütter sie zurück. Aber es fiel nicht auf, daß einer der Burschen, scheinbar ohne besondere Absicht,

bis auf den Platz hinter dem Ziegelbau gelangte und ein paar Schritte weiter lief und verschwand.
Ein hochgeschossener Junge war es, mit Haaren wie Rußsträhnen, in Skikluft, der man anmerkte, daß sie seit Wochen unausgesetzt getragen wurde, ein Junge in jenem Alter, von dem man behauptet, es sei rüde und großspurig, reich an verwegenen Träumen. Er ging leicht geduckt, er sah sich nicht um. Das Dorf hatte vor drei Tagen den Räumungsbefehl erhalten, gestern war ein kleiner Treck nach Westen aufgebrochen, aber mehr als die Hälfte der Bauern hatte sich nicht vom Hof gerührt. Jetzt schleppten sie rauchende Eimer zu den Ställen, versorgten das Vieh, kaum einer wandte den Kopf nach dem Jungen, der auf dem matschigen Fußweg lief. Ihre Sorge war groß, dumpfe und bittere Gedanken zogen hinter ihren Stirnen.
Die Dorfgasse mündete draußen in einer Chaussee, die sich hinaufwand zu den Hügeln und bald in einer Schneise entschwand. Sie war leer von Fahrzeugen, ein einsamer Mann bewegte sich auf halber Höhe. Der Junge folgte ihm. In seinem Geist brütete Unbegreifliches, es war ihm gleich, was geschah. Einmal geriet sein Blick in eine Krähenwolke, die träge unter dem Himmel segelte. Er ging mit weiten Schritten.
Noch vor dem Wald holte er den Mann ein, der alt war und städtisch gekleidet und nicht aufsah. Er trottete grußlos an ihm vorüber; es lag etwas Feindseliges zwischen ihnen. Dann lief er unter Bäumen, die sich nackt und naß an die Straße drängten. Fauliges Laub dünstete im Schnee, das Licht troff zu Boden, bildete feine Lachen. Es war still um ihn. Er dachte an seinen Vater, der ein kränklicher Lehrer gewesen war, in einer Vorstadtschule, und mit vierzig Jahren angefangen hatte, Latein zu lernen. Im letzten Sommer war er gestorben. Wahrscheinlich lebte auch die Mutter nicht mehr. Er wußte es nicht genau.
Bevor er den Wald durchquert hatte, kam hinter ihm ein Rumpeln die Straße hoch. Der Schall nahm zu, und als der Lastzug in Sichtweite war, hielt der Junge und winkte. Der

LKW stoppte. Zwei Männer, nicht alt, nicht jung, untere Dienstgrade, befanden sich in der Kabine. Sie ließen ihn in der Mitte sitzen, der Fahrer schaltete, sie schuckelten los.
Sein Name? Richard Weinitz, antwortete er. Dann wollten sie wissen, woher er käme. Der Beifahrer langte nach hinten und warf dem Jungen eine angebrochene Schokoladentafel in den Schoß. – Aus dem Lager, sagte Richard. Nach dem dritten schweren Angriff auf die Stadt wäre seine Klasse verschickt worden. Sie hätten es gut gehabt im Lager, wenig Unterricht und fast täglich große Spiele im Gelände, in der Nähe des Stromes. Dann wäre ein Brief gekommen von der Nachbarin seiner Mutter. Das Haus ganz kaputt, habe sie geschrieben, und seine Mutter wäre in ein Krankenhaus geschafft worden; es stünde schlimmer, als sie geglaubt hätten. Laß dich nicht unterkriegen, Richard. Seitdem sei er ohne Nachricht.
Und ihr Lager wäre zu spät geräumt worden, fuhr Richard fort, und ihr Lehrer wäre krank geworden vor Erbitterung; da hätten sie sich auf eigene Faust auf den Weg gemacht. Am zweiten Tag habe er sich von den anderen getrennt, er lasse sich nicht kommandieren. Später hätten ihn welche von der Partei aufgegriffen und wildfremden Leuten übergeben. Keine freundlichen Leute. Er sei ausgerückt aus dem Flüchtlingszug. Das sei's.
»Und jetzt willst du nach Hause?« erkundigte sich der Beifahrer. Er hatte eine Tochter, so alt wie der Junge. Ein weichherziger Mensch, er schluckte.
»Nach Hause«, sagte der Junge, doch es hörte sich wie eine Frage an.
Am Spätnachmittag setzten sie ihn in einer Siedlung ab. Sie mußten nach Norden abbiegen, um zu dem Ort zu gelangen, der in ihrem Fahrbefehl eingetragen war und aus dem sie Ersatzteile an die Front bringen sollten. Unterwegs hatten sie gehört, daß die Straßen rings um ihr Ziel von Trossen verstopft wären und häufig im Feuer der Schlachtflie-

ger lägen. Bevor sie sich von Richard trennten, teilten sie ihre Rationen mit ihm.

Er blickte ihnen nach, es dämmerte. Ein Köter schlug an. Als das Gekläff abbrach, hing nur noch ein Murren in der Luft von dem Wagenzug. Er strich an den Höfen hin, es rührte sich nichts, es war ihm beklommen zumute. Sein Kummer, seine finstere Lässigkeit wichen zurück, die Neugier mischte sich ein und phantasierte ihm Waghalsigkeiten und Robinsonszenen vor, unter der Kopfhaut kribbelte das Blut.

Aus einem Anwesen an der Chaussee drang Männergelächter. Horchend blieb er stehen. Ein Hofraum, von den Wirtschaftsgebäuden umgeben, und Trampelpfade im Schnee. Das Wohnhaus, ein wenig zur Seite gerückt, stemmte sein weißes Dach über das Gatter. Neben dem Eingang, unter lukenengen Fenstern, lehnten zwei Fahrräder. Hinter diesen Fenstern war schon Licht, und es sickerte durch die Ritzen des schwarzen Papiers, das den Schein abschirmte.

Richard klinkte, die starke Tür war nicht verriegelt. Er ließ sie offen und machte zwei Schritte durch den steinkalten Flur.

»Was willst du?«

Ein Mensch stand vor ihm, ein gedrungener Mann in liederlichem Aufzug, und hinter dem Mann tat sich ein dampfender Raum auf, in dem eine Funzel glomm.

»Ob ich bei Ihnen schlafen kann«, sagte der Junge. Es war das Bruchstück einer Bitte, die er sich vor dem Eintritt ausgedacht hatte.

»Komm rein.«

Der Mann brachte es mit harter schwerer Zunge vor. Ein Pole, fuhr es Richard durch den Kopf. Er stieß die Rechte in die Tasche und fingerte nach dem Griff des Klappmessers. Scheu stieg er über die Schwelle. Zwei Mädchen löffelten am Küchentisch und beäugten ihn mit halbem Interesse. Sie trugen Jacken und Röcke aus derbem Stoff und

helle Blusen. Zwei Mädchen aus einem Arbeitsdienstlager. Die Küche roch süß nach der Milchsuppe, die sie in Emaillenäpfen vor sich stehen hatten. Auch dem Jungen füllte der Pole einen Napf. Er setzte sich und aß.
Keiner kümmerte sich um sein Woher und Wohin. Das war ihm recht. Der polnische Knecht schwätzte aufgeräumt mit den Maiden, und sein feistes unrasiertes Gesicht lief rot an. Seit dem Morgengrauen war er der Herr auf dem Hof. Der Bauer hatte sofort angespannt, nachdem der Verteidigungskommissar des Bezirks den Abzug befohlen hatte. Die Mädchen rasteten im Dorf. Sie kamen aus dem Gebirge; sie waren heimgeschickt worden. Die eine, Eva, hatte auf dieser Seite der Front keinen Anhang und fuhr ohne Ziel. Renate stammte aus dem Süden, aus einem Marktflecken, den Weinhänge umgaben und wo ihr Vater Tiere kurierte.
Nach der Suppe stellte der fidele Knecht eine kleine Kanne auf den Tisch. Er legte den scharnierten Deckel um und schnupperte.
»Für euch, Niemcy«, sagte er und machte eine Geste, als böte er ihnen ein Königreich.
Dann wandte er sich noch einmal um und kam mit vier Tassen wieder. Er leckte sich die roten Lippen, während er den Schnaps aus der Kanne in die Tassen goß.
Die Mädchen verständigten sich mit einem Blick.
»Wir müssen weiter«, sagte Eva. »Es ist höchste Zeit für uns.«
»Langsam, langsam«, sagte der Pole.
»Wir trinken keinen Schnaps.«
»Ein Schluckchen«, sagte er, »bloß ein Schluckchen. Ganz prima.«
»Danke, wirklich nicht«, sagte Renate.
»Sehr gut für die Gesundheit, und man muß dann tanzen, oh!«
Noch einmal lehnten sie ab. Da fing der Knecht an zu fluchen und zu funkeln und langte zornig nach seiner Tasse. Eingeschüchtert hielten die drei nun mit. Dem Jungen

schoß das Wasser in die Augen, er hustete fürchterlich. Das erheiterte den Knecht wieder, er stimmte ein Lied an und klatschte sich im Takt auf die strotzenden Schenkel. Die Tür ging, indessen er tief und gurgelnd sang.
Ein Mann wie ein Stier. Er steckte in einem lädierten Schafspelz und grinste. Wortlos hockte er sich neben die Mädchen und tat einen Zug aus der Kanne. Der Pole empfing den Mann aufgebracht, psia krew. Sie haderten auf polnisch miteinander. Der Junge beobachtete sie im Halbschlaf. Es war eine Ferne um ihn, eine grasgrüne Ferne, nach und nach belebte sich der Raum, Herden und Hufschlag, und sein Vater war in der Nähe, offenbar unten im Garten, an der Vogeltränke, hüstelnd schlug er in der Grammatik nach ...
Du bist tot, dachte der Junge, und unser Haus ist kaputt, und ich muß Abenteuer bestehen. Ehe es losging, steckte ich das Messer ein. Weißt du, dein Gartenmesser, das mit dem Horngriff, das du mir einmal geliehen hast, damit ich mir eine Flöte schneiden konnte. Es kann mir nichts passieren. Der Krieg wird bald aus sein, sagen die Leute. Schade, daß du es nicht mehr erlebst. Und du hattest schon Geld gespart für den Frieden und für eine Reise nach Rom, und auch dein Latein war umsonst. Lieber Vater, dachte er. Wie tot du bist.

Es polterte, Richard riß die Augen auf. Er sah, daß der Fremde Eva auf ihren Schemel hinunterzog. Offenbar wollte auch die andere gehen.
»Ich der Kommandant«, sagte der Fremde scharf. »Beschlagnahmt die Räder, alles beschlagnahmt. Du mußt hierbleiben. Und auch du.«
Renate starrte ihn an, mit blutleerem Gesicht. Der Fremde ließ Eva los, hob die Kanne an die Lippen und schielte zu den Mädchen hin.
»Was haben wir denn getan?« fragte Eva.
Da umarmte der Knecht den Fremden, wie wenn er ihn brüderlich auf die Backe küssen wollte, und sein Hals wur-

de dick von der Anstrengung. Die Mädchen begriffen, rafften ihre Mäntel, rannten los. Nur wenige Sekunden, und der Zurückgehaltene kam frei, mit einem rabiaten Stoß, der Knecht krachte gegen den Schrank. Richard sprang auf die Füße und lief hinter dem Mann im Schafspelz her. Die Dunkelheit war hereingebrochen, ein paar Sterne am Himmel.
Die Mädchen waren noch nicht weit gekommen. In ihrer Panik hatten sie die Räder im Stich gelassen, eins riß der Verfolger an sich, beugte sich über den Lenker und legte sein ganzes Gewicht auf die Pedale. Keuchend blieb ihm der Junge auf der Spur, er lief ohne Vorsatz, oder wollte er sich einsetzen für die Mädchen – mit dem Messer?
Der Mann packte Renate am Hals, und das Rad, das er roh bremste, schleuderte unter ihm. Er warf es hin. Sie schrie, sie trat nach ihm. Eva rannte weiter. Jetzt war Richard zur Stelle, aber er brach den Lauf nicht ab bei dem Mann, der die Eingefangene auf den Mund schlug, bis sie verstummte. Er blieb hinter Eva, erreichte sie.
»In den Hof, los.«
Er bog ab, sie hinterdrein, alles öde, sie hetzten durch eine Lücke zwischen Stallungen, vorbei an einem verschneiten Göpelwerk, an einem Staketenzaun lang. Auf der Straße Lärm. Wieder blaffte der Köter, und ein zweiter Hund fiel ein. Sie gerieten auf einen Acker, duckten sich hinter Kartoffelmieten und liefen weiter, bis sie härteren Boden unter den Sohlen hatten, und liefen auf der Grasnarbe vorwärts und weit hinaus ins Feld.
Erst als sie keine Stimmen mehr hörten, fielen sie in Schritt. Die Ortschaft hob sich niedrig aus dem Grund, ein Wall vor der Nacht. Sie verschnauften.
»Wir müssen Renate rausholen.«
»Der Mistkerl«, sagte er.
»Wir müssen es tun.«
»Möglich, daß wir es schaffen.« Aber zu sich sagte er: Niemand wird uns helfen.
»Wir hätten uns mit dem Polen nicht einlassen sollen. Aber

wir hatten Hunger. Und wir waren so müde vom Fahren und hatten schon an mehrere Häuser geklopft, nirgends machte wer auf.« Sie stockte: »Warum bist du eigentlich mit *mir* gerannt?«
»Nur so«, sagte er.
Und sie nach einem Moment: »Ich dank dir.«
Ihr Atem flackerte noch, als sie sich in Marsch setzten. Der Junge meinte, sie müßten sich links halten, dort hätte er bei seiner Ankunft ein Kaff bemerkt, vier, fünf Häuser um eine Brennerei herum. Und vielleicht wäre dort jemand zu finden, mit dessen Hilfe sie Renate befreien könnten. Unvermittelt nannte er ihr seinen Namen. Eva behielt ihn gleich, doch sie sagte nicht Richard, sondern Weinitz zu ihm wie zu einem Erwachsenen. Im Zickzack gingen sie die Feldwege ab. Der Schnee auf den Pisten war leicht gefroren und brach ein unter ihren Schritten. Ein Helldunkel, durch das sie wie durch stehenden Qualm wateten.
»Laufen wir nicht im Kreis?«
»Du brauchst keine Angst zu haben.«
Und indem er es sagte, war alles beschlossen: das, was ihn angehen würde und was heraufkam für sie. Das Wetterleuchten der Abschüsse, während sie sich abseits der Heerstraßen durchschlagen. Die Gräben von Waldchausseen. Die ausgebrannten Panzer, zwischen denen sie erbetteltes Brot teilten. Ihre aufgerissenen Augen. Ihr Schweigen. Und die Worte, die sie finden, um über ihr Schweigen hinauszugelangen. Hetzjagden. Angehaltener Atem. Hunger und Beute. Eine anwachsende Kraft für ihn, ein Trotz in ihr, der ihre Verzagtheit fortreißt. Und ihre Zärtlichkeit, linkisch und brennend bis zu jenem Tag, an dem sie sich für immer trennen ...
Ihre Ärmel rieben aneinander beim Gehen. Die Sterne drehten sich, Stille fiel nieder. Doch die Kälte der Welt nahm zu im Raum. Durch die kalte, rieselnde Stille gingen sie hin.

WOLFDIETRICH SCHNURRE

## *Auf der Flucht*

Der Mann hatte einen Bart und war schon etwas älter; *zu* alt fast für die Frau. Und dann war auch noch das Kind da, ein ganz kleines. Das schrie dauernd, denn es hatte Hunger. Auch die Frau hatte Hunger. Aber sie war still, und wenn der Mann zu ihr hinsah, dann lächelte sie; oder sie versuchte es doch wenigstens. Der Mann hatte auch Hunger.

Sie wußten nicht, wohin sie wollten; sie wußten nur, sie konnten in ihrer Heimat nicht bleiben, sie war zerstört.

Sie liefen durch Wald, durch Kiefern. In denen knisterte es. Sonst war es still. Beeren oder Pilze gab es nicht; die hatte die Sonne verbrannt. Über den Schneisen flackerte Hitze. Das bißchen Wind wehte nur oben. Es war für den Bussard gut; Reh und Hase lagen hechelnd im Farn.

»Kannst du noch?« fragte der Mann.

Die Frau blieb stehen. »Nein«, sagte sie.

Sie setzten sich.

Die Kiefern waren mit langsam wandernden Raupen bedeckt. Blieb der Wind weg, hörte man sie die Nadeln raspeln. Das knisterte so; und es rieselte auch: Nadelstücke und Kot, wie Regen.

»Nonnen«, sagte der Mann; »sie fressen den Wald auf.«

»Wo sind die Vögel?« fragte die Frau.

»Ich weiß nicht«, sagte der Mann; »ich glaube, es gibt keine Vögel mehr.«

Die Frau legte das Kind an die Brust. Doch die Brust war leer. Da schrie das Kind wieder.

Der Mann schluckte. Als das Kind anfing, heiser zu werden, stand er auf. Er sagte: »Es geht so nicht länger.«

»Nein«, sagte die Frau. Sie versuchte zu lächeln, es gelang ihr nicht.

»Ich hol was zu essen«, sagte der Mann.

»Woher«, fragte sie.

»Laß mich nur machen«, sagte er.
Dann ging er.

Er ging durch den sterbenden Wald. Er schnitt Zeichen ein in die Bäume.
Er kam an eine Sandrinne. Die war ein Bach gewesen. Er lief über einen schwarz staubenden Platz. Der war eine Wiese gewesen.
Er lief zwei Stunden. Dann fing die Sandheide an. Auf einem Stein lag eine Kreuzotter; sie war verdorrt. Das Heidekraut staubte.
Später kam er an einen unbestellten Acker. Darauf auch in ein Dorf; das war tot.
Der Mann setzte sich auf eine Wagendeichsel. Er schlief ein. Im Schlaf fiel er herunter. Als er aufwachte, hatte er Durst; sein Gaumen brannte.
Er stand auf. Er taumelte in ein Haus. In dem Haus war es kahl. Die Schublade war aus dem Tisch gerissen und lag auf der Erde. Die Töpfe waren zerschlagen; auch die Fenster. Auf der Ofenbank lag ein Tuch. In das Tuch war ein halbes Brot eingebunden; es war hart.
Der Mann nahm es und ging. In den andern Häusern fand er nichts; auch kein Wasser. In den Brunnen lag Aas.
Von dem Brot wagte er nichts abzubrechen. Er wollte es der Frau aufheben. Feldfrüchte fand er nicht. Auch Tiere gab es nicht mehr; nur tote: Katzen, einige Hühner. Sie westen.
Ein Gewitter hing in der Luft.
Auf dem Feld zertrat der Mann eine Eidechse. Sie zerfiel in Staub.
Es donnerte. Vor dem Wald standen Glutwände.
Er ging vornübergebeugt. Das Brot trug er unter dem Arm. Schweiß troff ihm in den Bart. Seine Fußsohlen brannten. Er lief schneller. Er kniff die Augen zusammen. Er sah in den Himmel.
Der Himmel war schweflig; es blitzte. Nachtwolken kamen. Die Sonne verschwand.

Der Mann lief schneller. Er hatte das Brot in den Hemdausschnitt geschoben, er preßte die Ellenbogen dagegen. Wind kam. Tropfen fielen. Sie knallten wie Erbsen auf den dörrenden Boden.
Der Mann rannte. Das Brot, dachte er, das Brot.
Aber der Regen war schneller. Weit vor dem Wald noch holte er den Mann ein.
Blitze zerrissen den Himmel. Es goß.
Der Mann drückte die Arme gegen das Brot. Es klebte. Der Mann fluchte. Doch der Regen nahm zu. Der Wald vorn und das Dorf hinten waren wie weggewischt. Dunstfahnen flappten über die Heide. In den Sand gruben sich Bäche.
Der Mann blieb stehen; er keuchte. Er stand vornübergebeugt. Das Brot hing ihm im Hemd, unter der Brust. Er wagte nicht, es anzufassen. Es war weich; es trieb auf; es blätterte ab.
Er dachte an die Frau, an das Kind. Er knirschte mit den Zähnen. Er verkrampfte die Hände. Die Oberarme preßte er eng an den Leib. So glaubte er, das Brot besser schützen zu können.
Ich muß mich mehr über es beugen, dachte er; ich muß ihm ein Dach machen mit meiner Brust. Er darf es mir nicht schlucken, der Regen; er darf nicht. Er kniete sich hin. Er neigte sich über die Knie. Der Regen rauschte; nicht zehn Schritte weit konnte man sehen.
Der Mann legte die Hände auf den Rücken. Dann beugte er die Stirn in den Sand. Er sah sich in den Halsausschnitt. Er sah das Brot. Es war fleckig; es bröckelte; es sah aus wie ein Schwamm.
Ich werde warten, dachte der Mann. So werde ich warten, bis es vorbei ist.
Er wußte: er log; keine fünf Minuten hielt das Brot mehr zusammen. Dann würde es sich auflösen, würde wegfließen; vor seinen Augen.
Er sah, wie ihm der Regen um die Rippen herumfloß. Auch unter den Achseln schossen zwei Bäche hervor. Alles spülte

über das Brot hin, sickerte in es ein, nagte an ihm. Was abtropfte, war trüb, und Krümel schwammen darin.
Eben noch war es geschwollen, das Brot, jetzt nahm es ab; Stück um Stück, und zerrann.
Da begriff er: Frau hin, Frau her; er hatte die Wahl jetzt: entweder es sich auflösen zu lassen oder es selber zu essen.
Er dachte: »Wenn ich es nicht esse, geht es kaputt, ich bleibe schlapp, und wir gehn alle drei vor die Hunde. Eß ich es aber, bin wenigstens *ich* wieder bei Kräften.«
Er sagte es laut, er *mußte* es laut sagen; wegen der andern Stimme in ihm, wegen der leisen.
Er sah nicht den Himmel, der im Westen aufhellte. Er gab nicht acht auf den Regen, der nachließ. Er sah auf das Brot.
Hunger, dachte es in ihm, Hunger. Und: Brot, dachte es, Brot. Da tat er's.

Er ergriff es mit beiden Händen. Er drückte es zu einer Kugel zusammen. Er preßte das Wasser heraus. Er biß hinein; er schlang; er schluckte: Kniend, würgend; ein Tier. So aß er es auf.
Seine Finger krallten sich in die Heide, in den nassen Sand. Die Augen hielt er geschlossen. Dann fiel er um. Seine Schultern zuckten.
Als er auftaumelte, knirschte ihm Sand zwischen den Zähnen. Er fuhr sich über die Augen. Er blinzelte. Er starrte in den Himmel.
Sonne brach durch das Grau. Die Regenfahnen hatten sich in Dunst aufgelöst. Ein paar Tropfen noch, dann war er vorüber, der Guß. Helles Blau; die Nässe verdampfte.
Der Mann stolperte weiter. Die Handgelenke schlenkerten ihm gegen die Hüften. Das Kinn lag auf der Brust.
Am Waldrand lehnte er sich an eine Kiefer. Von weither war der Regenruf des Buchfinken zu hören; auch ein Kukkuck schrie kurz.
Der Mann suchte die Zeichen an den Bäumen; er tastete

sich zurück. Im Farn und im Blaubeerkraut gleißten die Tropfen. Die Luft war dick vor Schwüle und Dampf.
Den Nonnen war das Gewitter gut bekommen; sie wanderten schneller die Stämme hinauf.
Der Mann machte oft halt. Er fühlte sich schwächer als auf dem Herweg. Sein Herz, seine Lunge bedrängten ihn. Und Stimmen; die vor allem.
Er lief noch einmal drei Stunden; die Rastpausen eingerechnet.
Dann sah er sie sitzen; sie hatte den Oberkörper an eine Kiefer gelehnt, das Kind lag ihr im Schoß.
Er ging auf sie zu.
Sie lächelte. »Schön, daß du da bist.«
»Ich habe nichts gefunden«, sagte der Mann. Er setzte sich.
»Das macht nichts«, sagte die Frau. Sie wandte sich ab.
Wie grau sie aussieht, dachte der Mann.
»Du siehst elend aus«, sagte die Frau. »Versuch, ein bißchen zu schlafen.«
Er streckte sich aus. »Was ist mit dem Kind; warum ist es so still?«
»Es ist müde«, sagte die Frau.
Der Atem des Mannes fing an, regelmäßig zu gehen.
»Schläfst du?« fragte die Frau.
Der Mann schwieg.
Nur die Nonnen raspelten jetzt.

Als er aufwachte, hatte die Frau sich auch hingelegt; sie sah in den Himmel.
Das Kind lag neben ihr, sie hatte es in ihre Bluse gewikkelt.
»Was ist«, fragte der Mann.
Die Frau rührte sich nicht. »Es ist tot«, sagte sie.
Der Mann fuhr auf. »Tot?« sagte er; »tot – ?!«
»Es ist gestorben, während du schliefst«, sagte die Frau.
»Warum hast du mich nicht geweckt?«
»Warum sollte ich dich wecken?« fragte die Frau.

## *Glück haben*

Dieses merkwürdig endende Selbstgespräch hörte ich auf der Gartenbank eines ländlichen Sanatoriums, welches gleichzeitig Altersheim war. Ich wartete damals auf einen Bekannten, den wir kurz vor dem Ende des letzten Krieges mit einem Nervenschock aus dem Keller seines Hauses gezogen hatten; sein Kopf ging wie ein Uhrperpendikel immer ticktack hin und her ... immer ticktack, ganz friedlich, ganz ruhig, niemand von uns (weder ich, noch mein Mann, noch die Skatfreunde meines Bekannten) hätten sich darüber gewundert, wenn die Stunde gerade halb oder voll war, noch den Westminstergong zu hören – ticktack und den Westminstergong. Na, ja. Aber diese Geschichte steht auf 'nem anderen Blatt.
Übrigens war die Heilanstalt ein wahres Paradies. Schöner Park, alte Bäume, das Haus dahinter ein märkisches Landschloß: zwei einfache Flügel und eine Freitreppe in der Mitte – bißchen kleiner, wäre es ein Wohnhaus in Caputh oder Bernau gewesen. Wie gesagt, es war wirklich ein Paradies, wie es gleich hinterm Friedhof kommt. Wir wünschten uns alle damals so etwas Ähnliches, um uns vier Wochen auszuruhen. Aber wer hat das Glück?
Neben mir saß eine ältere Frau; das heißt, ob sie eigentlich älter war, kann ich nicht mehr mit Sicherheit sagen. Sie war verrückt, das stand einwandfrei fest. Auf gar keinen Fall gehörte sie etwa nur in das Altersheim. Aber alt oder nicht alt – keine von uns sah damals gern in den Spiegel. Auch die da: Wenn ich mir's jetzt überlege, war sie weder – noch. Sie war keins von beiden: Nicht alt und nicht jung – natürlich nicht jung – doch ihr Gesicht ganz glatt wie ein Ei unter vollkommen schlohweißen Haaren. Man wird sagen, solche Gesichter gibt's viele. Und das ist auch wieder wahr. Nur, daß nicht alle verrückt sind, und erst recht nicht alle eingesperrt werden – wo käme man sonst hin?

Gut möglich, daß mir die Frau normalerweise nicht aufgefallen, oder mir, was sie erzählte, nicht haften geblieben wäre; es gab soviel Unglück in dieser Zeit, daß es auf weniger oder mehr schon überhaupt nicht mehr ankam – man behielt es im Grunde nicht. (Heute sage ich: Gott sei Dank. Wo käme man sonst hin?) Also, normalerweise wäre mir so ein Geschöpf sicher nicht aufgefallen. Beim Schlangestehen, zum Beispiel, erlebt man ja ähnliche Dinge. Oder auf der Bezugscheinstelle.

Aber hier war die Sache anders. Man bekam nichts erzählt; man hörte da etwas, das im Grunde nicht für einen bestimmt war, man hatte das verdammte Gefühl, einen offenen Brief zu lesen, der liegen geblieben war. Ja: Einen offenen Brief. Ich glaube, dieser Vergleich ist richtig, wenn auch jeder natürlich hinkt. Denn, daß man etwas gelesen hatte, durfte man scheinbar nicht wissen. Kaum sagte man: Wie? Oder: Ach? Oder: Oh!, so fuhr die Frau wie gepickt in die Höhe und sah einen böse an. Na – ›böse‹ ist überhaupt kein Ausdruck für dieses Angucken – nur ein Verrückter kann einen so ansehen . . . so gefährlich und so aus 'ner anderen Welt. Ich hätte mich natürlich gefürchtet, wenn nicht eine Schwester die ganze Zeit in der Nähe geblieben wäre. Eigentlich dürfte man diese Biester ja gar nicht Schwestern nennen. Wenn so eine still von hinten her andrückt und packt die Kranken in ihre Klammer und schiebt sie am Ellbogen weiter, ohne ein Wort zu sagen . . . so eine blauweiß gestreifte, dicke Lokomotive –. Na ja, es muß ja am Ende sein. Wo käme man sonst hin?

Wie gesagt: Die Frau war schon mitten im Reden, als ich mich neben sie setzte. Allerdings kann sie mit ihrer Geschichte nicht weit gewesen sein.

»Ich war wirklich ein hübsches Kind«, sagte sie. »Augen wie Tollkirschen. Eine Figur wie eine Groschenpuppe. Meine Eltern ließen mich gern und häufig photographieren. Warum auch nicht? Warum denn auch nicht? Sie hatten es ja dazu. Da gibt es Bilder von mir vor einer Waldkulisse, und andere wieder in einem Park auf einer Birkenholzbank. Mein kleiner Bruder mußte den Kopf an meine Schulter legen – ›Hänsel und Gretel‹ sagten die Leute zu dieser Photographie. Ein anderes Mal, ich weiß nicht wieso, halte ich einen japanischen Schirm über mich und mein Stickereikleid. Ich war ein Glückskind. Wir hatten Geld; was ich wollte, konnte ich haben, keine Puppe war groß genug. Auch in der Schule ging es mir gut. Ich hatte in allem die erste Nummer, nur in Handarbeit immer fünf. Das sei doch schade, meinte die Lehrerin, und meine Mutter setzte sich hin und machte für mich die Handarbeiten – da hatte ich von der Religion bis zur Handarbeit nur noch eins. So ging es weiter. Mit sieben Jahren bekam ich ein kleines Dreirad, mit zehn ein größeres und mit vierzehn ein richtiges Damenrad. Wir machten Reisen – mal eine nach Bayern, mal eine nach Helgoland. Dann starb unser Vater. Mein Bruder und ich merkten nicht viel davon. Ein Jahr wie das andre: in einem lernte ich Rückenschwimmen und im andern Diabolo spielen, in dem dritten sammelten wir einen Haufen von bunten Ansichtspostkarten, in dem vierten Reklamemarken. Ich hatte wie immer Glück beim Tauschen: Pfeiffer und Dillers Kaffeezusatz gegen die Weltausstellung; das Persilmädchen gegen moderne Kunst und den Darmstädter Jugendstil. So kam der Weltkrieg und ging vorüber, ohne uns weh zu tun – am Anfang gab es noch alles zu essen, am Ende die Quäkerspeisung. In der Unterprima verliebte ich mich zum ersten Male in einen Lehrer, obwohl ich das Schwärmen nicht leiden konnte und nichts von der Sinnlichkeit hielt. Von da ab verliebte ich mich sehr häufig und wurde auch angeschwärmt. Ich bekam meinen ersten Heiratsantrag und bald einen zweiten und dritten, obwohl doch sehr viele junge Männer im Krieg gefallen waren. Na, ich war eben wirklich nett, und hatte auch wohl, wie man damals so sagte, richtigen ›Sex-Appeal‹. Als fünftes Mädchen aus meiner Klasse verheiratete ich mich. Mein Mann war Assessor, sein Vorgesetzter nannte mich ›kleine Frau‹. Am Anfang wollten wir keine Kinder, um das Leben noch zu genießen, auf keinen Fall aber mehr als zwei: einen Jungen, ein Mädchen und Schluß. Natürlich hatte ich wieder Glück, und alles ging wie bestellt. Zuerst kam der Junge, ich nannte ihn Harald, hernach die kleine Brigitte, ein wunderhübsches Kind. Mein Mann war ein hochbegabter Jurist, auch kaufmännisch erfahren, ein lieber, guter Kerl. Er hätte im Staatsdienst bleiben können, aber um rascher voranzukommen, und noch mehr Geld zu verdienen, wurde er Syndikus. Zuerst in Köln, dann in Hamburg, zuletzt in Königsberg. Immer weiter nach Norden, dann nach Nordosten, im Osten blieben wir hängen und kauften uns schließlich ein Gütchen in der Romintener Heide mit Jagd und Fischerei. Womit unser Unglück eigentlich anfing, weiß ich heute nicht mehr genau. Vielleicht hätten wir nicht so schrecklich weit vom Westen fortgehen sollen, aber wer konnte das ahnen? Der Norden war zeitgemäß, mehr noch der Osten, viele Kinder zu haben, war schick. Ich raffte mich also zu dem Entschluß auf, noch ein weiteres Baby zu kriegen, doch es war eine Fehlgeburt. Ich versuchte es noch einmal: wieder dasselbe. Nach dem dritten Male gab ich es auf. Mein Mann war inzwischen auch älter geworden und hatte ein Magengeschwür. Nichts Schlimmes natürlich, wir hatten Glück, die Operation war nach Wunsch verlaufen, da bekam er plötzlich, kein Mensch weiß warum, die übliche Embolie. Ich war sehr traurig, aber die Kinder standen mir tatkräftig bei. Das war kurz vor dem Krieg, der Junge war achtzehn, das Mädchen sechzehn Jahre. Alles wie üblich: zuerst Abitur, dann Arbeitsdienst, dann wurde Harald zum Militär eingezogen. Er hatte Glück: Weil er technisch begabt war, kam er zu einer Nachrichtentruppe und blieb zunächst hinter der Front. Brigitte, groß und blond wie mein Mann, wurde Arbeitsdienstführerin im Generalgouvernement. Es wäre wohl alles gut gegangen, wenn Harald sich nicht aus dem Ehrgeiz heraus, das Ritterkreuz zu erhalten, bei den Fallschirmtruppen gemeldet hätte. Kurz darauf kam er zum Einsatz und fiel bei Monte Cassino . . . fast an dem gleichen Tag, als die Brigitte von einem SS-Kameraden den kleinen Heiko bekam. Natürlich wollte sie jetzt nicht länger Lagerführerin bleiben, sondern ging mit dem Jungen nach Haus. Das Kind gedieh prächtig, sie hatte Glück, und verlobte sich mit einem Schlipsoffizier, einem Nachtjäger, welcher kurz nach der Landung der Engländer in Nordfrankreich fiel, aber sie hatte Glück und war vorher noch mit ihm ferngetraut worden. Als das Kind gerade zu laufen anfing, merkten wir, daß den Führer sein Glück verlassen hatte. Alles ging schief, der Russe kam näher und näher, schließlich mußten wir fliehen. Es war im Winter, Hals über Kopf mußten wir alles verlassen, zwei Koffer in der Hand. Die Züge waren natürlich von Flüchtlingen überfüllt, es waren Güterzüge, Viehwagen, offene Loren; wir hatten Glück und bekamen einen geschlossenen Wagen von Dirschau bis Schneidemühl. In Schneidemühl mußten die Wagen halten, um einem Verwundetenzug und den flüchtenden Truppen Vorfahrt zu lassen, die über die Geleise kamen. Wir wurden alle herausgesetzt, die Koffer auf die Schienen geworfen, und erst, als die Truppen aufgenommen und in die Wagen gepackt worden waren, durften wir mitfahren – teils auf dem Dach, auf den Puffern, den Trittbrettern, wo eben Platz war, so gut es eben ging. Meine Tochter gab mir den Kleinen zu halten und ging noch einmal auf die Geleise, um nach den Koffern zu sehen. Sie hatte auch Glück und fand ihren Koffer und reichte ihn mir auf das Dach. In diesem Augenblick fuhr der Zug los, und von der anderen Seite kam ein Gegenzug an uns vorbei. Meine Tochter wurde sofort überfahren, ich packte das Kind in die Wolldecke ein, aber am nächsten Morgen war es natürlich schon tot. Wir fuhren weiter, auch andere Kinder waren oben auf dem Dach erfroren, immer neue Flüchtlinge stiegen dazu, wir warfen schließlich, um Platz zu haben, die hartgefrorenen Kinderleichen herunter in den Schnee. Endlich kamen wir nach Berlin und in ein Flüchtlingslager. Wir wurden erobert, ich hatte Glück, der Vorort wurde fast ohne Schuß den Russen übergeben, in der Nähe war ein Barackenlager mit vielen

Konservendosen. Als das vorüber war und noch kein Brot gebacken werden konnte, gingen wir weiter hinaus in das verlassene Lager, wo noch Kartoffeln waren; doch als ich hinkam, hatten schon alle ihre Kartoffelsäcke gefüllt, die Mieten waren leer. Was sollte ich machen? Ich hatte Glück: In einem großen hölzernen Bottich, der mit Wasser angefüllt war, war eine riesige Menge geschälter Kartoffeln zurückgeblieben – ich krempelte meine Ärmel hoch und fischte sie heraus. Mein Rucksack war schon beinahe voll, ich fuhr noch einmal recht tief auf den Grund und hatte beide Hände voll Dreck, voll braunem, stinkendem, glitschigem Dreck; sie mußten, bevor sie das Lager verließen, in den Bottich hineingemacht haben. Jetzt war das Maß meines Unglücks voll, ich nahm meinen Sack auf den Rücken und fing zu schreien an. ›Dieses Scheißleben!‹ schrie ich ... ›Scheißleben! ... Scheiß ...‹«
Sie schrie es wirklich, die Krankenschwester – wie aus dem Boden geschossen – stand plötzlich hinter ihr und schob sie gegen das Haus. »Scheißleben!« schrie sie, und ich schrie mit; wir schrien beide, sie machte sich steif, und ich schlug auf die Dicke ein. Das Unglück wollte es, daß mein Bekannter in diesem Moment dazukam. Sein Kopf ging ticktack, dann schlug er gemeinsam mit uns auf die Wärterin ein, aber nicht den Westminstergong ...
Schließlich beruhigte ich mich und blieb da. Ich blieb tatsächlich noch vier Wochen da, es war gerade ein Zimmer frei, das Wetter war wie gemalt. Es war überhaupt meine schönste Zeit: gutes Essen und Ruhe, die Krankenschwester fand ich schließlich besonders nett, wir freundeten uns an. Sie war früher mal mit einem Gasmann verlobt. Na, ja. Aber diese Geschichte steht auf 'nem anderen Blatt.

HERBERT EISENREICH

## *Die neuere (glücklichere) Jungfrau von Orléans*

Nicht nur die Offiziere der Garnison, sondern so ziemlich alle Männer der sogenannten Gesellschaft unseres Städtchens hatten sich an ihr schon den Mund abgewischt. Sie hielt es zwar mit jeweils nur einem, aber im Lauf der Jahre läppert es sich zusammen. Dabei hat sie, angeblich, nicht einmal sehr viel Spaß daran gehabt, an der Sache selbst; sie fand es einfach schick, aus dem bürgerlichen Rahmen zu fallen, und zwar in jedermanns Bett. Allerdings war sie eine attraktive, für unsere Kleinstadt-Begriffe geradezu extravagante Erscheinung: knabenhaft schlank und so groß, daß ihr Bubikopf jede Umgebung überragte; kein anderes Mädchen tanzte Tango und Shimmy und Charleston so gut wie sie, und sie soll die erste Frau der ganzen Stadt gewesen sein, die mit rot lackierten Fingernägeln in der Öffentlichkeit erschienen ist; und selbstverständlich rauchte sie, sehr stark sogar. Mindestens dreimal war sie offiziell verlobt gewesen: zuerst mit einem Oberleutnant von den Dragonern, der aus dem Krieg eine Galerie von Medaillen heimgebracht hatte, die leise klimperten, wenn er sich im ›Casino-Café‹ über den Billardtisch beugte; sodann mit einem Kaufmannssohn, dessen Vater damals gerade ins Parlament gewählt worden war; und zuletzt mit einem Studenten, der um einiges jünger als sie, aber schon geschieden war und sich in den Ferien als technische Hilfskraft in der Papierfabrik sein Geld verdiente. Aber mit dreißig hatte sie noch immer keinen Ehemann gefunden, und mit fünfunddreißig war sie schon überhaupt nicht mehr begehrenswert: unter Puder und Schminke war ihre Haut vergilbt, die Augen standen wie trübe Tümpel zwischen geschwollenen Lidern, die einst so trotzig vorgewölbten Lippen hatten sich zu einer runzligen, mitunter blutlos platzenden Narbe verengt, und um die Hüften herum war sie dick geworden, während an Armen und Beinen die Muskeln schwanden und überall eckig die Knochen hervortraten; ihr Gang hatte etwas Rasselndes, als trüge sie an der Seite einen über das Pflaster schleifenden Säbel.

Um diese Zeit marschierte Hitler in Österreich ein, und als er, in seinem offenen Kraftwagen, durch unser Städtchen kam, drückte er zufällig ihr, die zwischen den anderen Leuten am Straßenrand jubelte, die ihm entgegengestreckte Hand. Ihr weiteres Verhalten hat man vielfach auf diesen Händedruck zurückgeführt; in Wahrheit aber verhielt sich die Sache ganz anders: Gegen Ende der zwanziger Jahre, als sie schon nicht mehr bei dem Dragoner und noch nicht bei dem Sohn des Abgeordneten hielt, hatte ein junger Mann sich um ihre Gunst beworben, war aber, weil er lispelte, schmählich abgewiesen worden. In diesem Winter nun war dieser Mann, als Offizier des Bundesheeres, hier wieder aufgetaucht, hatte sich an sie herangemacht und sie schließlich zu einem Rendezvous in den beim Militär seit je beliebten Gasthof ›Zur Westbahn‹ gebeten. Im Zimmer droben ließ er sie sich entkleiden, lockte und schob sie, die sich schon hingelegt hatte, dann vor den großen, in die Schranktür eingelassenen Spiegel, und sagte, wobei er absichtlich seine Zunge zwischen den Zahnreihen vorquellen ließ: »Mit diesem grauslichen Sack voll Fett und Knochen soll ich ins Bett gehn?« Fast gleichzeitig zog er die Türe auf, und aus dem Schrank trat ein ältlicher, zerlumpter Hausierer, der seit drei Tagen sich nicht mehr rasiert und seit drei Wochen wohl nicht mehr gewaschen hatte; und auf den blöde grinsenden Landstreicher zeigend, sagte er noch zu ihr: »So etwas kommt für dich ja vielleicht noch in Frage – ich aber nicht mehr; schon seit zehn Jahren nicht mehr!« Mit dem letzten Wort war er auch schon draußen und schloß, mit dem vorsorglich bereitgehaltenen Zimmerschlüssel, die beiden ein. Er hatte auf einen kleinen Skandal gehofft; aber da die Eingesperrten mit dem um seinen Ruf besorgten Wirt sich arrangieren konnten, mußte er die Geschichte überall selber erzählen, und tat das nicht ungern, weil er sehr stolz darauf war, daß er sich diesen Jux einen runden Hunderter hatte kosten lassen (und das war damals doch ziemlich viel Geld). So wurde die Sache dann doch publik, und sicher nur deshalb – denn in den Cafés und Tanzdielen, in den schummrigen Hotelzimmern und in den Büschen drunten am Flusse hatte sie sich gewiß nichts von Politik erzählen lassen –, sicher nur deshalb also stand sie ein paar Wochen später jubelnd am Straßenrand und ließ sich die Hand drücken, und sicher nur deshalb vergaß sie Tango und Shimmy und Charleston und trug ihr nun längeres Haar im Knoten und leitete eine Volkstanzgruppe und machte auch sonst noch Sachen, die damals im Schwange waren. Von Politik verstand sie noch immer nichts, aber sie glaubte an jenen Mann, der ihr die Hand gedrückt hatte, und dachte schon nicht mehr an all die Männer, die nicht mit ihr schliefen.

Und noch etwas kam dazu: sie hatte ihre Vergangenheit abgelegt wie ein Schauspieler nach der Vorstellung sein Kostüm; nichts war davon zurückgeblieben, nichts – außer dem Rauchen. Als sie jung gewesen war, hatte es allgemein geheißen: ›Eine Frau raucht nicht‹, und sie hatte trotzdem geraucht, obwohl sie anfangs immer verbergen mußte, wie übel ihr davon wurde. Nun hieß es: ›Die deutsche Frau raucht nicht‹, und jetzt konnte sie es schon längst nicht mehr lassen, obwohl sie ihr Rauchen zuweilen als einen heimlichen Treubruch empfand; um so eifriger zeigte sie ihre Treue drum dort, wo alle es sahen: schon nicht mehr nur in der Volkstanzgruppe, sondern auch in den Schulungsabenden und auf den Kursen der ›Frauenschaft‹, zu deren örtlicher Leiterin sie bestellt worden war, und endlich beim Luftschutz; denn inzwischen hatte der Krieg begonnen. Und mit ihm freilich auch die Rationierung aller Verbrauchsgüter, auch der Zigaretten; und deren Zuteilung verringerte sich merklich schneller als die von Brot und Fett und Fleisch. Sie gab Lebensmittelkarten für Raucherkarten, sie vertauschte kleine Wertgegenstände gegen Zigaretten, zahlte Fremdarbeitern, die mit Zigaretten handelten, ungerührt jede geforderte Summe, probierte es zwischendurch immer wieder mit allerlei Tees und gedörrten Kräutern, und sehnte schließlich den lang versprochenen Endsieg vor allem deshalb herbei, weil sie sicher war, daß es dann wieder genug zu rauchen geben werde.

So ging es von Jahr zu Jahr bis in jenen Mai, da die zwei Fronten der Alliierten über dem Rest von Deutschland zusammenklappten, wie die Klinge eines Taschenmessers ins Heft schnappt. Wien und Berlin waren bereits in der Hand der Russen, und von der anderen Seite rückten die Amerikaner heran; und auch in unserem Städtchen rüstete man zum Kampf: invalide Offiziere bildeten den Volkssturm aus, Frauen und Mädchen schaufelten drunten am Fluß und am Stadtrand Schützengräben und Deckungslöcher, Pioniere hängten Sprengladungen in die beiden Brücken und bereiteten Straßensperren vor, und Feldgendarmen knüpften gefangene Deserteure an die Alleebäume; und alle berechneten mehrmals täglich neu, wer früher hier sein würde, die Russen oder die Amerikaner. Und dann auf einmal wurde der Volkssturm heimgeschickt, die Frauen und Mädchen mußten jetzt nicht mehr graben, die Sprengladungen wurden ins Wasser geschmissen, und niemand mehr wurde jetzt aufgehängt; denn in der Ferne hörte man dann und wann die Kanonen, und alle freuten sich, daß nicht die Russen, sondern die Amerikaner als erste hier sein würden, und bald. Sie aber, seit anderthalb Tagen schon ohne Zigarette – so totenübel war ihr wie damals, als sie zu rauchen begonnen hatte –, sie also sah jetzt die Deutschen von ihrem (freilich schon gar nicht mehr lebenden) Führer abfallen grade so, wie einst von ihr die Männer abgefallen waren, und jetzt auf einmal begriff sie die volle Bedeutung jenes Händedrucks: als eine Besiegelung gleichen Schicksals. Sie stieg in ihren Trainingsanzug, so schwer und feierlich wie ein Ritter in seine Rüstung, und setzte sich den Luftschutzhelm aufs Haupt, dessen Haar sie seit einiger Zeit schon im Herrenschnitt frisieren ließ; und vor dem Spiegel der Flurgarderobe prüfte sie lang ihr Aussehn: un-

term Helm trat die Nase hervor wie ein blanker Knochen.
Im Heim der Hitler-Jugend traf sie ein halbes Dutzend ratloser Burschen an, und einer von ihnen, in seiner schwarzblauen Winteruniform mit der Hakenkreuzbinde, nahm sie auf sein Motorrad, und im Depot des Volkssturms faßten sie Handgranaten und Panzerfäuste, und unter einem Himmel, in dem die feindlichen Flieger sich tummelten wie die Fische im Wasser, und zwischen Häusern hindurch, aus deren Fenstern weiße Leintücher wehten, und an Soldaten vorbei, die zwischen den Fronten schon nicht mehr wußten, ob sie nach vorne oder nach hinten marschierten, und schließlich durch eine Zone völliger Leere und Stille, wo nur noch ausgebrannte Autos und umgestürzte Kanonen und überall verstreute Handwaffen und Ausrüstungsstücke und Uniformteile stumm vom sich neigenden Kriege zeugten, fuhr sie, vier Panzerfäuste gegen die Brust gepreßt wie sonst eine Frau ihr Kind, der 3. US-Armee entgegen. Doch über den Anblick der Panzer, die da heranrollten, erschrak der Junge so sehr, daß sein Motorrad aus der Kurve flog; er selber lag blutend und seine Begleiterin halb betäubt in der Wiese, während der Kopf einer Panzerfaust, die bei dem Sturz des Motorrads gezündet worden war, mit Pfauchen und Jaulen über die Straße hopste. Die Panzer hielten; einer von ihnen schob sich die kleine Böschung hinan, um die Kurve zu überblicken; dann fuhren die anderen drei in die Kurve und gingen gestaffelt in Stellung. Aus den Luken kletterten, hinter schußbereiten Pistolen, einige Männer in brauner Uniform, und einer von ihnen stieß mit dem Fuß die da liegenden Panzerfäuste und Handgranaten in den Straßengraben, und ein anderer schaute sich den bewußtlosen Burschen an und wischte ihm sorgsam das Blut, das ihm aus der Nase geronnen war, vom Gesicht, und wieder ein anderer pflanzte sich vor ihr auf und fuchtelte ihr mit dem Lauf seiner Waffe im Rücken herum und redete auf sie ein, er wollte was wissen von deutschen Panzern und deutschen Soldaten, und sie verstand ihn nicht recht,

sie drehte sich nur herum und setzte sich auf und erhob sich schließlich, weil sie nicht wollte, daß sie im Liegen oder Sitzen erschossen würde. Der Amerikaner hatte Flekken vertrockneten Motoröls an Gesicht und Händen, und seinen kurzen Karabiner hielt er, den Lauf nach unten, so leicht wie eine Peitsche, denn er war ein sehr großer, wuchtiger Mann. Und obwohl er ganz anders aussah, dachte sie jetzt, freilich unmeßbar kurz und gleichsam hauchdünn – der Gedanke war nur so etwas wie eine jener Wolken, die einen sonst blauen Himmel stellenweis ein wenig trüben, ohne dabei als eigne Gebilde recht sichtbar zu werden –, sie dachte jetzt also an Carlo und an die anderen Italiener, die als Gefangene in dem kleinen Betrieb ihres Vaters gearbeitet und ihr so unerklärlich gut gefallen hatten; und um so besser gefallen hatten, je öfter sie von ihren Eltern ermahnt worden war, jeden Umgang mit ihnen zu meiden. Und dann auf einmal, von einem Tag auf den andern, waren die Italiener keine Kriegsgefangenen mehr gewesen, und an diesem Tag, da die Gefangenen auch für ihren Vater wieder gewöhnliche Menschen wurden, an diesem Tag also hatte sie sich getraut und vor Carlo die lang gestaute Flut ihrer dumpf drängenden Empfindungen hervorsprudeln lassen, mit der durchs Verbot der Eltern überhitzten Aufrichtigkeit ihrer fünfzehneinhalb Jahre; und Carlo hatte getan, was jeder andre an seiner Stelle genau so getan hätte, und hatte sie dann noch weitergereicht an die Kameraden. Und sie, sie hatte dabei nichts andres empfinden, nichts anderes fühlen können als den Gedanken: ›Das also ist es? Nichts weiter ist es als das?‹ Und als sie, freilich unmeßbar kurz und gleichsam hauchdünn, jetzt wieder das dachte und gleichzeitig sah, wie der mattschwarze Lauf des Karabiners sich hob, da sprang, wie die glatte Kastanie aus der stachligen Schale, aus ihren vermurksten Zügen noch einmal das trotzige Mädchengesicht, und mit Tränen der Wut in den Augenwinkeln sagte sie: »Geben Sie mir wenigstens eine Zigarette!«
Der Amerikaner stutzte, dann sah er seine Chance. Er

schob den Helm ins Genick, bot ihr ein ganzes Päckchen und sagte, sie solle mitkommen hinter den nächsten Busch. Sie ging mit, und sie rauchte dabei. Und dann wartete schon ein andrer, und dann schon wieder einer, ein ›Sherman‹ hatte fünf Mann Besatzung, es waren vier Panzer gewesen, und mittlerweile waren einige Jeeps und Lastkraftwagen hinzugestoßen und noch ein paar Panzer, und dann rückten andere Kampfgruppen nach und dann Trosse und Stäbe und Sanität, und es sprach sich herum – sie war inzwischen in einen nahen, leerstehenden Heuschober übersiedelt, auch wurde sie zwischendurch gefüttert –, und also kam sie in diesen paar Tagen, während die militärischen Befehlshaber Deutschlands zuerst in Reims und dann in Berlin die Kapitulationsurkunde unterschrieben; während die noch lebenden Führer des Regimes sich in Lederhosen und hinter schwarzen Augendeckeln versteckten; während Millionen deutscher Soldaten abschnallten und nach Osten und Westen in die Gefangenschaft marschierten; während Millionen deutscher Zivilisten vom Mob der befreiten Länder aus ihrem Besitz hinausgeprügelt wurden; so kam sie also in diesen paar Tagen auf weit über hundert Päckchen, mit denen sie sich dann über die schlimmste Zeit hinweghelfen konnte.

GERD GAISER

## *Die schlesische Gräfin*

An die Gräfin von Sorgk und Seskau hatte sich in den Fluchtwirren des Jahres 1945 eine Unbekannte angeschlossen, eine Person, von der sich nicht mehr sagen ließ, als daß sie mittleren Alters war und auf den Namen Frau Weiß hörte. Keine der beiden Frauen hatte bis dahin die andere je gesehen; jetzt aber inmitten von Plünderungen und Durchsuchungen, unter Artilleriebeschuß, auf Schleich-

pfaden, in verstopften Zügen, in Durchgangslagern und Registrierbaracken gerieten sie, wenn auch Zufälle sie ein paarmal trennten, immer wieder zusammen.
Die Gräfin von Sorgk, die schon bei Jahren den Einsturz ihrer Welt, den Untergang ihrer Heimat, den Verlust von Mann und Söhnen, endlich das äußerste körperliche Elend in einer Art von Versteinerung erlebte, erstaunte anfänglich kaum daran, wie beharrlich diese Begleiterin es verstand, den Zufall zu steuern, der sie immer aufs neue an ihre Seite trug. In ihrem Zustand, und da sie nichts anderes kannte, als daß ihr aufgewartet wurde, nahm sie es dumpf hin, daß die neue Bekannte sich wie eine alte Dienerin an sie hielt, sich zu ihr durchdrängte, ihr Hilfen erlistete, um Nahrung und Stempel für sie focht, ja für sie log und bettelte, wenn kein anderer Rat war. Was die Frau zu ihren Handlungen trieb, blieb unbekannt. Sie war mit einem Straßenbahnschaffner verheiratet gewesen, dessen Verlust sie lange verschmerzt hatte; Kinder besaß sie keine. Jeder weiß, daß der Kleine sein bißchen Armut nicht leichter aufgibt als der Große seinen Reichtum; allein es mochte der einfachen Person vielleicht scheinen, daß sie, da sie so viel weniger verlor als die Gräfin und gewöhnt war, sich durchzuschlagen, immer noch besser daran sei als die alte Standesherrin. Vielleicht auch nährte eine alte Demut vor Würden der Geburt diese Hilfsbereitschaft.
Wochen gemeinsamer Irrfahrt endeten mit schwerer Krankheit der Gräfin, und wiederum wußte die Weiß die Hilflose durch zähes Fordern so unterzubringen, daß sie selbst sie gesundpflegen konnte. Zuletzt wurden beide Frauen einem kleinen süddeutschen Ort zugewiesen.
Erst in den Tagen der Genesung, als die Betäubung der ersten Angstwochen wich, die Verwirrung des Fiebers sich löste, war der Gräfin ihre Lage zu Bewußtsein gekommen. Entblößt von allem Vergangenen und durchaus allein, sah sie sich zugleich zwischen Dankbarkeit und Unbehagen an eine Person gekettet, mit der sie nichts gemein hatte als daß sie dieser Person mehrfach ihr Leben verdankte.

Die Gräfin von Sorgk und Seskau war ein Mensch von dem alten Hochmut, der ungern verdankt, wo er nicht belohnen kann. So verstand sie langsam, daß es nun aller Wahrscheinlichkeit nach ihr Los bleiben würde, nein ihre Schuldigkeit sei, den Rest ihrer Tage mit diesem Wesen zu teilen, das sich ihr unterworfen hatte und das sie nicht anders belohnen konnte. Auch machte die fremde Person selbst keine Anstalt, sie wieder freizugeben.
Das alles lastete auf der alten Dame, als sie nun in der kleinen Stadt ihr Quartier bezogen. Hatten sie in den Zeiten der Flucht weit Schlimmeres ausgestanden, jetzt drückte das Unabänderliche und Endgültige des erbärmlichen Daseins härter. Eine gemeinschaftliche Kammer war ihnen zugewiesen, in der sie auch kochen und waschen mußten, so daß der Gräfin, die auf Abstand zu leben gewohnt war, der Zustand zur Qual wurde. Und doch mußte sie sich segnen, daß sie ihre Gefährtin besaß. Denn sie hätte allein sich nicht helfen können.
Erst lebten sie von der Fürsorge, dann tat sich die Weiß um und fand Verdienst in einer Fabrik, die Holzwaren herstellte. So kam etwas ein, das der gemeinsamen Wirtschaft zufloß, auch die Gräfin half mit, indem sie Spielwaren anmalte, die jene Fabrik an Heimarbeiterinnen vergab. Die Weiß tat mehr, schon machte sie ein paar Häuser weiter eine neue Bleibe ausfindig, wohin sie sich sogleich absetzte, angeblich weil es ihr günstiger lag; sonst sagte sie nichts über die Gründe. Auch fand sie sich täglich ein, sobald sie frei war, um alle ihre bisherigen Dienste weiter wahrzunehmen, sie schleppte Wasser, fegte, wusch und besorgte für beide das Anstehen vor Schreibzimmern und Verteilungsstellen.
Bei ihrer Art von Gemeinschaft war es nicht wahrscheinlich, daß eine der beiden Frauen irgendein Stück Besitz vor der andern hätte verbergen können. Dennoch besaß die Gräfin noch einen Schmuck und hatte aus Gründen, denen sie nicht nachsinnen wollte, gegen ihre Gefährtin niemals etwas von ihm erwähnt. Sie hatte diesen Schmuck die gan-

ze Zeit auf dem Leib verborgen getragen, ihn selbst während ihrer Krankheit in traumhafter List verhehlt. Es war ihr vielleicht notwendig, sie mußte ein einziges Ding noch allein besitzen. Der Schmuck war alt, nach Hausüberlieferung hatte sie ihn als Braut bekommen, er bestand aus Gold und Türkisen.
Seitdem sie nun mehr allein war, sann die Gräfin für den teuren Besitz auf eine Verwahrung außerhalb ihrer selbst. Ein sicher verschließbares Möbel gab es nicht in der ärmlichen Ausstattung, auch verließ sich das Angstgefühl jener Jahre, die ständig mit Plünderung und Enteignung rechneten, lieber auf ein Versteck als auf einen Verschluß, der leicht gesprengt werden konnte. Ihr Blick fiel auf den Ofen, ein Stück von der Art der sogenannten Kanonenöfen. Sie hakte das unscheinbare Säckchen, das den Schmuck enthielt, innen im Ofen oberhalb des Feuerloches fest: dort, so schien ihr sicher, würde niemand suchen.
Der Herbst kam, es war ein Bucheckernjahr, und die Bevölkerung strömte in die Wälder, um ihrer Hungernahrung ein Quentchen zuzusetzen. Auch die zwei Frauen befanden sich unter den Lesern, und der Herbst blieb lange hinaus wärmlich und schonte die Sammlerinnen. Dann aber fiel eines Tages aus schnellem Wolkenaufzug und unter unzeitigen Donnerschlägen erst Regen, darauf ein dichter, wässerig flockender Schnee, der die Waldgänger einhüllte und durchnäßte. Unwillig, triefend und schauernd vor Kälte krochen überall aus den Schlägen die Leser und versammelten sich zum Heimweg. Es war ein weiter Weg, in dem rieselnden Unheil trottete der Haufe verstummt oder unter leisem Jammern; da wußte unter einem Vorwand die Weiß sich von der Gräfin zu lösen und ging und lief und lief noch schneller, sobald sie die Schar hinter sich hatte, und gewann einen starken Vorsprung.
Mühselig, mit versiegender Kraft erreichte viel später die Gräfin ihr Dachgeschoß; da schlug ihr wohlige Hitze entgegen. Die Hitze knackte im schrägen Gebälk, im Ofen sauste das Feuer, kochend heißen Tee, angewärmte Tücher

hielt die Vorausgeeilte dort schon bereit. Erst überließ sich die Gräfin der wohligen Ohnmacht des Wärmeschwalls einen Augenblick ohne Gedanken; dann aber traf ihr Blick auf den Ofen, dessen Leib hoch hinauf glühte; ohne ein Wort fiel sie auf einen Stuhl nieder und deckte die Hand über die Augen.

Die Gräfin, in herrnhutischer Frömmigkeit erzogen, hatte sich selbst oft gescholten und im Gebet gedemütigt, daß sie es nicht fertigbrachte, sich zu überwinden und der Person, der sie soviel danken mußte, in freundlicher Neigung zu begegnen. Jetzt aber, wie der dienstbare Eifer dieser Unbekannten, die sich ihr aufgedrängt hatte, das letzte Stück ihrer eigenen Welt auslöschte, mußte sie einen kochenden Haß niederkämpfen. Alles Unbehagen, jeder Augenblick übler Ahnung schienen ihr bestätigt. Sie vermochte zwar über sich, die äußere Ruhe zu wahren, mehr nicht: ihre Stimme nahm einen erschreckenden Ton an, wie sie mit einem: Nein! alle Fragen der verwirrten Gefährtin zurückwies, was sie für sie tun könne. Sie blieb sitzen, wo sie saß, rührte sich nicht und sprach endlich, ohne daß sie ihr Gesicht sehen ließ, die barsche Bitte aus, die sie bis dahin sich nie erlaubt hatte: nämlich man möge sie endlich alleinlassen.

Frau Weiß, immer verstörter, sprach ihr ohne Wirkung zu, sie bat laut und dann stumm und mußte endlich dem Befehl folgen; kleinmütig stammelte sie ihren Abschied. Die Dachstiege besaß kein Licht. Verließ sonst jemand nachts die Kammer, hielt die Zurückbleibende oben die Tür, so daß ein Schein hinausfiel so lange, bis die Niedersteigende unten angelangt war. Diesmal geschah es nicht, und nur Augenblicke vergingen, da hörte die Gräfin in ihrer Lähmung einen Fall draußen, dem Klagelaute folgten.

Zu einer Fraktur des Beckens, die sich die Witwe Weiß bei ihrem Sturz zugezogen hatte, gesellte sich schnell eine Lungenentzündung als Folge des gleichen Tags. Zur Last fiel indessen die unauffällige Person niemandem, denn sie wurde ins Kreiskrankenhaus übernommen, und die öffent-

liche Hand kam für sie auf. Der Gräfin blieb keine Möglichkeit, Erwiesenes zu vergelten.
Sie blieb zurück mit einem wirren Gefühl und wußte sich nicht sogleich zu fassen. Sie hatte, als der Ofen damals erkaltet war, die Schlacke gewendet und darin gesucht, aber keine Reste entdecken können, endlich mit einer Empfindung des Ekels warf sie die Asche fort. Dann stutzte sie, ein paar Tage waren schon hin seit jenem Vorfall; sehr langsam und mühsam wuchs ein Gedanke, ein unwürdiger Verdacht in ihr auf. Warum hatte der Ofen geglüht? *War* denn der Schmuck überhaupt zugrunde gegangen? Hatte die Heizerin ihn entdeckt und vorher entfernt, wäre es nicht natürlich gewesen, davon gleich Mitteilung zu machen? Sie sträubte sich eine Weile, aber dann ging sie hin, wo die Schürze ihren Platz hatte, in der die Weiß zu arbeiten pflegte. Meist band die Weiß die Schürze ab, wenn sie ging; damals, an jenem Abend, so entsann sich die Gräfin, war sie seltsamerweise in der Schürze gegangen, sie selbst hatte sie ihr nach dem Fall abgenommen und achtlos an die alte Stelle gehängt. Jetzt fuhr sie an ihr entlang und spürte in den Falten etwas: in der Tasche befand sich der Schmuck.
Eine Weile saß die Gräfin an ihrem kahlen Tisch bald in Abscheu und bald in Not des Gewissens, so daß ihre alten Wangen bald rot bald blaß wurden. Denn noch immer blieb die Deutung des Funds offen. Was war geschehen? Es kam keine Möglichkeit mehr, den Sachverhalt zu erforschen. Denn als die Gräfin den Fund tat, ging es gegen elf, und als sie zu Mittag im Krankenhaus nachfragte, erwies sich, daß die Heimatvertriebene Weiß gegen Morgen verstorben sei.
Die Gräfin kehrte um und nahm nicht mehr viel zu sich bis zu dem dritten Tag, an dem das Begräbnis stattfinden sollte. Er kam, und die Handlung fand trübselig und vor wenig Begleitern statt. Da es regnete, hatten die Teilnehmer Eile, unter Dach zu kommen, niemand blieb zurück und nahm noch die Gräfin wahr, die am Platze verharrte. Auch

der Totengräber, der verdrossen mit seinem Gerät näher kam, sah nur, daß die alte Dame gebückt ein Büschelchen Buchs dem Sarg nachgeworfen hatte, eh sie zur Seite trat in ihren Schuhen, durch die das Wasser einrann. Er konnte nicht ahnen, was in dem Büschel Grün versteckt war, das er jetzt mit gleichgültigen Schaufelwürfen zudeckte. Die Gräfin hatte den Schmuck hineingebunden, denn sie mochte ihn nicht mehr sehen und konnte jetzt frei auf den Rest ihrer Tage blicken; da holte die eigensinnige und beständige Person sie nach, so wie man auf dem Lande sagt, daß gern ein Toter den nächsten ins Grab hole; denn sie kehrte von dem unguten Geleit mit dem Keim einer tödlichen Erkältung zurück und schwand aus dem Leben fast unbeachtet, wie sie in das Städtchen gekommen war.

SIEGFRIED LENZ

## *Der Gleichgültige*

Der Finne kam am Monatsende. Ich lag auf dem Küchensofa und rauchte, lag schon einige Stunden im Mantel da und überlegte, ob ich Elsa von der Eisdiele abholen sollte, in der sie als Kellnerin arbeitete. Ich dachte an ihre geröteten, plumpen Hände, die Eisbecher auf die fleckigen Marmortische schoben, Wechselgeld aus der extra breiten Bauchtasche hervorholten, Schokoladensplitter über den Batzen Schlagsahne krümelten; ich dachte an ihre kleinen, dreckigen Geschwister, die in der ersten Zeit unserer Ehe mit wissender Neugierde bei uns herumstrolchten, bis ich sie vertrieb, und die nun jeden Tag vor der Eisdiele lungerten, wachsam, räuberisch, auf das versteckte Zeichen wartend, das einen von ihnen hereinrief zum Empfang der heimlichen Eisportion; und während ich daran dachte, spürte ich eine warme Erschöpfung und beschloß, Elsa zu Hause zu erwarten.

Da klingelte der Finne, ein breiter Mann mit straff gespannter Gesichtshaut, den Staubmantel überm Arm, eine karamelfarbene Diplomatentasche vor sich zwischen den Füßen; lächelnd, sah er mich an, schwieg und sah mich an, mit einem Ausdruck freimütiger und ruhiger Abschätzung, und bevor ich ihn noch etwas fragte, nickte er befriedigt, nahm seine Tasche auf, kam herein in die Küche, und mit ihm ein essigsaurer Geruch.
»Uns fehlt nur Geld«, sagte ich, »sonst nichts. Alles andere ist reichlich vorhanden.«
Er schüttelte den Kopf, machte eine verblüffte und zugleich abwehrende Handbewegung, ein Zug gequälten Erstaunens glitt über sein Gesicht – woraus ich schloß, daß ich nicht der erste war, den er in seinen Angelegenheiten besuchte; dann musterte er die Küche, trat an das kratzige Sofa, prüfte die Federung, indem er die aufgestemmten Fäuste ruckartig in den Stoff stieß, und setzte sich schließlich auf den Hocker am Ausguß. Ich blickte auf seinen pflaumendunklen Anzug – die Hosen hatten einen weiten Schlag wie die eines Matrosen, unter dem Jackett trug er einen Rollkragenpullover – und sagte ihm, daß ich nichts ohne meine Frau kaufen oder verkaufen könnte, da sie zur Zeit allein für das Wohlbefinden der Familie sorge, worauf er mir in einer Art schmerzlichen Verstehens zublinzelte, ein Zigarettenetui herauszog und mir eine seiner letzten beiden Zigaretten anbot. Wir rauchten schweigend, er betrachtete aufmerksam den Gasherd, erhob sich plötzlich und sagte, daß er Finne sei und in der Stadt zu tun gehabt habe. Sein gedrungener Körper wippte leicht vor und zurück, seine Lippen öffneten sich, als suchten sie einen vergangenen Geschmack, und er blickte durch das Fenster auf den verlassenen Kinderspielplatz unten und nickte schmunzelnd und flüsterte etwas, das ich nicht verstand. Ich spürte die Erschöpfung zurückkehren, dachte an Elsa, die nun bald kommen mußte, und wandte mich an ihn mit einer Geste endgültigen Bedauerns. Er verstand diese Geste, die stumme Aufforderung, die in ihr lag; er kam nah an mich

heran und fragte, ob ich bereit sei, ihm unsere Küche zu vermieten. Langsam drehte er sich dabei um sich selbst und bezeichnete mit ausgestreckten Händen, die Bescheidenheit seines Wunsches erläuternd, den engen Raum, so als wollte er sagen: ›Dies nur, nicht mehr.‹ Wenn es keine Elsa gegeben hätte, wäre ich ohne Zögern darauf eingegangen, doch da ich wußte, wieviel ihr die Küche bedeutete, wiederholte ich, daß ich in Abwesenheit meiner Frau nichts entscheiden könnte. Unsicher musterte er die Wände der Küche, auf denen sich verschwommene Flecken wie verblichene Landkarten hinzogen, musterte das Sofa, das Bord, auf dem Elsas Lockenwickler lagen: er nahm seine Wahl nicht zurück. Er trat an den Gasherd, drehte prüfend den Hahn auf, ohne ein Streichholz oder den Anzünder in die Hand zu nehmen, beugte dann seinen Oberkörper hinab in der Hoffnung, das zischende Geräusch zu hören, mit dem das Gas entweicht. Ich wartete, bis er sich wieder aufrichtete, und erklärte ihm, daß der Herd noch nicht bezahlt sei und daß wir ihn abbezahlten, indem wir jedesmal, wenn wir Gas brauchten, zuerst ein Geldstück in den Schlitz warfen. Diese Erklärung schien ihn zu überzeugen, denn er nickte zustimmend und fragte mich – in einem Ton, als sei die Entscheidung bereits gefallen –, ab wann er die Küche bekommen könnte, und wie um mir anzuzeigen, daß er den Gasherd ausgiebig benutzen werde, schob er eine Hand in die Tasche und rieb einige Münzen gegeneinander. Ich hatte kein Verlangen, mich mit ihm zu unterhalten, zu erfahren, was er in unserer Stadt zu tun hatte und was ihn dazu bewog, unsere Küche zu mieten; ich hatte nur das Gefühl, mich raushalten zu müssen aus seinen Angelegenheiten, nichts zu teilen, kein Wissen, keine Vermutung.

Dann kam er wieder nah heran, ich roch seinen essigsauren Atem, sah seine entzündeten Augen, denen das auffordernde Zwinkern mißlang: der letzte Anstoß, der letzte Versuch, mit dem er mich zu gewinnen hoffte. Schmunzelnd zog er eine safrangelbe Brieftasche heraus, öffnete meine

Hand, zählte das gesamte Geld hinein – drei grüne Zwanziger – und schloß meine Hand und schob die leere Brieftasche in sein Jackett. Eine neue Überlegenheit erfüllte ihn, die Überlegenheit des legalen Anrechts, nun, da er mir das Geld hatte zustecken können, und mit einer Vertraulichkeit, die mich nicht erstaunte, legte er einen Arm auf meine Schulter, beobachtete mich schräg von unten, breit und vergnügt, trat zurück und beobachtete mich von vorn, ging einmal um mich herum und sagte, daß er nicht daran denke, uns die Küche für längere Zeit vorzuenthalten. Nur solange es dauere, wolle er dableiben, sagte er; er habe nicht vor, die sechzig Mark abzuwohnen, vielleicht genüge der Rest des Nachmittags.

Die Geldscheine waren echt. Ich schob sie lose in die Manteltasche und beschloß im gleichen Augenblick, Elsa von der Arbeit abzuholen. Der Finne zeigte mir einige Münzen und fragte mich, ob er damit auskäme; da ich unsicher war, legte ich alle Münzen dazu, die ich bei mir hatte, machte eine Bewegung, mit der ich ihm die Küche überließ, zog den Schalknoten fester und ging zur Tür. Bevor ich die Tür schloß, hörte ich, wie er sich auf das Sofa fallen ließ und die Schuhe abstreifte, die mit plumpsendem Laut auf den Boden fielen.

Auf dem Weg zur Eisdiele wechselte ich den ersten Zwanziger, kaufte Zigaretten und Rumkugeln für Elsa, überlegte, ob ich unsere Schuhe vom Schuster holen sollte, die längst fertig waren, doch ich ging an der Werkstatt vorbei, durch den feuchten, nebligen Nachmittag, der zerrissen wurde durch die dröhnenden Schiffssirenen im Hafen. Die kalte, feuchte Luft legte sich deckend auf die Lungen, zerstörte die Frisuren der Frauen, schlug sich auf den Schaufensterscheiben nieder. Auf der Kreuzung vor der Brücke hielt der Unfallwagen; zwei Sanitäter trugen einen Mann mit zerschnittenem Gesicht auf einer Bahre vorbei; Polizisten streuten Bremsspuren mit Mehl aus, maßen und fotografierten sie. Ich kaufte eine zweite Tüte mit Rumkugeln, die ich Elsa am nächsten Morgen geben wollte.

Als ich die Eisdiele betrat, kam Elsas Ablösung aus der Dämmerung auf mich zu, eine kleine, knochige Frau in schwarzem Samtkleid; spät erkannte sie mich, sagte, daß Elsa nur zum Fischmann gegangen sei, wies auf ihren Mantel, der noch an der Garderobe hing, und bot mir eine Sofabank neben der Heizung an. Ich wollte nicht warten, nahm Elsas Mantel vom Haken und ging mit dem Mantel über dem Arm zum Fischgeschäft. Das Geschäft lag über der Straße, ich konnte nicht erkennen, ob Elsa im Laden war, doch als eine fleischige, schuppenbedeckte Hand sich in die Auslage schob, zwei geräucherte große Makrelen bei den bräunlichen Kiemen schnappte und mit ihnen verschwand, wußte ich, daß Elsa noch drin war, und ich kannte unser Abendbrot.
Sie sah mich mit kurzem Erstaunen an, gab mir das Einkaufsnetz, zog den Mantel an und hängte sich bei mir ein, und sie lenkte mich instinktiv in die Richtung, in der unsere Wohnung lag. Kurz vor unserer Straße setzte ich ihrem gleichmäßigen Zug, diesem sanften und instinktiven Drängen, einen anderen Zug entgegen: ich spürte, wie unsere Körper leicht auseinanderscherten gleich vertäuten Booten, die in verschiedene Strömungen geraten, spürte ihren zähen Widerstand, ihre Verwunderung, und als ich sie leicht herumriß und in die Straße zum Ausstellungsgelände zwang, blieb sie stehen und sah mich ratlos an.
Ich gab ihr eine Cellophantüte mit Rumkugeln, die sie mißtrauisch in der Hand hielt, ohne davon zu essen. Sie fragte: »Woher hast du das Geld?« Und ich sagte: »Ein Finne hat unsere Küche gemietet, nur kurz, nur vorübergehend, vielleicht nur bis heute abend. Er bezahlte im voraus.« Argwöhnisch zog sie ihren Arm fort, griff nach dem Einkaufsnetz, das ich hinter dem Rücken verbarg, preßte gequält die Handflächen auf ihre Ohren, als ein Flugzeug niedrig über uns hinwegzog. »Komm«, sagte ich, »wir gehen in die Ausstellung; später gehen wir essen und dann ins Kino.« Elsa streckte eine Hand nach dem Netz aus, das ich ihr verweigerte, und fragte: »Was macht er in unserer Küche?

Was? Benutzt er den Herd? Hast du aufgeräumt?« Eine Gruppe von Berufsschülern kam vom Ausstellungsgelände auf uns zu, Elsa hängte sich wieder bei mir ein, und ich sagte: »Der Finne ist ein seriöser Mann. Er hat mir sechzig Mark im voraus bezahlt. Komm jetzt: heute bist du mein Gast. Alles andere hat Zeit.«
Nach einer Weile wurde ihr Griff fester, sie suchte mein Handgelenk und umschloß es mit ihren rötlichen, plumpen Fingern, und wir gingen auf die glasgedeckten Hallen der Konditorei-Ausstellung zu. Männer mit zerbeulten Konditormützen, mit weißen Schürzen und Pepitahosen hießen uns am Eingang willkommen, wiesen uns einen groben Kiesweg hinauf, verteilten Handzettel, Werbeschriften, Aufklärungsbroschüren über das ›Wesen der Konditorei‹. Elsa lehnte ihre Wange an meine Schulter, biß von einer Rumkugel ab: ich sah, wie sehr sie die leichte Erregung genoß, in die sie der Besuch, nach dem sie mich so oft gefragt hatte, versetzte. Vor den Ausstellungsvitrinen ließ sie meinen Arm los, glücklich und verwirrt, lief hin und her in planlosem Staunen, stieß die Kuppe des Zeigefingers gegen die gläsernen Vitrinenwände, rief laut meinen Namen, winkte heftig, schoß, noch bevor ich neben ihr war, zu einer neuen Entdeckung, lächelte einem gravitätischen Konditor zu, schmatzte, rieb sich freimütig den Bauch, winkte mir wieder: nichts machte sie glücklicher als Süßigkeiten. Schaumgebäck, Blätterteig und Mürbeteig, die gußglänzenden Türme der Baumkuchen, die flache Last nußbestückter Buttercreme-Torten, Liebesknochen und Negerküsse, selbst die infame, giftige Süße roter und grüner und rosafarbener Fruchtstücke sowie das kranke Weiß von Geschlagenem: alles brachte sie in konfuse Begeisterung, alles schien sie auf der Stelle verschlingen zu können. Sie hatte ihren Argwohn, ihre Enttäuschung über mich vergessen, bis wir in die Halle mit den ausländischen Süßigkeiten kamen, und jetzt, vor einem braunen, anspruchslosen Honiggebäck aus Finnland, wandte sie sich zu mir um, knüllte die leere Cellophantüte zusammen und sagte: »Ich möchte

nach Hause; wer weiß, was in unserer Küche passiert. Der Finne ist ganz allein da.« »Nach der Ausstellung wollen wir essen gehen«, sagte ich, »du hast es mir versprochen.« Ein Ausdruck von Unschlüssigkeit erschien auf ihrem weichen Gesicht, das nie etwas verbergen konnte. »Und wenn etwas passiert?« fragte sie. »Wenn er unsere Küche nur gemietet hat, um . . .« Sie seufzte, sah mich fest und auffordernd an, lächelte traurig, so als wolle sie mir zu verstehen geben, daß sie zu allem bereit sei, sobald sie die Unsicherheit hinter sich habe, was in ihrer Küche passieren könnte, doch ich sagte: »Dann gehen wir zuerst noch ins Kino«, und sie schwieg und ging mit, ohne sich von ihrem Verdacht völlig befreien zu können.

Im Kino war es warm und feucht; das Papier, in dem die Makrelen steckten, begann durchzufetten. Ich legte das Netz auf den Boden. Die Vorstellung hatte bereits begonnen, der Film einer Sängerin, die der Meinung war, ihre Stimme bei einer bestimmten Gelegenheit verloren zu haben, und die sich nun bemühte, sie auf einer verzweifelten Reise in die Vergangenheit wiederzufinden. Solange sie auf der Suche war, hielt Elsa meine Hand, und am wechselnden Druck ihrer Finger spürte ich, wie sehr sie sich an der Suche beteiligte, die die Sängerin durch Hotels verschiedener Preislagen führte, zu Männern mit unterschiedlichem Einkommen und schließlich in die kleine, kalkweiße Kirche in den Abruzzen, in der sich die Stimme erwartungsgemäß wieder einstellte. Von da ab übernahm die Stimme die Hauptrolle.

Der Druck von Elsas Fingern ließ allmählich nach, und plötzlich erhob sie sich ohne ein Wort, ohne eine Ankündigung, zwängte sich durch die Reihe, als gehöre sie nicht zu mir, ging geduckt zum Ausgang. Ich suchte in der Dunkelheit nach dem Netz, der Sitz klappte wippend zurück, ein leises Murren und Scharren lief durch die Reihe und begleitete mich bis zum Gang. Elsa erwartete mich im zugigen Vorraum des Kinos, nahm mir mit einem raschen Griff das Netz ab, hielt es fest wie eine Beute und nickte mir hilflos zu und ging vor mir her auf die Straße. Ich folgte ihr langsam, machte keinen Versuch, sie einzuholen oder auch nur im Auge zu behalten, während sie in dem sonnengebleichten, dünnen Mantel, den sie zu schließen vergessen hatte, zu unserer Wohnung lief. Das Nebelhorn eines Schiffes erklang wieder, nah und dringend und unmittelbar hinter mir, so daß ich mich umwandte in der Erwartung, den Schiffsbug über dem schwarznassen Asphalt auf mich zukommen zu sehen, einen Bug bis hinauf zu den Isolatoren an den Telefonmasten. Als ich mich umwandte, entdeckte ich in einem Tabaksladen die Reklame für eine neue Filterzigarette. Ich kaufte eine Packung zur Probe, trat wieder auf die Straße: Elsa war nicht mehr zu sehen. Vor der Post reizten einige Kinder einen wilden Alten, dem aus einem Hosenbein ein meterlanger, dreckiger Verband heraushing wie die vergessene Heckleine eines Schiffes, die er, fuchtelnd und drohend, Hand über Hand einzuziehen versuchte, wobei die Kinder ihn störten, indem sie immer wieder auf das Ende des Verbands traten. Sobald er ein Stück eingeholt und unter sein Hosenbein gestopft hatte, sprang ein schöner Junge wohlberechnet auf das noch heraushängende Ende: ein einziger Ruck riß das gewonnene Knäuel wieder hervor. Der Alte drohte stumm, arbeitete stumm, seine Lippen bewegten sich in lautloser Auflehnung; dann erschien ein Polizist und verschaffte ihm Gelegenheit, den Verband geruhsam einzuholen. Der Alte zog sich am Geländer zur Post hinauf, und ich ging ohne Eile zu dem Haus, in dem wir wohnten. Von Elsa war nichts zu entdecken. Die Türen der unteren Wohnungen waren offen, Nachbarn standen davor, die bei meinem Anblick zu sprechen aufhörten, unwillkürlich zurückwichen und sich wie in heimlicher Bestätigung zunickten, und ich spürte, wie sie hervorkamen, als ich die Treppe hinaufging, mich Schritt für Schritt begleiteten bis zum nächsten Flur, auf dem ebenfalls die Wohnungstüren offenstanden, Nachbarn sich aus flüsterndem Gespräch lösten, sobald sie mich erkannten, und mich mit beherrschtem Entsetzen verfolgten. Im ersten Stock nahm ich geringe Spuren von Gasgeruch wahr, der immer stärker wurde, je näher ich unserer Wohnung kam. Auf unserm Flur stürzte eine Frau auf mich zu, ihre Hand fuhr hoch, ihr kleiner Mund öffnete sich zu einem Schrei, doch ich kann mich nicht erinnern, ihren Schrei gehört zu haben. Ich blickte über die Frau hinweg in die anderen Gesichter, und selbst in der ewigen Flurdämmerung konnte ich die schweigende Verachtung auf ihnen erkennen. Bevor ich unsere Wohnung betrat, wußte ich, daß man den Finnen bereits abgeholt hatte.

MARTIN WALSER

## *Die Rückkehr eines Sammlers*

Alexander Bonus, der wegen eines Herzleidens schon früh pensioniert worden war, hatte als Junggeselle bis in die schlimmsten Kriegsjahre hinein in unserer Stadt gelebt und war dann fast gewaltsam aufs Land gebracht worden, in ein Weinbauerndorf, wo er seitdem eine winzige Dachkammer bewohnt hatte. Mit einer von ihm selber hergestellten violett schimmernden Tinte hatte er einige Jahre nach dem Krieg vielseitige Briefe an das städtische Wohnungsamt geschrieben und gebeten, man möge ihm jetzt endlich die Rückkehr in seine Vaterstadt ermöglichen. Die Herren des Wohnungsausschusses hatten ihn wieder und wieder mit vorgedruckten Schreiben auf eine baldige Besserung der Verhältnisse vertröstet. Alexander Bonus hatte jedesmal mit einem liebenswürdigen Brief geantwortet, hatte aber bei Wahrung aller möglichen Höflichkeit doch immer dringender gebeten, seine ihm eigene Sechs-Zimmer-Wohnung für ihn und vor allem für seine an verschiedenen Orten lagernde Sammlung freizumachen. Er habe die Jahre nach dem Krieg durchwartet, weil er gewußt habe, daß seine sechs Zimmer in der Stadt gebraucht würden,

der ersten Not Herr zu werden; auch jetzt würde er es noch nicht wagen, im Ernst um die Einweisung in seine Räume zu bitten, wenn er nicht gerade von einer Reise zurückkäme, die ihn an die Orte geführt habe, an denen seine Federsammlung in ländlichen Kellern und Scheunen lagere. Aber wie! So eben, wie man in den Kriegsjahren mit einer für jene Zeiten ganz unwichtigen Sammlung von Vogelfedern verfahren sei. Das Holz seiner Vitrinen sei von Feuchtigkeit zermürbt oder von Hitze zerrissen worden, die Glaswände vom Schimmel befallen und blind, vom Zustand seiner kostbaren Federn aber habe er sich erst gar nicht überzeugen wollen, der sei schon dem flüchtigen Eindruck nach nur als katastrophal zu bezeichnen.
Alexander Bonus hatte sich auch an jene Stadträte gewandt, die seine Sammlung aus der Zeit vor dem Kriege kannten, er hatte sogar angedeutet, daß er, der allein stehe und den größten Teil seines Lebens hinter sich habe, seine Sammlung schließlich einmal der Städtischen Oberschule vermachen wolle, wozu er natürlich nur imstande sei, wenn man ihm helfe, die Sammlung vor dem endgültigen Zerfall zu retten.
Die älteren Stadträte mußten diese Briefe des Herrn Bonus gegen das Lächeln jener Kollegen verteidigen, die erst durch die Kriegsläufte und gewissermaßen zufällig in unsere Stadt geschwemmt worden waren. Diesen älteren Stadträten war es denn auch zu danken, daß die zwei Familien, die in Herrn Bonus' Wohnung untergebracht waren, zwei Zimmer räumen mußten und Bonus einen Brief von unserem Bürgermeister erhielt, in dem ihm mitgeteilt wurde, er könne wenigstens zwei Zimmer seiner früheren Wohnung wieder beziehen, was ihm, dem Junggesellen doch die Möglichkeit gebe, einen Teil seiner Sammlung wieder aufzustellen und zu pflegen. Und er dürfe hoffen, in nicht allzu ferner Zeit ein drittes, ein viertes und fünftes und schließlich auch einmal das sechste Zimmer wieder ganz für sich und seine Sammlung zu besitzen.
Vier Tage später hielt ein ländliches Fuhrwerk vor dem

Haus, in dem Bonus seine Wohnung hatte, und er selbst kletterte hastig vom Schutzblech des Traktors, auf dem er während der Fahrt vom Land herein gesessen war; er ging auf die Haustür zu, den Schlüssel schon in der Hand, führte ihn zitternd aufs Schloß zu, aber die der Handbewegung vorauseilenden Augen bemerkten schon, daß es nicht mehr das alte Schloß war. Der Schlüssel entfiel ihm. Er klirrte nicht, weil von Bauarbeiten noch Sand auf dem Pflaster lag.

Dann läutete Bonus.

Ja, die zwei Zimmer waren schon geräumt. Die beiden Familien aber, die sich in die restlichen vier Zimmer teilten, beobachteten mißtrauisch jedes Stück, das er herauftragen ließ. Zuerst kam ein Tisch, dann ein Stuhl, ein Schrank, ein Bett und dann viele Vitrinen, deren Glaswände schmutzig waren, so blind von Schimmel, Staub und Spinngewebe, daß man nicht sehen konnte, was sie enthielten. Die Kinder der beiden beobachtenden Familien versuchten mit den Fingern, die sie mit der Zunge befeuchteten, an den Gläsern herumzureiben, um wenigstens mit einem Auge reinsehen zu können. Ihre Eltern aber riefen sie zurück und erlaubten ihnen nur von der Flurtür aus, wie sie's selbst taten, zuzuschauen. Sie wußten noch nicht, was sie von diesem alten Mann mit dem fleischigen Jünglingsgesicht und den milchweißen Haaren halten sollten. Herr Bonus aber hatte sich sofort mit allen bekanntgemacht, hatte sich zu jedem Kind extra hinabgebeugt – und die zwei Familien hatten es immerhin zu sieben Kindern gebracht –, und jetzt versprach er den Kindern sogar, er werde ihnen seine ganze Sammlung zeigen, wenn er sie nur erst wieder ein bißchen hergerichtet habe. Es sei ja leider nur ein kleiner Teil, fügte er hinzu; dann sah er auf seine kleinen weißen Händchen hinab und sagte mit dem mildesten Lächeln: Er lebe nur noch auf den Tag hin – und dieser Tag werde kommen –, an dem er wieder Platz genug haben werde, um seine ganze Sammlung hier aufzustellen.

Als Alexander Bonus dies sagte, sahen ihn die Eltern der

sieben Kinder finster an. Es war, als fürchteten sie sich plötzlich vor diesem zarten weißhäutigen Mann. Sie drehten sich um, zogen ihre Kinder an Händen und Haaren von Bonus und seinen Glaskästen weg und verschwanden hinter ihren Türen. Bonus sah ihnen nach, und als er hörte, wie dort ein hastiges Getuschel anhob, das sich oft bis zum lauten Stimmenstreit steigerte, und als er hörte, daß es sein Name war, der diesen Streit speiste, da lehnte er sich gegen eine mannshohe Vitrine, rieb den Kopf liebkosend an der Holzkante, lächelte und überlegte, ob er die Kormoranfedern nicht doch mit den Federn des Tropikvogels zusammen in eine Vitrine legen sollte, wenigstens solange er nur zwei Zimmer hatte. Lieber sollten sich die Federn gegenseitig ein bißchen verdecken, als daß er auch nur eine einzige Vitrine länger als unbedingt nötig in jenen feuchten Dorfkellern wissen wollte. Wahrscheinlich würden sich solche Zusammenlegungen fürs erste gar nicht vermeiden lassen, da sicher einige Vitrinen bis zur Unbrauchbarkeit beschädigt waren. Und die Kormoranfedern und die des Tropikvogels stellten in seiner Sammlung sowieso eine Ausnahme dar, waren sie doch die einzigen Federn, durch die die Schwimmvögel bei ihm vertreten waren, alle anderen Stükke seiner Sammlung stammten von den Familien der Eulen und Falken, also von Raubvögeln, und da insbesondere von Adlerarten. Um während der Jahre, die er, wie er es selbst nannte, in der Verbannung leben mußte, nicht ganz untätig zu sein, hatte er begonnen, seiner Sammlung eine Abteilung »Hühner und Hühnervögel« anzugliedern. Da er aber im Grunde seines Herzens nur an Adlerfedern mit Leidenschaft interessiert war, hatte er diese neue Abteilung nur in der Hoffnung aufgebaut, sie später einmal als Tauschobjekt benützen und Adlerfedern dafür einhandeln zu können. Nicht einmal die stolzen weißen Redersträuße des Tropikvogels und die schlanken schwarzen Kormoranfedern hatten Aussicht, für immer in seiner Sammlung bleiben zu dürfen. Für eine einzige Harpyienfeder hätte er sie sofort hergegeben. Die Harpyien waren Bonus' liebste

Vögel. Und wenn das Angebot an Harpyienfedern oder gar an Harpyienflaumen groß genug gewesen wäre, wer weiß, vielleicht hätte er seine ganze Sammlung allmählich für die Federn dieser besonderen Adlerart hergegeben. Um der Vielfalt seiner Sammlung willen konnte Bonus dafür dankbar sein, daß die Harpyien in den wasserreichen Urwäldern Süd- und Mittelamerikas nur sehr schwer zu erlegen waren.
In den ersten Tagen nach seiner Rückkehr war Herr Bonus für niemanden zu sprechen, niemand sah ihn. Die sieben Kinder, die die zeitweilige Abwesenheit ihrer Eltern gerne zu einem Besuch bei Bonus benutzt hätten, klopften umsonst an seine Tür. Bonus kämpfte gegen Schimmel, Staub und Spinngewebe.
Er entriß seine Vitrinen, die Glaswände, die Holzkanten und die Messingbeschläge der Fäulnis, dem schon dicht bevorstehenden endgültigen Zerfall. Dann machte er sich an die Federn. Starr, glanzlos und von einem alle Farbe tötenden Überzug befallen, lagen sie tot auf ihren Polstern; und Bonus dachte daran, wie sie ehedem in vielen Farben schimmernd vor ihm gelegen hatten, diese zarten, seidigen, biegsamen Wundergebilde. Bonus nahm jede Feder einzeln in die Hand und zupfte und blies Stäubchen für Stäubchen ab; eine ungeheure Arbeit. Aber er wollte auch nicht das kleinste Flaumhärchen verlieren. Dann mischte er sich jenes Fett zusammen, das ihn schon vor Jahrzehnten in den Kreisen, die sich mit Vogelpräparationen beschäftigten, berühmt gemacht hatte, jenes Fett, das er so zu mischen verstand, daß es fast dem Sekret gleichkam, das die Bürzeldrüse der Vögel zur Einfettung des Gefieders ausscheidet; mit diesem Fett bestrich er alle Federn seiner Sammlung, dann erst öffnete er die Tür und ließ die Kinder ein.
Aber Herr Bonus hatte keine Ruhe, die Kinder von Kasten zu Kasten zu führen und ihnen zu erklären, was er früher mit Leidenschaft getan hatte, wo alle diese Federn herstammten und wie die Vögel, die sie einst getragen hatten, beschaffen seien und lebten. Zu sehr war er beunruhigt

worden durch den Zustand, in dem er seine Sammlung vorgefunden hatte. Vielleicht war er schon zu spät gekommen, vielleicht würden die Federn in Kürze zu Staub zerfallen, wer konnte das wissen! So sehr er sich freute, wieder mit seinen Federn umgehen zu können, die mächtigen schwarzbraunen Schwingenfedern des Kaiseradlers über seine weiche Gesichtshaut gleiten zu lassen, diese Federn, die einst den mächtigsten Vogel über die baumlosen Steppen der Mongolei getragen hatten, er konnte sich nicht darüber hinwegtäuschen, daß die Sammlung nur noch ein Schatten ihrer selbst war. Die Farben waren ermattet und die Federhärchen waren trotz aller Bemühung spröd geblieben. Und der größere Teil seiner Sammlung, das beunruhigte ihn am meisten, zerfiel von Stunde zu Stunde noch mehr in jenen ländlichen Kellern und Scheunen. Die beiden Zimmer, die man ihm zugewiesen hatte, konnten ja nicht einmal den Teil der Sammlung aufnehmen, den er mitgebracht hatte.
Er hatte das Bett noch nicht aufgeschlagen, der Stuhl stand auf dem Tisch und die Vitrinen waren zu Türmen übereinandergeschichtet, die bis zur Decke reichten; eine Anordnung, die bei dem Zustand, in dem sich das Holz befand, zu einer Katastrophe führen mußte, eine Anordnung auch, die es jedermann und ihm selbst unmöglich machte, in den Genuß der Sammlung zu kommen.
Er fragte die Kinder, die mit platten Nasen an den Scheiben klebten, ob in den Zimmern ihrer Eltern nicht noch ein bißchen Platz wäre, er würde gern seine schönsten Stücke zur Verfügung stellen; das sei doch ein Schmuck, so eine Vitrine mit Steinadlerfedern, oder vielleicht die mit den Federn des Schlangenbussards, bitte, sie könnten sich's raussuchen. Die Kinder schrien auf vor Freude und schleppten sofort drei, vier, fünf Vitrinen in ihre Zimmer. Abends kamen die Eltern, klopften schüchtern, traten ein, grüßten und entschuldigten sich bei Herrn Bonus für neulich, sie hätten eben Angst um ihre Zimmer gehabt, sie hätten ihn auch – das müßten sie gestehen – für einen mürrischen

Sonderling gehalten, für einen launischen Greis, sie seien halt einfache Leute, aber die Glaskästen, sie verstünden zwar nichts davon, seien doch sicher sehr wertvoll und es ehre sie, daß Bonus ihnen so teure Stücke anvertraue. Ob er nicht rüberkommen wolle, zu sehen, wie sie die Vitrinen aufgestellt hätten. Das sei die einzige Bedingung, gab Bonus lächelnd zur Antwort, die er mit diesen Leihgaben verknüpfe, daß er dann und wann hinüberkommen dürfe, um sich an den Federn zu freuen. Das wurde ihm von allen freudig versprochen. Dann ließ sich Bonus hinüberführen. Zwischen Betten und Kommoden glänzten ihm die Glaswände entgegen. Es sei zwar ein bißchen eng, sagten die beiden Hausfrauen, aber einem so kostbaren Zimmerschmuck zuliebe schränke man sich gerne ein. Die beiden Männer bewegten ihre Köpfe so lange heftig nickend auf und ab, bis sie sahen, daß Bonus ihre Zustimmung bemerkt hatte. Wahrscheinlich hatten sie an ihren Arbeitsstellen und die beiden Hausfrauen bei ihren Nachbarinnen schon voller Stolz erzählt, daß sie jetzt über einen Wohnungsschmuck verfügten, wie ihn wohl keiner im Bekanntenkreis je gesehen habe. Bonus lächelte. Er winkte seinen Vitrinen zu, als wären es Lebewesen, dann ging er in seine Zimmer zurück und schrieb einen Brief. Ein paar Tage später ratterte ein Traktor vors Haus. Der Wagen, den er zog, war über und über mit Vitrinen beladen, die verstaubt und vom Schimmel befallen waren wie die ersten. Diesmal halfen die Kinder der beiden Familien bei der Säuberung. Die Feinarbeit an den Federn aber besorgte Bonus selbst. Er mußte allerdings, um die neuen Stücke auch nur notdürftig in seinen Zimmern unterzubringen, seinen Tisch, den Stuhl, das Bett und den Schrank auf den Flur stellen, so daß er gezwungen war, seine Mahlzeiten fürderhin auf dem düsteren Flur einzunehmen und nachts auch hier zu schlafen. Die Eltern der Kinder schüttelten den Kopf, als sie ihn vor ihren Türen, denn es war ja auch ihr Flur, im Bett liegen sahen. Sie sagten nichts, nur die Kinder kicherten und öffneten immer wieder die Tür, um zu sehen, ob er schon schlafe. Bonus lächelte. Und am nächsten Tag, als die Väter bei der Arbeit und die Mütter beim Einkaufen waren, fragte er die Kinder, ob sie nicht noch ein paar Vitrinen wollten, er habe genug. Die Kinder waren sofort einverstanden und schleppten gleich sieben Vitrinen in ihre Zimmer. Diesmal kamen die Eltern nicht, um sich bei Bonus zu bedanken; im Gegenteil, abends hörte er, wie die Väter die Mütter schimpften, mit unterdrückter Stimme bloß, um nicht von Bonus gehört zu werden, und die Mütter weinten und schlugen die Kinder, daß auch die zu weinen begannen. Aber als die Eltern am nächsten Tag außer Haus waren, kamen die Kinder wieder, um sich Vitrinen zu holen, Bonus lächelte mild und gab sie ihnen. Abends stand er dann wieder an der handbreit geöffneten Tür und hörte dem Streit zu, der bei beiden Familien aufbrach, noch heftiger als am Abend zuvor. Die Kinder ließen sich schelten und schlagen und kamen am nächsten Tag wieder zu Bonus und bettelten ihm ab, was er ihnen so gerne gab. Die Mütter, die sich in ihren Zimmern jetzt wirklich nicht mehr bewegen konnten, wollten ihre Kinder zwingen, alle Vitrinen zu Bonus zurückzutragen. Da verweigerten ihnen die den Gehorsam. Sie krallten sich mit ihren kleinen Händchen an den Holzleisten fest, blieben allen Vorwürfen und Aufforderungen gegenüber taub und waren nicht einmal durch Schläge zu irgendeiner Bewegung zu bringen. Sobald sich aber die Mütter abwandten, legten sie sich mit ihren ganzen Körpern über die Vitrinen und sahen auf die unbegreiflichen Federn hinab und ließen sich von denen, die schon lesen konnten, immer wieder die auf weiße Schildchen geschriebenen Namen vorlesen und sprachen sie andächtig und im Chor nach. Da summte es dann durch die Wände dem lächelnd lauschenden Bonus ins Ohr: Phaeton aethereus, Aquila audax, Harpyia destructor ... Als die Väter abends heimkehrten und ihre Kinder in all der Enge lateinisch vor sich hinsummend antrafen, wurden sie von großer Ratlosigkeit befallen. Endlich, als die Kinder schon in den Betten lagen, schlichen sie zu Bonus hinüber.

Sie baten ihn, er möge die Vitrinen zurücknehmen, sie verstünden zu wenig davon, auch die Kinder verstünden nichts davon, sie würden nur verwirrt und in ihrer normalen Entwicklung vielleicht schädlich beeinflußt, da sie ja in wenigen Tagen alle anderen Interessen verloren hätten und wie süchtig und unverständliche Namen murmelnd über den Vitrinen hingen; das sei doch ein Zeichen für die Gefahren, die in diesen Kästen für so einfache Menschen, wie sie es nun einmal seien, schlummerten. Und dann die Platzfrage! Man könne jetzt wirklich nicht mehr atmen. Seit auch der letzte freie Quadratmeter den Vitrinen zum Opfer gefallen sei, vermöge man nicht mehr, zu den Fenstern durchzudringen, geschweige denn, daß man sie noch öffnen könne.
Bonus strich sich mit seiner kleinen Hand über sein weiches weißes Gesicht und lächelte. Warum die Eltern die Federn nicht so anschauen könnten, wie er und wie die Kinder es täten, fragte er dann. Die beiden Männer verstanden ihn nicht und sagten, sie würden, wenn er es erlaube, jetzt gleich beginnen, die Vitrinen auf den Flur herauszustellen, dann könne man weitersehen. Bonus zuckte mit den Schultern. Die beiden Männer drehten sich um, gingen in ihre Zimmer und griffen nach den Vitrinen. Da zeigte es sich aber, daß die Kinder wach in ihren Betten gelegen waren, daß sie gewissermaßen nur darauf gewartet hatten, daß jemand ihre Heiligtümer berühre. Schon hingen sie grell schreiend und mit kralligen Fingern an den Vitrinen, und ihre Entschlossenheit, die Glaskästen zu verteidigen, war so fürchterlich in ihre kleinen Gesichter eingegraben, daß die Mütter ihren Gatten sofort in die Arme fielen und sie baten, die Kleinen doch nicht bis zum Irrsinn zu reizen. Die Männer ließen ab. Sie hatten keine gute Nacht. Und sie hatten auch keinen guten Tag mehr.
Inzwischen war nämlich in der Stadt bekannt geworden, daß Bonus zurückgekehrt war, und es begannen sich die verschiedensten Leute für den zarten Greis mit dem erschlafften Jünglingsgesicht zu interessieren. Die beiden an-

sässigen Zeitungen, sind immer gegensätzlicher Meinung, im Fall Alexander Bonus waren sie sich einig. Die Schlagzeilen ihrer Lokalseiten lauteten: »Keinen Platz für Kultur?« und »Zerfall der Werte!« Und in den Artikeln, die zu diesen Schlagzeilen gehörten, wurde das Schicksal Alexander Bonus' geschildert: seine jahrelange Sammelarbeit vor dem Krieg, die von ihm selbst aus den nicht gerade fürstlichen Pensionsbezügen finanziert worden war, seine Absicht, diese Sammlung dereinst der Städtischen Oberschule zu vererben, seine Evakuierung, die rohe Auslagerung seiner Sammlung, das Verderben, das ihr von Feuchtigkeit und Hitze drohte, Bonus' Initiative, seine Rückkehr, seine aufopferungsvolle Arbeit, die Sammlung zu retten, sein liebenswürdiger und selbstloser Versuch, die Sammlung vorerst in Leihgaben aufzuteilen und dadurch unterzubringen, das schnöde Unverständnis der Mitbürger, ihre brutale Handlungsweise gegen Bonus und ihre eigenen Kinder, die natürlich wieder einmal mehr Verständnis für die echten Werte bewiesen hatten als die Erwachsenen! Wenn ihr nicht werdet wie die Kinder ... so etwa endeten die Artikel, in denen schließlich noch die Stadt aufgefordert wurde, diesem unwürdigen Zustand ein Ende zu bereiten, Bonus sofort mit großzügigen Subventionen zu unterstützen und ihm wenigstens seine sechs Zimmer zur Verfügung zu stellen.

Als Bonus von diesen Umtrieben Kenntnis erhielt, – denn er war es nicht, der das alles veranlaßt hatte, das war wahrscheinlich gar kein Individuum, sondern so etwas wie das Kulturgewissen der ganzen Bürgerschaft, oder zumindest des Teiles der Bürgerschaft, der von sich behaupten durfte, dieses Kulturgewissen zu besitzen – da gab Bonus sofort zwei Telegramme auf. Er wußte, jetzt war die Zeit gekommen, die ganze Sammlung zurückzuholen. Wenn sie auch ihren Wert durch die mangelhafte Lagerung weitgehend eingebüßt hatte, er wollte jetzt nicht daran denken, er mußte zuerst einmal wieder alle alle Stücke, die vollständige Sammlung um sich haben.

Als Bonus die Telegramme aufgegeben hatte und in seine Wohnung zurückkehrte, begegnete er den beiden Frauen. Sie schlugen die Augen nieder und entwichen in ihre Zimmer. Sie schämen sich, dachte Bonus und lächelte. Sicher haben sie gelesen, was in den Zeitungen steht.
Abends begannen sie in aller Heimlichkeit, alle Vitrinen, die sie in der vergangenen Nacht auf den Flur geräumt hatten, wieder zurück in ihre Zimmer zu bringen. Ihren Kindern erlaubten sie, bei Bonus weitere Vitrinen zu holen. Und als dann die Fuhrwerke vor dem Haus hielten, die alle restlichen Stücke der Bonusschen Sammlung brachten – und das waren etwa doppelt so viel wie schon da waren – da scheuten die Eltern der sieben Kinder weder Staub noch Fäulnis, sie griffen selbst zu und ihre Kinder mit ihnen, und sie trugen so viele Vitrinen in ihre eigenen Zimmer, daß Bonus freundlich abwehren mußte. Nun zeigte es sich aber bald, daß sich die beiden Familien einfach zuviel zugemutet hatten. Tagelang kletterten sie mühsam und ohne zu klagen zwischen den zu hohen gefährlichen Türmen gestapelten Vitrinen herum, bis sogar die Kinder dem völligen Zusammenbruch nahe waren, dann beschlossen sie, um Herrn Bonus und das Gewissen der Öffentlichkeit nicht weiter zu beunruhigen, heimlich in der Nacht auszuziehen und sich irgendwo am Stadtrand in einer Notbaracke oder – wenn es nicht anders ging – sogar im Freien niederzulassen. Die Kinder wehrten sich nicht im mindesten, als sie tief in der Nacht geweckt wurden und der Auszug begann.
Alexander Bonus aber stand hinter seiner Tür und hörte draußen das behutsame Schlürfen vieler unbekleideter Füße.
Schließlich ging er zum Fenster, um dem kleinen Trupp der Eltern und Kinder nachzusehen, der, ein paar hochbeladene Handwagen mit sich schleppend, in der Dunkelheit verschwand.
Herr Bonus drehte sich um und lehnte sein schlaffes Jünglingsgesicht an eine mannshohe Vitrine, in der die Federn

eines Seeadlers aufbewahrt waren, dann rieb er seine jetzt ganz farblosen, fleischigen Wangen wie zur Liebkosung an der Holzkante und öffnete die Vitrine, um eine mächtige schwarze Schwingenfeder herauszuholen, aber weil sie spröde war, zerbrach sie in seinen kleinen weißen Händen. Trotzdem begann Herr Bonus noch in dieser Nacht, seine vielen Vitrinen gleichmäßig auf die sechs Zimmer zu verteilen.

WOLFGANG WEYRAUCH

## *Im Gänsemarsch*

Ich stelle mir vor,
wie der Feldwebel, ein fieser, impotenter, schwachsinniger Mörder und Mörderausbilder, einer von der SS-Sorte, obwohl er ein Amerikaner war, aber er hätte auch ein Russe oder ein Deutscher sein können, »Achtung« rief, das A so lang gezogen, daß jeder von den fünfundsiebzig Infanteristen wußte, er hält mich für ein Arschloch, und weil er mich dafür hält, bin ich eins,
wie er als erster, das sollte so etwas heißen, etwa, der Feldwebel ist nicht mehr als die Rekruten, in das Wattenmeer stapfte, das jetzt, im Winter, eiskalt war und hier, an der Küste des Meers, fast stillstand,
wie die fünfundsiebzig ihm folgten, im Gänsemarsch, aber nicht ganz nach Vorschrift, nicht ganz gleich Spielzeugsoldaten, die, einer hinter dem andern, auf einem Laufband dahingleiten, und dann rollen sie hinunter, und dann gleiten sie, die Stiefel aus Kunststoff nach oben, weiter, unterirdisch, die Leute vor der Scheibe können sie nicht sehen, sie haben Angst und fragen sich, erscheinen sie wieder, oder erscheinen sie niemals wieder, und schließlich sind sie doch wieder da, der Weg durch die Tiefe und Finsternis hat sie nicht verändert,

wie er nicht am Ufer entlang stapfte, sondern mitten in das Wattenmeer hinein, obwohl es Nacht war, in der Zeit des Neumonds, Nacht mit Wolken und Nebel, und obwohl ihm bekannt war, daß die Flut zu steigen begonnen hatte,
wie sie hinter ihm her trotteten, ohne über irgend etwas nachzudenken, denn sie mußten aufpassen, daß sie nicht hinfielen, da, wenn einer stürzte, sich die anderen verhedderten und in den Matsch fielen, der sie sowieso schon hinabzuziehen versuchte, dorthin, wo wer weiß was war, Fische, Molche, Kröten, Schlangen aus dem zwanzigsten oder zwanzigtausendsten Jahrhundert vor Christi Geburt, Tiere, die immer noch lebten, statt versteinert zu sein,
wie er an nichts dachte, an gar nichts, außer an den Befehl, den er gegeben hatte, die fünfundsiebzig sollten sich so verhalten, als ob Krieg wäre, und sie wären gerade dabei, eine nächtliche Landung an einer feindlichen Küste durchzuführen, an den Befehl, der eine Strafe war, weil sie nicht gespurt hatten, ja, er dachte nicht einmal darüber nach, daß er nicht dachte, wieso denn auch, wo Denken doch Glückssache ist, und wo Alexander mehr ist als Sokrates,
wie sie dann doch, weil ihnen nichts anderes übrig blieb, zu denken anfingen, so in der Einsamkeit des einzelnen, rechts von sich nichts, links nichts, vor sich einen Schatten, hinter sich einen, aber war der Schatten wirklich ein Schatten, war er vielleicht auch nichts, oder wenn er doch ein Schatten war, wovon war er einer,
wie der erste sich an das Exerzieren erinnerte, das den nächtlichen Ausmarsch veranlaßt hatte, an das Singen des albernen Liedes von den Mädchen, die treu sind, aber in Wirklichkeit sind sie gar nicht treu, sie sehen die Haare auf einem fremden Arm und wollen mit dem andern schlafen, an das Singen, das nicht klappte, weil es die letzte Stunde war, und sie müde waren, an seine Stinkwut, marsch, auf die Bäume, das Lied auf den Bäumen gesungen, Affen, die Ihr seid, an den neuen Text, den sie sangen, auf ihn gemünzt, auf sein Unglück, das er bei den Mädchen hatte, und er wurde ganz käsig und scheuchte sie von den Bäu-

men, Schluß mit dem Unterricht, aber ich werde Euch schon beibringen, was eine Harke ist,
wie der zweite an die Plakate der Magazine dachte, die auf dem Bretterzaun neben dem Vorortbahnhof klebten, damals, als er im Urlaub war, Männer weinen mehr, als Frauen ahnen, was ist bloß mit dem Wetter los, wir wohnen im Kunststoffhaus, Verrat in der Wüste, toller und dennoch wahrer Bericht, Farbberichte Ihrer Sehnsucht, die Einsame von Teheran, ich war ihr hörig,
wie der dritte sich überlegte, ob es nicht das beste wäre, sich umzubringen, einfach abends, wenn alle in den Betten lagen und sich zum hundertstenmal den Witz von Adam und Abraham erzählten, aus der Falle zu klettern, an dem Untermann vorbei, der einen am Bein festhielt und fragte, he, wo willst Du denn hin, hast Du ein Weib auf der Toilette versteckt, Mann, wer wird denn so egoistisch sein, gestatten Sie, mein Herr, daß ich Sie begleite, überhaupt nicht zu antworten, aus der Bude zu latschen, Tür hinter sich zu, immer ordentlich, über den Gang, leise, leise, ja keinen wecken, Selbstmord ist verboten, schon den rechten Zeigefinger abhacken ist verboten, kannst ja keinen mehr umlegen, wenn Du einen Finger zu wenig hast, zum Treppenschacht, gut, daß wir im dritten Stock liegen, wie mache ich es bloß richtig, ich muß es so machen, daß ich gleich tot bin, bloß nicht vor ein Kriegsgericht, aber da latscht ein anderer über den Gang, egal, wer es ist, er wird es verhindern, wenn er mich erwischt, also ab dafür, wie, ist wurscht, übersteigen und sich fallen lassen oder sich auf das Geländer stellen und springen,
wie der vierte sich ausmalte, daß alle zum Appell angetreten wären, zum Gewehrappell meinetwegen, ja, und dann käme er auch zu ihm, stellt sich hinter ihn, gleich einem Schwulen, tritt ihm mit dem Knie in die Kniekehle, bist Du auch standhaft, Kerl, nimmt ihm das Gewehr aus der Hand, nein, nimmt es ihm nicht aus der Hand, er, er muß es ihm hinhalten, so hoch wie möglich den Lauf, damit er feststellen kann, ob ein bißchen Staub im Lauf ist, ach was,

ein bißchen, ein einziges Staubkörnchen, natürlich ist eins drin, immer ist eins drin, und wenn einmal keins drin ist, pustet er durch den Lauf durch, seine Spucke ist in dem Lauf, er behauptet, daß die Spucke Staub ist, wer will, der hat, er nimmt ihm jetzt doch das Gewehr aus der Hand, er bläst seine Spucke aus dem Lauf, so daß das Ding wirklich sauber ist, er hält es gegen die Sonne, die gerade scheint, er will ihm beweisen, daß er ein Ferkel ist, es sieht so aus, als ob er die Sonne totschießen wolle, ach, er darf die Sonne nicht totschießen, lieber schieße ich ihn tot, aber so, wie das Gewehr jetzt ist, ungeladen, kann keiner damit schießen, weder er noch ich, ich könnte ihm mit dem Kolben das Hirn einschlagen, aber ich tue es nicht, ich weiß etwas anderes, etwas viel Besseres, ich ohrfeige ihn, ich trete vor die Front, ich sage so laut, daß alle es hören können, zu ihm, ich verachte Sie, Herr Feldwebel, das ist das Richtige, seine Schande ist mehr wert als sein Tod,
wie der fünfte an die letzte Geländeübung dachte, als sie berichten sollten, was für strategische Punkte sie ausmachen könnten, gut für die Verteidigung, gut für den Angriff, den höchsten Hügel, die tiefste Senkung, das einzeln stehende Bauernhaus, den einsamen Baum, das dichte Gebüsch, die Telegraphenstange, den ausgetrockneten Bach, aber er, anders als die andern, die alles aufsagten, wie es verlangt wurde, sagte kein Wort, als er an die Reihe kam, er sah etwas, aber er konnte nicht sagen, was er sah, denn wenn er es gesagt hätte, hätten sie ihn in ein Irrenhaus gesteckt, er sah etwas, er sah etwas Schreckliches, er sah den ausgetrockneten Bach, aber der Bach war nicht ausgetrocknet, er war voll Wasser, er war ein Fluß, kein Bach mehr, er trat über seine Ufer, und aus seinen Fluten stiegen viele weiße Pferde, wie in der Offenbarung Johannis, die Pferde schlugen mit den Hufen auf die Erde, sie schüttelten ihre Mähnen, sie wieherten, daß es über das ganze Gelände dröhnte, dann schlossen sie sich zusammen, schwärmten aus und griffen an, wen griffen sie an, die Soldaten griffen sie an, die Soldaten, die sich fürchteten, beb-

ten, auf die Knie fielen und beteten, die Soldaten, die keine Soldaten mehr waren, sondern Menschen,
wie dem sechsten sein älterer Bruder einfiel, der während des letzten Krieges in Übersee gewesen war, auf einer Insel, im Dschungel, wo er, befehlsgemäß, jeden Feind, auf den er stieß, einen Kopf kürzer machte, und als dann der Friede gekommen war, sah zunächst alles ganz gut aus, der Bruder arbeitete als Kellner, was wünscht die Dame zu speisen, einen Tomatencocktail zu Beginn, aber an einem freien Tag ging er am Rand eines Wäldchens spazieren, zwei kleine Mädchen überholten ihn, er schlenderte hinter ihnen her, er quatschte sie an und wollte ihnen den Unterschied zwischen einem Mann und einem Mädchen zeigen, sie machten vieles mit, aber alles machten sie eben nicht mit, was soll denn das heißen, Ihr Pflänzchen, er holte das Messer, das er auf der Insel benutzt hatte, aus der Hosentasche und stach auf sie los, so lange, bis er die Insel und die Mädchen vergessen hatte und einschlief,
wie der siebte –,
wie der siebte –,
wie der siebte – und die andern achtundsechzig und der Feldwebel mit einem Mal versanken, das heißt, nicht alle versanken, bloß die ersten sechs, die übrigen entkamen, und natürlich entrann er auch, der alles eingebrockt hatte,
wie er plötzlich stehenblieb, weil er etwas gehört hatte, er wußte nicht, was es war, aber es war etwas, es war da, er wartete darauf, daß es deutlich würde, er wartete einen Moment lang, dann war ihm klar, was es war, ohne daß er es schon an den Stiefeln gehabt hätte,
wie er sich umdrehte und den fünfundsiebzig befahl, kehrtzumachen und im Gänsemarsch, und wenn sonst was passiert, im Gänsemarsch, zu der Küste zurückzuwaten, der Gegenbefehl hob den Befehl auf, der Gegenbefehl hob die Strafe auf,
wie sie gehorchten, obwohl es ihnen schwer fiel, denn die Flut war gekommen, war es die Flut aus dem Meer, die auf

die Ebbe folgte, war es die Flut aus dem Traum des fünften, die über die Ufer des Bachs trat,
wie sechs den Boden unter den Füßen verloren, die sechs, von denen ich erzählt habe, oder andere sechs, wer weiß, ist ja auch ganz egal, Soldaten sind Soldaten, sie heißen nicht Anton, Bernt, Christian, Donald, Ezechiel, Frédéric, sondern eins, zwei, drei, vier, fünf, sechs,
wie der erste einfach verschwand, weg war er,
wie der zweite sank und sank und sank, dann kam er wieder hoch, dann sank er wieder, kam hoch, sank, und das setzte sich so fort, wie in der Hölle,
wie der dritte zu rennen anfing, aber es kam ihm bloß so vor, er rannte gar nicht, und je mehr er zu rennen versuchte, desto tiefer und schneller sank er in die Flut,
wie der vierte sich an dem fünften festhielt, so daß sie alle beide gleich Meteoren in die Wellen tauchten,
wie der sechste fluchte, ehe er in dem Strudel umkam, nieder mit der Ausgehuniform, nieder mit der Zivilerlaubnis, mit dem Feldwebel, dem General, dem Vaterland,
wie er sich rettete, indem er die Reihe entlang watete, Disziplin halten, Leute, Disziplin,
wie er irgendeinen packte, hob, auf seine Schulter legte und an Land trug,
wie er irgendeinen anderen schon geborgen hatte, aber was ist denn mit dem da los, der ist ja schon hin, ist ja witzlos, ich werfe ihn wieder ins Watt, nein, ich werfe ihn nicht, ich trage ihn ans Ufer, ist besser, ist für mich besser, für ihn nicht, hin ist hin,
wie er irgendeinen anderen vorübertreiben sah, der Tarnanzug hielt ihn an der Oberfläche, das ganze Ding gleich einem Fallschirm, der sich nicht geöffnet hatte, der Springer hing daran, die Haare waren eine Qualle, die Augen waren zwei Meersteine, der Mund war eine Muschel, die Zunge war ein junger Fisch,
wie die Wolken flohen, und die Sterne sich verdoppelten, sie waren oben, sie waren unten, gespiegelt, das Meer sah wie der Himmel aus, es war schön, es heuchelte,

ich stelle mir vor,
wie ein Militärgericht gegen den Feldwebel verhandeln wird, die Anklage wird ihn anklagen, er übertrat seine Befugnisse, die Verteidigung wird ihn verteidigen, er war diensteifrig, er war zuverlässig, er war ein guter Soldat, er glaubte, seine Pflicht zu tun, er hat den Bogen überspannt, er hat sich geirrt, er war gereizt, vergessen Sie nicht, meine Herren, das Verhalten seiner singenden Männer auf den Bäumen des Kasernenhofes, das Gericht wird ihn richten.

# Erreichte Wunder, überdeckte Wunden: Die fünfziger Jahre

HEINRICH BÖLL

## *Der Bahnhof von Zimpren*

Für die Bahnbeamten des Verwaltungsbezirks Wöhnisch ist der Bahnhof von Zimpren längst zum Inbegriff des Schrekkens geworden.
Ist jemand nachlässig im Dienst oder macht sich auf andere Weise bei seinen Vorgesetzten unbeliebt, so flüstert man sich zu: »Der, wenn der so weitermacht, wird noch nach Zimpren versetzt.« Und doch ist vor zwei Jahren noch eine Versetzung nach Zimpren der Traum aller Bahnbeamten des Verwaltungsbezirks Wöhnisch gewesen.
Als man nahe bei Zimpren erfolgreiche Erdölbohrungen vornahm, das flüssige Gold in meterdicken Strahlen aus der Erde quoll, stiegen die Grundstückspreise zunächst aufs Zehnfache. Doch warteten die klugen Bauern, bis der Preis, da auch nach vier Monaten noch das flüssige Gold in meterdicken Strahlen der Erde entströmte, aufs Hundertfache gestiegen war. Danach zog der Preis nicht mehr an, denn die Strahlen wurden dünner, achtzig, dreiundsechzig, schließlich vierzig Zentimeter dick; bei dieser Dicke blieb es ein halbes Jahr lang, und die Grundstückspreise, die erst aufs Fünfzigfache des Originalpreises gefallen waren, stiegen wieder aufs Neunundsechzigfache. Die Aktien der ›Sub Terra Spes‹ wurden nach vielen Schwankungen endlich stabil.
Nur eine einzige Person in Zimpren hatte diesem unverhofften Segen widerstanden: die sechzigjährige Witwe Klipp, die mit ihrem schwachsinnigen Knecht Goswin weiterhin ihr Land bebaute, während um ihre Felder herum

Kolonien von Wellblechbaracken, Verkaufsbuden, Kinos entstanden, Arbeiterkinder in öligen Pfützen »Prospektor« spielten. Bald erschienen in soziologischen Fachzeitschriften die ersten Studien über das Phänomen Zimpren, gescheite Arbeiten, geschickte Analysen, die in den entsprechenden Kreisen entsprechendes Aufsehen erregten. Es wurde auch ein Reportage-Roman ›Himmel und Hölle von Zimpren‹ geschrieben, ein Film gedreht, und eine junge Adlige veröffentlichte in einer illustrierten Zeitung ihre höchst dezenten Memoiren ›Als Straßenmädchen in Zimpren‹. Die Bevölkerungszahl von Zimpren stieg innerhalb von zwei Jahren von dreihundertsiebenundachtzig auf sechsundfünfzigtausendachthundertneunzehn.
Die Bahnverwaltung hatte sich rasch auf den neuen Segen eingestellt: ein großes, modernes Bahnhofsgebäude mit großem Wartesaal, Benzinbad, Aktualitätenkino, Buchhandlung, Speisesaal und Güterabfertigung wurde mit einer Geschwindigkeit errichtet, die der fälschlicherweise für sprichwörtlich gehaltenen Langsamkeit der Bahnverwaltung offensichtlich widersprach. Der Chef des Verwaltungsbezirks Wöhnisch gab eine Parole heraus, die noch lange in aller Munde blieb: »Die Zukunft unseres Bezirks liegt in Zimpren.« Verdiente Beamte, deren Beförderung bisher am Planstellenmangel gescheitert war, wurden nun rasch befördert, nach Zimpren versetzt, und auf diese Weise sammelten sich in Zimpren die besten Kräfte des Bezirks. Zimpren wurde in einer rasch einberufenen außerordentlichen Sitzung der Fahrplankommission zur D-Zug-Station erhoben. Die Entwicklung gab zunächst diesem Eifer recht: immer noch strömten zahlreiche Arbeitsuchende nach Zimpren und standen begierig vor den Personalbüros Schlange.
In den Kneipen, die sich in Zimpren auftaten, wurden die gute Witwe Klipp und ihr Knecht Goswin zu beliebten Gestalten; als folkloristischer Überrest, Repräsentanten der Urbevölkerung, gaben beide überraschende Beweise ihrer Trinkfestigkeit und einer Neigung zu Sprüchen, die den

Zugewanderten bald schon eine stete Quelle der Heiterkeit wurden. Gern spendeten sie Flora Klipp einige Glas Starkbier, um sie sagen zu hören: »Trauet der Erde nimmer, nimmer traut ihr, denn einhundertacht Zentimeter tief«; und Goswin wiederholte nach zwei, drei Schnäpsen, sooft es verlangt wurde, den Spruch, den die meisten seiner Zuhörer schon aus den Bekenntnissen der jungen Adligen kannten, die sich – zu Unrecht übrigens – auch intimer Beziehungen zu Goswin gerühmt hatte; wer Goswin ansprach, bekam zu hören: »Ihr werdet's ja sehen, sehen werdet ihr's.«
Inzwischen gedieh Zimpren unaufhaltsam; was ein ungeordnetes Gemeinwesen aus Baracken, Wellblechbuden, fragwürdigen Kneipen gewesen war, wurde eine wohlgeordnete kleine Stadt, die sogar einmal einen Kongreß von Städtebauern beherbergte. Die ›Sub Terra Spes‹ hatte es längst aufgegeben, der Witwe Klipp ihre Felder abzuschwatzen, die recht günstig in der Nähe des Bahnhofs gelegen waren und auf eine schlimme Weise zunächst die Entwicklung zu hindern schienen, später aber von klugen Architekten als »äußerst rares Dekorum« städtebaulich eingeplant und gepriesen wurden; so wuchsen Kohlköpfe, Kartoffeln und Rüben genau an der Stelle, wo die ›Sub Terra Spes‹ so gerne ihr Hauptverwaltungsgebäude und ein Schwimmbad für Ingenieure der gehobenen Laufbahn errichtet hätte.
Flora Klipp blieb unerbittlich, und Goswin wiederholte unerbittlich, wie die Respons einer Litanei, seinen Spruch: »Ihr werdet's ja sehen, sehen werdet ihr's.« Mit dem ihm eigenen Fleiß und mit Zärtlichkeit dünnte er weiterhin Rüben aus, pflanzte Kartoffeln in schnurgerader Reihe und beklagte in unartikulierten Lauten den öligen Ruß, der das Blattgrün verunzierte.
Es klang wie ein Gerücht, wurde auch wie ein solches geflüstert: daß die Erdölstrahlen dünner geworden seien; nicht vierzig Zentimeter seien sie mehr dick, sondern – so raunte man sich zu – sechsunddreißig; tatsächlich waren

sie nur noch achtundzwanzig Zentimeter dick, und als man offiziell noch ihre Dicke mit vierunddreißig Zentimetern angab, betrug sie nur noch neunzehn. Die halbamtliche Lüge wurde so weit getrieben, daß man schließlich, als nichts, gar nichts mehr der geduldigen Erde entströmte, noch verkünden ließ, der Strahl sei noch fünfzehn Zentimeter dick. So ließ man das Öl, als es schon vierzehn Tage lang überhaupt nicht mehr strömte, offiziell weiterströmen; in nächtlicher Heimlichkeit wurde aus entfernt gelegenen Bohrzentren der ›Sub Terra Spes‹ in Tankwagen Öl herangebracht, das man der ahnungslosen Bahnverwaltung als Zimprensches Öl zur Verladung übergab. Doch setzte man in den offiziellen Produktionsberichten die Dicke des Strahls langsam herab: von fünfzehn auf zwölf, von zwölf auf sieben – und dann mit einem kühnen Sprung auf Null, wobei man das Versiegen als vorläufig bezeichnete, obwohl alle Eingeweihten wußten, daß es endgültig war.
Für den Bahnhof von Zimpren wurde gerade diese Zeit zu einer Blütezeit; wenn auch weniger Tankzüge mit Öl den Bahnhof verließen, so strömten die Arbeitsuchenden gerade jetzt mit einer Heftigkeit nach, die man der Geschicklichkeit des Pressechefs der ›Sub Terra Spes‹ zuschreiben muß; gleichzeitig aber strebten schon die Entlassenen von Zimpren weg, und selbst jene, die beim Abbau der Anlagen noch ganz gut für ein Jahr hätten ihr Brot verdienen können, kündigten, von den Gerüchten beunruhigt, und so erlebten die Billettschalter und die Gepäckaufbewahrung einen solchen Andrang, daß der verzweifelte Bahnhofsvorsteher, der seine besten Beamten kurz vor dem Zusammenbruch sah, Verstärkung anforderte. Es wurde eine außerordentliche Sitzung des Verwaltungsrates anberaumt und rasch eine neue – die fünfzehnte – Planstelle für Zimpren bewilligt. Es soll – wenn man dem Geflüster der Leute glauben darf – auf dieser außerordentlichen Sitzung heiß hergegangen sein; viele Mitglieder des Verwaltungsrates waren gegen die Bewilligung einer neuen Planstelle, doch der Chef des Verwaltungsbezirks Wöhnisch soll gesagt ha-

ben: »Es ist unsere Pflicht, dem unberechtigten pessimistischen Gemurmel der Masse eine optimistische Geste entgegenzusetzen.«
Auch der Büfettier der Bahnhofsgaststätte in Zimpren erlebte einen Andrang, der dem am Fahrkartenschalter entsprach: die Entlassenen mußten ihre Verzweiflung, die Zuströmenden ihre Hoffnung begießen, bis schließlich, da sich beim Bier die Zungen rasch lösten, allabendlich eine beide Gruppen verbindende verzweifelte Sauferei stattfand. Bei diesen Saufereien stellte sich heraus, daß der schwachsinnige Goswin durchaus imstande war, seine Respons aus dem Futur ins Präsens zu transponieren, denn er sagte jetzt: »Nun seht ihr's, seht ihr's nun?«
Verzweifelt versuchte das gesamte höhere technische Personal der ›Sub Terra Spes‹, das Öl wieder zum Strömen zu bringen. Ein wettergebräunter, verwegen aussehender Mensch in cowboyartigem Gewand wurde aus fernen Gefilden per Flugzeug herangeholt; tagelang erschütterten gewaltige Sprengungen Erde und Menschen, doch auch dem Wettergebräunten gelang es nicht, auch nur einen einzigen Strahl von einem Millimeter Dicke aus der dunklen Erde zu locken. Von einem ihrer Äcker her, wo sie gerade Mohrrüben auszog, beobachtete Flora Klipp stundenlang einen sehr jungen Ingenieur, der verzweifelt einen Pumpenschwengel drehte; schließlich stieg sie über den Zaun, packte den jungen Mann an der Schulter, und da sie ihn weinen sah, nahm sie ihn an die Brust und sagte beschwichtigend: »Mein Gott, Junge, 'ne Kuh, die keine Milch mehr gibt, gibt nun mal keine Milch mehr.«
Da das Versiegen der Quellen so offensichtlich den Prognosen widersprach, wurde den immer düsterer klingenden Gerüchten als Würze eine Vokabel beigestreut, die die Gehirne ablenken sollte: Sabotage. Man scheute nicht davor zurück, Goswin zu verhaften, zu verhören, und obwohl man ihn mangels Beweises freisprechen mußte, so wurde doch eine Einzelheit aus seinem Vorleben bekanntgegeben, die manches Kopfschütteln verursachte: Er hatte in seiner

Jugend zwei Jahre in einem Häuserblock gewohnt, in dem auch ein kommunistischer Straßenbahner gewohnt hatte. Nicht einmal die gute Flora Klipp wurde vom Mißtrauen verschont; es fand eine Haussuchung bei ihr statt, doch wurde nichts Belastendes gefunden außer einem roten Strumpfband, für dessen Existenz Flora Klipp einen Grund angab, der die Kommission nicht ganz überzeugte: sie sagte, sie habe in ihrer Jugend eben gern rote Strumpfbänder getragen.

Die Aktien der ›Sub Terra Spes‹ wurden so wohlfeil wie fallende Blätter im Herbst, und man gab als Grund für die Aufgabe des Unternehmens Zimpren bekannt: politische Ursachen, die bekanntzugeben dem Staatswohl widerspreche, zwängen sie, das Feld zu räumen.

Zimpren verödete rasch; Bohrtürme wurden abmontiert, Baracken versteigert, der Grundstückspreis fiel auf die Hälfte seines ursprünglichen Wertes, doch hatte nicht ein einziger Bauer Mut, sich auf dieser schmutzigen, zertrampelten Erde zu versuchen. Die Wohnblocks wurden auf Abbruch verkauft, Kanalisationsröhren aus der Erde gerissen. Ein ganzes Jahr lang war Zimpren das Dorado der Schrott- und Altwarenhändler, die nicht einmal die Güterabfertigung der Bahn frequentierten, da sie ihre Beute auf alten Lastwagen abtransportierten: Spinde und Spitaleinrichtungen, Biergläser, Schreibtische und Straßenbahnschienen wurden auf diese Weise aus Zimpren wieder weggeschleppt.

Lange Zeit hindurch bekam der Chef des Verwaltungsbezirks Wöhnisch täglich eine anonyme Postkarte mit dem Text: »Die Zukunft unseres Bezirks liegt in Zimpren.« Alle Versuche, den Absender ausfindig zu machen, blieben erfolglos. Noch ein halbes Jahr lang blieb Zimpren, da es in den internationalen Fahrplänen als solche verzeichnet war, D-Zug-Station. So hielten hitzig daherbrausende Fernzüge auf diesem nagelneuen Bahnhof mittlerer Größe, wo niemand ein- noch ausstieg; und gar mancher Reisende, der sich gähnend aus dem Fenster lehnte, fragte sich, was sich

so mancher Reisende auf mancher Station fragt: »Wozu halten wir denn hier?« Und sah er richtig: standen Tränen in den Augen dieses intelligent aussehenden Bahnbeamten, der mit schmerzlich zuckender Hand den Winklöffel hochhielt, um den Zug zu verabschieden?
Der Reisende sah richtig: Bahnhofsvorsteher Weinert weinte wirklich; er, der sich seinerzeit von Hulkihn, einer Eilzugstation ohne Zukunft, nach Zimpren hatte versetzen lassen, er sah hier seine Intelligenz, sah seine Erfahrung, seine administrative Begabung verschwendet. Und noch eine Person machte dem gähnenden Reisenden diese Station unvergeßlich: jener zerlumpte Kerl, der sich auf seine Rübenhacke stützte und dem Zug, der hinter der Schranke langsam anzog, nachbrüllte: »Nun, seht ihr's ja, seht ihr's nun?«
Im Laufe zweier trübseliger Jahre bildete sich in Zimpren zwar wieder eine Gemeinde, eine kleine nur, denn die kluge Flora Klipp hatte, als der Grundstückspreis endlich auf ein Zehntel seines ursprünglichen Wertes gefallen war, fast ganz Zimpren aufgekauft, nachdem der Boden von Altwaren- und Schrotthändlern gründlich gesäubert worden war; doch auch Frau Klipps Spekulation erwies sich als voreilig, da es ihr nicht gelang, ausreichend Personal zur Bewirtschaftung des Bodens nach Zimpren zu locken.
Das einzige, das unverändert in Zimpren blieb, war der neue Bahnhof; für einen Ort mit hunderttausend Einwohnern berechnet, diente er nun siebenundachtzig. Groß ist der Bahnhof, modern, mit allem Komfort ausgestattet. Die Bezirksverwaltung hatte seinerzeit nicht gezögert, den üblichen Prozentsatz der Bausumme zur künstlerischen Verschönerung auszuwerfen; so ziert ein riesiges Fresko des genialen Hans Otto Winkler die fensterlose Nordfront des Gebäudes; das Fresko, zu dem die Bahnverwaltung das Motto »Der Mensch und das Rad« gestellt hat, ist in köstlichen graugrünen, schwarzen und orangefarbenen Tönen ausgeführt, es stellt eine Kulturgeschichte des Rades dar, doch der einzige Betrachter blieb, da die Bahnbeamten die

Nordseite mieden, lange Zeit der schwachsinnige Goswin, der angesichts des Freskos sein Mittagbrot verzehrte, als er das Gelände, das ursprünglich die Laderampe der ›Sub Terra Spes‹ bedeckte, für die Kartoffelaussaat vorbereitete.

Als der neue Fahrplan herauskam, in dem Zimpren endgültig als D-Zug-Station gestrichen wurde, brach der künstliche Optimismus der Bahnbeamten, den sie einige Monate lang zur Schau trugen, zusammen. Hatten sie sich mit dem Wort Krise zu trösten versucht, so war nun nicht mehr zu übersehen, daß die Permanenz des erreichten Zustandes das optimistische Wort Krise nicht mehr rechtfertigte. Immerhin bevölkerten fünfzehn Beamte – davon sechs mit Familie – den Bahnhof, an dem nun die D-Züge verächtlich durchbrausten; den täglich drei Güterzüge schweigend passierten, auf dem aber nur noch zwei Züge wirklich hielten: ein Personenzug, der von Senstetten kommt und nach Höhnkimme weiterfährt; ein anderer, der von Höhnkimme kommt und nach Senstetten fährt; tatsächlich bot Zimpren nur noch zwei Planstellen, während fünfzehn dort besetzt waren.

Der Chef des Verwaltungsbezirks schlug – kühn wie immer – vor, die Planstellen einfach abzuschaffen, die verdienten Beamten in aufstrebende Bahnhöfe zu versetzen, doch erhob der »Interessenverband der Bahnbeamten« gegen diesen Beschluß Einspruch und verwies – mit Recht – auf jenes Gesetz, das die Abschaffung einer Planstelle so unmöglich macht wie die Absetzung des Bundeskanzlers. Auch brachte der Interessenverband das Gutachten eines Erdölprospektors bei, der behauptete, man habe in Zimpren nicht tief genug gebohrt, habe vorzeitig die Flinte ins Korn geworfen. Es bestehe immer noch Hoffnung auf Erdöl in Zimpren, doch sei ja bekannt, daß die Prospektoren der ›Sub Terra Spes‹ nicht an Gott glaubten.

Der Streit zwischen Bahnverwaltung und Interessenverband schleppte sich von Instanz zu Instanz, gelangte vors Präzedenzgericht, das sich gegen die Bahnverwaltung ent-

schied – und so bleiben die Planstellen in Zimpren bestehen und müssen besetzt gehalten werden.
Besonders heftig beklagte sich der junge Bahnsekretär Suchtok, dem einst in der Schule eine große Zukunft prophezeit worden war, der aber jetzt in Zimpren seit zwei Jahren einer Abteilung vorsteht, die nicht einen, nicht einen einzigen Kunden gehabt hat: der Gepäckaufbewahrung. Dem Vorsteher der Fahrkartenabteilung geht es ein klein wenig besser, aber eben nur ein ganz klein wenig. Den Leuten in der Signalabteilung bleibt immerhin der Trost, daß sie die Drähte – wenn auch nicht für Zimpren – summen hören, was beweist, daß irgendwo – wenn auch nicht in Zimpren – etwas geschieht.
Die Frauen der älteren Beamten haben einen Bridge-Klub gegründet, die der jüngeren ein Federball-Team aufgestellt, aber sowohl den bridgespielenden wie den federballspielenden Damen wurde die Lust verdorben durch Flora Klipp, die sich, da es ihr an Arbeitskräften mangelt, auf den Feldern um den Bahnhof herum abrackerte, nur hin und wieder ihre Arbeit unterbrach, um ins Bahnhofsgebäude hinüberzurufen: »Beamtengesindel, erzfaules.« Auch härtere Ausdrücke fielen, ordinäre, die jedoch nicht literaturfähig sind. Goswin fühlte sich durch die hübschen jungen Frauen, die auf dem Bahnhofsgelände Federball spielten, ebenfalls provoziert und bewies, daß er sein Vokabularium vergrößert hatte, denn er schrie: »Huren, nichts als Huren!« – ein Ausspruch, den jüngere, unverheiratete Bahnbeamte auf seine Bekanntschaft mit der jungen Adligen zurückführten.
Schließlich kamen die jüngeren wie die älteren Damen überein, diesen sich wiederholenden Tadel nicht auf sich sitzen zu lassen; Klagen wurden eingereicht, Termine anberaumt, Rechtsanwälte reisten herbei, und Bahnsekretär Suchtok, der seit zwei Jahren vergeblich auf Kundschaft gewartet hatte, rieb sich die Hände: an einem einzigen Tag wurden zwei Aktentaschen und drei Schirme abgegeben. Doch als er selber diese Gegenstände entgegennehmen

wollte, wurde er von seinem Untergebenen, dem Bahnschaffner Uhlscheid, belehrt, daß er, der Sekretär, zwar die Oberaufsicht führe, daß die Entgegennahme der Gegenstände aber seine, Uhlscheids, Aufgabe sei. Tatsächlich hatte Uhlscheid recht, und Suchtok blieb nur der Triumph, daß er abends, als die Gepäckstücke wieder abgeholt wurden, die Gebühren kassieren durfte: fünfmal dreißig Pfennige; das erstemal in zwei Jahren klingelte die nagelneue Registrierkasse.

Der kluge Bahnhofsvorsteher hat inzwischen mit Flora Klipp einen Kompromiß geschlossen; sie hat sich bereit erklärt, ihre – wie sie eingesehen hat – unberechtigten Beschimpfungen einzustellen; außerdem hat sie die Garantie dafür übernommen, daß auch Goswin sich keinerlei Injurien mehr erlauben wird. Als Gegenleistung, jedoch sozusagen privat, da dies offiziell nicht möglich ist, hat er Witwe Klipp die Herrentoilette zur Aufbewahrung ihres Akkergerätes und die Damentoilette zu dem vom Architekten bestimmten Zweck zur Verfügung gestellt. Witwe Klipp darf sogar – doch muß dies streng geheim bleiben, da es weit über die Natur einer Gefälligkeit hinausgeht – ihren Traktor im Güterschuppen unterstellen und ihr Mittagbrot in den weichen Polstern des riesigen Speisesaals einnehmen. Aus reiner Herzensgüte, da ihr der junge Suchtok leid tut, gibt Witwe Klipp hin und wieder ihren Proviantbeutel oder ihren Regenschirm bei der Gepäckaufbewahrung ab.

Nur wenigen Beamten ist es bisher gelungen, von Zimpren versetzt zu werden; doch immer müssen die vakant werdenden Stellen neu besetzt werden, und es ist im Verwaltungsbezirk Wöhnisch längst ein offenes Geheimnis, daß Zimpren ein Strafbahnhof ist: so häufen sich dort Rauf- und Trunkenbolde, aufsässige Elemente, zum Schrecken jener anständigen Elemente, denen es noch nicht gelungen ist, ihre Versetzung durchzudrücken.

Betrübt gab der Bahnhofsvorsteher vor wenigen Tagen seine Unterschrift unter den jährlichen Kassenbericht, der

Einnahmen in Höhe von dreizehn Mark achtzig auswies; zwei Rückfahrkarten nach Senstetten wurden verkauft: das war der Küster von Zimpren mit seinem einzigen Meßdiener, die zum alljährlich fälligen gemeinsamen Ausflug bis Senstetten fuhren, um dort die herrliche Lourdes-Grotte zu besichtigen; zwei Rückfahrkarten nach Höhnkimme, der Station vor Zimpren, das war der alte Bandicki, der mit seinem Sohn zum Ohrenarzt fuhr; eine einfache Fahrkarte nach Höhnkimme: das war die uralte Mutter Glusch, die dort ihre verwitwete Schwiegertochter besuchte, um ihr beim Einkochen von Pflaumen zur Hand zu gehen; sie wurde zurück von Goswin auf dem Gepäckständer des Fahrrades mitgenommen; achtmal Gepäck – die beiden Aktentaschen und die drei Regenschirme der Rechtsanwälte, zweimal der Proviantbeutel, einmal der Regenschirm von Flora Klipp. Und zwei Bahnsteigkarten: das war der Pfarrer, der Küster und Meßdiener an den Zug begleitete und wieder vom Zug abholte.
Das ist eine trübselige Bilanz für den begabten Bahnhofsvorsteher, der sich seinerzeit von Hulkihn weggemeldet hatte, weil er an die Zukunft glaubte. Er glaubt längst nicht mehr an die Zukunft. Er ist es, der immer noch heimlich anonyme Postkarten an seinen Chef schickt, der sogar hin und wieder mit verstellter Stimme anruft, um seinem Chef mündlich zu wiederholen, was auch auf den Postkarten steht: »Die Zukunft unseres Bezirks liegt in Zimpren.«
Neuerdings ist zwar Zimpren zum Pilgerziel eines jungen Kunststudenten geworden, der sich vorgenommen hat, über das Werk des inzwischen verstorbenen Hans Otto Winkler zu promovieren; stundenlang weilt dieser junge Mensch in dem leeren, komfortablen Bahnhofsgebäude, um auf gutes Fotowetter zu warten und dort seine Notizen zu vervollständigen; auch verzehrt er dort sein belegtes Brot, den Mangel eines Ausschanks beklagend. Das lauwarme Leitungswasser ist seiner Kehle widerwärtig; befremdet hat er festgestellt, daß in der Herrentoilette »bahnfremde Gegenstände« aufbewahrt werden. Der junge

Mann kommt ziemlich häufig, da er das riesige Fresko nur partiell fotografieren kann; doch leider wirkt er sich nicht positiv auf die Bahnhofskasse aus, denn er ist mit einer Rückfahrkarte ausgestattet und benutzt auch die Gepäckaufbewahrung nicht. Der einzige, der einen gewissen Nutzen aus der Reiselust des Kunststudenten zieht, ist der junge Brehm, ein Bahnschaffner, der wegen Trunkenheit im Dienst nach Zimpren strafversetzt wurde; ihm ist es vergönnt, die Rückfahrkarte des Studenten zu lochen; eine Bevorzugung durch das Schicksal, die den Neid seiner Kollegen erweckt. Er war es auch, der die Beschwerde über den Zustand der Herrentoilette entgegennahm und den Skandal heraufbeschwor, der für einige Zeit Zimpren noch einmal interessant machte. Wohl jeder entsinnt sich noch des Prozesses, der die »bahnfremde Verwendung bahneigener Gebäude« zum Gegenstand hatte. Doch ist auch das längst vergessen. Der Bahnhofsvorsteher erhoffte sich von diesem Skandal eine Strafversetzung von Zimpren weg, doch war seine Hoffnung vergeblich, denn man kann nur *nach* Zimpren strafversetzt werden, nicht *von* Zimpren weg.

ALFRED ANDERSCH

## *Mit dem Chef nach Chenonceaux*

Für den Fahrer hatte Herr Schmitz als ersten Gang eine ›Terrine du Chef‹ bestellt – »Sie essen doch gern 'ne Suppe vorher, Jeschke!« –, aber man servierte zu ihrer Überraschung eine kalte Platte aus Geräuchertem, Wurst und Gänseleberpastete; der Garçon, vom Doktor herbeigerufen, erklärte in miserablem Deutsch, die befrackten Achseln leicht angehoben, dies sei in der Tat das Gewünschte. »Terrine«, grollte Herr Schmitz, »ich hätte geschworen, das wär 'ne Suppe!« Sie sprachen alle drei nicht Franzö-

sisch, Herr Schmitz, der Fahrer und Doktor Honig, Französisch war des Doktors große Bildungslücke, aber Herr Schmitz hatte, als er ihn engagierte, großzügig erklärt: »Ist auch unnötig, der französische Markt ist für uns nicht interessant, Textil können die selber, da machen wir keine pöblik reläsch'ns« (er hatte ›pöblik‹ gesagt und ›relations‹ mit einem Kehlkopf-R ausgesprochen) – doch gerade weil er sich an dieses Zugeständnis erinnerte, empfand Doktor Honig es jetzt als Manko, daß er seinem Chef nicht behilflich sein konnte.
Jeschke, hager und schwärzlich, sicherlich überzeugter Kartoffelesser, musterte finster die Platte, gab aber nach einigen Versuchen zu, die Leberwurst sei ausgezeichnet, was angesichts seiner sonstigen Schweigsamkeit bemerkenswert war und Herrn Schmitz veranlaßte, seinen Appetit nicht weiter zu zähmen und sich Proben aus Jeschkes Hors d'œuvre zu fischen; er forderte auch den Doktor auf, Jeschke zu entlasten, aber Honig zog es vor, seine Weinbergschnecken abzuwarten und, bis sie kamen, den beiden Männern zuzusehen: dem steif aufgerichteten dürren Jeschke, der keinen Knopf seiner grauen Livreejacke öffnete und mit der Gabel von oben her im Aufschnitt stocherte, und dem in gesundes festes Fett verpackten Herrn Schmitz, der halb über seinem Teller lag und es fertigbrachte, zu reden, fast unablässig und dabei ganz gescheit zu reden, und dennoch intensiv und genießerisch zu essen, nicht etwa wie ein dicker Mann – auf eine so einfache Formel war er nicht zu bringen –, sondern ein Mann, der sich viele Jahre hindurch sorgfältig und nur vom Besten ernährt hatte, was, wie der Doktor überlegte, etwas ganz anderes ist als ein Mann, der sich vollfrißt. Übrigens hatte Herr Schmitz, ehe sie in die ›Anne de Beaujeu‹ eintraten, den Doktor gefragt, ob er sich sozial deklassiert fühle, wenn der Fahrer mit ihnen esse, und Honig hatte geantwortet, es sei schon eine ziemliche Zumutung, aber er wolle sich damit abfinden. Herrn Schmitz konnte, ja mußte man ironische Antworten geben, er haßte glatte Zustimmung – »Ich mag keine

Ja-Sager um mich« –, und das war es, was den Umgang mit ihm erträglich, wenn auch ein wenig anstrengend machte.
Nach dem Essen fuhren sie über die Porte d'Orléans aus Paris heraus, in Herrn Schmitz' Dreikommazwo-Liter-BMW, Doktor Honig saß vorn neben dem Fahrer und Herr Schmitz hinten allein; die Polsterung war aus schwach zitronenfarbenem Leder, und Paris, draußen, hinter den Scheiben aus sorgfältig mit einem Kunststoffschwamm gereinigtem Sicherheitsglas, Paris war vergammelt, wie Herr Schmitz melancholisch meinte. Gestern, in Versailles, war Herr Schmitz beinahe explodiert, als er den Zustand des Schlosses gesehen hatte. »Nee«, hatte er gemeint, »so vergammeln darf man dat Ding nicht lassen.« Er nannte das Versailler Schloß »dat Ding«. Der Doktor hatte etwas von delikater Patina gesagt, aber Herr Schmitz hatte den Einwand nicht gelten lassen. »Das ist keine Patina«, hatte er entgegnet, »das ist Dreck. Wenn die Leute wirklich ihre Geschichte erhalten wollen, dann müssen sie das Ding so erhalten, wie es von Ludwig dem Vierzehnten gemeint war, nämlich neu, dann muß es funkeln, als sei es gestern gebaut.« Der Doktor hatte an Herrn Schmitz' funkelnde Krefelder Fabriken gedacht und innerlich »aha!« gesagt, aber obgleich er Herrn Schmitz' Ansicht so entwaffnend fand, daß ihm gar nichts dazu einfiel, machte er – denn Widerspruch mußte sein – dennoch ein paar Bemerkungen über Schönheit und Verwitterung, über Ästhetik und Geschichte. Herr Schmitz war unbeugsam geblieben. »Kann schon sein, daß Sie's schön finden, wie es ist«, meinte er, »aber nur, weil Sie sich nicht vorstellen können, wie's ausgesehen hat, als es neu war.« Und dann hatte er ausgepackt: er wußte alles über die Technik des Gebäudeanstrichs im Hochbarock; der Doktor hatte gestaunt.
Na, das kann ja heiter werden, dachte der Doktor, während sie Paris hinter sich ließen. Frankreich, gesehen mit den Augen eines Deutschen-Wunder-Mannes, der da hinter ihm saß, allein im Fond eines funkelnden schwarzen

Autos, auf schwach zitronenfarbenem Leder, aber nicht nur im Autofond allein, sondern überhaupt von einem unbestimmten Air des Alleinseins umgeben, das er offenbar nur schwer ertrug, denn er hatte den Doktor zu dem verlängerten Wochenende mitgenommen, weil er Gesellschaft brauchte. Deshalb in erster Linie. »Kommen Sie«, hatte Herr Schmitz gesagt, »lassen wir die Koofmichs mal zu Hause, und machen wir uns ein paar schöne Tage!« aber Doktor Honig wußte, daß er nicht als Begleiter ausgewählt worden war, weil Herr Schmitz ihn sympathischer fand als die anderen Herren seines ›Führungsstabs‹. Der Chef lebte ganz gern mit den Leuten zusammen, die er ›die Koofmichs‹ nannte, wenn er auch zu einer Schlösser- und Kathedralenfahrt lieber denjenigen seiner Mitarbeiter aufforderte, den er dafür bezahlte, daß er was von Kunst verstand. (»Von Form«, pflegte der Doktor zu widersprechen, wenn er Herrn Schmitz ein Plakat von Huegi vorlegte und der Chef es mit den Worten genehmigte: »Na, von Kunst müssen Sie ja mehr verstehen als ich« – aber er konnte es Herrn Schmitz nicht abgewöhnen, von Kunst zu sprechen, sowenig er sich dagegen zu wehren vermochte, daß die Kollegen, die ›Koofmichs‹ und die leitenden Ingenieure, ihn den ›Kunst-Honig‹ nannten.) Nein, Herr Schmitz fand ihn weder sympathischer noch unsympathischer als die anderen Leute seiner Umgebung, Herr Schmitz war allein, aber er war es ungern, er hatte keine Freunde, aber er brauchte Gesellschaft, man hatte keine Freunde, man hatte Domestiken, einen fürs Auto, dachte der Doktor, und einen für die Kunst, und man erzog sie sich zum Widerspruch, weil kein Erfolg möglich war in einer Welt, die zu allem, was man tat und dachte, ja sagte. Wenn man so erfolgreich war wie Herr Schmitz, so war man dazu verdammt, im Fond seines Autos allein zu sitzen.
Es blieb natürlich eine offene Frage, warum Herr Schmitz dann nicht lieber mit einer Frau reiste. Daß er nicht mit seiner eigenen Frau reiste, war ohne weiteres zu verstehen: Herrn Schmitz' Frau war eine Gattin; sie verließ nur un-

gern ihr mit falschem Chippendale eingerichtetes Haus. Merkwürdiger war schon, daß Freundinnen Herrn Schmitz nicht nachzuweisen waren. Jedesmal, wenn Doktor Honig über diese Seite des Wesens seines Chefs nachdachte, sah er unwillkürlich auf dessen Hände: sie waren kurzfingrig, aber feingeformt und von blasser, zarter Haut überspannt; sie paßten nicht zu dem wohlgenährten, erfolgreichen Körper des Mannes – oder waren sie seine Tastinstrumente, die Fühler seines Erfolgs? Nur eine fast unmerkliche Härte jedenfalls unterschied sie von Damenhänden.

An der Kathedrale von Chartres hatte Herr Schmitz nichts auszusetzen. Schade war nur, dachte der Doktor, daß sie eine halbe Stunde zu spät hinkamen, abends, als der späte Oktoberhimmel schon grau geworden war, so daß die große Fensterrose nicht mehr leuchtete. Und außerdem war es seit heute morgen eiskalt, der Wind war fast unerträglich, und der Doktor spürte, daß er einen schweren Schnupfen vor sich hatte, während er die Figuren am Portail Royal bewunderte. Er trachtete danach, schnell wieder ins Auto zu kommen, aber Herr Schmitz war unermüdlich; begeistert umrundete er den vom Wind umpfiffenen Bau. Das Hotel in Tours hingegen war, obwohl première classe, so offenkundig vergammelt, daß Herr Schmitz vor dem Anblick der grauen, vor Alter brüchigen Voilegardinen und der fleckigen Tischdeckchen in den Zimmern sofort in den Speisesaal flüchtete, ein Speisesälchen eigentlich, ein Eßkabinett, im Stil der Touraine gehalten und mit einem blitzenden, glühenden Grill ausgestattet. Sie aßen Rebhühner à la chasseur. Den ersten, vom Kellner empfohlenen Wein wies Herr Schmitz zurück, er war ein im Fond harter, nachträglich überzuckerter Loire-Wein, aber Herr Schmitz war kein naiver deutscher Tourist, dem man einen solchen Wein anbieten konnte, er war der Sohn eines Mannes, der an der Mosel einige ausgezeichnete Lagen besessen hatte, und der Kellner begriff sogleich, daß er keinen Parvenu bediente, und brachte einen leichten, trockenen Barsac –

»Kellertemperatur, nicht auf Eis!« hatte Herr Schmitz befohlen –, der auf sanfte Weise in ihnen zu blühen begann, nachdem sie ihn eine Weile tranken. Herr Schmitz redete wieder, wieder sprach er fast unablässig und dabei ganz gescheit, diesmal über Weine, über deutsche und französische Weine, er wußte alles über Weinbau, Weinpflege, Weinstockbeschnitt, Weinhandel und Namensgebung. Der Doktor nahm, in das leichte Fieber seines beginnenden Schnupfens eingehüllt, kaum auf, was Herr Schmitz an Fakten vor ihm ausbreitete, er staunte nur wieder, denn er, Honig, war ein Mann, der viel von Literatur und Kunst, von Public Relations und Werbung verstand, aber wenig von Fakten. Herr Schmitz schloß sein Referat unvermittelt mit den Worten: »Reisen kann man eigentlich nur noch in Frankreich.«
»Na«, sagte Doktor Honig zweifelnd, »und wie ist es mit Spanien?« Man brauchte Herrn Schmitz nur ein Stichwort zu geben, um ihn zu einer längeren Rede zu veranlassen; er behandelte also eine Weile Spanien, ehe er sagte: »Frankreich ist viel feiner, vornehmer, stiller.« Überrascht konstatierte der Doktor die echte Besorgnis in Herrn Schmitz' Stimme, als der Chef hinzufügte: »Wenn sie's nur nicht weiter vergammeln lassen.«
Im Hotel aß Jeschke übrigens nicht mit ihnen zusammen. Der Doktor erfuhr einiges darüber, wie Chauffeure in Grand-Hotels lebten: sie bekamen kleine, aber komfortable Zimmer in den oberen Stockwerken und aßen feste Menüs in eigens für sie reservierten Räumen. Herr Schmitz beurteilte die Güte von Hotels nach der Güte des Essens, über das Jeschke ihm Rapport erstatten mußte. »Wenn Jeschke sagt, daß sein Essen nicht gut war, dann können Sie das Hotel ruhig abschreiben«, erzählte er dem Doktor, »ein Hotel, das daran spart, taugt auch sonst nichts.«
Als sie gegen elf Uhr nach oben gingen und sich vor Herrn Schmitz' Zimmer voneinander verabschiedeten, sah der Doktor durch die schon halb geöffnete Tür, wie Jeschke – noch immer in streng geschlossener Livree – dabei war,

Herrn Schmitz' Nachtutensilien auszubreiten. Am Morgen bezahlte Jeschke die Hotelrechnung; er trug in seiner Brieftasche Herrn Schmitz' Reisekasse und verwaltete sie auf die gleiche sichere und schweigsame Weise, mit der er den schweren BMW fuhr. Eigentlich bin nur ich der Domestike, dachte der Doktor, während er mit heißem Kopf eine schlechte Nacht verbrachte, Jeschke ist etwas ganz anderes – ein Diener ist ein Mann, der mit seinem Herrn zusammenlebt, es ist ein Fall von Symbiose, wie die Verbindung von Regenpfeifer und Krokodil, man muß sehr reich sein, um einen Diener besitzen zu können, und Herr Schmitz war in der Tat ein reicher Mann, er war weder mittelreich, wie so viele, noch superreich, wie einige von den neuen Reichen, deren Bilder man in den Illustrierten sah – er war ein sehr reicher, ein richtig reicher Mann. Er war ein Krokodil.
Beim Frühstück hatte der Doktor einen dicken Kopf, er war ganz benommen von Fieber, Schnupfen und Halsschmerzen, aber draußen war ein kalter, sonniger Morgen, der ihm gut tat, als sie in Tours spazierengingen. Die Kathedrale sah hoch und schlank aus und die Palais im Kathedralenviertel lagen still und herbstlich hinter alten Hofmauern, durch deren Pforten Nonnen und Gärtner gingen. Die Loire floß breit und sandgelb an Tours vorbei. Sie verließen es und fuhren nach Chenonceaux. Herr Schmitz äußerte sich zu Chenonceaux weder pro noch contra, am stärksten interessierte ihn in dem langgestreckten Saal, unter dessen Fenstern der Cher hindurchfloß, eine Tafel, auf der geschrieben stand, daß hier im Ersten Weltkrieg Verwundete gepflegt worden waren. Er fand den Saal als Lazarett denkbar ungeeignet. Offenbar konnte Herr Schmitz sich einen Saal voller Verwundeter vorstellen, er vermochte das Stöhnen von Kranken in einem leeren, ungeheizten Schloß zu hören. Doktor Honig mußte sich gestehen, daß ihn selbst diese Erinnerungstafel zu keinem Nachdenken veranlaßt haben würde, wenn sein Chef sich nicht darüber verbreitet hätte. Schade, dachte er, weil er es vorgezogen

hätte, mit Herrn Schmitz über Diane de Poitiers zu sprechen, über die er ausgezeichnet informiert war; es hingen ein paar schöne Porträts der Schule von Fontainebleau im Schloß.
Anschließend Amboise, danach Chaumont, und zum Mittagessen waren sie in Blois. In Amboise interessierte sich Herr Schmitz für Lionardos Wohnhaus weit mehr als für das Schloß hoch oben auf dem Felsen; die Modelle von Lionardos Apparaten regten ihn zu einigen fachmännischen Ausführungen an. Im Schloßhof von Chaumont fragte ihn der Doktor, den das Fieber in einen Zustand der Gereiztheit trieb, ob er diese Art Architektur nicht auch an sämtlichen Villen im Rheinland studieren könne, aber Herr Schmitz verstand diesmal die Ironie nicht, sondern ließ durchblicken, daß er den Loire-Stil noch in seinen Kopien aus der Gründerzeit bewunderte, was Honig um so merkwürdiger schien, als der Chef überall etwas auszusetzen fand. Besonders das Schloß in Blois war natürlich wieder völlig ›vergammelt‹, weil es altersschwarz und düster auf die Schieferdächer der Stadt und auf den flachen, trägen, chinesischgelben Fluß hinabblickte. Am Nachmittag fuhr Jeschke sie nach Chambord und weiteren Schlössern. Es war immer kälter geworden, ein eiskalter Wind pfiff über die Touraine hin, und jedesmal, wenn er aus der leicht und angenehm geheizten Limousine stieg, um wieder ein Schloß zu besichtigen, befürchtete der Doktor, seine Erkältung könne sich zu einer Lungenentzündung steigern. Er beneidete Jeschke, der nichts zu besichtigen brauchte, sondern beim Wagen bleiben, eine Tasse Kaffee trinken oder sich bei den Andenkengeschäften herumtreiben konnte, während er, Honig, mit dem Chef Sehenswürdigkeiten nach Sehenswürdigkeiten zu ›machen‹ hatte. Herr Schmitz war unermüdlich, und unermüdlich teilte er die Monumente von Frankreichs Vergangenheit in ›vergammelte‹ und guterhaltene ein. Er rechnete, und er wurde im Laufe des Nachmittags immer melancholischer, weil die Summe seiner Addition dessen, was hier zu tun war, denn doch alles

überstieg, was er erwartet hatte. Die Franzosen hatten sich in ihrer Vergangenheit zweifellos mit Bauten übernommen.
In Chambord gerieten sie beinahe aneinander. Der Doktor war starr vor Entzücken über den Manierismus der Dachlandschaft des Schlosses, die Bilder gewisser Surrealisten erschienen vor seinem geistigen Auge und verschmolzen mit Abbildungen aus dem Stundenbuch des Duc de Berry; Franz der Erste hatte in ein Fenster von Chambord die Worte geritzt ›Souvent femme varie‹, und das alles imaginierte ihm einen Plakatentwurf für Herrn Schmitz' Krefelder Kunstseiden, den er sofort nach seiner Rückkehr mit Huegi in der Schweiz besprechen würde. »Wissen Sie, was Chateaubriand über die Dächer von Chambord gesagt hat?« fragte er Herrn Schmitz.
Der Chef schrak aus der düsteren Betrachtung einiger mit roten Brettern vernagelter Fensterhöhlen im Parterre des Schlosses auf. »Was hat er denn gesagt?« fragte er.
»Chambord gleicht einer Frau, deren Haare vom Wind in die Höhe geweht werden«, rezitierte der Doktor, sozusagen stehend, freihändig, denn er hatte es vorhin in einem Prospekt gelesen.
»Quatsch«, sagte Herr Schmitz schroff. »Sie sollten sich lieber mal den Zustand des Schlosses ansehen!«
Der Doktor fühlte mit Besorgnis, daß eine Art persönlicher Antipathie gegen ihn, Honig, sich in die Stimme seines Chefs eingeschlichen hatte. »An dem Ding haben zwölf Jahre lang ständig zweitausend Arbeiter geschuftet«, fügte Herr Schmitz hinzu, »Frankreich hat geblutet für dieses Schloß. Wissen Sie, daß dieser König – wie hieß er doch gleich? . . .«
»Franz der Erste.«
». . . daß dieser Kerl einen eigenen Finanzausschuß gegründet hat, der das Land ausplünderte, damit das Ding gebaut werden konnte?« Der Doktor wußte es natürlich nicht, und Herr Schmitz grollte: »Das interessiert mich mehr, als was so ein paar Literaten und Kunsthistoriker

verzapfen. Manierismus! Die sollen lieber dafür sorgen, daß das Ding nicht so herunterkommt.«
Cheverny, das in der Dämmerung leuchtend, von einem dunkelrot glühenden Park umgeben, auf gepflegten Rasenflächen stand, versöhnte ihn ein wenig mit dem im allgemeinen so ›vergammelten‹ Zustand der französischen Geschichte. ›Vergammelt‹, dachte der Doktor, als er erschöpft neben dem Fahrer saß, auf der Fahrt nach Bourges, ein Slang-Ausdruck mit einem ganz alten germanischen Wortstamm, ›gamla‹ heißt in den skandinavischen Sprachen ›alt‹. Warum läßt er das Alte nicht einfach vergammelt sein, dachte der Doktor erbittert, während er, wieder heftig fiebernd und mit benommenem Kopf, in die vorbeihuschende Dunkelheit starrte. Sie hatten seit gestern abend zwei Kathedralen und elf Schlösser ›gemacht‹; der Doktor kicherte leise und nervös vor sich hin: er, der sonst einen angenehm versnobten Reisestil sorgsam kultivierte, hatte nie gedacht, so etwas könne ihm jemals passieren.
Im Hotel in Bourges entschuldigte er sich gleich bei Herrn Schmitz und legte sich zu Bett. Er nahm zwei Aspirintabletten, aber es gelang ihm nicht, einzuschlafen, das Fieber hielt ihn in einem Zustand von betäubter Wachheit. Das Zimmer, in dem er lag, war groß und dunkel, obwohl er die Vorhänge zurückgezogen hatte, denn die Straße draußen, im nächtlichen Bourges, war finster; nur der rote Laternenrhombus eines Tabakbistros warf einen schwachen Reflex an den Plafond. Gegen zehn Uhr klopfte es, und Herr Schmitz kam herein, um nachzusehen, wie es seinem Begleiter ging. »Schwitzen Sie's mal aus«, sagte er, »dann sind Sie's morgen früh los!«
»Ich komme nie ins Schwitzen«, sagte der Doktor, »ich kriege immer nur Fieber, leichtes bis mittleres Fieber, und dann verschwindet es wieder.«
»Richtiges Fieber und dann richtig schwitzen wäre besser«, sagte Herr Schmitz. Er seufzte und zog einen Stuhl heran. Offenbar schien er noch etwas auf dem Herzen zu haben.

»Ich war noch eine Stunde draußen«, sagte er.
»Mein Gott«, sagte der Doktor, »hatten Sie immer noch nicht genug?«
Herr Schmitz überhörte die Frage. »Ich habe das Palais von einem Mann namens Jacques Cœur gesehen«, berichtete er. »Es war trotz der Dunkelheit ganz gut zu erkennen. Ich habe im Guide nachgesehen und festgestellt, daß Jacques Cœur der Schatzmeister von Karl dem Siebenten war – diesem Kerl, den die heilige Johanna auf den Thron gesetzt hat. Stimmt's?«
Der Doktor nickte. »Jacques Cœur war ein Großkapitalist. Er hat Karl dem Siebenten das Geld für seine Kriege gegen England besorgt.«
»Sehen Sie«, sagte Herr Schmitz, »es ist doch gut, zu wissen, daß die heilige Johanna von irgendwem finanziert worden ist. Das macht sie ja nicht kleiner. Aber jemand mußte auch das Geld für die Idee aufbringen. Immer muß es Leute geben, die Geld aufbringen, damit aus Ideen Wirklichkeit wird.«
Er brachte den Gemeinplatz hervor, als hätte er soeben die ungeheuerlichste Entdeckung gemacht. Der Doktor hätte gern gelacht, aber an dem schweren Mann, der da bei ihm am Bett saß, in einem dunklen Hotelzimmer in Bourges, war auf einmal etwas Lastendes, Trauriges zu spüren; Herr Schmitz saß da wie ein Trauerkloß, und der Doktor lachte nicht, aber er beschloß, die Gelegenheit zu benutzen und sich für die zwei Kathedralen und elf Schlösser zu rächen.
»Und für welche Ideen«, fragte er scharf, »bringen Sie Geld auf?«
Aber er hatte Herrn Schmitz unterschätzt. Der Trauerkloß hob zwar die Achseln, aber er hatte eine Antwort.
»Zeigen Sie mir eine heilige Johanna«, sagte er, »und ich finanziere sie.«
Am nächsten Morgen ging es dem Doktor etwas besser. Die Straßen von Bourges waren von kleinen Mädchen in schwarzen Schulkitteln überschwemmt, und die beiden

Männer gingen, den warmen, lebendigen Strom aus Geschrei und Geflüster teilend, zur Kathedrale, die, einem riesigen vergammelten Elefanten gleichend, der sich auf seine Knie niedergelassen hat, in der Stadt lagerte. Die Kathedrale von Bourges war in der Tat das Vergammeltste, was sie auf ihrer ganzen Reise zu Gesicht bekommen hatten, aber es war dem Doktor unerträglich, daß Herr Schmitz es aussprach, denn die Kathedrale war andererseits zauberhaft in ihrem Verfall, sie war zu groß in ihrer Elefantenmüdigkeit, als daß ein Kapitalist und Deutscher-Wunder-Mann, ein Kunstseidenfabrikant und Krefelder Krokodil, sich um sie zu sorgen brauchte. Der Doktor erinnerte sich an seine Verpflichtung zum Widerspruch und fragte Herrn Schmitz, warum er das Bauwerk nicht einfach bewundere.

»Na, hören Sie mal«, sagte der Chef erstaunt, »das tue ich doch. Aber man darf nicht allzusehr loben, was man liebt.«

Jetzt erst begriff der Doktor. Während sie die Kirche betraten, dachte er voller Grimm daran, daß Herr Schmitz von Paris bis Bourges alles heruntergemacht hatte, was sie sahen. Und warum? Weil er es nicht ertrug, daß die Dinge, die er liebte, alt und dreckig geworden waren, in verwahrlosten Parks verkümmerten und aus leeren Fensterhöhlen starrten, dunkel und rissig und abbröckelnd und schweigend vergingen, von keinem Funkeln aus Krefelder Fabriken getroffen und erhellt wurden, und auf einmal wußte der Doktor, daß Herrn Schmitz' Traum ein Traum von funkelnden Fabriken und funkelnden Schlössern war, eine Phantasmagorie aus glänzenden deutschen Fabriken und nagelneuen französischen Kathedralen, eine Tapisserie, in der Gegenwart und Geschichte aus strahlenden Kunstseidenfäden ineinander gewoben waren, glänzend und für alle Ewigkeit gemacht: Krefeld und Versailles.

Aber es gab keine heilige Johanna mehr. Nirgends ließ sich auch nur der kleinste Fetzen eines Mythos entdecken, den Herr Schmitz hätte finanzieren können. Glühend und tief das Ensemble der Glasfenster von Bourges – Herr Schmitz sah es nicht. Sein Blick hing am verstaubten Grabmal des Jacques Cœur. Als sie die Kathedrale verließen, wartete bereits die Limousine, in deren schwarzem Lack man sich spiegeln konnte, ein mit schwach zitronenfarbenem Leder ausgeschlagener Sarg. Jeschke hatte ihn prachtvoll gewienert.

GABRIELE WOHMANN

## *Verjährt*

Nette Leute, unsere Nachbarn in der Strandhütte rechts, die Leute mit dem Pudel. Ruhige Leute, mit vorwiegend angenehmen Erinnerungen. Sie verbringen jeden Sommer hier, kaum wissen sie noch, seit wann. Sie haben auch letztes Jahr im »Juliana« gewohnt, waren einmal am Leuchtturm, mit Rast in der Teebude, bei ähnlichem Wetter wie im Jahr davor oder danach. Es kommt ihnen auf Übereinstimmung an, je mehr die Ferien sich gleichen, desto besser die Erholung. Öfter im Hafenort, die etwas längere, aber auch lohnendere Unternehmung. Doch noch immer haben sie sich nicht dazu aufgerafft, in einer Vollmondnacht längs des Abschlußdamms zu promenieren. Wiedermal versäumten sie an keinem ihrer vier Mittwochnachmittage das Folklorefest im Hauptort der Insel, vorher Einkäufe, Mittagessen, als Ausklang Eis. Es pflegt sie stets einigermaßen anzustrengen, im überfüllten Städtchen findet der Mann nur mit Mühe einen Parkplatz; aber es gehört dazu und ist nett, war nett, immer gewesen. Findest du nicht, Reinhard?
Sie mieten immer eine der Strandhütten auf der Nordseite, sie finden den dortigen Strandhüttenvermieter sympathischer, sie melden sich immer rechtzeitig an und bestehen auf einer der höheren Nummern, meistens wohnen sie in

einer Hütte zwischen 60 und 65. Sie haben es gern ruhig. Der etwas weitere Weg, Preis dieser Ruhe, ist schließlich gesund. Sie redeten auch vor drei Jahren über den Pudel, beispielsweise. Der Pudel, das Wetter, der Badewärter, der Jeep des Badewärters, Badeanzüge, Mahlzeiten im »Juliana«. Vielleicht sind einige ihrer Sätze früheren Sätzen zufällig aufs Wort gleich, das wäre wahrscheinlich, zumindest bei kurzen Sätzen. Die Bedienung im »Juliana« wechselt, aber das bringt wenig Veränderung mit sich, denn alle Kellnerinnen und Kellner und auch die Zimmermädchen sind freundlich und vergeßlich, als mache die Hotelleitung bei neuen Engagements gerade nur diese beiden Eigenschaften zur Bedingung.
Übrigens haben vor ungefähr fünfzehn Jahren unsere netten ruhigen Nachbarn sich den Frieden gewünscht, in dem sie jetzt längst leben. Das Erreichte scheint sie manchmal fast zu lähmen. Stundenlang reden sie kein Wort miteinander. Dann wieder das Hotelessen, der Vorschlag spazierenzugehen, die lauten ballspielenden Leute in der Strandhütte links, unsere Nachbarn bedauern, daß der Strandhüttenvermieter nicht darauf geachtet hat, ihr Ruhebedürfnis zu respektieren, er wird es nicht so genau wissen, wir wollen keinen Streit anfangen. Mit ihrem Apfelfrühstück, den Rauchpausen, dem Umkleiden in der Hütte – wobei immer einer rücksichtsvoll den andern allein läßt und, den beunruhigten Pudel an knapper Leine zurückreißend, vor der versperrten Tür wartet – mit ihren kurzen, aber gründlichen, von Gymnastikübungen umrahmten Bädern bei Hochflut, den Pudelspaziergängen mit Apportieren und fröhlichen, aber ernsthaften Erziehungsexerzitien und sparsamem Wortwechsel untereinander, erwecken unsere Nachbarn in mir den Wunsch, wir beide, Reinhard, könnten es eines Tages genau so angenehm haben –
Ich bringe die Zeit durcheinander, entschuldige. Es ist so heiß, die Sommer sind sich so ähnlich, man kann leicht eine Schaumkrone für ein Segel halten oder Jahre und Leute miteinander verwechseln.

Aufregungen im Leben unserer Nachbarn liegen so weit zurück, daß sie nicht mehr genau stimmen, wenn man sich ihrer erinnert, aber das unterbleibt. Vor Jahren hat der Mann ein Kind überfahren, es war jedoch nicht seine Schuld, sondern die des Kindes. Die Frau, obwohl sie das so gut wie jedermann wußte, nahm dem Mann die Selbstsicherheit übel, mit der er über den Fall redete. Als käme es darauf an, wer die Schuld hat, fand sie, sie sagte es ihm auch. Weniger nett von ihr, denn sie hätte spüren müssen, daß der Mann unter dem Unfall litt wie sie, schuldig oder nicht.

Jetzt vergessen. Während der Mittagsstunden ist es besonders ruhig am Strand. Oft nehmen unsere Nachbarn sich Lunchpakete mit in die Strandhütte, bei schönem Wetter; die Lunchpakete des »Juliana« sind so großzügig gepackt, daß der Pudel kein eigenes Fressen braucht. Die vier Wochen am Meer, von jeher eine feste Gewohnheit unserer Nachbarn, waren in dem Jahr nach dem Unfall natürlich keineswegs geruhsam, obwohl nicht mehr darüber geredet wurde; beide erholten sich nicht nennenswert. Sie besaßen auch noch keinen Pudel damals, überhaupt keinen Hund als Ersatz für ihre kleine, vom Vater überfahrene Tochter, darauf kamen sie erst ein Jahr später, es hat aber auch dann noch nicht richtig geholfen, die Traurigkeit war doch größer. Im Jahr nach dem Unfall hatte der Mann immer noch nicht von seiner Marotte genug, der Frau Vorwürfe zu machen. Schön und gut, ich habe sie überfahren, aber du hast mit ihr das blödsinnige Privatfest gefeiert und ihr so viel Wein zu trinken gegeben – die Frau hörte nicht mehr zu. War es anständig, Monate nachdem sie den Alkohol aufgegeben hatte, dies Thema überhaupt zu berühren? Die Frau fand jahrelang die Auseinandersetzungen mit ihrem Mann schlimmer als den Verlust des Kindes, sie haßten sich, wünschten einer des andern Tod – nicht der Rede wert. Jetzt, am Strand, wird keinem Anlaß für Zorn mehr nachgesonnen. Alles ist verjährt, scheint es nicht so? Zwei Hütten weiter rechts sieht ein Mädchen der Geliebten des

Mannes ähnlich; sehr viele Jahre her, man zählt nicht nach. Diese Geliebte wäre jetzt älter und dem Mädchen gar nicht mehr ähnlich. Sie lebt nicht mehr, ihr Selbstmord war der Frau recht: das genügt nicht, um von Schuld zu sprechen.
Der Pudel ist so lebhaft. Nett zu beobachten. Man selber liegt still. Kein Wort mehr. Zu reden, das hieße: auch über Gilbert zu reden. Nach dem von mir verschuldeten tödlichen Unfall unseres Kindes, Reinhard, war es doch verständlich, daß ich mit Gilbert wegging. Vorbei. Ich weiß, daß die noch jungen Leute nebenan uns beneiden. Nette ruhige Leute, werden sie denken, vorwiegend angenehme Erinnerungen. Was für friedliche Nachbarn, sie sind gut dran. Ja, so wird es von uns heißen. Ich höre manchmal Streit von nebenan, du auch, Reinhard? Es erinnert uns an früher. Es erinnert uns an meinen Sohn von Gilbert, an deine Konsequenz, das Kind nicht in unserm Haus zu dulden. Es erinnert uns an das gebrochene Versprechen, meinen Vater bei uns aufzunehmen, aber meine Mutter, sterbend, wußte ja schon nicht mehr, was sie verlangte, und übrigens starb mein Vater knapp drei Monate später in einem sehr ordentlichen Altersheim.
Seit wir nur noch wenig miteinander reden, Reinhard, erholen wir uns von Sommer zu Sommer besser. Unsere Ernährung ist reich an Vitalstoffen. Promenaden bei Vollmond aber lassen wir besser weg. Besser, wir halten uns an das Normale. Der Pudel amüsiert uns, ein spaßiger Kerl. Das Meer ist fast schön. Viel Obst, viel Übereinstimmung, viel Ruhe.

JOSEF REDING

## *Während des Films . . .*

Während des Films, als die Haut- und Knochenbündel der ermordeten Häftlinge wie Tierkadaver über einer hölzernen Rutsche in den Graben torkelten, dachte der 18jährige Portokassenverwalter: Greuelpropaganda! Man will uns verschaukeln. Uns fertigmachen. Schuldkomplexe wecken. Das haben die Wiedergutmachungshausierer vom Dienst fabriziert. Ausländer stellten den Film zusammen. Na also. Wahrscheinlich Juden. Die anderen sollen sich an ihre eigenen Nasen packen. Was machen die Franzosen mit den Algeriern? Die Amerikaner mit den Negern? Und damals? Was haben die Russen mit unseren Frauen gemacht? Und die englischen Luftgangster mit unseren Ruhrgebietsstädten? Hoffentlich kommt gleich wieder was vom Vormarsch. Rommels Panzer in Afrika . . .

. . . dachte der 30jährige Filmkritiker Dr. Basqué: Hart, aber sicherlich mit der Wirklichkeit übereinstimmend. Unästhetisch! Aber es ist eben ein Dokumentarfilm. Das Thema müßte mal dichterisch gemeistert werden. Man müßte eine überzeugende Story darum bauen. Vielleicht könnte ich meinen alten Stoff aus der Schreibtischlade holen, das Treatment zu ›Liebe vor düsterem Hintergrund‹. Die Journalistik befriedigt mich auf die Dauer nicht. Man sieht ja, wozu alles gerinnt: zum Foto, zum verregneten, unkünstlerischen Film. Ich werde das in meiner Kritik vermerken, gesperrt! . . .

. . . schloß die 52jährige Lehrerin Bordeler die Augen. Ich hätte hier nicht hineingehen sollen, dachte sie. Wieder die konvulsivischen Krämpfe im Magen. Aber der Film wurde im Kollegium als zeitgeschichtlich informativ empfohlen. Damals in der Frauenschaft hat man uns von diesen Furchtbarkeiten nichts gesagt. Wir haben Schulkinder gespeist und unverheirateten Müttern geholfen, spürbar und ohne Moralin. Und der Kollege Jokodek? Von dem man bis heute noch nichts weiß? Er hatte Feindsender abgehört und die Meldungen verbreitet, und ich habe ihn angezeigt, wie es meine Pflicht war. Pflicht? Dummheit. Aber dafür habe ich gebüßt. Drei Jahre im Internierungslager. War auch kein Zuckerlecken. Ob Jokodek wohl zu Tode gekommen ist, wie – wie – die da – auf der Leinwand, auf dieser verfluchten, sachlichen Leinwand? Ich muß hinaus ...

... aß der 45jährige Prokurist Selbmann Erdnüsse, gesalzene Erdnüsse aus einer fröhlichbunten Frischhaltepakkung. Er bemühte sich, ein Knistern der Tüte zu vermeiden. Niemand sollte gestört werden. Selbmann zerkaute die Nüsse sorgfältig ...

... machte der Oberprimaner Teppenbruch mit der Sprechstundenhilfe Lindenfeldt Schwitzehändchen. Schwitzehändchen, so hieß der Ausdruck für das Händchenhalten während der Vorstellung mit der Begleiterin. Der Oberprimaner hätte gern seinen Arm um die Schulter des Mädchens gelegt. Aber sein Taschengeld reichte nur für einen Parkettplatz in der Mitte des Kinos, und dort geniert er sich. Hoffentlich ist der Film bald zu Ende, dachte der Oberprimaner Teppenbruch. Ich muß aufpassen. Vielleicht fragt man beim Abi nach den Vorgängen von damals. Sollen die Alten doch selbst die Suppe auslöffeln, die sie sich eingebrockt haben. Wenn der Film vorüber ist, wird es draußen dunkel sein ...

... dachte die Sprechstundenhilfe Lindenfeldt: warum schleppt er mich in einen solchen Problemfilm? Aber wenn der Film vorüber ist, wird es draußen dunkel sein ...

... verfiel die Eintrittskarte des Kriminalrats Mutt. Er hatte sie im Vorverkauf durch seine Tochter holen lassen, weil er fürchtete, vor dem Kino würde sich eine Schlange bilden. Doch dann entschloß sich Kriminalrat Mutt, auf den Besuch dieses Filmes zu verzichten. Man soll die Vergangenheit nicht unnötig aufwühlen, dachte er. Kriminalrat Mutt war früher Oberscharführer Mutt ...

... übergab die Kassiererin Trimborn dem Kinobesitzer Mengenberger die Abrechnung. »Außergewöhnlich!« sagte Herr Mengenberger und lachte. »So gerammelt voll haben wir es lange nicht mehr gehabt, Trimbörnchen, was? Da müssen wir schon sehr weit zurückrechnen. Bis in die Kriegszeit hinein. ›U-Boote westwärts.‹ Oder noch weiter zurück. ›Sturmführer Westmar!‹ Jedenfalls irgend etwas mit West ...

WOLFGANG HILDESHEIMER

## *Das Ende einer Welt*

Die letzte Abendgesellschaft der Marchesa Montetristo hat mir einen bleibenden Eindruck hinterlassen. Zu diesem Eindruck hat natürlicherweise auch der seltsame, beinahe einmalige Abschluß beigetragen. Schon dieser allein war ein Ereignis, das man nicht leicht vergißt. Wahrhaftig, es war ein denkwürdiger Abend.
Meine Bekanntschaft mit der Marchesa – einer geborenen Watermann aus Little Gidding, Ohio – beruhte auf einem Zufall. Ich hatte ihr durch Vermittlung meines Freundes, Herrn von Perlhuhn (des Abraham-a-Santa-Clara-Forschers, *nicht* des Neo-Mystikers), die Badewanne verkauft, in welcher Marat ermordet wurde, die sich – was vielleicht nicht allgemein bekannt ist – bis dahin in meinem Besitz befunden hatte. Spielschulden hatten mich gezwungen, einige Stücke meiner Kollektion zu veräußern. Ich geriet also, wie gesagt, an die Marchesa, die für ihre Samm-

lung von Waschutensilien des achtzehnten Jahrhunderts gerade dieses Gerät schon lange gesucht hatte. Wir trafen uns zum Tee, einigten uns nach kurzem, höflichem Handeln über den Preis der Wanne, und dann geriet unser Gespräch in die Bahn solcher Themen, wie Sammler und Kenner sie vielfach gemeinsam haben. Ich bemerkte, daß ich durch den Besitz dieses Sammlerstückes in ihren Augen ein gewisses Prestige gewonnen hatte, und war daher nicht erstaunt, als ich eines Tages zu einer ihrer berühmten Gesellschaften in ihrem Palazzo auf der künstlichen Insel San Amerigo geladen wurde.

Die Insel hatte sich die Marchesa einige Kilometer südöstlich von Murano aufschütten lassen, einer plötzlichen Eingebung folgend, denn sie verabscheute das Festland – sie sagte, es sei ihrem seelischen Gleichgewicht schädlich – und unter dem bereits vorhandenen Bestand an Inseln hatte sie keine Wahl treffen können, zumal da der Gedanke, sie mit jemandem teilen zu müssen, ihr unerträglich war. Hier nun residierte sie und widmete ihr Leben der Erhaltung des Altbewährten und der Erweckung des Vergessenen oder, wie sie es auszudrücken beliebte, der Pflege des Echten und Bleibenden.

Auf der Einladungskarte war die Gesellschaft um acht Uhr angesetzt, aber die Gäste wurden nicht vor zehn Uhr erwartet. Überdies erforderte es die Sitte, daß man in Gondeln kam. Auf diese Weise dauerte die Überfahrt zwar beinahe zwei Stunden, war zudem bei bewegtem Seegang beschwerlich, wenn nicht gar gefährlich – und in der Tat hatte schon mancher Gast sein Ziel nicht erreicht, dafür ein Seemannsgrab gefunden – aber nur ein Barbar hätte an diesen ungeschriebenen Stilregeln gerüttelt, und Barbaren wurden niemals eingeladen. Ein Kandidat, dessen allgemeiner Habitus auch nur die geringste Scheu vor den Tücken einer solchen Überfahrt verraten hätte, wäre niemals in die Gästeliste aufgenommen worden. Es erübrigt sich zu sagen, daß sich die Marchesa in mir nicht getäuscht hatte, – wenn ich auch, am Ende des Abends, in ihren Augen ver-

sagt haben mag. Diese Enttäuschung indessen hat sie nur um wenige Minuten überlebt, und das tröstet mich.
Den Prunk des Gebäudes brauche ich nicht zu schildern; denn außen war es eine genaue Replika des Palazzo Vendramin, und innen waren sämtliche Stilepochen von der Gotik an vertreten, aber natürlich nicht verwoben; eine jede hatte ihren eigenen Raum; des Stilbruchs konnte man die Marchesa wahrhaftig nicht beschuldigen. Auch der Luxus der Bewirtung sei hier nicht erwähnt: wer jemals an einem Staatsbankett in einer Monarchie teilgenommen hat – und an solche wende ich mich ja in der Hauptsache – weiß, wie es zuging. Zudem ist es wohl kaum im Sinne der Marchesa und ihres Kreises, bei schwelgerischer Erinnerung kulinarischer Genüsse zu verweilen, vor allem hier, wo es gilt, die letzten Stunden einiger illustrer Köpfe des Jahrhunderts zu beschreiben, deren Zeuge zu sein ich, als einzig Überlebender, das Glück hatte, ein Glück, welches mir aber auch eine gewisse Verpflichtung auferlegt.
Nachdem ich mit der Gastgeberin einige Höflichkeiten getauscht und ihre Meute langhaariger Pekinesen gestreichelt hatte, die niemals von ihrer Seite wich, wurde ich der Dombrowska vorgestellt, einer der wirklich großen Doppelbegabungen ihrer Zeit. Denn nicht nur darf die Dombrowska als die wahre Erneuerin des rhythmischen Ausdruckstanzes gelten, einer Kunstgattung, die unter ihren Füßen zu einem mystischen Vollzug wurde, die aber leider mit ihr so gut wie ausgestorben ist (ich erinnere an Basiliewkys Wort: »Es gibt keinen Tanz, es gibt nur Tänzer!«), sondern sie war auch die Verfasserin des Buches »Zurück zur Jugend«, welches, wie der Titel schon besagt, sich für die Rückkehr zum Jugendstil einsetzt und inzwischen – das brauche ich wohl kaum zu erwähnen – in weiten Kreisen Schule gemacht hat. Während wir miteinander plauderten, kam ein älterer, hochaufgerichteter Herr auf uns zu. Ich erkannte ihn sogleich an seinem Profil: es war Golch. *Der* Golch. (Wer er ist, weiß jedermann: sein Beitrag zum geistigen Bestand ist beglückendes Allgemeingut geworden.)

Die Dombrowska stellte mich vor: »Herr Sebald, der ehemalige Besitzer von Marats Badewanne.« Es hatte sich herumgesprochen.
»Aha«, sagte Golch, wobei er mit der letzten Silbe dieses Ausrufs ein leichtes Glissando nach oben vollführte, dem ich wohl entnehmen durfte, daß er mich als Nachwuchs für die Elite der Kulturträger in Betracht zog, obgleich es wohl noch manche Prüfung zu bestehen gäbe. Ich hakte sofort ein, indem ich ihn fragte, wie ihm die Ausstellung zeitgenössischer Malerei im Luxembourg gefallen habe. Golch hob die Augen, als suche er ein Wort im Raum und sagte: »Pàssé.« (Er gebrauchte die damals übliche englische Betonung des Wortes. Auch die Wörter »cliché« und »pastiche« wurden damals englisch ausgesprochen. Wie man es jetzt tut, weiß ich nicht, und es scheint mir auch nicht wichtig zu sein. Denn schließlich war in diesen Dingen die Insel der Marchesa tonangebend. Sie ist versunken und hat die Richtlinien mit sich gezogen.) »Passé«, sagte er, und ich pflichtete ihm bei, hätte es – daß ich es gestehe! – auch dann getan, wenn seine Äußerung gegenteilig ausgefallen wäre, denn es war immerhin Golch, dem ich da gegenüberstand.
Nun ging man zum Büffet. Hier stieß ich auf Signora Sgambati, die Astrologin, deren Theorie, daß aus den Sternen nicht nur das Schicksal des einzelnen ersichtlich ist, sondern ganze kulturgeschichtliche Strömungen abgelesen werden können, vor einiger Zeit großes Aufsehen erregt hatte. Zwar war die von ihr vorausgesagte Strömung noch nicht eingetroffen, doch bildeten sich – wie ihre große Gefolgschaft behauptete – schon hier und dort kleine Strudel, die als Symptomzellen zu betrachten seien. Sie war keine Alltagserscheinung, diese Sgambati, man sah es ihr an. Dennoch ist es mir unbegreiflich, daß sie, unter den Umständen, in der Sternkonstellation nicht den drohenden Untergang einiger wesentlicher Mitglieder der Geisteswelt, Urheber eben ihrer Strömung, gesehen hatte. Sie war in ein Gespräch mit Professor Kuntz-Sartori vertieft, dem Po-

litiker und Verfechter der royalistischen Idee, der seit Jahrzehnten versuchte, in der Schweiz eine Monarchie einzuführen, wobei er freilich auf erheblichen Widerstand von seiten der Eidgenossenschaft stieß. Ein markanter Kopf!

Nachdem man eine Erfrischung in Form von Champagner und deliziösen Krustazeen zu sich genommen hatte, begab man sich in den Silbersaal, denn nun kam der Höhepunkt des Abends, eine Darbietung besonderer Art: die Erstaufführung zweier Flötensonaten des Antonio Giambattista Bloch, eines Zeitgenossen und Freundes Rameaus, den der Musikforscher Weltli – er war natürlich auch zugegen – entdeckt hatte. Sie wurden gespielt von dem Flötisten Béranger (jawohl, ein Nachkomme) und von der Marchesa selbst begleitet, und zwar auf dem Cembalo, auf welchem schon Célestine Rameau ihrem Sohn die Grundprinzipien des Kontrapunktes erläutert hatte (die er allerdings sein Leben lang nicht recht begriffen haben soll) und welches man aus Paris hatte kommen lassen. Auch die Flöte hatte ihre Geschichte, aber ich habe sie vergessen. Die beiden Interpreten hatten zu dieser Gelegenheit Rokokokleidung angelegt, und das kleine Ensemble glich – sie hatten sich absichtlich so angeordnet – einem Watteau-Gemälde. Die Darbietung fand selbstverständlich bei gedämpftem Kerzenschein statt. Es war keiner zugegen, der für eine solche Gelegenheit elektrisches Licht nicht als unerträglich empfunden hätte. Eine weitere feinfühlige Laune der Marchesa hatte es verlangt, daß man nach der ersten Sonate (D-Dur) vom Silbersaal (Barock) in den goldenen Saal (Frührokoko) hinüberwechselte, um dort die zweite Sonate (f-Moll) zu genießen. Denn jener Saal hatte eine Dur-Tönung, dieser aber war – und das hätte wahrscheinlich niemand bestritten – Moll.

Hier muß ich nun allerdings sagen, daß die öde Eleganz, die den Flötensonaten zweitklassiger und vor allem neuentdeckter Meister dieser Periode anhaftet, sich in diesem Falle damit erklärt, daß Antonio Giambattista Bloch niemals

gelebt hat, die hier aufgeführten Werke also aus der Feder des Forschers Weltli stammen. Obgleich sich dieser Umstand erst viel später herausgestellt hat, kann ich nicht umhin, es nachträglich als ein wenig entwürdigend für die Marchesa zu empfinden, daß sie ihre letzten Minuten mit der – allerdings meisterhaften – Interpretation einer Fälschung verbracht hat.
Während des zweiten Satzes der f-Moll-Sonate sah ich eine Ratte an der Wand entlang huschen. Das erstaunte mich. Zuerst dachte ich, das Flötenspiel habe sie angelockt, denn Ratten sind bekanntlich sehr musikalisch, aber sie huschte in der entgegengesetzten Richtung, floh also die Musik. Ihr folgte eine zweite. Ich sah auf die anderen Gäste. Sie hatten nichts bemerkt, zumal die meisten die Augen geschlossen hielten, um sich in seliger Entspannung den Klängen der Weltlischen Fälschung hingeben zu können. Nun vernahm ich ein dumpfes Rollen, es klang wie sehr fernes Donnern. Der Fußboden vibrierte. Wieder sah ich auf die Gäste. Wenn sie etwas hörten – und irgend etwas mußten wohl auch sie wahrnehmen – war es aus den Posen beinahe formloser Versunkenheit jedenfalls nicht ersichtlich. Mich aber beunruhigten diese merkwürdigen Symptome.
Ein Diener trat leise ein. Daß er in der vornehmen, streng geschnürten Livree, die das gesamte Personal der Marchesa trug, wie eine Nebenrolle aus »Tosca« aussah, gehört nicht hierher. Auf Zehenspitzen hüpfte er auf die Vortragenden zu und flüsterte der Marchesa etwas ins Ohr. Ich sah sie erblassen – es war recht kleidsam im matten Kerzenlicht, und beinahe hätte man denken mögen, es sei in das Zeremoniell liebevoll eingeplant – aber sie faßte sich und führte gelassen das Andante zu Ende, ohne ihr Spiel zu unterbrechen, schien sogar die Endfermate noch um einiges zu verlängern. Dann gab sie dem Flötisten einen Wink, stand auf und wandte sich an die Zuhörer.
»Meine verehrten Gäste«, sagte sie, »wie ich soeben erfahre, lösen sich die Fundamente der Insel und damit des Pala-

stes. Die Meerestiefbaubehörden sind benachrichtigt. Ich glaube jedoch, daß es in unser aller Sinne ist, wenn wir mit der Musik fortfahren.« Ihre würdevollen Worte wurden von lautlosen Gesten der Zustimmung belohnt.
Sie setzte sich wieder hin, gab Monsieur Béranger das Zeichen, und nun spielten sie das Allegro con brio, den letzten Satz, der mir, obgleich ich damals noch nicht wußte, daß es sich um eine Fälschung handle, der Einmaligkeit der Situation nur wenig gerecht zu werden schien.
Auf dem Parkett bildeten sich kleine Pfützen. Das Rollen hatte zugenommen und klang näher. Die meisten Gäste hatten sich inzwischen aufgerichtet, und mit ihren bei Kerzenbeleuchtung aschfahlen Gesichtern saßen sie wie in geduldiger Erwartung eines Bildners, der sie in Posen letzter, euphorischer Fassung für eine bewundernde Nachkommenschaft verewigen werde.
Ich aber stand auf und sagte, »ich gehe«, leise genug, um die Musiker nicht zu verletzen, aber laut genug, um den anderen Gästen zu bedeuten, daß ich mutig genug war, mein plötzlich wachgewordenes Gefühl der Distanz einzugestehen. Auf dem Fußboden stand nun ein fast gleichmäßig verteilter Wasserspiegel. Obgleich ich beim Hinausgehen auf Zehenspitzen trat, wurden meine Füße naß, und ich konnte es auch nicht vermeiden, daß, während ich vorsichtig meinen Weg bahnte, einige Abendkleider mit Wasser bespritzt wurden. Aber dieser Schaden war ja nun, in Anbetracht dessen, was bald kommen würde, unerheblich. Wenige der Gäste würdigten mich – unter kaum gehobenen Lidern – eines Blickes, aber das war mir gleichgültig, ich gehörte nicht mehr dazu. Als ich die Flügeltür öffnete, stürzte eine Flutwelle in den Raum und veranlaßte Lady Fitzwilliam (die Pflegerin keltischen Brauchtums), ihren Pelzmantel fester um die Schultern zu ziehen, zweifelsohne eine Reflexhandlung, denn nützen konnte es ja nichts. Bevor ich die Tür hinter mir schloß, sah ich noch Herrn von Perlhuhn (den Neo-Mystiker, *nicht* den Abraham-a-Santa-Clara-Forscher) mir einen halb verächtlichen, halb

traurigen Blick zuwerfen, als habe er die schmerzliche Pflicht übernommen, mir die allgemeine Enttäuschung widerzuspiegeln. Er saß nun beinah bis zu den Knien im Wasser, wie auch die Marchesa, die nicht mehr in der Lage war, die Pedale zu gebrauchen. Ich weiß allerdings nicht, ob sie beim Cembalo sehr wichtig sind. Ich dachte noch, daß, wenn das Stück eine Cello-Sonate gewesen wäre, man nun zur Unterbrechung gezwungen wäre, da im Wasser der Instrumentenkörper keine oder nur ungenügende Resonanz gibt. Es ist seltsam, an welch abwegige Dinge man in solchen Momenten oft denkt.

In der Vorhalle war es plötzlich still wie in einer Grotte. Nur von fern hörte man ein durch mancherlei Echo verstärktes Brausen. Ich entledigte mich meiner Frackjacke und schwamm nun mit kräftigen Bruststößen durch den sinkenden Palast der Pforte zu. Die von mir verursachten Wellen schlugen leicht gegen Wände und Säulen. Es klang wie in einem Hallenbad. Selten ist es einem vergönnt, in derartigem Rahmen Sport zu treiben. Kein Mensch war zu sehen. Die Dienerschaft war offensichtlich geflohen. Und warum auch nicht? Sie hatte ja keine Verpflichtung der wahren und echten Kultur gegenüber, und die hier Versammelten bedurften ihrer Dienste nicht mehr. Draußen schien ein klarer, ruhiger Mond, als geschähe nichts, und doch versank hier – im wahren Sinne des Wortes – eine Welt. Wie aus weiter Ferne hörte ich noch die höheren Flötentriller Monsieur Bérangers. Er hat einen schönen Ansatz gehabt; das muß man ihm lassen.

Ich band die letzte Gondel los, die das fliehende Personal übriggelassen hatte, und stach in See. Durch die Fenster, an denen ich vorbeiruderte, stürzten nun die Fluten in den Palast und blähten die Portieren, nassen Segeln gleich. Ich sah, daß sich die Gäste von den Sitzen erhoben hatten. Die Sonate mußte zu Ende sein, denn sie klatschten Beifall, zu welchem Zwecke sie die Hände hoch über den Köpfen hielten, denn das Wasser stand ihnen bis zum Kinn. Mit Würde nahmen die Marchesa und Monsieur Béranger den

Beifall auf. Verbeugen konnten sie sich allerdings unter den Umständen nicht.
Nun erreichte das Wasser die Kerzen. Sie verloschen langsam, und mit zunehmender Dunkelheit wurde es still; der Beifall erlosch und verstummte, wie auf ein schreckliches Zeichen. Plötzlich setzte das Getöse eines zusammenstürzenden Gebäudes ein. Der Palazzo fiel. Ich lenkte die Gondel seewärts, um nicht von herabfallendem Stuck getroffen zu werden. Es ist sehr mühsam, ihn aus den Kleidern bürsten zu müssen, hat sich der Staub einmal festgesetzt.
Nachdem ich einige hundert Meter durch die Lagune in der Richtung auf die Insel San Giorgio hin gerudert war, drehte ich mich noch einmal um. Das Meer lag im Mondlicht spiegelglatt, als habe niemals irgendwo eine Insel gestanden.
Schade um die Badewanne, dachte ich, denn dieser Verlust war nicht wieder gutzumachen. Der Gedanke war vielleicht hartherzig, aber man braucht ja erfahrungsgemäß einen gewissen Abstand, um ein solches Erlebnis in seiner ganzen Tragweite zu erfassen.

# Auflösungserscheinungen einer Festveranstaltung: Die sechziger Jahre

ROBERT WOLFGANG SCHNELL

## *David spielt vor Saul*

»Wenn nun der Geist Gottes über Saul kam, so nahm David die Harfe und spielte mit seiner Hand; so erquickte sich Saul, und es ward besser mit ihm, und der böse Geist wich von ihm.«

*1. Samuel 16, Vers 23*

Steinbach war Junggeselle, lebte aber in geordneten, ja, guten Verhältnissen. Sein Arbeitszimmer in der Bank war groß und hell. Ein Zimmer mit Ledergarnitur um einen Glastisch. Es saß zwar nie jemand in den Sesseln, aber auf dem Glastisch stand stets eine Kiste Zigarren. Für Besucher. Steinbach hätte diese Besucher gern empfangen, aber da er Personalchef der Bank war, kamen nur Leute zu ihm, mit denen es Ärger gegeben hatte. Warum sollte er ihnen einen Sessel anbieten? Manchmal nahm er selbst eine Zigarre und stellte sich vor, jemand anders hätte sie geraucht. Der ihm noch vorgesetzte Direktor Questel, der eigentliche Chef der Bank, kam nie in Steinbachs Zimmer. Wenn er Steinbach brauchte, mußte Steinbach zu ihm kommen.

Das große Zimmer, die Ledersessel und Steinbachs optimistisch-forsches Gehabe konnten jedoch nicht darüber hinwegtäuschen, daß er unbefriedigt war. Ob er sich darüber klar wurde, ist nicht zu sagen. Er glaubte wohl selbst, bescheiden zu sein, seine Augen hinter Brillengläsern gaben an andere nur freundliche Blicke, Blicke voller Wohlwollen. Morgens, wenn er seinen Mantel in den Schrank hing,

wollte er allein sein. Er ordnete an, daß seine Sekretärin, ein Fräulein Else Prior, nicht einfach aus ihrem Zimmer kam, ihn zu begrüßen, sondern nur nach Aufforderung erschien. Mit einem klaren »Guten Morgen!« legte sie die notwendigen Aktenstücke und Briefe vor. Ihre Stimme wünschte er so anonym wie möglich. Er wollte keinerlei Bewegung, Erregung, Trauer, besondere Freude oder so etwas aus ihr heraushören. »Privatsachen« liebte er nicht. Es war ihm fast widerlich, als er eines Tages einen Wassertropfen auf einem Schnellhefter entdeckte und durch einen strengen Blick auf Fräulein Prior sah, daß es sich um eine Träne handelte. Nachdem sein Blick kurze Zeit auf Fräulein Prior geruht hatte, sagte sie, fast entschuldigend: »Meine Mutter ist gestorben.« Aus dem hervorgestoßenen »Beileid« konnte Fräulein Prior den Unwillen Steinbachs entnehmen, daß sie hier nicht nur als Sekretärin, sondern auch noch als Tochter erschienen war.
Hätte die Prior ihn allerdings in dem Augenblick gesehen, in dem er sich im Spiegel betrachtete, der in der Innenseite des Schranks angebracht war, hätte sie mehr von Steinbach gewußt. Nachdem er seinen Mantel in den Schrank gehängt hatte, ließ er einen Augenblick vor dem Spiegel aus sich heraus, was er den ganzen Tag über mühsam versteckte. Einen verwüsteten Wüstling, das chaotische Gegenstück von dem Steinbach, der den ganzen Tag freundlich herumging. Er nahm die Brille ab und ließ seine blauen Augen zwischen den geröteten, bindehautentzündeten Lidern aufbrennen. In diesem Blick stellte er sich die mittlere Linie – (»Warte, warte nur ein Weilchen / bald kommt Haarmann auch zu dir / mit dem kleinen Hackebeilchen . . .«) – zwischen Florian Geyer und dem Massenmörder Haarmann vor. Er setzte die Brille schnell wieder auf, weil das, was er da demonstrierte, in der Bank nicht zu verwenden war.
Nur einmal konnte er es auch in diesem Raum voll ausleben, als er, etwas früher als sonst kommend, Fräulein Prior vor seinem Spiegel stehen sah. Else Prior, die eigentlich für ein Kloster bestimmt gewesen war (ihr Bruder war Ka-

plan), aber doch Sekretärin wurde, weil sie ihre Mutter ernähren mußte, war mit einem Damenbart behaftet. Hormonstörungen hatten ihn hervorgerufen. Sie stand vor Steinbachs Spiegel und bearbeitete ihren Bart mit seinem elektrischen Rasierapparat. Als er das sah, warf er seine Tasche auf einen Ledersessel, legte seine Brille auf die Glasplatte des Tisches und schrie: »Weibsstück!« Nicht zu laut, aber in einem Tonfall, der der Prior durch die Ohren gleich ins Rückenmark ging und eine Art Lähmung hervorrief, die es ihr unmöglich machte, sich zu Steinbach umzudrehen. Sie zog langsam die Schnur aus dem Stecker, legte den Rasierapparat in das Schrankfach zurück und ging in ihr Zimmer. Dort wartete sie auf die Entlassung, die sie sich fristlos dachte, ausgesprochen durch ein paar Worte am Telefon. Aber das war das Bild Steinbachs im Spiegel der Priorschen Naivität. Er machte gar nichts, rief sie den ganzen Tag nicht zu sich. Nur nahm er den Apparat aus dem Schrank, tat ihn in die Kunstledertasche, die dazu gehörte, und ließ ihn so verpackt in den Papierkorb fallen.
Dann saß er und überlegte, was er der Prior antun könnte. Wie meist, fiel ihm auch diesmal wenig ein, denn er suchte das Außerordentliche, das weit von ihm weg war. Er hätte sie leicht quälen können, er brauchte sich nur ihre Briefe vorzunehmen und, statt die kleinen Fehler zu verbessern, jeden fehlerhaften Brief neu schreiben zu lassen. Die Prior hätte sich dann vielleicht selbst etwas anderes gesucht. Aber Steinbach wäre vieles entgangen, vieles, nämlich jene Seiten seiner Natur, die er gemeinhin im Verborgenen hielt. Er war immer auf der Suche, das Verborgene herausholen zu können, es in teuflischen Glanz zu setzen, die Leute mit bösem Feuer zu erschrecken. Er stellte sich oft vor, einen mit Menschen angefüllten Raum zu betreten: er, Steinbach, machte die Tür auf, viele sahen ihn, einige noch nicht, die ersten schrien, nach dem Schrei sahen alle zur Tür, in der er stand, er, Steinbach, und nun begannen alle zu schreien; unter den Stühlen und Tischen, hinter den Schränken versuchten sie sich zu verstecken, durch den

leeren Raum, in dem es aus allen Ecken stöhnte, ging er, Steinbach, auf den Tisch zu, aß eine Scheibe Roastbeef, stippte mit dem Finger in die Mayonnaise, lutschte den Finger von allen Seiten ab, und ging wieder weg. Er trat nicht, er brüllte nicht, er schoß nicht, allein sein Auftreten verbreitete Furcht und Schrecken.
Er saß, aber es kam ihm keine Idee gegen die Prior. Der böse Geist war in ihm, jedoch er war ohne Gestalt. Die gestaltlose Anwesenheit des Geistes ist die quälendste, der Auslauf fehlt, der Auslauf in die Form. Hätte ihn nicht Questel an diesem Morgen gerufen, wäre vielleicht etwas passiert. Vielleicht hätte er mit seinem Lineal in die Tasten der Schreibmaschine der Prior hineingeschlagen oder ihr das Kleid von hinten zerrissen. Vor ihm stand eine gemeine Szene, wie er die Prior mit dem zerrissenen Kleid in den Kassenraum der Bank jagte, sie den Kunden preisgab, die sie für eine lächerliche Exhibitionistin hielten. Sein Genuß an dieser Vorstellung war, daß niemand wußte, daß der Anlaß die unrechtmäßige Benutzung des elektrischen Rasierapparates des Personalchefs Steinbach war, seines Apparates, den niemand benutzen konnte, ohne Repressalien der bösesten Art unterworfen zu werden.
Questel, ein weicher Mann mit dicker schwarzer Hornbrille, die ihm, so gut sie ihm stand, dennoch nicht das gewünschte intellektuelle Aussehen gab, eher das eines Gastwirtes, der partout kein Gastwirt sein wollte. Steinbach, unter dem Arm ein Bündel Personalakten mit strittigen Fällen, ging sehr schnell und aufgeregt zu Questel. Er fand Questel, der sonst immer widerwillig-eilig war, wobei man schwer ausmachen konnte, ob sich das gegen die anwesende Person oder gegen die leidige Sache richtete, er fand ihn aufgeräumt.
»Mein lieber Steinbach«, sagte er, »entschuldigen Sie, daß ich Sie herbemüht habe.«
Steinbach wußte nicht, was er darauf antworten sollte und legte die Akten vor sich auf den Tisch, ehe er in dem angebotenen Sessel Platz nahm.

In Questels Zimmer stand, wie in Steinbachs, eine Garnitur Ledersessel, auch dort lagen Zigarren, aber alles war gemütlicher, weil es benutzt wurde. Questel leerte den Aschenbecher selber in den Papierkorb – was Steinbach in der ganzen Bank grundsätzlich verboten hatte – und bot ihm eine Zigarre an. Steinbach war kein großer Raucher, gab sich aber als Kenner, prüfte die Marke und ächzte genüßlich nach dem ersten Zug. Der böse Geist in ihm ließ ihn noch einmal schnell die Szene erleben, wie er die Prior hier gefesselt vorführte, er malte sich aus, was dann wohl in Questels Gesicht vor sich gegangen wäre. (Aber dann hörte er im Kopf aus Mozarts ›Entführung‹: »Erst geköpft und dann gehangen« und mußte leicht über sich lachen.)
»Sie sind bester Laune, Herr Steinbach, das freut mich.«
»Warum sollte ich es nicht sein«, sagte Steinbach.
»Ich habe eine Bitte an Sie, die Sie hoffentlich freuen wird. Ich wollte Sie übermorgen abend um acht Uhr in mein Haus bitten, das heißt, in meine Wohnung. Sie wissen ja, daß ich das Dachgeschoß in unserer Bank bewohne.«
Ein Dachgeschoß von elf riesigen Zimmern! dachte Steinbach. »Haben Sie Geburtstag?« fragte er.
»Nein, nein, ich bin Steinbock. Zum größten Ärger meiner Frau, sie hält nichts von Steinböcken. Es ist ein andrer Anlaß, wir geben ein kleines Hauskonzert. Sie wissen, daß meine ganze Familie musiziert. Ich denke, wir sind soweit, uns einmal vor einem kleinen, ausgewählten Kreis präsentieren zu können. Wobei ich vorausschicke, daß unsere Zuhörer uns nicht an Rubinstein messen oder so etwas. Alles ist hausgemacht, nichts Virtuoses, kein tolles Konzert, mißverstehen Sie das nicht. Eine Geselligkeit mit dilettantischer Kunstuntermalung, von der ich hoffe, daß sie den Zuhörern etwas Freude macht.«
»Da komme ich sehr gern, Herr Questel.« Steinbach stand auf.
»Die Akten lassen wir heute beiseite, das müssen wir verschieben. Ich bin auch morgen nicht in meinem Büro, wir bereiten zu Hause alles vor, es nimmt seine Zeit in An-

spruch. Sollte etwas Besonderes sein – Sie haben ja meine Privatnummer.«
Steinbach fühlte sich verabschiedet. Er nahm sein Bündel Akten und verbeugte sich an der Tür. Dabei dachte er: was mag dieser Hund im Schilde führen, mich einzuladen zu einer schwachsinnigen musikalischen Familienfeier, da muß ich auf der Hut sein!
Questel verbeugte sich ebenfalls, leicht gegen die Tür hin, ohne Steinbach ins Auge zu fassen. Dabei dachte er: daß ich so einen Kerl einladen muß, dieses Nichts von erhabener Idiotie!
Die Einladung hatte Steinbach durcheinandergebracht, er hatte Fräulein Prior fast vergessen, als er in sein Zimmer zurückkam. Aber da er sich meist gegen elf Uhr, wenn die Haut nicht mehr so empfindlich war und sich schon an den Tag gewöhnt hatte, rasierte, fiel ihm natürlich um elf Uhr das Fehlen des Rasierapparates unangenehm auf. Er wollte zum Hörer greifen, um die Prior hereinzurufen, aber dann fiel ihm ein, daß er sich vorgenommen hatte, sie schmoren zu lassen. Er setzte sich hinter seinen Schreibtisch, statt der Prior Briefe zu diktieren, und stellte sich unter Wolken von Zigarrenrauch vor, wie er sie, diese Prior, von oben bis unten rasieren würde. Bei der Fantasie mußte er sich allerdings bald unterbrechen, denn er konnte sich jede Aufwühlung seiner Leidenschaft durch jedes Weib vorstellen, nur nicht durch Fräulein Prior. Hier erwies sich zum erstenmal die Schwäche seines bösen Geistes, in dem er durch das Objekt selbst in der Vorstellung behindert war. Er sprang auf, zog den Mantel an und verließ, ohne sich abzumelden, die Bank.
Steinbach wußte nicht, wo er hingehen sollte. Er stand vor dem pompösen Eingang der Bank neben dem steinernen Löwen und wartete auf irgendein Zeichen, das ihn in eine bestimmte Richtung locken könnte. Es kam nichts. Kein schönes Mädchen, kein interessanter Hund, kein tolles Auto. Er ging zum Bahnhof. Früher hatte er seine Ferien manchmal so begonnen, daß er sich an den Fahrkarten-

schalter stellte und aufpaßte, wohin eine hübsche Frau mit Koffer eine Karte löste. Dorthin war er dann auch gefahren, um diese Frau zu suchen. Einmal hatte er sie auch tatsächlich wiedergefunden und sie ansprechen können. Sie wollte gleich heiraten und wissen, was er verdiente. Da war er komisch, so was kam für ihn nicht in Frage, ihn fragt man so etwas nicht. Obwohl er sehr viel an Geld dachte (»für mein Geld tanzt der Teufel«), mochte er das Wort aus anderen Mündern nicht hören. Es schien ihm ordinär, er fühlte sich da an einer Stelle geöffnet, an der er gern verschlossen bleiben wollte. Er lud die Dame, eine gewisse Edeltraut Pewa, in eine Bar ein, in der sie in großer Garderobe ankam. Sie trank gern Likör, bot ihm Gickern, blitzende Augen und zeigte ihre aufregend weißen Zähne. Steinbach aber hörte die ganze Zeit nur die Frage nach seinem Gehalt und stieß ihren Likör um, der über das Kleid floß. »Liebe ist in der Armut am schönsten!« sagte er, ging grußlos und gab fortan diese Reisen auf.
Nun stand er wieder am Bahnhof – warum? Mit einem bösartigen Rest von Poesie in sich dachte er: Bitternis ist die Lust der Einsamen und ging die Bahnhofstraße hinunter über den Platz mit der zweitürmigen Kirche. Er hatte sich schon immer diese Kirche von innen ansehen wollen, doch ging er auch heute daran vorbei.
Hinter der Kirche war ein Tag und Nacht geöffnetes »Kontakt-Haus«. Vielleicht würde er Monika finden, mit der er ab und zu ein paar Stunden verbrachte, weil er nur noch Frauen kennen wollte, die er nicht zu grüßen brauchte, wenn er nicht wollte. Die Monika war nicht da. Eine dicke Pförtnerin empfahl ihm eine andere, bessere, ausgeruhte, die gerade aus den Ferien gekommen sei. Eine Lilli mit weichem Gesicht, einer schwarzen Perücke und Armen, die so rosig waren wie die geschrubbte Haut eines kleinen Ferkelchens. Sie nannte ihn »Herr Doktor« und war bereit.
Zu lange wollte er nicht verhandeln, er ging schnell hinter ihr über den Flur. In Gedanken stieg er schon die Treppe,

um zu Questels Hauskonzert zu gehen. Das machte ihn böse, als sie im Zimmer unverblümt sagte: »Soll ich mich freimachen?«
»Was sonst?« sagte er.
»Hast du Ärger gehabt?« fragte sie.
»Zieh dich aus«, sagte er. »Ich will mich nicht unterhalten.« Und er merkte, wie der böse Geist sich in ihm breitmachte. »Hast du nichts zu trinken?«
»Einen Kognak.« Sie schenkte ihm gleich ein. »Fünf Mark.«
»Willst du auch einen?«
»Nein, ich trinke morgens nicht«, sagte sie.
»Ich auch nicht.« Er kippte ihn in den Ausguß.
Im Zimmer stand ein halbhoher Schrank mit Glastüren, in dem Nippsachen, Sammeltassen und Figuren von der Kirmes waren.
»Setz dich auf den Schrank«, sagte er. »Ich hab noch nie eine Frau auf einem Schrank gesehen.«
»Du bist pervers, das kostet eine Kleinigkeit.«
Er warf einen Hundertmarkschein auf den Tisch und sagte: »Los!«
Lilli nahm den Schein und steckte ihn in ihre Handtasche, die sie dann auf den Schrank legte. »Wie soll ich denn raufkommen?«
Steinbach schob einen Stuhl heran. Mühsam kletterte Lilli auf den Schrank, er half ihr. Als sie ängstlich und unglücklich oben lag, setzte er sich hin und sah sie einen Augenblick an. Am liebsten hätte er den rosa Kloß mit Kognak begossen, aber dann sah er die Prior vor sich bei der Rasur. Er lachte hart, trat an sie heran und riß ihr die schwarze Perücke vom Kopf. Lange rote ungepflegte Haare kamen hervor, die Lillis Schultern und Brüste bedeckten. Wie eine Megäre aus dem Stadttheater sah sie aus.
Steinbach ging. Hinter sich hörte er noch: »Du Drecksau, perverse Sau!« Dann stand er schon auf der Straße.
Was sollte er tun? Die Prior konnte er jetzt nicht sehen, die ganze Bank nicht, in der Questel täglich mit Tausenden

von Unterschriften miese Geschäfte sanktionierte, um abends auf der Flöte zu tirilieren. Sollte er nach Hause gehen, ein Buch lesen? Er ging in die »Domklause«. Dort spielten gerade drei Müllmänner Skat, neben sich Klaren und Bier und die Papiere von den Frühstücksbroten. Die Leute waren laut, was er sonst vorgab, nicht zu lieben. Diesmal stellte er sich neben sie, um in ihre Karten gucken zu können, das bezeichnete er sonst als Unsitte. Sie nannten ihn »Pinko«, und er lachte dazu und gab einen aus und ließ sich hochleben.
Nach dem Spiel warf einer der Müllmänner fünfzig Pfennig in den Musikautomaten. Der Schlager, ein alter Hit (»Komm in meine Liebeslaube«), traf Steinbach, er fühlte sich kumpelhaft auf die Schulter geschlagen. Was wollten die Müllmänner von ihm? Wäre ich so unbedenklich wie sie, wäre ich auch so heiter wie sie, dachte er. Wäre ich so heiter wie sie, brauchte ich nicht eine dumme Hure auf den Schrank zu setzen, um ein Hauskonzert zu überwinden. Aber Steinbach war verschlossen. Als ob ihm jemand einen Pfropfen in den Hals gesteckt hätte. Er zahlte seine Zeche und ging.
»Danke!!« brüllte ihm noch einer der Männer nach. Was sollte er in dieser verdammten Stadt tun? Wie King-Kong groß durch die Straßen gehen, die Fenster in den oberen Etagen einschlagen, die Ehepaare auseinanderreißen, die Jungfrauen in den Regen stellen, den Kindern das Essen wegnehmen und die Gullys damit füllen? Es fraß sich die böse Vision in ihn ein, daß er als Oberteufel der Stadt für alle Schändlichkeiten verantwortlich wäre. Er saß in der Robe der Richter, in holzgetäfelten Sälen das Unrecht laut verkündend, die Generale freisprechend für die blutigen Schlachten und den kleinen Kaninchendieb für Jahre ins Gefängnis sperrend. Den Salat und die Gurken fressend aus dem Garten des Zuchthausdirektors, gedüngt und gepflegt vom Raubmörder Buschkrug, der erst eine Krankenschwester zerstückelte und dann als der beste Gemüsegärtner der Anstalt so bekannt wurde, daß schon der Justiz-

minister nach den Kürbissen gefragt hatte. Alle unterstanden Steinbach, der herumging, zwei große Zähne über den Lippen, an den Fersen die Sporne des Kampfhahnes, vergrößert mit philippinischen Messern.
Aber schließlich lag er in seinem Bett und las die »Rhein-Zeitung«, die gerade die neuesten Berichte über Fidel Castro ausstreute, der mit einer Frau gesehen worden war. Sicher hatte er nicht so lange am Fahrkartenschalter stehen müssen, um einer kleinen Geldschnepfe den Kognak in den Schoß zu kippen. Verdammte Bank, verdammter Questel, verdammte Musik! Vielleicht war die Prior weiter als er mit ihrem geruchlosen Puritanismus, der es möglich machte, den Schwachsinn seiner Briefe an die Lehrlinge über schmutzige Fingernägel, unleserliche Schrift, Tropfen an der Nase und so weiter sauber in die Maschine zu schreiben und sie ihm, Seite für Seite umblätternd, ernsthaft zur Unterschrift vorzulegen.
Er schlief ein, als er im Geiste sein steinzeitliches St in die Blätter grub.
Der Tag des Hauskonzertes kam.
Steinbach hatte sich einen neuen Rasierapparat gekauft, rasierte sich nun zu Hause. In seinen verschließbaren Toilettenschrank schloß er den Apparat nach jeder Rasur ein. Er war schon mittags nach Hause gegangen, hatte gebadet, sich noch einmal rasiert, nachdem er kleine Unebenheiten am Kinn fühlte, dann einen dunklen Anzug angezogen und einen Strauß dunkelroter Rosen gekauft. Für Frau Questel. Man sollte ihm als Junggesellen nicht nachsagen, er sei ungeschliffen. Er kaufte selten Blumen, und es war ihm eklig, mit ihnen über die Straße zu gehen. Niemand sollte ihn in dieser grauen Stadt für festesverdächtig halten. Er ging zu Fuß, benutzte Nebenstraßen. Vor dem Seiteneingang der Bank, der auch zu Questels Wohnung führte, putzte er mit dem Taschentuch über seine Lackschuhe und klingelte.
Ein Mädchen mit Haube und weißem kleinem Schürzchen

öffnete und nahm ihm die Blumen ab. Er stieg in den Fahrstuhl. Im selben Augenblick klingelte es wieder.
Nun mußte er mit dem Prokuristen Melchior Neustern und seiner Gattin, der Frau Neustern, nach oben fahren. Frau Neustern machte sich erst im Fahrstuhl ihre goldenen Ohrklips an, sie hatte Angst gehabt, sie auf der Straße zu verlieren. (»So was findet man im Dunkel ja nie wieder.« »Die Straßenbeleuchtung ist unter aller Kritik«, antwortete Steinbach. Frau Neustern nickte.)
Questel empfing sie im Smoking mit betulicher Freude. Die Garderobe mußten sie auf ein Bett im Fremdenzimmer legen und konnten dann ins große Musikzimmer gehen, in dem heute überall Kerzen brannten. Um den Flügel standen drei Notenständer, zwei sehr hohe, ein tiefer. Die Stühle waren in Reihen aufgestellt. Die ersten Reihen waren bereits besetzt. Steinbach bekam einen Stuhl am Gang. Neben Frau Neustern. Er freute sich, daß er seine Beine ausstrecken konnte.
Frau Questel, eine saftige Blondine von fünfzig Jahren, kam auf ihn zu und bedankte sich für die Rosen. (Er sah sie gleich auf dem Schrank liegen wie die Lilli.) Sie sprach laut und überdeutlich. (Steinbach dachte gleich an das letzte Seminar in Menschenführung, das er auf einer Managerschule in der Schweiz besucht hatte. Dort lernte er, Untergebene immer mit lauter und voller Stimme anzusprechen und die letzten Silben nicht zu verschlucken, denn das könnte auf Unsicherheit hindeuten.) Da saßen sie nun, die Ortweins, Schulzens, Bommes, Sauerbiers und Grafunders, die sonst hinter den Schreibtischen saßen, diese Kontenführer, die manchmal noch Ärmelschoner trugen oder den Anzug am Ellbogen mit Lederflecken verstärkt hatten. Hier saßen sie in ihrem guten Anzug, und durch die Rasierwasserdüfte (after shave) drang noch leicht der Mottenpulvergeruch. Steinbach hatte sich nach allen Seiten leicht verbeugt, das Interesse der Damen an einem höhergestellten Junggesellen genossen und tat so, als ob er den Zettel mit dem Programm, den er auf seinem Sitz vorfand, hinge-

geben läse. (Den hatte Questel sicher auf dem Vervielfältigungsapparat in der Botenmeisterei abziehen lassen.) Corelli, Telemann, Bach und Mozart las er, die Namen waren mit den Geburts- und Sterbedaten versehen.
Er sah wieder auf. Frau Sauerbier saß vor ihm. Ihr Nacken zeigte etwas zu fettige Samthaut, unter dem Haaransatz – das Haar war zu einer überschwenglichen Krone nach oben gekämmt – saßen kleine Schweißtropfen, die sich durch den Puder hindurchgekämpft hatten. Der kleine dikke Sauerbier saß woanders. Questel wollte für Geselligkeit sorgen, aber die gesellige Vergewaltigung sollte freundlich wirken. So war jeder gezwungen, mit seinem Nachbarn zu reden, wenn das Programm auch noch so unruhig in den Händen zitterte.
»Sie lieben Musik?« wandte sich Steinbach unhörbar stöhnend an Frau Neustern.
»Wer liebt nicht Musik? Ich komme nur zu wenig dazu«, antwortete sie. »Im Haus ist immer was zu tun. Wissen Sie, mein Mann kann nicht alles essen, er muß mit dem Magen vorsichtig sein, da braucht alles seine Zeit.«
»Jaja«, sagte Steinbach und legte seinen Mund in starke Falten, als ob er die ganze Last der Neusternschen Küche tragen müßte. Am liebsten hätte er der Neustern einen Feuersalamander in den Busenausschnitt geworfen und dabei auf die Bekömmlichkeit dieser Tiere hingewiesen.
Für die weitere Unterhaltung zwischen den beiden war es gut, daß Questel, nachdem sich das Musikzimmer gefüllt hatte, seine Begrüßungsrede anfing.
»Liebe Freunde und Kollegen«, sagte er und fingerte dabei an der Seidenschleife unterm Kinn, »es ist vielleicht vermessen, daß wir uns hier produzieren, aber während sich in unserer Zeit alle Welt amüsieren *läßt*, suchen meine Familie und ich unser Amüsement selbst zu gestalten.«
Steinbach klatschte sehr laut. Alle sahen sich zu ihm um, klatschten aber dann mit.
Questel durch den Beifall, von dem das Kerzenlicht zitterte, erschreckt, sah zu Steinbach hin. Er mußte den bösen

Geist Steinbachs gesehen haben, denn sein Auge war wie durch einen Schlag benommen. Er unterdrückte die ganze wohlvorbereitete Rede und sagte nur noch stockend: »Unsere Tochter Elisabeth spielt Klavier, Hansgeorg Violine, Ilsedore, unsere Älteste, das Cello, und ich, wie Sie wissen, Flöte. Am Schluß spielt unser Jüngster, Reinhold Korbinian, eine Sonate von Mozart auf dem Klavier. Die Sonate in Es-Dur. Wir hoffen, daß wir den Geist der Stücke, deren Reihenfolge Sie im Programm verzeichnet finden, erfassen, und unsere Kunst ausreicht, Ihnen diesen Geist zu vermitteln.«
Schon in seiner Schulzeit war Steinbach dafür berühmt gewesen, jederzeit niesen zu können. Er hatte das Sammeln der Luft im oberen Rachenraum vorbereitet, als Questel noch mitten im Satz war. Pünktlich am Schluß kam es. Alle lachten. Questel sah Steinbach dankbar an.
Die große Tür hinter dem Flügel öffnete sich, die Spieler kamen. Voran Ilsedore mit ihrem Cello, Elisabeth brachte dem Vater die Flöte mit. Sie stimmten die Instrumente.
»Süß«, sagte Frau Neustern zu Steinbach.
Nach einem großen Kopfnicken Questels begann der volltönende Anfangsakkord Corellis.
Steinbach fühlte sich durch Musik, nicht nur die heutige, gestört. Die Tatsache, daß jemand an ein Instrument hingegeben sein konnte, an eine Töne produzierende Maschine, nicht links und nicht rechts sah, den Abstand der Tasten ohne weitere Überlegung kannte, mal weich, mal hart darauf drücken konnte, und das »Anschlag« nannte, perlend spielte oder gebunden, daß er die Bedeutung italienischer Worte kannte, ohne Italienisch zu können, daß er Mozart als Mozart, Beethoven als Beethoven ohne jeden Zweifel definieren konnte, daß er Debussy heraushörte, während der Spielende genauso am selben Klavier saß, als ob er Chopin oder Schönberg spielte, das alles wollte er nicht wissen, diese Registratur war bei ihm tot. Er wollte nicht wissen, was dahinterstand, weil das Produkt – eben die Musik – ihm sein Konzept durcheinanderbrachte. Was

wären die Anordnungen des Personalchefs Steinbach mit einem Walzer im Hintergrund? Vielleicht mal ein Marsch, ja, nach markigen Worten, Zweckmusik – warum nicht? Zum Beispiel ein Tusch nach dem Witz in der Büttenrede, vielleicht auch noch ein Streichquartett unter Lorbeerbäumen als Bonbon für die bittere Fahrt in die Grube. Und letzten Endes konnte er die Orgel noch begreifen (nicht den Spieler) im Kino oder in der Kirche, die die vagen Versprechungen des Films oder des Geistlichen mit einem Präludium und einem Nachspiel versehen, auf watteartigen Wogen mochte man sich den Eintritt in die pistolendurchwürzte Pampas oder in eine konfliktlose Engelwelt, wenn auch nicht vorstellen, so doch mit dem Schmeichler der Sinne, dem Ohr, vorhören.
Als Elisabeth, Hansgeorg und Ilsedore unter der Anleitung ihres Vaters zu musizieren begannen, hörte Steinbach nicht mehr, als er auch hörte, wenn Fräulein Prior im Nebenzimmer seines Büros auf der Schreibmaschine klapperte. Und das war das Geräusch, von dem sein böser Geist am meisten und am fruchtbarsten angeregt wurde. Als Junggeselle saß er hier unter Verheirateten, und bei Corellis Sonate und dem leichten Stöhnen Ilsedores, wenn sie ihr Cello in die höheren Lagen trieb – sie machte dabei einen traurigrhythmischen Nasenschnaufer –, stellte er sich vor, er sei mit der vor ihm sitzenden Frau Sauerbier verheiratet. Je länger sie saß, desto deutlicher wurde der Speckrand, der über ihrem engen Hüfthalter lag. Ehe sie neben ihm wach wurde (vielleicht schnarchte sie?), würde er aufstehen und den Hüfthalter mit seiner großen Papierschere am Schreibtisch in kleine Stücke zerschneiden. Die Schnipsel fielen in den Papierkorb, dann weckte er sie grob. Kaffee wollte er haben, dazu zwei Eier im Glas. Danach Schnippelbohnen mit Bratkartoffeln, anschließend eine große Schüssel Weincreme. Alles morgens vor sieben, im Nachthemd mit Latschen an den Füßen mußte sie es zubereiten. Er wolle *morgens* sein *Mittagessen* haben, sagte er. Sie würde ihn blöd ansehen, während er das Küchenfenster aufriß, damit der

Wrasen hinauskonnte. Er sah sie ohnmächtig auf den Fliesen der Küche liegen, wo er sie mit Wasser bespritzte. – Nun kam der 6/8-Takt des Hirtenliedes. Die Sauerbier wog sich leicht im Takt, sie sah ihren Nachbarn an, den Prokuristen Knoche, der verklärt die Brüste Ilsedores auf dem oberen Cellorand liegen sah. Lieblichkeit verbreitete sich unter den Räubern, nur Steinbach zuckte zusammen, als Frau Neustern »entzückend« zu ihm sagte. Ilsedore, ja, so ein junges Ding hatte er noch nicht besessen. – Er hatte im Winter einmal in Bayreuth einen Spaziergang durch die Eremitage gemacht. Im Park waren alle Statuen von der bayrischen Denkmalsverwaltung wegen des Frostes mit Kisten verdeckt worden. Lauter schneebedeckte Vierecke standen da herum. Er stellte sich vor, daß er jetzt über die musizierenden Kinder solche Kisten stülpte, aus denen die Töne brummend hervorkamen, ohne vom Dirigenten Questel noch gelenkt werden zu können. Frau Sauerbier mußte den Brettern Reverenz erweisen.

Durch Beifall wurden seine Fantasien aufgehalten. Er klatschte mit den anderen.

»Fabelhaft, fabelhaft«, sagte er zu Frau Neustern.

»Wie ist das nur möglich?« antwortete sie.

»Talent – ein Gottesgeschenk«, sagte er.

»Da haben Sie recht, anders kann man es nicht erklären.«

»Vielleicht ist es auch nur Prügel und Drill.« Er gab dem Satz einen belanglosen Ton.

Die Neustern sah ihn heftig an. »Das kann ich mir von Herrn Questel nicht vorstellen«, sagte sie. »So was gibt es nicht.«

Da sprach Questel: »Auf Bitten meiner Frau machen wir eine Programmänderung. Als nächstes spielt Reinhold Korbinian die Mozart-Sonate. Es wird für den Jungen zu spät, vielleicht ist der Stilbruch so zu entschuldigen. Wir haben leider im Programm vergessen anzugeben, daß es die Sonate Köchelverzeichnis 282 ist, in der dritten Auflage des Kö-

chelverzeichnisses hat sie die von der anderen Numerierung abweichende Nummer 189g.«
So wissenschaftlich eingeleitet, kam Reinhold Korbinian, ein achtjähriger Junge mit spitzer Nase und hartem Haar. Er trug einen schillernden Lurex-Anzug mit langer Hose, weiße Socken und Lackschuhe mit Metallschnalle. Er trug die Noten unter dem Arm, die blaue Henle-Ausgabe. Elisabeth stellte sie auf den Flügel.
»Seite 42«, flüsterte Questel.
Nun schlug Elisabeth die Sonate auf. Questel schraubte die verstellbare Klavierbank herunter, und Reinhold Korbinian versuchte, ob er an das Pedal kam. Es klappte. Alle wurden still, selbst die Kerzen flackerten einen Augenblick nicht.
Reinhold Korbinian machte eine kurze Pause, in der seine Finger über die Tasten zitterten. Den ersten Dreiklang begann er zaghaft. Die Zaghaftigkeit war keine Scheu vor übertriebenem Gefühl, sondern mit dem mechanischen Begriff der Kinder, der keinen Unterschied zwischen »Alle meine Entchen« und dem subtilen Kunstverstand des Mozartakkordes kennt, war sie das erste Suchen nach dem richtigen Fingersatz und die bange Frage, ob der Vater zufrieden sein würde. Der Dressurakt zwischen Fleiß und Angst lief. Das Zirkuspferd trabte in der Hoffnung auf sein Stück Zucker.
Als die Dressur reibungslos abschnurte, atmeten alle auf, zufrieden, sich selbst in dem kleinen Kinde überboten zu sehen. Diese Zufriedenheit ist die wahre, sie steigert das selbstquälerische Eingeständnis des eigenen Unvermögens wie das Salz den Geschmack der Speise steigert, sie fördert das Bewußtsein, daß für die eigene Unfähigkeit doch ein anderer stellvertretend eintritt. Und wie schön, wenn es ein Kind ist, aus dem noch mehr werden kann!
Steinbach war auf andere Art gesteigert, fast elektrisiert. Ihn ergriff das Klapperhafte des Kinderspiels, es war ein weicher Kuß für ihn. Er starrte auf das kleine, bemühte Gesicht, das in der Beflissenheit des Notenlesens den Blick

eines Kurzsichtigen bekam. Was wollte dieser Junge von ihm? Spielte er für Steinbach? Lag er im Kampf mit Goliath, dem riesigen bösen Geist Steinbachs? Jetzt trat Steinbach aus so einer Kiste der bayrischen Denkmalsverwaltung hervor, er zerschmolz, wie die Eisstangen auf der Treppe des betrunkenen Gastwirts, der seinem Elternhaus gegenüber wohnte, in der Sonne zerschmolzen, wenn er sie zu spät hereinholte. Er beugte sich nach vorne, um den Knaben besser sehen zu können. Diese Musik begriff er, er begriff auch Reinhold Korbinian, der beim Zählen den Mund öffnete und die Musik in das Taktgerüst zwängte, ob sie wollte oder nicht. So versuchte er, Steinbach, das Leben zu zwingen, nur füllte er sein dürres Gerüst nicht mit unbegriffenen Tönen, sondern mit Wünschen nach Mord und Untergang, mit Wünschen nach Tod und Elend für jedermann. Hier schuf sich die Dürre ein anderes Leben, das größer war als das eigene.
Als die Neustern »goldig« sagte, sprang Steinbach auf. Er ging mit lautem Schritt zum Flügel. Der Junge brach erschreckt ab, als er ihn auf sich zukommen sah.
Steinbach nahm Reinhold Korbinians Kopf in die Hände, gab ihm einen Kuß auf die Lippen.
Dann ging er mit gleich lautem Schritt hinaus.
Als er die Tür öffnete, stieß er mit Fräulein Prior zusammen. Sie war inzwischen gekommen, um Frau Questel nach dem Konzert bei der Bedienung der Gäste zu helfen, und horchte gerade an der Tür. Sie half ihm stumm in den Mantel, den er unter den anderen Mänteln hervorzog. Lautes Stimmengewirr drang aus dem Zimmer, aber niemand war ihm nachgegangen.
Ehe er in das Treppenhaus trat, klopfte er der Prior auf die Backe und sagte: »Wir sehen uns ja morgen wieder, Priorchen. Schönen Abend noch.«
Die Prior wußte nicht, was ihr geschah und schloß die Tür leise hinter ihm.
Während Reinhold Korbinian tränenüberströmt von seiner Mutter aus dem Zimmer gebracht wurde, drehte sich Frau

Sauerbier zu Frau Neustern um. »Nein, so was!« flüsterte sie. »Ich dachte, das Laster der Homosexualität sei vollkommen ausgerottet!«

GABRIELE WOHMANN

## *Ländliches Fest*

Hast du das Foto vom toten Kind gesehen? Greif zu, diese Dinger habe ich selbst gekocht. NIEMAND VERMISST ES hat unter dem Foto gestanden. Das tote Gesicht erinnert mich an eine verkarstete Fläche. Seit wann kochst du überhaupt? Hat man nicht den ganzen Körper abgebildet? Karst ist ein Wort unsicherer Herkunft. Ein Gesicht ist kein Kalksteingebilde. Ich will nur dich. Mach das nicht so auffällig. Wollen wir tanzen? Jetzt noch nicht. Krater die Augen. Auch dein Grappa ist genießbar. Lavakrusten, Erhebungen, Schründe: der Mund, das Kinn, die Nase. Wie ist das Kind umgekommen? Das Grab ist numeriert. Immerhin eine Angabe. Schmeiß dich nicht so an mich ran. Ein richtig gelungener Abend. Das Kind stammt vom 25. Bezirk. In Österreich impft man links oben. Die Grabnummer ist sechsstellig, die Grabnummer wird in der Mitte von einem Schrägstrich unterteilt. Das ist nur für den Lageplan des Städtischen Bestattungsamtes von Bedeutung. Niemand will das Grab finden, um es aufzusuchen. Sieh mal, da drüben am Hang, sieht wie Geröll aus, sind aber Schafe. Die Pärchen machen sich allmählich dünn, merkst du was? Anstatt daß sie erst mal ordentlich über die Platten herfallen, das meiste Zeug verdirbt ja. Da drüben steht Herr Pesko oder wie er heißt. Sieht ganz gut aus. Der Name des Kindes blieb unbekannt. Man hat keine Eltern ermittelt. Die Eltern reiben sich die Hände. Es ist keine Vermißtenanzeige ergangen. Der Tod des Kindes ist der Strich durch ihre falsche Rechnung. Die Grabnummer dient als Grabschmuck. Darunter der oxydierende Körper. Ein Körper ist eine Organisation. Der Körper des Kindes war eine planmäßige Gestaltung. Jetzt legen wir aber mal eine Sohle aufs Parkett. So saublöd redet seit den Goldenen Twenties kein Mensch mehr. Das Kind war weiblich. Das Kind wog 16 Kilo, war dünnbeinig, war blondhaarig, aber das blonde Haar war dünn. Ich finde doch, daß man viel über das Kind weiß. Die Blonde neben Herrn Pesko ist mir unbekannter, als Kind war sie vielleicht nicht hübscher als das tote Kind. Ob Herr Pesko nicht anders, ähnlich, sonstwie heißt, weißt du schließlich nicht. Nennen wir ihn mal so. Über seine Impfmale sind wir auch nicht informiert. Das Kind besaß zwei Impfmale am linken Oberarm. Ich als Arzt würde immer die Oberschenkel zum Impfen benutzen. Ich mag aber deine Impfmale. Dem Kind fehlte der linke Schneidezahn rechts unten, der zu einem Drittel durch einen nachwachsenden Zahn ersetzt war. Ein paar Wochen, und die Lücke wäre vom endgültigen Zahn ersetzt worden. Sonst verfügte das Kind noch über sämtliche Milchzähne. Vielleicht hat der Gedanke an so viele zukünftige Zahnlücken die Eltern gestört. Vielleicht waren sie überfeinerte Freunde des Schönen mit empfindlicher Wahrnehmung. Ich will jetzt mit dir auf die Terrasse. Na schön, knutschen wir uns ein bißchen ab. Ist das etwa berlinisch? Die Dame neben Herrn Pesko sieht schon mehr als gut aus, obwohl ich bei Blonden rote Kleidung nicht eben für der Weisheit letzten Schluß halte. Sie hat schönes blondes Haar. Langes schönes blondes Haar. Damit Haar so aussieht, muß man es fast täglich waschen. Und ich weiß nicht wie oft bürsten. Läuft sie barfuß? So etwas weiß man nicht von ihr, weiß allenfalls Herr Pesko, den ich gleichwohl nicht für ihren Liebhaber halte. Das tote Kind ist selten barfuß gelaufen. Seine Füße, jeder Fuß eine Organisation, jede Sohle empfindlich und nicht auf freiem Boden benutzt. Über Barfußlaufen weißt du von keinem der hier Anwesenden auch nur das mindeste. Dann orientiere dich doch genauer über deine Gäste.

Was für ein schönes ländliches Fest. Guten Abend, Frau Lampada. Es freut mich sehr, daß es Ihnen gefällt. Dort drüben, sehen Sie, freut es auch meinen Mann, daß es den Gästen gefällt. Er hat zum Beispiel die gefüllten Croquetten fabriziert. Ich bevorzuge eigentlich diesen Salat dort. Sag das mal in der Landessprache. Kennen Sie das Foto vom toten Kind aus dem 25. Bezirk? Nun übersetzen. Die Landessprache ist schwierig. Alle Landessprachen sind schwierig. Das tote Kind beherrschte seine Landessprache schon ganz gut, kannte idiomatische Ausdrücke aus dem 25. Bezirk, und am Bahndamm in der Nähe der Friedfeld-Brücke hat der Werkstudent das verstummte Kind tot aufgefunden. Es lag zusammengekrümmt zwischen Brennesselstauden. Was heißt eigentlich DIE BRENNESSEL? Eine Sprache erlernt man, indem man sie liebt. Die Stauden sind sehr hoch. Das sind lauter einfache Sätze. Der Salat ist sehr gut. Der Werkstudent ging spazieren. Das tote Kind lag gekrümmt da. Schon komplizierter. So ist es einfacher: das Kind war tot. Ich frage mich, was hat denn der Werkstudent da überhaupt gesucht. Überhaupt Studenten. Ich habe Ihren Freund doch nicht etwa vertrieben? Ist das Löwenzahnsalat? Der kommt schon wieder. Sie müssen mit dem landesüblichen Essig vorsichtig sein. Der Herr neben der hübschen blonden Dame neben Herrn Pesko oder wie er heißt hat einen leitenden Posten beim Historischen Institut inne. Merken Sie sich den, auch den dort. Der hier, dort der sieht auch nicht gerade übel aus. Anlage, Aufbau, Einrichtung, Gliederung, planmäßige Gestaltung des Körpers des toten Kindes wurden bei sommerlicher Hitze auf den Vorgang der Verwesung relativ schnell vorbereitet. Jedes Organ im Körper des toten Kindes ist benennbar, der Weg längs des Bahndamms mit den Brennesselstauden mit dem zusammengekrümmten Kind mit dem Werkstudenten ist namenlos. So einem Weg will kein Bürgermeister, kein Stadtrat, kein Oberförster seinen Namen verleihen. Er könnte aber Mozart-Weg heißen. So weiß man immerhin nicht wenig. Mir wird manches klarer sobald ich. In dieser

Stadt ist mir so manches aufgegangen. Diese Antike und so weiter. Hier wurde doch wenigstens gelebt. Gelebt, habe ich gesagt. Ihr Freund hält sich aber jetzt wirklich zu sehr abseits. Der Idealist hat mir einen achtseitigen Brief über diese Stadt geschrieben. Der Idealist, mit dem ich in die Tanzstunde gegangen bin, ich möchte sagen: vor Jahrhunderten. Sie übertreiben, meine Beste. Acht-seitig. Eine ewige Stadt, nicht wahr. Und überall diese ganzen Thermen und wie das alles heißt. Aber erst recht meine eigene Tanzstunde – das war vor Lichtjahren. Wir übertreffen uns. Ihr Freund, das bleibt aber unter uns, nimmt ein wenig zu. Ihr Mann hält sich besser. Dem Idealisten ist so manches aufgegangen, wissen Sie, als er längs des Tiber längsgetigert ist. Die Sonne brannte heiß auf die Stadt nieder, als der Werkstudent in die Stauden kroch, als mein Mann auf dem Markt für dieses ländliche Fest einige ergänzende Einkäufe machte, die Sonne brannte heiß auf das tote Kind und beschleunigte den Vorgang der Zerstörung, sie besonnte hochsommerlich die ineinandergreifenden Kohlenstoffverbindungen, die Sonne brannte auf den Idealisten, auf diese Salatsorten, Frischgemüse, Knollengewächse, auf meinen weinenden Freund, den Markt, diesen Löwenzahn, diese Brennesseln, sie brannte durch die Fensterscheiben von Herrn Peskos Amtszimmer in der archäologischen Abteilung, schwitzend sieht er etwas weniger gut aus. Aber nein, bilden Sie noch mehr Übungssätze mit DIE SONNE BRANNTE.

Vorsicht mit diesem Grappa. Das Kraut dient vor allem zur Dekoration, hübsch. Hübsch, so lange blonde Haare. Und alles so besonders nett angesichts der Tempel. Wie diese Leute damals bauen konnten. Ich sage: BAUEN. New Brutalism. Ah, Ihr Mann. Guten Abend. Ihr beide seid glänzende Gastgeber. Das tote Kind wurde, nachdem der Werkstudent Mitteilung erstattet, die Mordkommission sich eingefunden hatte, während die Sonne heiß auf die von den Zuständigen benutzten Straßen niederbrannte und während den Verantwortlichen nichts klar wurde und nichts aufging, zusammengekrümmt ins gerichtlich-medizinische Institut gebracht. Ich weiß zuwenig über Leichenstarre. Mein Mann hört da nicht gern zu. Geht er etwa zu der Blonden? Nun, das regt Sie nach so viel, nach wie viel, knapp neun Ehejahren nicht mehr auf. Rigor mortis. Beginnt meist vier bis zwölf Stunden nach dem Tode an Unterkiefer, Hals- und Nackenmuskeln, steigt abwärts und verschwindet nach ein bis sechs Tagen bei Eintritt der Fäulnis in derselben Reihenfolge. Nystensche Regel. Vor den Skelettmuskeln erstarrt das Herz. Wie man so etwas heutzutage alles weiß. Wie so etwas heutzutage alles funktioniert, Mordkommission und dergleichen. Betrachten Sie sich doch um Himmels willen bitte mal da dort drüben da da da – so, hier: diesen Schatten jener Säule. Herrgott diese Tempel. Ja, ich greife noch mal zu, das sind zu vorzügliche Häppchen. Mit dem Herrn neben Herrn Pesko, ich meine jetzt den rechts, den etwas Fettleibigen, kämen Sie glaube ich ganz gern mal ins Gespräch, irr ich mich – aber wie dumm von mir, das ist ja Ihr Freund, ich setze meine Brille aus Eitelkeit nicht auf. Soll ich also verduften? Ich glaube, das war Landessprache, oder eher Jargon, Slang, Sondersprache, auch verdorbene Mischsprache? Das Rezept, liebe Signora, verrate ich Ihnen auch noch eines Tages, hierfür, für das da, nehmen Sie. Ist Muskelanstrengung dem Tode unmittelbar vorausgegangen, so tritt die Leichenstarre – natürlich auch abhängig vom Ort und von der Art der tödlichen Verletzung – oft so schnell ein, daß sie die Stellung im Augenblick des Todes festhält. Aber das Kind wurde nicht verletzt. War aber zusammengekrümmt. Mediziner reden von der Fechterstellung auf dem Schlachtfeld.

Und so weiter. Achten Sie auf die Farbe dieser Säule, so lang die Sonne sie mit diesem sonderbaren Rosa beschenkt, beschenkt, sage ich. Hier draußen wird man ganz gefühlvoll. Die gleiche Farbe beobachte ich auf den gefritteten Schuppen der Zahnbärsche. Ja ja, dieses etwas Morbide, dieses Ewige. Lesen Sie den achtseitigen Brief des tigernden Idealisten. Mit allen Vorbehalten, eingedenk der extremen Sommerhitze am Fundtag, stellte man zunächst fest, daß der Tod des Kindes vor 24 bis 48 Stunden eingetreten sein mußte. Ich finde das ziemlich präzise. Ich möchte diesen Leuten meine Bewunderung nicht verhehlen. Da kommt er ja wieder, Ihr Freund. Sagen Sie ihm das aber nicht, bitte, von der Gewichtszunahme. Ja, da bin ich. Laß uns ein wenig an die frische Luft gehen. Tun Sie das, meine Liebe. Laß uns ein bißchen tanzen. Ich störe Sie, meine Liebe, das sehe ich nun wirklich. Wir tanzen immer unsern eigenen Stiefel, wie es in der nördlichen Landessprache heißt. Lässige Umgangssprache, merken Sie sich das nicht. Ich habe geweint. Es stimmt. Ich habe auch geweint. Schick sie endlich weg. Den Werkstudenten braucht niemand in bezug auf das Kind zu verdächtigen. Keine Verletzungen, keine Gewaltanwendungen. Ein schöner Tod, sommerlich und im Grünen. Frau Lampada wäre bereit, wenn sie schon mal sterben muß, im Umkreis der Tempel zu sterben, den Geschmack eines Sommerabends samt ländlichem Fest auf den Lippen. Neben dem ausgeliehenen Ober steht ein Herr, der auch ganz gut aussieht. Scrittore, das, was der Herr ist, beginnt mit sogenanntem unreinem »s« und danach richten sich Artikel und Adjektive. Prosa, Lyrik, Funk, Fernsehen. Er kommt schon durch. Jedoch an einem Gedicht über einen schönen Tod hat ihm von jeher am meisten gelegen. Bei sommerlicher Temperatur ist es ihm endlich gelungen, der Knüller davon: eine Bocciakugel trifft den schön Sterbenden tödlich, aber ich weiß nicht mehr wo. Vielen ist lebend nicht wohl, das vergißt man angesichts der vollen Platten, der dienstbaren Geister, der hübschen Damen, der ganz gut aussehenden Männer, der Tempel. Verurteilen Sie die Eltern nicht voreilig. Könnte sein, daß sie sich gar nicht immer die Hände reiben, daß sie zwischendurch mit dieser groben Gebärde der Befriedigung aufhören. Denken Sie sich nur für einen Moment in die Lage von Eltern. Guten Abend, Frau Schlott, nett, daß Sie doch noch gekommen sind. Ich konnte mich gerade noch so eben frei machen. Eltern mögen niedliche Kinder. Schick sie weg, schick sie zum Teufel. Ihren Namen habe ich beim Vorstellen nicht richtig verstanden. Das tut man nie. Oh, er sieht nur so knurrig aus, weil er vielleicht tanzen wollte. Er sieht aus wie mein grimmiger Fisch vorhin, ein Orate. Wenn niedliche Kinder sterben und kein Verbrechen, auch keine Verletzung vorliegt, sehen sie auch im Tode niedlich aus. Die Eltern haben nie Staat mit diesem Kind machen können. Das ist zum Beispiel in Hotels geradezu degradierend. Tanzen Sie doch. Mir macht mein Wein auch allein Spaß. Bitte, versuchen wir wenigstens, im Takt zu bleiben. Im Kühlraum, wohin man das Kind legte, beträgt die Temperatur zehn Grad unter Null. Das nennt man nicht Tanzen, das sind Rüttelbewegungen. Jetzt so mittendrin mal für einen Augenblick in so einen Kühlraum, das wäre erfrischend, das kommt vom Rütteln, das kommt vom Grappa, von dem und jenem. Diese hübsche langhaarige Blonde sollte vielleicht Blau tragen. Ach geh mir mit Blau und mit der Blonden und mit allem, ich will nur dich. Einsilbige, aber nette Komplimente, nur bitte noch leiser, es kann gar nicht leise genug sein. Wochenlange Untersuchungen ergaben, daß man das Kind auch nicht vergiftet hatte. Das Beispiel für unreines »s« der scrittore, erzählt von seinem neuen Essay, betitelt ›Die Demut vor den facts‹. Das Gedicht vom schönen Tod ist noch frei. Schluß mit dem Rütteln. Friedlicher Befund. In den abgestorbenen Muskeln sammeln sich Milch- und Phosphorsäuren an. Durch Erhöhung der H-Ionenkonzentration bewirken sie Quellung der Muskeleiweißkörper. Warum denkt der zeitgenössische Mitmensch immer gleich an Verbrechen? Ist nicht Mißtrauen bei Ihnen zulande noch ein bißchen landesüblicher? Sagen Sie mir doch mal schnell, wie das noch gleich geht, das vom Splitter im Auge des andern. Diese Bibelautoren, die wußten doch so weit Bescheid. Gehen wir ein bißchen auf die Terrasse. Nein danke, so köstlich sie sind, jetzt muß ich leider passen. Ich kann mich nicht den ganzen Abend absondern, als Gastgeberin. Kannst du

wohl. Später die köstlichen Dinger, später auf die Terrasse, später ins Gebüsch.
Jetzt etwas Konversation mit der da, dort, die da, die, ja, ihr Mann schreibt unaufhörlich Sachen über die Négritude, ›Der Rhythmus als Schock‹, ›Die Architektur des Seins‹ – es gefällt Ihnen? Das wird auch meinen Mann sehr freuen. Wie kommen Sie zu so reizenden Dienstboten? Immer ein Lächeln, welches diese einfachen humanen Gesichter nicht unbedingt verschönt, aber immerhin.
Warum tanzt der so eng an der. Tanz nicht so eng an mir. Anfang Oktober legten sie das endgültige Ergebnis vor: das weibliche Kind war an einem Hitzschlag gestorben. Das hätte dem Idealisten längs des Tiber auch passieren können, aber zu viel ging ihm auf und hielt seine Organisation Körper davon ab, durch Wärmestauung unter Mitwirkung verminderter Wasserabgabe und gleichzeitiger Anstrengung, mit Gehirnreizung, Krämpfen, Erbrechen, Durchfall bis hin zu Bewußtlosigkeit und letalem Ausgang zu antworten. Fabrikhöfe sind allerdings charakteristischere Schauplätze für den Hitzschlag. Spaß beiseite. Falls das Kind sich zuvor erbrach? Erbrechen mag ich schon gar nicht. Das lebendige Ganze des Kindes war durch eine Bronchitis geschwächt, als es zusammenbrach, während der kräftige Idealist kräftig tigerte und den Wasserhaushalt seines organischen Gefüges mit einigen Schlucken Rotwein aus der Wanderflasche – Feldflasche, pelzig umkleidetes verbeultes Aluminium, Idealistengepäck – regelmäßig im Lot hielt. Übersetzen Sie mir alles über das tote Kind, und ich opfere mich und werde es verbessern. Auch ich habe meine Zeit nicht gestohlen. Und immer noch lief die polizeiliche Fahndung auf Hochtouren. Diese Burschen sind wirklich rührig, lassen nicht locker. Mögen Sie denn etwas fettleibige Männer? Die können ja gar nicht tanzen, weder Herr Pesko noch die Blonde. Die halten sich ja nur aneinanderran. Was sie da machen, wäre anderswo nicht feiner, aber ergiebiger. Schon lag das tote Kind in seinem sechsstellig bezifferten Grab, wo es keinen Besuch empfing.

Schon war alles verloren. Schon schon schon, ruhig. Horizontal das Kind, horizontal Herr Pesko, die Blonde und all die andern Liebespaare, die beim Tanzen und in den Nischen sich mit Vorübungen abfinden. Die 1,2 Millionen umfassende und ungefähr fünf Tonnen schwere Einwohnerkartei wurde zu einer nahegelegenen Firma transportiert, wo der firmeneigene Siemens-Computer 4004/45 die Namen und Adressen von 20126 Mädchen der fraglichen Jahrgänge ausschied. Siemens, Bosch, AEG, BBC – in Ihrem Land haben Sie wirklich namhafte Firmen. Der Computer hat in 22 Stunden alles ermittelt, was von ihm verlangt worden war. Was für ordentliche Aktionen in Ihrem Land. Bei uns stehen jedoch ... Kein Zweifel, Baudenkmäler. Kein Zweifel: mein Freund will nur mich, hat geweint, tanzt mit der Blonden. Und in diesem Land diese ländlichen Feste, einmalig, diese bösartigen, wohlschmeckenden Fische, diese Lohndiener – aber Sie möchten tanzen. Na, so ein bißchen hinundherschieben. Kriminalbeamte und Kriminalbeamtinnen schwärmten aus, um sich die Kinder, welche der Computer abgesondert hatte, vorzeigen zu lassen. Ich bin überzeugt, man hat wirklich bei den Ermittlungen nichts versäumt. Die dünnbeinige Kleine, wie kam sie überhaupt in die Brennesselstauden? Da warf sie doch einer rein. Hat es gejuckt? Weiß man auch nicht. JUCKEN wird auch idiomatisch gebraucht. Zum Beispiel so: in Ihrem Lande wird von allen Ländern am meisten gestreikt – juckt Sie das? Mein tanzender Freund, eng an der hübschen Blonden, macht keine gute Figur aus einer gewissen Entfernung: das juckt mich nicht. Genug. Was mein Freund mit seinem Gesicht in dem langen Haar der Blonden tut, nennt man in der verdorbenen Mischsprache »sich in etwas hineinkuscheln«. Hundsgemein, schofel, verständlich. Die Beamtinnen und Beamten betraten Miethäuser, wo keiner den andern kennt, wo einer den andern kennt, wo sich keiner um den andern kümmert, weil der garstig ist, oder weil jeder so garstig ist, daß er sich um den andern kümmert. Aber es führte weder die Stummheit noch das

Gezeter zu einem Hinweis auf das tote Kind, nach dem niemand Heimweh hatte. Hier ist das anders, alles nette Leute, die man vermissen wird, wenn man auf gute Sitten wertlegt. Die Fahndung dehnte sich über das ganze Land aus, erreichte das Ausland, Interpol schaltete sich ein. War das nicht ein bißchen übertrieben? Ganz im Ernst. Das kommt doch teuer. Eine vierte Art von Organisation hatte im toten Kind bereits angefangen: Umwandlung toten Gewebes in gefäßhaltiges Bindegewebe. Wozu das Bindegewebe? Wo doch keiner das Kind vermißte. Danke hundertmal, nun bin ich wieder soweit, ich gebe nach, wären diese Dinger nicht so vorzüglich, herrje, ich ließe die Finger davon. Die Säulen sehen nicht mehr wie Zahnbärsche aus. Aber wie denn sonst. Warten Sie ab, es fällt Ihnen schon was ein. Außerdem weiß der Schriftsteller, jetzt die Blonde abklatschend – eine landesübliche Sitte – weiß der das sowieso und hat es parat. Die Stapel der Fahndungsschreiben wuchsen auf den amtlichen Schreibtischen. Die Polizei hat vom verkraterten Sterbegesicht des Kindes 15 000 Plakate gedruckt. Darunter schrieb man: WER KENNT DIESES KIND? Die Verwandten sind oft am Foto ihres berühmten Kindes vorübergegangen und, wäre es nur ein bißchen niedlicher gewesen, nicht ganz ohne Stolz. Die Erosionen im Gesicht des Kindes machten es allerdings untypisch. Bronchitis, hochsommerliche Temperatur, Brennesseln, die Reproduktion, der Druckstock, nicht aber der integre Werkstudent werden das ihre getan haben. Blutsverwandtschaftlichere Gefühle kamen nicht auf, jeder Schmerz vergeht mit der Zeit. Den Polizisten in ihren Dienststellen hing offenbar das tote Kind schon zum Hals heraus. Überdies wurden spezielle Spuren in folgenden Ländern verfolgt: Afghanistan, Ägypten, USA, Australien, Dänemark, Frankreich. Das ist mit tödlicher Sicherheit meine tausendste Olive, Liebste. Dänemark: ein so sauberes Land. Wo halt Touristen hinkommen, und dann Länder, in denen links geimpft wird. Griechenland, Israel, Holland, Haiti, Hawaii, vielfach nicht so ganz hasenreines Pflaster, und natürlich Kenia. Kenia! Der Négrophile soll das nicht hören, aber bei gegebener Gelegenheit erzähle ich Ihnen so einiges über die Schwarzen. Kanada, Neuseeland, Österreich. Über Farbige überhaupt. Teneriffa, Türkei, da haben wirs wieder. Und dann Schottland, Spanien, Schweiz, Südafrika, Persien, Zypern. Mir geht diese hübsche Blonde auf die Nerven, etwas, und auch Herr Pesko enttäuscht mich etwas, ich kenne ihn höflicher. Ich möchte die ganze Nacht mit dir zusammenhocken. In keinem dieser Länder hat man das tote Kind vermißt. Negative Resultate. Der Chef der Mordkommission versagte sich nicht folgende Handlung der Resignation: ER SCHÜTTELTE VERWUNDERT DEN KOPF, und der Satz UNVORSTELLBAR, NIEMAND WILL DAS KIND KENNEN, trat ihm über die Lippen, ging durch die Presse und schreckte die Mitmenschen auf. Jetzt sieht man die Schafe nicht mehr, jetzt könnten die Tempel irgendwas sein. Wieso irgendwas. Wie Elefantenbeine, aber die stehen doch selten allein herum. In diesem mysteriösen Fall kam es zu weit weniger emotioneller Anteilnahme innerhalb der weiten Bevölkerungsschichten als es zum Beispiel bei Notzucht üblich ist. Der Leiter der Studienwerke für Gipsguß an der Akademie für Bildende Künste fertigte eine Totenmaske. Sie vermittelt deutlicher als das Foto die Mondnachbarschaft zum Gesicht des toten Kindes. Die schorfige Haut, die aufgestülpte Nase, der feuerspeiend geöffnete Mund: wahrscheinlich hat das durch Bronchitis geschwächte Kind vor dem Tode gehustet, in den Brennesseln wurde aber kein Sputum gefunden. Auch die Totenmaske wurde als Foto vervielfältigt. Das tote Kind bekam dennoch keinen Namen, bekam keine Eltern, keine Geschwister, überhaupt keine Angehörigen, nicht einmal Spielgefährten, Mitschüler, Lehrer. Es hat sich niemand gemeldet. Auch keiner vom Mond, denn auf der Erde hat es wahrscheinlich nie gelebt. Jemand, den es demnach auch nicht gibt, hat das Kind in die Brennesselstauden geworfen, aber dann hat ein Werkstudent, den es gibt, den Fund getan und andere Leute, die es gleichfalls gibt, haben sich um die Angelegenheit gekümmert. Das Kind erzielte damit eine Art Erdenbürgerschaft. Auf der Terrasse wird es doch nun merklich kühler, verdrücken wir uns, wir sehnen uns nach keinerlei noch so kurzem Aufenthalt im Kühlraum des gerichtsmedizinischen Instituts, das haben wir nicht mehr nötig. Hinein mit uns, hinein zu den noch immer nicht leeren Platten. Beobachten wir die hübsche Blonde und Herrn Pesko, lebende Leute. Das Kind, so könnte es sich abgespielt haben, litt unter der amtlich beglaubigten Bronchitis und unter der Hitze, die unser Fest seither verschönert hat, die der Idealist am Tiber tigernd zu schätzen wußte, das Kind starb logischerweise. Die Eltern haben jene Formalitäten vermeiden wollen, welche das Gesetz bei Todesfällen vorschreibt, sie haben das Kind in die Brennesselstauden geworfen, vielleicht auf der Durchreise. Die Gleise jenes Bahndamms werden von mehreren Schnellzügen, Personenzügen, Nahschnellverkehrszügen und Eilzügen benutzt. Was hätte der Leichnam durch die Formalitäten gewonnen? Tot nach einem schönen Tod im Grünen. Vielleicht ist dem Kind das Sterben ganz recht gewesen, denn seine Eltern kann es nicht so sehr gern gehabt haben, wie ich das sehe.

Wir machen weiter, weiter mit den Veränderlichkeiten der Adjektive, weiter mit dem schönen Blick ins nun dunkle Grün all der Säulen, der Pinien, der Schafherden, der Stauden, schöner grüner Tod, Aufhören von Hustenkitzel, schöne Krawatten, schönes blondes langes Haar, und vor lauter Erschöpfung, vielleicht bei Aphasie – die dem Kind die Möglichkeit nahm, Umwelteindrücke in Empfindungen umzusetzen – vor Schwäche nur geringer Juckreiz in den Brennesseln. Gott wurde nicht um Hilfe angegangen. Hast du es aber anders beschlossen, so nimm es auf in das Reich deiner ewigen Freude, hat keiner gesagt, und kein Amen danach. Die Tanzfläche wird mir jetzt zu voll. Mein Mann sieht her. Meine Bekannten haben sich überfressen. Die betrunkenen Männer wenden die ihrem Zustand angemessene feierliche Ergriffenheit in übertriebener Gefühlsäußerung den wenigen Damen zu, die wirklich hübsch sind. Aber auch die kaum hübschen Damen profitieren da und dort vom Alkoholabusus. Die verwickelt gebauten Stoffe der körperlichen Organisation des Kindes zerfallen in einfachste chemische Verbindungen. Wo ist jemand, der da lebt und den Tod nicht sähe, der seine Seele errette aus des Todes Hand? Sie sind nicht mehr ganz auf dem laufenden, sagt der exemplarische Fall für unreines »s«, ich habe die Nachrichten gehört, sagt er dienernd ... Verbeugungen auch so saublöd, finden Sie die auch so – wie ich, seine schöne Krawatte schwappt, Sie finden also, man kann heute noch das Wort Seele verwenden? Zu den Nachrichten: bei einer Dirnenstreife hat man die mutmaßliche Mutter des toten Kindes festgenommen, man hat die Leiche exhumiert und wiederum zu einem neuen Identifizierungsversuch ins gerichtlich-medizinische Institut gebracht. Alles ist gut verlaufen. Ein Zahnarzt konnte anhand der Plomben im Gebiß seine Arbeit feststellen, und das tote Kind wurde noch am gleichen Abend zum zweiten Mal bestattet. Es kommt also alles in Ordnung, wie es üblich ist. Das Gedicht über einen schönen Tod beim Bocciaspiel wurde soeben fertig. Seele? Würden Sie Ihre Bedenken begründen, andernfalls Ihr Einverständnis formulieren? Am liebsten bei einem altmodischen Slowfox. Das tote Kind bekommt dennoch keinen Grabstein. Bloß auf die Identifikation kommt es an. Mein Freund will mich zum Tanzen holen. Da kommt doch keiner hin und pflanzt und gießt Petunien. Seele – warum nicht? Mein Freund sieht schon wieder wie ein Orate aus. Schöne Bocciakugeln, gebe ich zu. Keiner, der hier unten lebt, stammt vom Mond. Schön kühlt es jetzt ab, schönes Gebüsch, schön, wenn man einen Freund hat, wir warten ab, wir haben es mal wieder geschafft: schöne Todesarten, so lange man lebt.

SIEGFRIED LENZ

## *Wie bei Gogol*

Dabei kenne ich diesen Umschlagplatz seit acht Jahren, dieses unübersichtliche Verteilerbecken, in dem Straßenbahnen, Busse und S-Bahnen zusammenlaufen, nur, um ihre Fracht auszutauschen und aneinander abzugeben. Kaum fliegen zischend die Türen auf, da stürzt, hastet und schnürt es schon aufeinander zu, vermengt und verknotet sich – gerade, als ob waffenlose Gegner sich ineinander verbeißen –, und so sicher und ungefährdet bewegt sich ihr Zug, so rücksichtslos erzwingt sich die große Zahl ihren Weg, daß man am besten anhält und wartet, bis alles vorüber ist, obwohl die Ampel einem Grün gibt. Wenn es nur dieser Zug wäre mit den hüpfenden Schulranzen, den schlenkernden Aktentaschen – wenn es nur diese mürrische, morgendliche Prozession wäre: sie könnte man noch kontrollierend im Auge behalten, aber hier, wo der Berufsverkehr in ein verzweigtes Delta gelenkt wird, muß man auch auf unerwartete Begegnungen gefaßt sein, auf plötzlich ausscherende Einzelgänger, auf Quertreiber, auf kleine Wettläufer, die hinter parkenden Autos hervorflitzen und die Straße im Spurt zu überqueren versuchen.
Ich wußte das alles. Denn acht Jahre gehörte ich selbst zu ihnen, ließ mich von ihrem ungeduldigen Strom davontragen, von der S-Bahn zum Bus hinüber, der unmittelbar vor meiner Schule hält; ich war lange genug ein Teil ihrer Rücksichtslosigkeit.
Doch all dieses Wissen half mir nicht und hätte keinem geholfen, selbst wenn er zwanzig Jahre unfallfrei am Steuer gesessen hätte; was geschah, war einfach aus statistischen Gründen unvermeidlich und kann weder auf mein Anfängertum noch darauf zurückgeführt werden, daß mein erstes Auto, mit dem ich noch nicht einmal seit einer Woche zum Unterricht fuhr, ein Gebrauchtwagen war. Obwohl sich nichts düster oder bedeutsam ankündigte an diesem

Morgen, obwohl es keinen Grund gab, mir eine besondere Aufmerksamkeit aufzuerlegen – ich sollte mit einer Doppelstunde Geographie beginnen –, nahm ich, als ich mich dem Umschlagplatz näherte, frühzeitig das Gas weg und beschleunigte selbst dann nicht, als die Ampel auf Grün umsprang, mit einem kleinen Flackern, das mir wie ein Zwinkern erschien, wie eine Aufforderung, zu beschleunigen und davonzukommen, ehe die beiden Busse sich öffneten, die auf der andern Straßenseite gerade an ihren Halteplatz herandrehten. Auf dem Kopfsteinpflaster lag zerfahrener Schnee, der sich schmutzig unter dem Biß des gestreuten Salzes auflöste, das Auto fuhr nicht schneller als dreißig, und ich behielt die Busse im Auge, aus denen sie gleich wie auf ein Startzeichen herausstürzen würden.
Er mußte aus dem Eingang zur S-Bahn gekommen sein, mußte die Nummer seines Busses entdeckt haben, den er, wie alle, die ihre morgendliche Reise so scharf kalkuliert hatten, um jeden Preis erreichen wollte. Zuerst hörte ich den Aufprall. Das Steuer schlug aus. Dann sah ich ihn auf der Haube, das verzerrte Gesicht unter der Schirmmütze, die Arme ausgestreckt gegen die Windschutzscheibe, auf der Suche nach einem Halt. Er war, gleich hinter der Ampel, von rechts gegen das Auto gelaufen; ich bremste und sah, wie er nach links wegkippte und auf die Fahrbahn rollte. Halteverbot, überall herum Halteverbot, darum legte ich den Rückwärtsgang ein und fuhr einige Meter zurück, zog die Handbremse und stieg aus. Wo war er? Dort, am Kantstein, an den eisernen Sperrketten, versuchte er sich aufzurichten, Hand über Hand, ein kleiner Mann, Fliegengewicht, in einem abgetragenen Mantel. Passanten waren schon bei ihm, versuchten, ihm zu helfen, hatten gegen mich schon feindselige Haltung eingenommen: für sie war die Schuldfrage gelöst. Sein bräunliches Gesicht war mehr von Angst gezeichnet als von Schmerz, er sah mich abwehrend an, als ich auf ihn zuging, und mit gewaltsamem Lächeln versuchte er die Passanten zu beschwichtigen: nicht so schlimm, alles nicht der Rede wert.

Von ihm lief mein Blick zurück auf das Auto, im rechten Kotflügel war eine eiförmige Delle, ziemlich regelmäßig, wie von einer Holzkeule geschlagen; an den Kanten, wo der Lack abgeplatzt war, klebten Stoffäden, auch die Haube war eingedrückt und aus dem Schloß gesprungen, ein Scheibenwischer war abgebrochen. Er beobachtete mich, während ich den Schaden abschätzte, hielt sich mit beiden Händen an der Kette fest, schwankend, und immer wieder linste er zu den abfahrenden Bussen hinüber.
Hautabschürfungen auf der Stirn und am Handrücken: mehr entdeckte ich nicht, als ich auf ihn zutrat und er mit einem Lächeln zu mir aufblickte, das alles zugab: seine Unvorsichtigkeit, seine Eile, seine Schuld, und in dem Wunsch, die Folgen herunterzuspielen und mir zu beweisen, wie glimpflich alles verlaufen sei, hob er abwechselnd die in ausgefransten Röhrenhosen steckenden Beine, bewegte den Kopf nach rechts und nach links, krümmte probeweise den freien Arm: Sieh her, ist nicht alles in Ordnung? Ich fragte ihn, warum er denn bei Rot, ob er nicht das fahrende Auto – er hob bedauernd, er hob schuldbewußt die Schultern: er verstand mich nicht. Furchtsam wiederholte er immer wieder denselben Satz, machte eine angestrengte Geste in Richtung des verlaufenden Bahndamms; es waren türkische Wörter, die er brauchte, ich erriet es am Tonfall. Ich erkannte seine Bereitschaft zur Flucht und sah, was ihn daran hinderte, doch er wagte es nicht, die inneren Schmerzen zu bestimmen oder auch nur zuzugeben. Er litt unter dem Mitgefühl und der Neugierde der Passanten; er schien zu begreifen, daß sie mich bezichtigten, und litt auch darunter. Doktor, sagte ich, jetzt bringe ich Sie zu einem Arzt.
Wie leicht er war, als ich ihn unterfing, seinen Arm um meinen Nacken zog und ihn zum Auto führte, und wie besorgt er die Schäden am Kotflügel und Kühler erkundete! Während Passanten neu hinzukommenden Passanten erklärten, was sie gesehen oder auch nur gehört hatten, bugsierte ich ihn auf den Rücksitz, brachte seinen Körper in

eine Art entspannter Schräglage, nickte ihm ermunternd zu und fuhr los, den alten Weg zur Schule. In der Nähe der Schule wohnten oder praktizierten mehrere Ärzte, ich erinnerte mich an die weißen Emailleschilder in ihren Vorgärten, dorthin wollte ich ihn bringen.
Ich beobachtete ihn im Rückspiegel, er hatte die Augen geschlossen, seine Lippen zitterten, vom Ohr zog sich ein dünner Blutstreifen den Hals hinab. Er stemmte sich fest, hob seinen Körper vom Sitz ab – allerdings nicht, um einen Schmerz erträglich zu machen, sondern weil er etwas suchte in seinen verschiedenen Taschen, die er mit gestreckten Fingern durchforschte. Dann zog er ein Stück Papier heraus, einen blauen Briefumschlag, den er mir auffordernd über die Lehne reichte: Hier, hier, Adresse. Er richtete sich auf, beugte sich über die Rückenlehne zu mir, und mit heiserer Stimme, dringlich und gegen die gewohnte Betonung gesprochen, wiederholte er: Liegnitzerstraße.
Daran schien ihm ausschließlich gelegen zu sein, jetzt, er sprach erregt auf mich ein, seine Furcht nahm zu: nix Doktor, Liegnitzerstraße, ja, und er wedelte mit dem blauen Umschlag. Wir kamen an den Taxistand in der Nähe der Schule, ich hielt, machte ihm ein Zeichen, daß er auf mich warten solle, es werde nicht lange dauern, danach ging ich zu den Taxifahrern und erkundigte mich nach der Liegnitzerstraße. Sie kannten zwei Straßen, die diesen Namen trugen, setzten aber wie selbstverständlich voraus, daß ich, da ich schon einmal hier war, in die näher gelegene Straße wollte, und sie beschrieben mir den Weg, den sie selbst fuhren, am Krankenhaus vorbei, durch die Unterführung, zum Rand eines kleinen Industriebezirks. Ich dankte ihnen und ging zur Telefonzelle und wählte die Nummer der Schule. Mein Unterricht hätte längst begonnen haben müssen. Niemand nahm ab. Ich wählte meine eigene Nummer, ich sagte in das Erstaunen meiner Frau: Erschrick nicht, ich hatte einen Unfall, mir ist nichts passiert. Sie fragte: Ein Kind? – und ich schnell: Ein Ausländer, vermutlich ein Gastarbeiter, ich muß ihn fortbringen; bitte, verständige du

die Schule. Bevor ich die Telefonzelle verließ, drehte ich noch einmal die Nummer der Schule, jetzt ertönte das Besetztzeichen.
Ich ging zu meinem Auto zurück, vor dem zwei Taxifahrer standen und gelassen meinen Schaden zum Anlaß nahmen, um über eigene Schäden zu sprechen, wobei sie sich gegenseitig zu überbieten versuchten. Das Auto war leer. Ich beugte mich über den Rücksitz, beklopfte ihn – die Taxifahrer konnten sich an keinen Mann erinnern, doch sie schlossen nicht aus, daß er nach vorn gegangen war und sich – vielleicht – den ersten Wagen genommen hatte. Ein südländischer Typ, Schirmmütze, noch dazu verletzt, wäre ihnen gewiß aufgefallen. Sie wollten wissen, wo mich das Pech erwischt hatte, ich erzählte es ihnen und sie schätzten den Schaden – vorausgesetzt, daß ich gut wegkäme – auf achthundert Mark.
Langsam fuhr ich zur Liegnitzerstraße, am Krankenhaus vorbei, durch die Unterführung, zum Industriebezirk. Eine kleine Drahtfabrik, deren Gelände mit löchrigem Maschendraht eingezäunt war; schwere Pressen, die Autowracks zu handlichen Blechpaketen zusammenquetschten; an trüben Hallen fuhr ich vorbei, die sich Reparaturwerkstätten nannten, an Speditionsfirmen und verschneiten Lagerplätzen, über die nicht eine einzige Fußspur führte.
Die Liegnitzerstraße schien nur aus einem schirmenden, mit Plakaten vollgeklebten Bretterzaun zu bestehen, hinter dem starr gelbe Kräne aufragten; keine Wohnhäuser; zurückliegend, türlos, mit zerbrochenen Fenstern eine aufgelassene Fabrik; schwarze Rußzungen zeugten immer noch von einem Brand. In einer Lücke entdeckte ich Wohnwagen, deren Räder tief in den Boden eingesackt waren. Ich hielt an, verließ das Auto, ging durch den schmutzigen Schnee zu den Wohnwagen hinüber; die Arbeiter waren fort. Die Fenster der Wohnwagen waren mit Gardinen verhängt, auf den eingehängten Treppen lagen Reste von Streusalz; Rauch stieg aus einem blechernen Schornstein auf.

Vermutlich hätte ich die Wagen nur umrundet und wäre fortgegangen, wenn sich nicht eine Gardine bewegt, wenn ich nicht den beringten Finger gesehen hätte, der den gehäkelten grauen Stoff zu glätten versuchte; so stieg ich die Treppe halb hinauf und klopfte. Ein hastiger, zischender Wortwechsel im Innern, dann wurde die Tür geöffnet, ich sah nah vor meinem Gesicht den Siegelring an der Hand, die jetzt auf der Klinke lag. Den Blick hebend, wuchs er bedrohlich vor mir auf: die schwarzen Halbschuhe mit weißer Kappe; die engen gebügelten Hosen; der kurze mit Pelzkragen besetzte Mantel; aus der oberen Jackentasche leuchtete das Dreieck eines Seidentuchs. Höflich, in gebrochenem Deutsch, fragte er mich, wen ich suchte, da hatte ich schon, an seiner Hüfte vorbeisehend, den Mann auf der untern Liegestatt des doppelstöckigen Bettes erkannt, zeigte bereits mit der Hand auf ihn: Er dort, zu ihm will ich. Ich durfte eintreten. Vier Betten, eine Waschgelegenheit, an den unverkleideten Holzwänden angepinnte Postkarten, Familienbilder, aus Zeitungen ausgeschnittene Photographien: dies war das Inventar, das ich zuerst bemerkte; später, nachdem der auffällig gekleidete Mann mir einen Hocker angeboten hatte, entdeckte ich Kartons und Pappkoffer unter den Bettgestellen.
Der Verletzte lag ausgestreckt unter einer Decke, auf der in roter Schrift das Wort »Hotel« zu lesen war; seine dunklen Augen glänzten in der Trübnis des Innern. Er nahm meinen Gruß gleichgültig auf, kein Zeichen des Wiedererkennens, weder Furcht noch Neugier.
Herr Üzkök hatte einen Unfall, sagte der Mann mit dem Siegelring. Ich nickte und fragte nach einer Weile, ob ich ihn nicht zum Arzt fahren sollte. Der Siegelring winkte lebhaft ab: nicht nötig, Herr Üzkök sei in bester ärztlicher Pflege, zwei Tage schon, seit er diesen Unfall auf dem Bau hatte, auf der Baustelle. Ich sagte: Heute morgen, ich bin wegen des Unfalls heute morgen gekommen, worauf der Mann sich schroff zu dem Verletzten wandte und ihn etwas in seiner Heimatsprache fragte; der Verletzte schüttel-

te sanft den Kopf: Von einem Unfall heute morgen Herrn Üzkök ist nichts bekannt. Ich sagte ruhig: Mir ist es passiert, dieser Mann lief mir bei Grün vor den Kühler, ich habe ihn angefahren, die Schäden am Auto können Sie sich ansehen, es steht draußen. Wieder fuhr der Mann den Verletzten in seiner Heimatsprache an, ärgerlich, gereizt, mit theatralischer Energie um Aufklärung bemüht, einen geflüsterten Satz ließ er sich ausdrücklich wiederholen. Alles, was er mir danach zusammenfassend sagen konnte, lautete: Herr Üzkök kommt aus Türkei, Herr Üzkök ist Gastarbeiter, Herr Üzkök hatte Unfall vor zwei Tagen. Ein Auto ist ihm unbekannt.
Ich zeigte auf den Verletzten und bat: Fragen Sie ihn, warum er fortgelaufen ist; ich selbst sollte ihn doch in die Liegnitzerstraße bringen, hierher. Wieder spielten sie ihr Frage- und Antwort-Spiel, das ich nicht verstand; und während der Verletzte gepeinigt zu mir aufsah und seine Lippen bewegte, sagte der Mann mit dem Siegelring: Herr Üzkök ist nicht fortgelaufen seit dem Unfall auf Bau, er muß im Bett liegen. Ich bat den Verletzten: Zeigen Sie mir den blauen Briefumschlag, den Sie mir im Auto zeigten; und er lauschte der Übersetzung und ich konnte nicht glauben, daß meine Bitte sich im Türkischen so dehnte und außerdem Spruch und Widerspruch nötig machte. Mit triumphierendem Bedauern wurde mir mitgeteilt, daß Herr Üzkök keinen blauen Briefumschlag besessen hätte.
Diese Unsicherheit, auf einmal meldete sich die vertraute Unsicherheit, wie so oft in der Klasse, wenn ich das Risiko einer endgültigen Entscheidung übernehmen muß; und weil ich überzeugt war, daß der Verletzte noch seinen schäbigen Mantel trug, trat ich an sein Lager heran und hob einfach die Decke auf. Er lag in seinem Unterzeug da, preßte etwas mit den Händen zusammen, das er offenbar um keinen Preis hergeben wollte.
Als ich mich, schon auf der Treppe, nach der Nummer erkundigte, nach der Straßennummer, unter der die Wohnwagen registriert waren, lachte der Mann mit dem Siegel-

ring, rief einen knappen Befehl zu dem Verletzten zurück; und als er mir dann sein Gesicht zuwandte, Vierzig bis Zweiundfünfzig sagte und dabei vergnügt seine Arme ausbreitete, spürte ich zum ersten Mal seinen freimütigen Argwohn. Viel Adresse, sagte er, vielleicht fünfhundert Meter. Ich fragte, ob dies die ständige Wohnung von Herrn Üzkök sei, worauf er, sein Mißtrauen durch Lebhaftigkeit tarnend, in Andeutungen auswich: Viel Arbeit, überall. Manchmal Herr Üzkök ist hier, manchmal dort – er deutete in entgegengesetzte Richtungen.

Obwohl ich mich verabschiedete, folgte er mir; schweigend begleitete er mich auf die Straße hinaus, trat an mein Auto heran, strich über die Dellen, die der leichte Körper dem Blech beigebracht hatte, hob die Haube an und ließ sich bestätigen, daß das Schloß nicht mehr einschnappte. War er erleichtert? Ich hatte das Gefühl, daß er, dem alles doch gleichgültig sein konnte, erleichtert war, nachdem er den Schaden begutachtet hatte. Er rieb sich das weiche Kinn, dann mit breitem Daumen die lang heruntergezogenen Koteletten. Ob ich vorhätte, die Versicherung einzuschalten? Ich gab ihm zu verstehen, daß mir wohl nichts anderes übrig bliebe, worauf er mit einer abermaligen, gründlichen Inspektion des Schadens begann und zu meiner Überraschung einen Schätzpreis nannte, der knapp unter dem lag, den die Taxifahrer genannt hatten: siebenhundertfünfzig. Er grinste, zwinkerte mir komplizenhaft zu, als ich einstieg und die Scheibe herunterdrehte, und in dem Augenblick, als ich den Motor anließ, streckte er mir seine geschlossene Hand hin: Für Reparatur, sagte er. Herr Üzkök, er braucht jetzt Ruhe.

Ich wollte aussteigen, doch er entfernte sich bereits, mit hochgeschlagenem Pelzkragen, unwiderruflich, als habe er das Äußerste hinter sich gebracht. Nachdem er hinter dem Zaun verschwunden war, sah ich auf das Geld in meiner Hand, zählte es – die Summe entsprach seinem Schätzpreis –, zögerte, wartete auf etwas, auch wenn ich nicht wußte, was

es sein könnte, und bevor ich zur Schule ging, lieferte ich den Wagen in der Werkstatt ab.
Im Lehrerzimmer saß natürlich Seewald, saß da, als hätte er auf mich gewartet, er mit seinem roten Gesicht, dem haltlosen Bauch, der ihm vermutlich bis zu den Knien durchsacken würde, wenn er ihn nicht mit einem extrabreiten Riemen bändigte. Hab schon gehört, sagte er, nun erzähl mal. Aus seiner Thermosflasche bot er mir Tee an, nein, er drängte ihn mir so gewaltsam auf, als wolle er das Recht erwerben, jede Einzelheit meines Unfalls zu erfahren, ausgerechnet Seewald, der bei jeder Gelegenheit für seine Erfahrung warb, nach der es keine Originalerlebnisse mehr gebe. Alles, so behauptete er, was uns vorkommt oder zustößt, sei bereits anderen vorgekommen oder zugestoßen, die Bandbreite unserer Erlebnisse und Konflikte sei ein für alle Mal erschöpft, selbst in einer seltenen Lage dürfe man nicht mehr als einen zweiten Aufguß sehen.
Ich trank seinen stark gesüßten Tee, erschrak, als ich sah, wie sehr meine Hand zitterte – weniger wenn ich die Tasse aufnahm, als wenn ich sie absetzte. Also die Anfahrt, der Unfall, die Flucht des Verletzten, und dann, als ich ihm die Begegnung im Wohnwagen schilderte, konnte ich die Entstehung eines für ihn typischen Lächelns beobachten, eines überlegenen, rechthaberischen Lächelns, das mich sogleich reizte und bedauern ließ, ihm alles aufgetischt zu haben. Es war mein Unfall, mein Erlebnis, und deshalb hatte ich doch wohl das Recht, es auf meine Weise zu bewerten und besonders die Begegnung im Wohnwagen mit der angemessenen Unentschiedenheit darzustellen. Für ihn indes, für Seewald war alles längst entschieden: Wie bei Gogol, sagte er, hast du es denn nicht gemerkt, mein Lieber – genau wie bei Gogol. Ich war froh, daß die Glocke mich zur Stunde rief und mir seine Erklärungen erspart blieben, vor allem der unvermeidliche Hinweis darauf, wie mein Erlebnis im Original aussah.
Ich werde ihm nicht erzählen, daß sowohl die Taxifahrer als auch der Mann mit dem Siegelring den Preis für die

Reparatur zu hoch angesetzt hatten; da die Dellen ausgeklopft werden konnten, behielt ich mehr als zweihundert Mark übrig. Und ich werde Seewald nie und nimmer erzählen, daß ich, in dem Wunsch, dem Fremden oder Herrn Üzkök den Rest des Geldes zurückzugeben, noch einmal in die Liegnitzerstraße fuhr, in der Dämmerung, bei Schneefall.
Das Fenster des Wohnwagens war abgedunkelt, die Behausung sah verlassen aus, zumindest abgeschlossen, doch auf mein mehrmaliges Klopfen wurde geöffnet, und wieder stand er vor mir, mit dem roten Seidentuch in der Hand, mit dem er sich anscheinend Luft zugefächelt hatte. Mindestens sechs Männer hockten auf den Bettgestellen, kurz gewachsene, scheue Männer, die bei meinem Anblick die Rotweingläser zu verbergen suchten. Wie ertappt saßen sie da, einige wie überführt, kein Gesicht, auf dem nicht eine Befürchtung lag.
Ich fragte nach Herrn Üzkök; der Mann mit dem Siegelring erinnerte sich nicht an ihn, er war ihm nie begegnet, hatte ihn nie betreut. Da wußte ich schon, daß er auch Schwierigkeiten haben würde, sich an mich zu erinnern, und als ich ihm das überschüssige Geld zurückgeben wollte, sah er mich mit beinahe grämlicher Ratlosigkeit an: er bedauerte sehr, doch er dürfte ja wohl kein Geld annehmen, das ihm nicht gehörte. Ich sah auf die schweigenden Männer, sie schienen ausnahmslos Üzkök zu gleichen, und ich war sicher, daß sie, wenn ich am nächsten Tag wiederkäme, bestreiten würden, mich je gesehen zu haben. Es standen hier mehrere Wohnwagen nebeneinander: hatte ich mich im Wagen geirrt? Eins jedoch weiß ich genau: daß ich das Geld auf einen Klapptisch legte, ehe ich ging.

FRITZ RUDOLF FRIES

## *Der Fernsehkrieg*

Eine Tante schließt jeden Protest aus.
*Witold Gombrowicz*

Nach dem großen Krieg zogen alle meine Tanten in andere Länder, um endlich und für den Rest ihres Lebens und überhaupt für immer in Frieden und Wohlstand ihr Auskommen zu finden. Da ging es ihnen zunächst schlecht, dann besser und dann noch viel besser, und endlich hatten sie Auto, Kühlschrank und Waschmaschine, die weißeste Wäsche, die spitzesten Absätze, die wärmste Wolle. Und sie schrieben es heim nach Gera und Grimma, und wir in Vogelsdorf und Mahlsdorf und Eggersdorf sammelten die Briefe und verglichen den Text, um durch Analogie herauszufinden, wer nun den Vogel abgeschossen, will sagen, es am besten getroffen hatte von ihnen allen. Sie waren ihrer vier, die nun, verheiratet, entheiratet und wieder verheiratet, mit Kindern, Hausrat, Fernsehapparaten und Ferienerinnerungen an Biarritz, Honolulu, Capri und die Isle of Man reich gesegnet waren. Dann kamen die Fotos, farbig und auch sonst aufschlußreich, und saßen da Hunde zwischen den Polstern, wurde deren Geschichte, darauf konnte man sicher sein, in einem der Briefe mitgeliefert. Der Hund von Tante Ida aber hatte diese Welt bald verlassen nach arger, doch geduldig ertragener Hundekrankheit; nun lag er im Garten begraben, hätte aber doch lieber, hieß es, seinen Platz in der von vornherein fertig bestellten und bezahlten Familiengruft finden sollen am Rande der Stadt Madrid. Der Hund Tante Sabines war ein Pudel und ganz westlich angezogen, wenn er über den Kurfürstendamm spazierte auf einer Fotografie zu der Zeit, da man über die Ruine der Gedächtniskirche schon diese Bienenwabe gestülpt hatte, daß man nicht mehr sicher sein konnte, was da nun dahinter getrieben wurde. Auch in Paris gab es einen

Hund vor dem Eiffelturm, doch als dann de Gaulle kam, wäre meine Tante Isolde doch lieber nach England gegangen, und es war ja auch nur wegen des französischen Offiziers, daß sie in Paris blieb, wo es doch seit ihrer Kindheit, wie sich alle erinnerten, England hatte sein sollen. Meine Tante Isolde hatte schon immer einen demokratischen Einschlag gehabt. Einen so kleinen Hund schließlich konnte man in New York sich nicht gut vorstellen, da war es dann ein Hühnerhund, der vor Wolkenkratzern aufrecht saß, braungelockt, und mit ihm Tante Helene, die nun Helen hieß, ohne e. Mir persönlich hat ja schon immer imponiert, wie diese Amerikaner ihre Namen zusammenstreichen, abwerfen, was unnütz, zu lang in Europa oder sonstwo geraten war. Nun hatte meine Tante Helen in zweiter Ehe einen Beamten aus dem Beschaffungsamt geheiratet und war im Begriff, nach Washington umziehen zu müssen. Dieser Mann hieß Honk; ich bin nicht sicher, ob er nicht einst Hong geheißen und dazu noch Kua oder Yen. Verdächtig erscheint uns in Gera und Vogelsdorf, daß er seinen Blick immer hinter rauchigen Gläsern versteckt hält. Dieser Mr. Honk neben Tante Helen und dem Hühnerhund steht groß vor Wolkenkratzern und Hängebrücken, die nur von Europa aus wie Spielzeug aussehen. In Wirklichkeit, lesen wir aus New York, fahren da Züge im Innern des Brückenweges und darüber noch eine Schicht Fahrzeuge und Fußgänger, und die Pylonen, zwischen denen eine Brücke aufgehängt ist, ragen weit in den Himmel, und von ihrem höchsten Punkt, vermutlich, signalisieren die Brückenmeister (die mit einem Aufzug durch die Pylonen fahren können, man bedenke) den Flugzeugen die Richtung. Mein Sohn Robert findet das eine Klasse für sich.

Die Wohnung der Honks am Zentralpark ist geräumig, so wenigstens in der Perspektive der Fotografien. Die Sessel zeigen aufgedruckte Blumenmuster und Schonbezüge über den Armstützen, auf denen irgendwie aufmontiert Aschenbecher stehen. Vor den Sesseln gibt es Taburette, auf die man die Beine betten kann, wenn man *television* sieht. Der *television set* steht auf einem kleinen Tisch, einem Fernsehtisch; dieser Tisch hat fast zu ebener Erde eine zweite Etage für Flaschen und Programmzeitungen. Auf dem Fernsehgerät dreht die Figur einer rosaweißen Tänzerin in stupider Gleichgültigkeit eine Pirouette bis an ihr Lebensende. Das Drehen hat man ihr in Meißen in den Leib geschnitten. Mit Hilfe einer Lupe erkennt man, daß *in television* das Programm läuft (grau auf dem Farbfoto). Ein Herr, der aussieht wie der Kardinal Spellman, hat etwas in der Hand, die Hand ist ausgestreckt, tiefer als zur Verteilung von Segenswünschen üblich. Ich habe darauf in alten Zeitungen geblättert, und es ist richtig der Kardinal Spellman, den meine Tante Helen sich ansieht, und er hält seine Hand so tief, um Herrn Diem aus Vietnam einen Scheck zu überreichen. Man erfährt gleich mehr über diesen Diem, wenn der Bischof von New York, Herr Flannery, ihn in der St. Patricks-Kathedrale einen gottesfürchtigen Antikommunisten nennt und einen hervorragenden Staatsmann und im Ergebnis einen Erretter Vietnams. Bürgermeister Wagner läßt ihn in seiner Begrüßungsansprache ins unsterbliche Kabinett der großen Figuren der Weltgeschichte eingehen, und ein paar Wochen später sieht man *in television*, das ja immer und überall dabei ist, wie Polizeimänner aus der Polizistenschule der Michigan State University nach Saigon fahren. Saigon ist nicht so schön wie New York, das sieht meine Tante Helen auf den ersten Blick, auch nicht so sauber und geordnet. Und meine Tante Helen ist, wie sie stets versichert, der geordneten Verhältnisse wegen in den Westen gegangen. Man sieht es. Ich meine, man sieht es an den Fotos, daß es ihr gut und geordnet geht. Die Polizei in Saigon, lachende, großporige Gesichter direkt vor der Kamera, ganz nah ans Objektiv halten sie ihre Köpfe wie Landleute, die beim Telefonieren überlaut in die Muschel sprechen, die Polizei sagt, was sie da macht. Sie baut dem Herrn Diem eine Palastwache auf. Die Palastwache bekommt grüne Mützen, wie der Reporter weiß; darauf steht DE OPPRESSO LIBER. Da nicht alle Vietnamesen Latein können, müssen sie wohl diesen Spruch feindlich deuten, und Staatsmann Diem hat es schwer mit der Aufklärung. Er muß einen Kreuzzug starten, in welchem vor allem seine Bevölkerung geschützt werden soll. Und die Kamera sieht es für alle, wie da Häuser in den Grund gebrannt, Herden auseinandergetrieben werden, die Bevölkerung in andere Gegenden kommt, wo es sicherer ist, nämlich in sogenannte Wehrdörfer. Dort lassen Soldaten sie früh aus zur Feldarbeit und begleiten sie mit ihren Hunden, die erst zu bellen aufhören (und nicht anders die Hunde meiner Tanten vor den Fernsehschirmen), bis alle wieder abends hinter ihre Palisaden einmarschieren, die Tore verschlossen werden, Wassergräben, Stacheldraht und Wachttürme den inneren Frieden garantieren. Die Hunde übrigens sind ein Geschenk des amerikanischen Hundezüchterverbands.

Dann vergeht Zeit, aber das Fernsehen zeichnet diese auf. Eines Abends steht im Zimmer am Zentralpark das Gesicht Diems, das sagt, man könne das Genfer Abkommen von 1954 über Wahlen in Vietnam nun doch nicht einhalten, leider, denn wer solle da zur Wahlurne gehen, wenn nicht die rund 7 Millionen aus den Wehrdörfern. Doch könnten die ja noch nicht einmal das Mützenschild seiner Palastwache lesen, geschweige, daß sie wüßten, was Freiheit bedeutet, für die Herr Diem einstweilen einsteht. Da muß man wieder alles den Fachmännern überlassen. Der Mr. Honk meiner Tante Helen ist einer. Er schreibt für die Öffentlichkeit einen Kommentar, und *television* zitiert daraus: *Noch nie waren so viele militärische Fachmänner an einem Krieg beteiligt, ohne daß die Öffentlichkeit darüber informiert worden wäre. Es ist ein Krieg ohne offizielle Bekanntgabe der Anzahl der eingesetzten Truppen und der Menge der Ausrüstung und des investierten Geldes.*

Tante Helen vernimmt verwundert, wovon zu Hause nicht gesprochen wird: daß nun wieder Krieg sein soll, wenn auch da unten. Zum Fernsehen gibt es bei Honks, schreibt uns Tante Helen, Erdnüsse aus Sumatra, Ginger Ale und

schwedisches Knäckebrot mit Languste. Die amerikanische Küche ist ja bekannt für ihre gräßliche Kombinationskunst.
1960 wird ein neues Foto aufgenommen. Der Hühnerhund liegt auf einer Matte neben dem Fernsehtisch. Er ist gleich fertig dressiert gekauft worden, er kann seine Schnauze in die Flaschenbatterie stecken und die Programmzeitung hervorziehen, auf Wunsch. Wieder läuft auf dem Foto *television*, doch bleibt das Bild für uns unklar. Graue Flecken wie von Urwald zeichnen die Mattscheibe. Natürlich ist das Urwald, sagt mein Sohn Robert und holt die Zeitungen aus dem Keller. Wir sehen die Nummern aus dem Jahre 1960 durch. Die Nationale Befreiungsfront wird in diesem Jahr gebildet. Die Bevölkerung schlägt sich auf ihre Seite.
Wir sehen Fotografien von Frauen und Kindern mit schönen großen Augen. Robert buchstabiert langsam die fremden Namen. Er will die Kinder zu seinem achten Geburtstag einladen. Aus der Regierungsarmee, schreibt die Zeitung, desertieren monatlich Tausende von Soldaten. In einer späteren Nummer lesen wir, daß Amerika zwischen 1955 und 1962 2,6 Milliarden Dollar für eine Bodenreform über Vietnam ausgestreut hat. Das Geld aber macht fett: die Generäle, die Armee, kleine und große Händler, die Schieber auf dem schwarzen Markt.
Das sieht freilich schon auf dem Fernsehschirm wie lauter Unordnung aus. Von Unordnung hat Tante Helen bekanntlich genug, seitdem sie aus Europa weg ist, und in Vietnam (man sieht es ja *in television*) ist es noch viel ärger. Amerika greift durch und schickt Soldaten, damit die armen Leute da unten aus dem Schlamassel herauskommen.
Hanoi/Saigon (ADN/ND). *Die USA-Aggressoren weiten in zunehmendem Maße den Bombenterror gegen die Zivilbevölkerung Nordvietnams aus. In einem Protestschreiben an die internationale Kontrollkommission für Vietnam wird festgestellt, daß allein am 4. November in der Nähe von Cà Mau*

*über 100 Menschen getötet oder verwundet wurden. ... die amerikanischen Piloten hatten ihre Bomben mutwillig über einem Arbeiterbezirk mit großer Bevölkerungsdichte abgeworfen: Cam Lo. Die einzigen Ziele, die sie erreichten, waren eine Poliklinik, Häuser voller Kinder, die kaum aus dem Schlaf erwacht waren, eine Ziegelei. Während die Freiwilligen und die Sanitäter die Verwundeten sachkundig und schnell abtransportierten, wodurch viele gerettet werden konnten, hob ich neben der Leiche eines kleinen Jungen eine seiner rotlackierten Pantinen auf, die eine gemalte Blume schmückte, Pantinen, in denen die vietnamesischen Kinder mit nackten Füßen herumzulaufen pflegen.*[1]
Krieg in Vietnam. Schon wieder Krieg. Aus Madrid schreibt Tante Ida an die Familie, wie glücklich sie ist, in einem Land zu leben, das seit mehr als 20 Jahren auf Frieden hält. Und geschossen wird ja nur bei Hinrichtungen. Sie fährt einen Simca, nachdem sie den Fiat an das Dienstmädchen verkauft hat, das einen berühmten Stierkämpfer zum Bruder hat. Das Dienstmädchen kommt nun in dem Fiat zum Nachmittagskaffee, bleibt bis in den frühen Abend. Am späten Abend kommt der Hausfreund meiner Tante Ida, und zu dritt, ihr Mann ist der dritte, spielt man Bridge. Meine Tante Ida verliert immer beim Bridge. Der Fernsehapparat steht bei ihr auf einem kleinen Fernsehtisch, darunter gibt es auf einem Extrafach Flaschen und Gläser, dickbauchig steht hervor (auf dem Foto) die grüne Siphonflasche, mit der der Wein gespritzt wird. Auf dem Apparat die Figur einer rosaweißen Tänzerin, die in stupider Gleichgültigkeit ihre Pirouette dreht bis an ihr Lebensende. Das Drehen hat man ihr in Meißen in den Leib geschnitten. Zum Fernsehen gibt es Erdnüsse, süße Kastanien, Ananasscheiben mit einer Maraschinokirsche obenauf, dazu Portwein. Die spanische *televisión* (auf der Fotografie in Form eines Kreuzes oder Flugzeuges vertreten) zeigt, wie wir aus einer Programmzeitung entnehmen, in

1 Madeleine Riffaud, *l'Humanité*.

der ein Pfund süßer Kastanien für Robert eingewickelt waren, Landemanöver der amerikanischen Armee in Vietnam, Hubschrauber, insektengleich über Urwaldgebiet, Paraden, die Ankunft McNamaras in Saigon. Diktator Ky, hier der Caudillo Ky genannt, nimmt die Parade ab in der üblichen militärischen Haltung; dann folgt ein allgemeines Präsentiert-das-Gewehr, anschließend werden Gefangene abtransportiert. Zum Schluß noch diese Szene: Ein Lastwagen, auf dem, umringt von den viel kleineren Vietnamesen, die sich sehr freuen, ein amerikanischer Flieger steht. Dieser Flieger, sagt der Sprecher, geht seinem ungewissen Schicksal entgegen. Und so jung, sagt meine Tante Ida, die jüngste der Schwestern. Sie kann das Gesicht des Fliegers nicht vergessen. Auch das Dienstmädchen, das jetzt reich ist und am Tische ihrer einstigen Herrschaft den süßen Portwein trinkt und die Erdnüsse aus ihrer rauhen, fasrigen Schale befreit mit rosa lackierten Fingernägeln, hat Mitleid mit diesem jungen Mann. Wieder ein Bild: Ein Madrider Kleriker hält eine Ansprache über Sinn und Zweck des antikommunistischen Feldzuges, Tante Ida fröstelt und holt sich mal eben schnell eine Mantille aus dem Nebenzimmer gegen den Wind von der Sierra, von dem es heißt, er vermöchte keine Kerze zu löschen, aber einen Menschen umzubringen. Das Dienstmädchen spuckt einen Rest Erdnußschale, der zwischen ihre Perlenzähne geriet, unter den Fernsehtisch. Der Hund, der in diesem Jahr schon krank ist, knurrt. Dann hebt der Caudillo, diesmal der landeseigene, zu einer Ansprache an, doch meine Tante Ida, zurückgekehrt, schaltet ab, weil Politik nicht so interessant ist. Überdies erwartet Encarna, das Dienstmädchen, ein Baby. Und neue Fotos aus New York und Paris sind mit der Post gekommen, die muß man sich noch anschauen. Die Fotos aus Paris sind schwarz-weiß. Es ist deshalb ganz leicht, diese Fotos aus dem Stapel der andern herauszufinden, die, wenn sie uns erreichen (nachdem sie, wie gesagt, in Gera und Grimma, Mahlsdorf und Eggersdorf die Runde gemacht haben), von mir und meiner Frau und von Robert besehen, verschieden kommentiert, in Kuverts wandern, in Kartons, schubweise auf Bücherreihen gelegt, zwischen Bücherrücken geklemmt werden. Und ist man sie schließlich los, beginnt meine Frau mit dem Hausputz und zieht sie alle wieder hervor aus Ritzen und Ablagen, und ich muß sie noch einmal wegtun. Tante Isoldes Pariser Fotos aber heb' ich mir gesondert auf. Sie ist eine intelligente Frau, ich mag sie. Sie liest Literatur, sie schickt mir die Neuerscheinungen des Pariser Literaturbetriebes. Über den *nouveau roman* sind wir einer Meinung. Neulich hat sie Robbe-Grillet – oder war es Michel Butor oder Robert Pinget? – in der Metro gesehen. Die Herren trugen helle Regenmäntel. Paris ist Paris, das bleibt gewiß, auch wenn der 14. Juli dort inzwischen so albern begangen wird wie die Schrebergärtenfeste in Grimma und Gera. Ein bißchen Seineatmosphäre, das versteht sich, liegt über den Fotos, silbern und flirrend. Der Fernsehapparat steht auch hier auf einem Fernsehtisch; auf dem Flaschenfach besonders viele Flaschen. Tante Isolde trinkt viel, wenn sie liest, bis die Lektüre dann übergeht in die Träume meiner Tante Isolde, über die einmal an anderer Stelle geschrieben werden sollte. Sie ist ja auch nicht ganz glücklich verheiratet. Man weiß ja, es sollte England sein. Auf dem Fernsehapparat eine Figur, eine Plastik, über die Robert und ich oft geteilter Meinung sind. Das ist ein Wurzelknorren, sagt Robert in seiner unausgebildeten Sprache. Das ist eine moderne Plastik, mein Lieber, sage ich, ich will hoffen, man bringt dir auf deiner Schule noch bei, was eine moderne Plastik ist. Machen wir, sagt Robert, aber auf den Arm nehmen lasse ich mich von dir nicht.

Zwei Tage später legt er auf den Tisch, was sie in der Schule gezeichnet haben: schwarze Schemen, die an Pilzen zu hängen scheinen, purzeln durch einen grauen Himmel.

Wir haben gemalt, sagt er. Das Thema hieß »Soldaten der sozialistischen Länder schützen den Frieden«.

Schön, sage ich. Fallschirmjäger?

Ja, sagt Robert. Aber ich mach's noch mal. Farbig. Bunt wird es ihnen besser gefallen.
Wem?
Wir schicken es Schulkindern nach Vietnam.
Das ist eine gute Idee, sage ich. Da bist du schon ein richtiger Maler; wie die am Alex. Die stellen ihre Malereien aus, und die Leute kaufen es für Geld, und das Geld spenden die Maler für das Solidaritätskonto. Für das Geld werden dann Medikamente gekauft und andere Dinge, die man in Vietnam dringend braucht.
Robert nickt. Ich weiß, sagt er. Wir helfen einander.
Wir werden unterbrochen. Das Telefon läutet: Es ist meine Freundin Isabel, die Grafikerin. Sie ladet uns zu ihrer Ausstellung ein, sie hat Themen aus dem vietnamesischen Freiheitskampf dargestellt. Siehst du, sagt Robert, als ich ihm davon erzähle. Das ist doch besser als deine Wurzelknorren.
Eins zu null für dich, sage ich.
Zum Fernsehen gibt es bei Tante Isolde Whisky mit Eis, Courvoisier oder neuerdings sowjetischen Wodka. Wer Hunger hat, geht in die Küche und holt sich was aus dem *frigidaire.* Ohnehin ist sie meist allein zu Hause und hat keinen Hunger. Die Kinder studieren in Cambridge, ihr Mann kommt oft spät heim aus seinem Marineministerium, seitdem de Gaulle Frankreich auch auf dem Wasser voranbringen will. So sitzt sie allein vor ihrem Apparat, den Hund zu Füßen, und trinkt all das scharfe Zeug in sich hinein, sitzt da in ihrem grauen Kostüm. Sie ist auch zu Hause eine vorbildlich angezogene Frau, sicher hat sie Rouge aufgelegt. Man kann es auf dem Schwarzweißfoto nicht erkennen. Das Programm läuft, *la télévision* zeigt einen Mann in weißem Hemd und Krawatte; wir vermuten einen Kommentator. Man schreibt das Jahr 1965. Robert bringt mir die betreffenden Zeitungen, und wir lesen, was in allen Städten schwarz auf weiß an den Anschlagsäulen stehen sollte. *4300 Tote und 26 000 verwundete amerikanische Soldaten haben der amerikanischen Industrie Rekordge-*

*winne eingebracht. In den letzten Jahren produzierte Amerikas Chemieindustrie 250 Millionen Napalmbomben. Ein Teil davon kam im Krieg im Kongo und Angola zur Anwendung. Der Rest* – der Kommentator des französischen Fernsehens würde sagen: *der Rest wird täglich über Vietnam abgeworfen. Wer mit Napalm in Berührung kommt, brennt wie eine Fackel. Im vergangenen Jahr wurde 700 000 Hektar Saatfläche vernichtet. Die angewendeten Giftstoffe töteten keimende Pflanzen, Kinder, Alte und Kranke und den Embryo im Schoß der Mutter. Wälder verloren ihr Laub, Pflanzungen verdorrten, sind fruchtlos auch für die kommende Generation. Seit 1965 benutzen die amerikanischen Truppen Tränen- und Brechgase bei ihren Kämpfen. Die amerikanischen Produzenten bieten neue Maschinen an zur wirksameren Gasausschleuderung. 638 000 Tonnen Explosivbomben sind vom amerikanischen Kriegsministerium für 1965 vorgesehen.*
New York (ADN/ND). *Über die direkte Teilnahme des Bonner Botschafters in Saigon, Dr. Kopf, an Einsätzen der amerikanischen Truppen berichtet am Freitag die »New York Herald Tribune«. Der Zeitung zufolge überflog der ehemalige Nazidiplomat in der vergangenen Woche gemeinsam mit dem Kommandeur der I. USA-Infanteriedivision, Generalmajor Depuny, das Kampfgebiet in der sogenannten Kriegszone C. Offensichtlich wollte der Botschafter weitere Möglichkeiten zur Unterstützung des verbrecherischen Krieges erkunden. Bonn stellte Saigon bisher 252 Millionen Kriegskredite sowie Lieferungen rüstungswirtschaftlicher Waren im Werte von 533 Millionen Mark zur Verfügung.*
*Junge Vietnamesen im Halbleiterwerk*
Frankfurt (Oder) (ND). *Eine mehrjährige fachliche Ausbildung werden 27 junge Vietnamesen im Halbleiterwerk Frankfurt (Oder) in den nächsten Wochen beginnen. Bei ihrem Eintreffen auf dem Hauptbahnhof der Oderstadt wurde ihnen ein herzlicher Empfang bereitet. Am heutigen Donnerstag werden 440 Jungen und Mädchen aus Vietnam erwartet.*
Tante Isolde schreibt nichts über Vietnam in ihren Briefen.

Da ich sie schätze, stelle ich mir vor, wie die Fakten, die ihr *la télévision* nennt, trocken, freundlich – Frankreich ist gegen den Krieg in Vietnam, nachdem es seinen Krieg in Vietnam verloren hat – wie diese Daten, Zahlen sie quälen, zu Bränden anschwellen, zu Asche werden. Sie gibt Geld für Vietnam, sie unterschreibt Solidaritätsappelle auf ihren Spaziergängen durch den milden Pariser Herbst. Sie fühlt sich hoffnungslos dabei, all diese Reden gegen den Krieg, alle schreiben sie gegen den Krieg. Der Krieg geht weiter. Werden die Angegriffenen bestehen? Wie ist ihnen zu helfen?

In einer Broschüre finden wir, Robert und ich, den Abdruck eines Flugblattes einer amerikanischen Studentenorganisation, die den offenen Protest gegen den Krieg in die Reihen der Soldaten tragen will. *Wer ist der Feind? Die Sprecher der amerikanischen Streitkräfte sagen immer wieder: ihre größte Schwierigkeit liege darin, den Feind aufzuspüren. Der Feind, so sagen sie, ist überall. Die alte Frau, die ihre Hühner füttert, hat vielleicht einen Stapel Handgranaten in ihrer Hütte versteckt. Der kleine Junge, der untertags hinter den amerikanischen Soldaten herläuft, stiehlt sich, wenn es dunkel wird, zu den Guerillas davon und bringt ihnen die neuesten Informationen mit. Die Waschfrau, die für die amerikanische Luftwaffenbasis arbeitet, kommt jeden Tag mit einer Wurfbombe in der Handtasche an. Die Militärs sagen: Es ist unmöglich, Zivilisten von Vietcongs zu unterscheiden.*

Saigon (ADN/ND). *Kämpfer der südvietnamesischen Befreiungsfront sprengten am Dienstag das Hauptquartier des Befehlshabers des 60000 Mann starken USA-Marinekorps in Da Nang in die Luft. Das Gebäude, in dem sich die Stromanlage befand und in dem auch Sprengstoffe und leichte Waffen lagerten, wurde völlig zerstört. Die benachbarten Gebäude, darunter auch das Haus General Walts, wurden schwer beschädigt. Dieser kühne Handstreich löste im USA-Hauptquartier in Saigon höchste Verwirrung aus. Man macht darauf aufmerksam, daß Da Nang bisher als stärkste und gesichertste USA-Basis Südvietnams galt.*

Wir sehen uns Fotografien in den Zeitungen an. An den Händen gefesselte Kämpfer der Befreiungsarmee, in zerfetzten Hemden, barfuß, von einem Strick gehalten, der sie einer an den andern fesselt, geführt von einem amerikanischen GI. Verhöre: ein an Händen und Füßen gefesselter Soldat liegt im Sand, er wird getreten von einem dicksohligen Schuh mit Wickelgamasche. Bei Verhören wird von Spezialisten eine Nadel ins Nagelbett getrieben. Das objektive Westfernsehen zeigt auch diese Bilder. Sie stehen dann bei meiner Tante Sabine in Spandau in der Wohnung. Die Gefesselten bewegen sich, aber man hört keinen Laut. Der Sprecher legt seine Stimme darüber. Nur Explosionen werden zur vollen akustischen Entladung gebracht, da spritzen Steine und Dreck in Garben zum Himmel, Urwaldbäume knicken zur Seite, Motoren jaulen auf, Maschinengewehre ticken: Dieser Krieg steht leibhaftig im Zimmer mit den Möbeln auf Ratenzahlung, den Teppichen, Bildern aus der Bilderabteilung bei Neckermann, den Lampen, Anrichten, dem Fernsehtisch mit Flaschen und Programmzeitungen. Auf dem Apparat die Tänzerin, die ihre weißrosa Gleichgültigkeit bis an ihr Lebensende dreht.
Zum Vietnamkrieg, der abends um acht gezeigt wird, zur Stunde des Abendbrots, gibt es Sanella auf schwedischem Knäckebrot, Käse und Mettwurst, Tee und feinen Speisequark, danach Ginger Ale wie in Amerika, an manchen Abenden Languste wie bei Tante Helen. Tante Sabine ist die älteste der vier Geschwister. Ihre Kinder haben sich irgendwohin ins Bundesgebiet verheiratet. Ihr Mann, der oft Spätdienst bei der BVG hat, kann hier weggelassen werden. Dann holt sich Tante Sabine ihre Freundinnen aus der Nachbarschaft, die sich mit ihr den Bissen in den Mund schieben und sagen: Nun stell doch mal den gräßlichen Krieg ab, Sabine, ist ja gräßlich, die armen Menschen da unten. Aber die Reportagen sind immer nur ganz kurz, reichen pro Bild kaum für Abbeißen und Kauen. Zwischen Käse und Ginger Ale hat man das Ärgste bereits hinter sich. Nur der Sprecher schiebt noch ein: General Ky, in

einem Interview befragt, wer sein Vorbild sei, sagte den Reportern: *Ich werde immer gefragt, wer meine Vorbilder sind. Ich habe nur ein Vorbild: Adolf Hitler. Ich bewundere Hitler. Er hat sein Land auf Vordermann gebracht, als es bedroht war.* Na ja, sagt Tante Sabine oder die Nachbarin, und man darf annehmen, daß in diesem *na ja* noch ihr latenter Rest Demokratismus steckt. Weiter geht es zum Tage, Unglücksfälle, Abstürze, Ereignisse. Der Kanzler will abtreten. Soll er mal ruhig, sagt Tante Sabine. Na, der nächste ist auch nicht viel besser, sagen die Freundinnen. Ist ja doch nur alles Politik.
Nach dem Abendbrot macht man es sich bequem mit Salzstangen und was zu trinken, und die Nachbarinnen, die zum ersten Mal kommen, bewundern ein wenig die rosaweiße Tänzerin. Aber die Umschau am Abend entläßt noch immer nicht ins Abendprogramm: die phantastisch-utopische Weltraumserie. Noch schnell zur Parteiversammlung der NPD, und der Parteisprecher sagt es allen: Dieses Land, meine Damen und Herren, liebe Brüder und Schwestern, das muß endlich einmal gesagt werden, muß wieder auf Vordermann gebracht werden! Dann wird abgeblendet.

Anmerkung: Zitate und Tatsachen zum Verlauf des Vietnam-Krieges wurden entnommen aus: *Neues Deutschland, Notizen zum kulturellen Leben der Demokratischen Republik Viet Nam* von Peter Weiss, Madeleine Riffaud, *2000 km durch die Eskalation,* dem *Kursbuch* Nr. 6, 1966.

WOLFGANG WEYRAUCH

## *Uni*

Der Polizist konnte nicht mehr atmen. Hinter der Pflastermalerin her, die wie ein Kerl aussah, quer übern Kaiserplatz, unter dem Viadukt durch, den Südwestcorso lang, bis zur Laubenheimerstraße, links ab, wo sonst, nach rechts

heißt sie anders, auf die rechte Seite, in irgendein Haus hinein, aber in welches, egal, bloß dem Mädchen nach, dem man mal aus dem Trainingsanzug helfen sollte, um herauszukriegen, ob das Fräulein alles hat, was es haben muß, mitten in die Künstlerkolonie, wohin sonst, in den Hof mit den Mülleimern und Sandkuhlen und Teppichstangen, Hof gleich Rechteck, ein Dutzend Türen zu einem Dutzend Häusern, nicht bloß in der Laubenheimerstraße, sondern auch in der Bonner, in der Laubacher, im Südwestcorso, wohnt das Kind hier irgendwo, aber wo, als Hauptmieterin, als Untermieterin, unter richtigem oder falschem Namen, ist sie überhaupt gemeldet, oder hat sie den Hof bloß als Durchschlupf benutzt, hat sie sich versteckt, und wo, der Hof ist ausgestorben, kein Aas liegt im Fenster, Kinder scheint es keine zu geben, aber auch wenn er jemandem begegnen würde, keiner weiß etwas, und wer etwas weiß, ist stumm. Der Polizist blieb stehen. Fast wäre er hingefallen. Er war nicht mehr der jüngste.
Aber er war auch kein Schlappschwanz. Er hielt sich an irgendeiner Hauswand fest. Er hatte sich die Kuppen am Bewurf blutig gerissen. Die Blasen, die der Schwamm geworfen hatte, platzten. Das Rieseln erinnerte ihn daran, daß er mit dem Rücken zum Hof stand. Die Pflastermalerin, die machte, was sie wollte, solang, bis er ihr das Handwerk legte, konnte ihn von hinten angreifen. Er drehte sich um. Da war nichts zu sehn, kein Mieter, der Müll in Müll leerte, kein Mäuschen, das Sand um sich schmiß, kein Spießerweib, das einen Teppich um eine Stange rollte, damit es seinen eignen Dreck mit dem Dreck auf dem Teppich ausklopfte, kein Pflasterweib. Aber es war etwas zu hören. Der Polizist sah sich nach der Hauswand um, woran er sich gelehnt hatte. Es rieselte nichts mehr. Hier, bei ihm, war alles still. Aber ganz in seiner Nähe rieselte es, so, als hätte sich ein andrer, genau wie er vorhin, in eine Hauswand gekrallt, ja, womöglich in dieselbe. Nein, nicht in dieselbe, oder er hätte den andern sehen müssen, die andre, das Pflasterfrl. Aber es war so nah, daß er vielleicht bloß

um die Ecke witschen müßte, drei Schritte, zwei Sprünge nach rechts, und er stand vor der stehenden, knienden, hockenden, liegenden Pflasterziege. Liegend wäre am besten, weil er sie so am fixesten erledigen könnte. Jetzt rieselte es auch um die Ecke herum nicht mehr. Wahrscheinlich horchte das Pflastergirl ebenso zu ihm herüber wie er zu ihr. Er hörte keinen Atem. Sie war halb so alt wie er. Sie hörte seinen Atem. Er war doppelt so alt wie sie. Er mußte sich inachtnehmen. Sicher hatte sie Steine in den Hosentaschen. Er hatte keine. Er hatte bloß seinen Knüppel und seine Pistole. Er zog den Knüppel. Er merkte, daß alles voll von Blut war. Der Knüppel war nicht genug. Er steckte ihn zurück. Die Pistole war richtig.
Er zog sie. Dann sprang er. Er erreichte die Ecke, er äugte um sie herum, er sah eine Kellertreppe. Ein Mädchen sah er nicht. Aber er hörte etwas atmen. Das, was atmete, atmete in der Tiefe. Entweder war das Mädchen auf der untersten Treppenstufe oder im Keller. Wenn es im Keller war, warum hatte es den Keller nicht zur weiteren Flucht benutzt? Entweder kam es nicht mehr vom Fleck, weil es erschöpft, verwundet oder verängstigt war, oder die Kellertür war zu. Der Polizist sprang zum Gitter, sah hinunter und sprang zurück. Aber das war bloß ein Routinereflex. Er hätte auch am Gitter stehenbleiben können. Die Pflastermalerin war fix und fertig. War sie es? Sie atmete. Sie hatte ihren geilen, fiesen, mörderischen Atem eingeatmet, ausgeatmet, eingeatmet, und so weiter, als sie ihn angesehen und erkannt hatte. Sie hatten, wie ein verrücktes Liebespaar, Nachlauf gespielt, das heißt, er war ihr nachgelaufen, und sie war vor ihm weggelaufen. Er war der Gendarm, und sie war der Räuber, die Räuberbraut. Sie hatte sich nach ihm umgedreht, er hatte ihr mit dem Knüppel gedroht, sie hatte ihm die Zunge herausgestreckt, er hatte ihr mit der Pistole gedroht. Er hatte nicht geschossen, noch nicht, das machte man erst, wenn es nicht anders ging. Vermutlich war es jetzt soweit. Der Polizist kehrte zum Gitter zurück. Die Braut, die nicht seine Braut war, schien

sich nicht bewegt zu haben. Also war die Kellertür zu, oder die Braut wollte ihm eine Falle stellen, oder sie konnte nicht mehr. Sie hatte sich doch bewegt. Sie hatte ihre Trainingshose ausgezogen. Sie hatte nichts darunter angehabt. Er sah bloß Haut und Haar. Entweder wollte sie ihn verführen, um ihn loszuwerden, oder sie wollte ihn verführen, um ihn anzuzeigen. Er fiel nicht drauf herein. Er grinste. Sie faßte es wohl falsch auf, denn sie grinste zurück. Um sie zu übertölpeln, steckte er seinen Revolver ins Futteral. Er hoffte, sie doppelt überlistet zu haben, er war wehrlos, und er zeigte ihr das, was er vorhatte, falls sie es begriff, falls sie ihre Psychologie brav gelernt hatte. Er zweifelte nicht daran, daß sie eine Studentin war, eins von jenen Dingern, die sich so gescheit vorkommen, daß sie alles auf den Kopf stellen, und das nennen sie Revolution. Der Polizist ging die Stufen hinunter.

Er hörte nicht auf, die Pflastermalerin anzusehen. Auf der ersten Stufe traute er ihr nicht über den Weg, auf der zweiten Stufe gefiel sie ihm eigentlich ganz gut, halt so, als Mensch, auf der dritten Stufe gefiel sie ihm, weil sie fast nichts anhatte, auf der vierten Stufe mißfiel sie ihm, weil sie fast nichts anhatte, auf der fünften Stufe gefiel sie ihm, weil sie gefährlich war, auf der sechsten Stufe mißfiel sie ihm, weil sie gefährlich war.

Auf der siebten Stufe stolperte er. Grade hatte er ihr etwas zurufen wollen, so etwas wie, zieh dich an, Bräutchen, oder, wenn du nicht willst, zieh ich dich an, und dann sehen wir weiter, so oder so, als er auf sie fiel. Aber er stürzte nicht gradewegs, so, wie er wollte, sondern so, wie er mußte. Denn das Bräutchen, das eine Hexe war, streckte seinen Besen aus, der auch ein Bein war, und traf den Polizisten dort, wo sein Besen war, falls er da war. Er war da. Er verdreifachte sich. Er tat weh. Alles tat weh, von den Kniekehlen bis zu den Achselhöhlen. Obendrein hatten die Finger wieder zu bluten angefangen. Fallend riß sich der Polizist die Wunden von vorhin auf. Das Blut rieselte und hüpfte

überallhin, von den Schulterstücken bis zu den Schäftern. Am schlimmsten war, daß es ihm in die Augen kam. Es verklebte sie, es blendete ihn, es machte ihn fast blind. Blindlings zerrte er den Revolver heraus, blind vor Zorn schoß er um sich.
Er schoß fünfmal. Obwohl er außer sich war, fast irr, schoß er nicht sechsmal. Den sechsten und letzten Schuß hob er für sich selber auf. Das erstemal schoß er daneben. Die Pflastermalerin lachte sich halbtot. Das zweitemal schoß er ins Fenster von der Kellertür. Das Glas splitterte und klirrte. Die Jule bekam es mit der Angst zu tun, und kniete sich hin. Das drittemal schoß er der Julika ins Knie. Da schrie sie. Das viertemal schoß er ihr in den Bauch, damit sie nicht mehr schrie. Aber sie schrie noch mehr als vorher. Das fünftemal schoß er dem Julchen in den Hals. Da war sie stumm.
Jetzt konnte die Pflastermalerin keine Liedchen mehr schmieren, oder singen, jetzt würden alle Pflastermaler und Liedersängerinnen sich hüten, Ruhe und Ordnung zu stören, und er, der Polizist, er allein, hätte das Gekritzel und den Singsang unterbunden. Er würde nicht zum sechstenmal schießen, im Gegenteil, er würde befördert werden. Allerdings mußte er vorher Meldung machen, die hieb- und stichfest war. Die Brüder und Schwestern hatten gute Anwälte. Der Polizist bückte sich zum rotweißen Hälschen herunter. Gleich fuhr er wieder hoch. Das Kind atmete noch, aber nicht mehr lang. Er sah ringsherum. Kein Mensch lag in den Fenstern. Jeder mußte die fünf Schüsse gehört haben. Aber keiner kümmerte sich darum, weil es um eins von den langhaarigen, dreckigen, besserwisserischen Studentenliebchen ging. Selberschuld.
Er war nicht schuld daran. Er setzte sich auf eine Kellertreppenstufe. Er wickelte seine Stulle aus dem Stullenpapier. Schweizerkäse drauf. Schweizerkäse: Lieblingskäse. Mit der linken Hand die Stulle. Mit der rechten Hand den Bericht. Erster Schuß: Warnschuß. Zweiter Schuß: Schuß, damit er Zeugen hätte, aber leider stellte sich niemand ein.

Dritter Schuß: Schuß, um die Pflastermalerin unbeweglich zu machen. Vierter Schuß: Schuß der Selbstverteidigung gegen weitere Tritte ins Geschlecht, oder Schlimmeres. Fünfter Schuß: tödlich, weil die junge Frau immer noch angriff. Ergebnis: zuwider, weil junges Ding, aber notwendig, weil Warnung.

ALFRED ANDERSCH

## *Jesuskingdutschke*

*Für Walter Heist*

»Das ist nur eine Platzwunde«, sagte Carla, während sie Marcels Schädeldecke untersuchte. »Nur oberflächlich.«
Sie schob seine schwarzen Haare auseinander und prüfte den Verlauf der Wunde, so gut es im Licht der Laterne ging. Marcel stand an den Lampenpfahl gelehnt, Blut rann ihm in zwei Bahnen über das Gesicht, er wischte es vorsichtig weg, wenn es ihm in die Augen drang.
»Er muß verbunden werden«, sagte Carla zu Leo. »Am besten bei mir in der Klinik. Ob wir hier irgendwo ein Taxi auftreiben?«
Carla war Medizinstudentin. Sie diente gerade ein Praktikum ab, im Moabiter Krankenhaus.
»Du solltest erst einmal nach Hause, dich umziehen«, sagte Leo. »Du mußt ja bis auf die Haut naß sein.«
Sie schüttelte den Kopf. »Nicht nötig«, sagte sie, »der Mantel hat das meiste abgehalten. Ich hab in der Klinik Sachen zum Wechseln.«
Ihre Haare, die genauso schwarz waren wie die von Marcel, klebten ihr am Kopf. Sie trug einen hellen Regenmantel, der mit einem Gürtel geschlossen war.
Während sich Leo zwang, das Blut zu betrachten, wie es in Marcels Bart sickerte, hörte er hinter sich die Schritte der

Demonstranten, die durch die Kochstraße abzogen. Sie liefen nicht mehr, weil die Polizei nur bis zur Ecke Charlottenstraße angegriffen hatte. Der Wasserwerfer dort war noch immer in Tätigkeit, obwohl die Straße schon leer war. Leo, sich von Marcel und Carla abwendend, sah dem Strahl zu, wie er von den Scheinwerfern jenseits der Mauer illuminiert wurde. Plötzlich wurde er abgedreht. Sekundenlang herrschten nichts als Schweigen und der schwarze Glanz der nassen Fahrbahn. Dann erst wurden die Polizisten im Hintergrund der Straße sichtbar, es wimmelte von ihnen, nichts wie Helme und Mäntel um das Pressehaus, hinter dessen Fenstern alle Lichter brannten. Ungefähr hundert Meter vor dem Wasserwerfer, fast schon an der Ecke zum Checkpoint Charlie, lag ein Mann auf dem Bürgersteig, mit dem Gesicht nach unten. Ein Zivilist, anscheinend ein Arzt, den die Polizisten durchgelassen hatten, die in mehreren Ketten den Sektorenübergang zernierten, ging auf den Liegenden zu.

Möglich, daß trotz der Tumulte ein paar Taxis vor der U-Bahn-Station Kochstraße stehen, dachte Leo, aber in diese Richtung gehen hieße der Polizei direkt in die Fänge laufen.

»Kommt!« sagte er. »Am Askanischen Platz gibt es Taxis.«

Sie waren unter den letzten, die den Schauplatz verließen. Als sie durch die Anhalter Straße gingen, war die Nacht irgendeine April-Nacht in Berlin, kühl und leer. Jedesmal, wenn sie in einen Lichtkreis gerieten, stellte Leo fest, daß Carla Marcel aufmerksam beobachtete; offenbar befürchtete sie, das Blut würde auf einmal zu quellen beginnen, hell und in Strömen.

Am Grün-Rondell des Askanischen Platzes stand eine einzige Taxe. Der Fahrer hatte einen Arm aufs Steuerrad gestützt und den Kopf in die Hand gelegt, er schien zu schlafen, aber als Leo schon die Hand am Türgriff hatte, sagte er, ohne seine Stellung zu verändern: »Lassen Se man die Pfoten wech! Ick fahre keene Studenten.«

Wie immer, wenn ihm etwas Derartiges zustieß, dachte Leo zuerst einmal an seine Bärenkräfte, daran, daß viele seiner Bekannten ihn einen Bullen nannten. So, wie er gebaut war, würde er den Mann mit einem einzigen Griff aus seinem Auto heben. Aber als er schon nach der Türe neben dem Fahrersitz greifen wollte, fiel ihm ein, wie er vor einer halben Stunde versäumt hatte, den Schlag abzuwehren, der Marcels Kopf getroffen hatte.
»Wir haben einen Verletzten bei uns«, sagte Carla. »Er muß so schnell wie möglich behandelt werden.«
Der Mann gab keine Antwort, sondern kurbelte nur das Wagenfenster hoch. Sie sahen, wie er nach dem Mikrophon seines Sprechfunkgeräts griff.
»Gehen wir zum Halleschen Tor!« schlug Leo vor. »Mit der U-Bahn bis Wedding und dann umsteigen nach Putlitzstraße.«
»Und dort müssen wir noch mal in die U-Bahn umsteigen«, sagte Carla. »Wenn wir zu Fuß durch den Tiergarten gehen, sind wir schneller da.«
Leo mußte ihr recht geben. Er wäre nur gerade jetzt gern mit der U-Bahn vom Halleschen Tor nach Wedding gefahren. Auf dieser Strecke fuhren die Züge unter der Friedrichstraße längs durch Ostberlin, ohne zu halten. Das Licht in den meistens fast leeren Waggons wurde schwächer, man saß in einer achromatischen Dämmerung, in der die Stationen auftauchten, gelb gekachelte Wolken. Stadtmitte, Französische Straße, Oranienburger Tor. Auf den Bahnsteigen standen immer zwei Volkspolizisten nebeneinander, die Gewehre über die Schultern gehängt.
Sie gelangten an den Landwehrkanal, wandten sich nach rechts. Reichspietschufer, las Leo. Die Nacht sollte eigentlich nach Mord riechen, dachte er, nach Köbis und Reichspietsch, nach Liebknecht und Luxemburg, von Rechts wegen sollte sie eine nach Hilfe schreiende Nacht sein, aber sie war nur schlecht beleuchtet und aprilen, das Wasser des Kanals stand dicht und nichtssagend zwischen den hellen

Steinböschungen, manchmal fuhr ein Auto durch die schwach sich bewegenden Lichtkreise, die auf dem Boden der Uferstraße lagen.
Rechts stand jetzt wieder die Mauer, manchmal nur als kurzes Verbindungsstück zwischen den Wänden von Lagerhäusern, dann wieder in längeren Fronten. Sie folgten ihr, indem sie in die lange verlassene Straße nach Norden einbogen, die Linkstraße. Hinter der Mauer ein diffuser Lichtschein; das machte die Seite, auf der sie gingen, noch dunkler.
In der Linkstraße tat Marcel zum erstenmal wieder den Mund auf.
»Lukács' Kritik an Bucharin ist doch falsch«, sagte er. »Bucharin hat einiges schon damals gesehen, was Lukács eben noch nicht gesehen hat.«
»Sag mal«, fragte Leo, »hast du etwa den Bucharin aufgetrieben?«
»Ja«, sagte Marcel, »bei dem Antiquar in der Flensburger Straße. Ich dachte, ich seh' nicht recht. Die deutsche Ausgabe von 1922.«
»Mensch!« sagte Leo. »Wann kann ich sie kriegen?«
»Vorläufig noch nicht. Wir machen erst mal ein Seminar darüber.«
Marcel studierte Soziologie. Nachdem das Institut aufgeflogen war, bestimmten die Studenten einstweilen die Seminar-Themen.
»Bucharin sieht als einziger die Rolle der Technologie«, erklärte Marcel. »Er sagt: ›Jedes gegebene System der gesellschaftlichen Technik bestimmt auch das System der Arbeitsverhältnisse zwischen den Menschen.‹ Und gerade deswegen greift Lukács ihn an. Er behauptet, Bucharin identifiziere die Technik mit den Produktivkräften . . .«
»Was nicht einmal so falsch wäre.« Leo unterbrach ihn. »Bei uns in der Architektur sind beide identisch, möchte ich behaupten.«
»Na schön«, sagte Marcel, »aber Bucharin geht nicht einmal so weit. Er sagt nur, daß die Entwicklung der Gesell-

schaft von der Entwicklung der Technik abhängt. Und Lukács nennt das einen ›falschen Naturalismus‹.«
Sie hörten plötzlich auf zu sprechen, weil ein Polizei-Jeep neben ihnen hielt. Der Polizist, der neben dem Fahrer saß, sprang heraus und kam auf sie zu.
»Darf ich um Ihre Ausweise bitten!« sagte er.
»Warum denn?« fragte Leo. »Dürfen wir hier nicht gehen?«
»Wenn Sie Schwierigkeiten machen wollen, können Sie gleich einsteigen!« sagte der Beamte.
Leo holte seinen Berliner Personalausweis heraus und reichte ihn dem Mann. Als Studenten waren sie daran gewöhnt, ohne Grund kontrolliert zu werden; sie trugen darum immer Ausweispapiere bei sich.
Der Polizist sah Marcel an. »Was ist denn mit Ihnen los?« fragte er.
»Er ist gestürzt und hat sich den Kopf aufgeschlagen«, sagte Carla.
»So«, sagte der Polizist. »Einfach so gestürzt.«
»Nein«, sagte Carla, »nicht einfach so gestürzt, sondern gestürzt. Das gibt es. Ich arbeite im Moabiter Krankenhaus, und wir bringen ihn gerade dorthin.«
Sie gab ihm ihren westdeutschen Paß. Er zog ein Notizbuch hervor und begann, ihre Namen einzutragen.
»Sie haben nicht das Recht, uns aufzuschreiben«, sagte Leo.
»Sie würden sich wundern, wenn Sie wüßten, wozu ich das Recht habe«, erwiderte er, ganz ruhig.
Leo spürte, wie Carla ihre Hand auf seine Schulter legte.
»Keine Angst«, sagte er laut. »Ich tu ihm schon nichts.«
Der Polizist sah ihn an. »Sie sollen vorhin einen Taxifahrer bedroht haben«, sagte er.
»Das ist nicht wahr«, sagte Carla. »Er hat sich geweigert, uns zu fahren, und wir haben kein Wort gesagt und sind weggegangen. Kein Wort! Obwohl er gesagt hat, daß er Studenten nicht fährt.« Sie schrie es fast.

Nicht einmal dieser Polizist überhörte es, daß sich hier jemand sein Recht holen wollte. Er ließ von Leo ab.
»Ihren Ausweis noch!« sagte er zu Marcel, während er Carla und Leo die Papiere zurückgab.
Als er Marcels Schweizer Paß sah, wurde er beflissen.
»Wir bringen Sie zur nächsten Unfallstation, wenn Sie es wünschen«, sagte er.
»Ich wünsche«, sagte Marcel, »daß Sie auch meinen Namen noch in Ihr Buch schreiben.«
»Das ist nicht nötig«, erwiderte er.
Marcel schnappte seinen Paß von den Fingern des Polizisten weg, drehte sich um und ging weiter.
Den Kerl einfach stehenlassen war nicht nur ein guter Abgang gewesen, dachte Leo, als er und Carla Marcel folgten, sondern auch die beste Taktik. Wer weiß, was alles passiert wäre, wenn ich noch lange diesem Polypen gegenübergestanden hätte. Ach was, dachte er sofort, das ist Angabe. Ich bin ein Angeber. Gar nichts wäre passiert. Und Marcel weiß es vielleicht. Wenn er vorhin, ehe er den Schlag bekam, noch fähig gewesen ist zu beobachten, was um ihn herum vorging, dann müßte er es wissen. Dann ist er vielleicht so schnell weggegangen, weil es ihm peinlich war, mit anzuhören, wie ich eine Lippe riskierte. Eine Lippe und sonst nichts.
Aber Marcel schien an ganz anderes zu denken. Noch während sie hörten, wie der Jeep hinter ihnen wendete und wegfuhr – das Geräusch hörte sich an wie ein Fluch, der in der Nacht verklang –, setzte er schon ihr Gespräch fort.
»Bucharin hat bestritten, daß man die Geschwindigkeit der gesellschaftlichen Prozesse voraussagen kann«, berichtete er. »Er wollte aus der Soziologie eine Naturwissenschaft machen. Man muß das mal durchdiskutieren. Übrigens sind die meisten bei uns schon gegen ihn. Er ist ihnen zu vorsichtig. Manche sagen sogar, er sei ein Pessimist. Sie stimmen Lukács zu, der natürlich ganz genau das Gefährliche an Bucharin erkannt hat und ihn mit Lenin niederknüppelt. ›Es gibt Revolutionäre, die zu beweisen versu-

chen, daß es keinen Ausweg aus der Lage gibt. Dies ist ein Fehler. Unbedingt aussichtslose Lagen gibt es nicht.‹«
»Hat Lenin das gegen Bucharin gesagt?« fragte Leo.
»Ach wo, keine Rede. Lukács zitiert es einfach aus irgendeiner Ansprache Lenins, die mit Bucharin gar nichts zu tun hat. Aber es ist genial zitiert. Lukács zitiert immer genial.«
Er blieb plötzlich stehen.
»Leo«, fragte er, »sind wir in einer unbedingt aussichtslosen Lage?«
»Im Gegenteil«, antwortete Leo, »denk doch nur mal daran, was wir schon alles in Gang gebracht haben. Mit nichts als ein bißchen Rabatz in den Universitäten und mit ein paar Demonstrationen. Wir fangen doch grade erst an.«
Er hatte geantwortet, ohne sich zu besinnen, und doch schien es ihm sogleich, als sei er nicht ganz ehrlich gewesen, als habe er Marcel nur beschwichtigen wollen. Aber es war wirklich seine Ansicht, er hatte nicht nur Marcel zuliebe, auf dessen Gesicht sich das Blut schon zu verkrusten begann, so dahergeredet. Um ihn abzulenken, sagte er, während sie schon weitergingen: »Nu laß man Lukács zufrieden! Er hat sehr gute Sachen geschrieben. Kennst du ›Erzählen oder beschreiben‹?«
Als Marcel verneinte, wollte Leo ihm die Vorzüge von Lukács' ›Erzählen oder beschreiben‹ auseinandersetzen, aber Carla unterbrach ihn.
»Wißt ihr eigentlich«, fragte sie, »wie Bucharin umgekommen ist?«
»Natürlich wissen wir das«, antwortete Leo. »Stalin, die Schauprozesse und so weiter.«
»Wörter«, sagte Carla. »Leere Sprachhülsen: Stalin, Schauprozesse.«
»Was willst du damit sagen?«
»Bucharin hat sich vor Gericht als verbrecherischen Charakter bezeichnet. Er hat Trotzki verleugnet. Am Morgen seiner Erschießung mußte man ein wimmerndes Stück

Fleisch aus der Zelle ziehen. Noch das Exekutionskommando hat er um sein Leben angebettelt.«
»Unsinn«, sagte Marcel. »Lies Merleau-Ponty, wenn du wissen willst, wie der Prozeß gegen Bucharin verlief!«
»Ich habe ihn gelesen«, antwortete Carla heftig.
Während sie sich stritten, begann Leo einen Stein zu kikken, der vor ihm auf der Straße lag. Er mußte einfach etwas tun. Diese Nacht wurde zur reinsten Katastrophe. Er rannte eine Weile hinter dem Stein her, kickte ihn immer weiter, dann blieb er stehen und wartete.
»Warum bist du eigentlich bei uns?« hatte er Carla einmal gefragt, kurz nachdem er sie kennengelernt hatte, vor ungefähr einem Jahr. Sie hatte ganz klare Auskünfte geben können. Ihr Vater, Chefarzt an einer Klinik in Duisburg, Chirurg – auch Carla wollte Chirurgin werden –, war in seiner Jugend einmal kurze Zeit in einem Konzentrationslager gewesen. Er hatte Carla eine ziemlich primitive, aber wirksame Theorie des Widerstandes beigebracht. »Wir haben damals alle gekuscht«, pflegte er zu sagen, »alle, ohne Ausnahme. Wir ließen uns einfangen wie die Hasen. Niemand, ich wiederhole: niemand ist auf die Idee gekommen, daß man gegen Gewalt Gewalt setzen könnte. Niemand hat gekämpft, ich meine wirklich gekämpft, mit der Waffe in der Hand. Es ist doch aussichtslos, hieß es immer. Du bist nur ein Mädchen, Carla, aber halte dich an die, die kämpfen, wenn sie vor der Gewalt stehen!« Der alte Herr – er war übrigens erst in den Fünfzigern – verhielt sich auch jetzt konsequent; er schrieb seiner Tochter verständnisvolle Briefe, diskutierte mit ihr jedoch taktische Fragen, um sie vor ausgesprochenen Dummheiten zu bewahren. Carla ist ein klarer Fall, dachte Leo, sie besitzt ein perfektes Über-Ich, ihren Vater. Auf Carla ist Verlaß. Auf Carla ist viel mehr Verlaß als auf alle, die zu uns kommen, weil sie ihre Eltern spießig finden.
Sie gingen noch immer an der Mauer entlang, aber schräg links von ihnen lag jetzt die Philharmonie, Scharouns steinernes Zelt, das Leo stets bewunderte, wenn er es erblickte.

Von weißem Licht umsponnen, machte es die Mauer zu irgendeiner Mauer.
»Entschuldigt«, sagte Marcel, »aber ich glaube, ich muß mich mal eben einen Moment hinsetzen.«
Er setzte sich auf das Trottoir. Carla kniete sofort neben ihm.
»Leg dich hin«, sagte sie, »und atme ein paarmal tief durch!«
Er streckte sich aus, und Carla schob ihren Arm unter seinen Kopf. Leo sah ihre nassen Strümpfe und Schuhe.
»Herrgott, Carla, du holst dir noch was«, sagte er.
Sie schüttelte nur den Kopf und beobachtete Marcels Atemzüge, während sie seinen Kopf hoch stützte, damit die Wunde nicht wieder zu bluten begann.
Leo schlenderte umher. Es war ihm peinlich, daß er nichts zu tun hatte. Nach einer Weile entdeckte er die Schrift an der Mauer. Die Mauer war hier von der Philharmonie her schwach ausgeleuchtet.
»Menschenskinder«, rief er, »kommt mal her!«
Marcel hatte sich schon wieder aufgesetzt. Carla stützte ihn beim Aufstehen. Sie gingen dorthin, wo Leo stand. Gemeinsam lasen sie die Inschrift JESUSKINGDUTSCHKE, die irgend jemand mit dicker roter Kreide in einer Zeile und in Großbuchstaben auf die Mauer geschrieben hatte. Da er zwischen den drei Namen keinen Raum gelassen hatte, war aus ihnen ein einziger Name geworden.
»Es gibt doch Irre unter uns«, sagte Leo. Er lachte auf.
Die beiden anderen blieben stumm. Nach einer Weile sagte Carla: »Weißt du, so irre finde ich das gar nicht.«
Marcel starrte finster auf die Buchstaben.
»Alle diese Apostel der Gewaltlosigkeit!« sagte er.
»Na, Dutschke kannst du doch nicht zu denen rechnen«, wandte Leo ein.
»Hör mir mit Dutschke auf!« sagte Marcel. »Er quatscht immer nur vom langen Marsch durch die Institutionen. Mehr ist ihm bis jetzt nicht eingefallen.«
Leo war bereit, über Gewalt und Gewaltlosigkeit zu disku-

tieren, aber als er sich zum Gehen wandte, erblickte er das Taxi, das auf dem Kemperplatz, neben der Philharmonie stand. Er hechtete los.

Im Auto sackte Marcel zusammen; mit geschlossenen Augen lehnte er in seiner Ecke.

Leo saß vorne neben dem Fahrer. Er drehte sich halb um und streckte seinen Arm nach rückwärts aus, aber Carla ergriff seine Hand nicht.

»Nicht«, sagte sie leise, »nicht jetzt.«

Im Tiergarten war es dunkel. Es war fast so, als führen sie bei Nacht durch eine offene Landschaft.

Leo zog seinen Arm zurück und setzte sich gerade hin. Er hatte heute schon einmal seinen Arm zurückgezogen.

Er sah wieder den Polizisten auf Marcel zukommen, der noch immer methodisch und selbstvergessen Steine warf, auch als die Polizei schon angriff und alle liefen. Es war ganz richtig, daß sie liefen, und außerordentlich dumm von Marcel, daß er stehenblieb und weiter Steine warf. Der Polizist rannte mit erhobenem Knüppel auf Marcel zu, und als er heran war, hätte es eines einfachen Handgriffs von Leo, der neben Marcel stand, bedurft, um ihn außer Gefecht zu setzen. Leo hätte nur den zum Schlag erhobenen Unterarm packen und den ganzen Arm mit einer kurzen, eisern drehenden Bewegung aus dem Schultergelenk kugeln müssen: der Mann hätte sich brüllend vor Schmerzen am Boden gewälzt. Er hatte es nicht getan. Zwar hatte er seinen Arm ausgestreckt, aber zu langsam, in einer berechnet langsamen Geste, von der er wußte, daß sie zu spät kommen würde, und die damit endete, daß er nicht den Polizisten, sondern Marcel am Arm ergriff, nachdem der Schlag ihn getroffen hatte, daß er Marcel herumriß, ihn nach hinten stieß, schleifte, trug, bei welchem Geschäft ihn übrigens die Polizisten in Ruhe ließen. Leo war es schon gewohnt, daß sie ihn nicht angriffen. Er war fast zwei Meter groß, von Gestalt ein Athlet, ein federnder Riese. Er war kein Bulle. Er war aktiver Sportler, hatte sich auf Kugelstoßen und Hammerwurf spezialisiert; der Trainer be-

schwor ihn, sich weniger mit Politik zu befassen, er sagte, wenn Leo sich ganz auf Kugelstoßen konzentrieren würde, wäre er in einem Jahr in der Weltklasse. Leo trug seine blonden harten Haare kurz geschnitten; mit seinem *crew-cut* und infolge der Art, in der seine Backenmuskeln sein Gesicht umrissen, hielten ihn fast alle zuerst für einen Amerikaner.
»Es war fabelhaft von dir«, hörte er Carla sagen, »daß du bei Marcel geblieben und ihn herausgeholt hast.«
Er atmete auf. Sie hatte also nicht beobachtet, was wirklich geschehen war. Außerdem stimmte es ja: er war bei Marcel geblieben. Nur daß er dann Angst bekommen hatte, ganz gewöhnliche physische Angst, und nicht einmal besinnungslose, sondern klare Angst. Er hatte haarscharf berechnet, was kommen würde, wenn er den Angreifer entwaffnet hätte: sie hätten sich zu fünft, zu zehnt auf ihn gestürzt und ihn total zusammengeschlagen. Und Marcel dazu. Den Schlag auf Marcels Kopf zuzulassen, war das kleinere Übel gewesen. Der ganze Prozeß war in seinem Bewußtsein abgelaufen. Es war, wie wenn er manchmal die Kugel nicht stieß, sondern aus seiner Handfläche in den Sand abrollen ließ, weil er festgestellt hatte, daß er nicht richtig atmete oder das rechte Bein nicht kraftvoll genug belastet hatte.
Die Lichtertürme des Hansaviertels. Die S-Bahn-Unterführung. Vor der Klinik mußten sie Marcel überreden, auszusteigen. »Laßt mich doch sitzen«, sagte er, »es ist so schön hier!« Carla sah besorgt aus.
Das Ambulatorium war ein fast leerer Raum. In der Praxis hat sich ergeben, dachte Leo, daß man in einem solchen Raum nicht mehr braucht als ein Untersuchungslager auf Rollen, einen Medikamentenschrank, drei Stühle. Er saß neben Marcel, weil Carla, als sie gegangen war, gesagt hatte: »Setz dich neben ihn! Es könnte sein, daß er umkippt.«
Er dachte über rein funktionelle Räume nach. Dieses Untersuchungslager, dieser Medikamentenschrank erinnerten an nichts weiter als daran, daß sie ein Untersuchungslager,

ein Medikamentenschrank waren. Solche Dinge, ein solcher Raum entsprachen seiner Vorstellung von Architektur – von Häusern und Räumen, die sich selbst definierten. Sie waren keine Fetische.

»Mir ist grausig schlecht!« Marcel sagte es so selbstvergessen, daß er Schweizerdeutsch sprach; er sagte ›gruusig‹, und das ch in schlecht brachte er ganz als Rachenlaut hervor. Leo sah sein bleiches Gesicht.

Gott sei Dank kam Carla jetzt zurück. Sie brachte einen Arzt mit. Obwohl sie nur ein paar Minuten weggewesen war, hatte sie es fertiggebracht, sich völlig zu verändern. Sie trug jetzt einen weißen Kittel und Turnschuhe, sie hatte ihre Haare getrocknet und gekämmt und dazu noch den Arzt aufgetrieben. Leo hatte sie noch nie in ihrer Arbeitsumgebung gesehen. Sie wirkte hier geschlossener, kompakter, fester als sonst. Er hätte sie gerne angefaßt.

Der Arzt war ein großer leptosomer und infolgedessen sich ein wenig gebeugt haltender Mann, um die Vierzig. Er ging sofort auf Marcel zu, stellte keine Fragen, sah sich nur die Wunde an, betastete sie und beobachtete Marcels Reaktionen. Leo hatte den Eindruck, daß Marcel dem Arzt sympathisch war. Marcel war allgemein beliebt. Er war schon ein Jahr in Berlin, aber er sah immer noch so aus, als käme er direkt aus dem Café Odeon in Zürich. Obwohl er seinen Bart ziemlich struppig wachsen ließ, obwohl er sich große Mühe gab zu verwildern, wirkte er hübsch. Sogar jetzt noch, dachte Leo, sieht sein Gesicht aus, als wäre es von Celestino Piatti entworfen, das Gesicht eines blutenden, bleichen und glühenden jungen Mannes auf einem Buchumschlag. Dabei war Marcel alles andere als ein Modell für angewandte Kunst; er war ein methodischer kleiner Kämpfer, störrisch, hartnäckig, ein Schweizer mit verletztem Rechtsempfinden.

Sie hatten sich in der Bibliothek der Technischen Universität kennengelernt, vergangenen Herbst, während Leo an seiner baugeschichtlichen Examensarbeit schrieb. Er hatte auf seinem Studienplatz eine kleine Handbibliothek ange-

häuft. Marcel erschien immer erst zwischen elf und zwölf Uhr, nahm rechts oder links von Leo Platz, wenn einer der beiden Stühle noch frei war, und las Zeitungen; gelegentlich schrieb er etwas auf einen Zettel.
»Entschuldige, wenn ich dich störe«, sagte er eines Tages zu Leo. »Bitte, was heißt ›Insulae‹?«
Er deutete auf das Titelblatt von Leos Arbeit. Es war also einfach Neugier gewesen, was ihn veranlaßt hatte, immer den Platz neben Leo aufzusuchen. Er gab es zu.
»Das Wort verfolgt mich«, sagte er, »seitdem ich es bei dir gesehen habe. Schreibst du einfach über Inseln?«
»Nein«, sagte Leo. »›Insulae‹ hießen die Mietskasernen im antiken Rom.«
»Ein merkwürdiger Name für Häuser.«
»Die ›Insulae‹ waren die ersten Wohngroßbauten. Man grenzte jedes dieser Häuser durch Straßen und Freizonen ab, um die *plebs*, die in ihnen wohnte, kontrollieren zu können. Die größten ›Insulae‹ entstanden unter Nero. Es ist heute so gut wie sicher, daß Nero den neronischen Brand nur veranstaltete, weil er die Slums um das Forum loswerden mußte, die ein Dschungel geworden waren, in dem die *plebs* nicht mehr überwacht werden konnte.«
Sie sprachen im Flüsterton miteinander, wie es in der Bibliothek vorgeschrieben war.
»Bist du in Rom gewesen?« fragte Marcel.
»Ja, den ganzen Sommer«, antwortete Leo. »Ich hatte ein italienisches Stipendium für diese Arbeit.«
Da er, wie alle, Marcel sogleich anziehend fand, fragte er: »Und du, was machst du?« Er deutete, vielleicht eine Spur geringschätzig, auf Marcels Zeitung.
Marcel schob ihm seinen Zettel hin.
»Da«, sagte er, »das hab' ich heute gefunden. Nur heute. In einer einzigen Nummer.«
Leo nahm den Zettel und las erstaunt die Wörter, die Marcel in einer sehr geraden, ordentlichen, die Unterlängen verschluckenden Schrift geschrieben hatte: *Nichtstuer – Gammler – Störenfriede – Pöbel – SA-Methoden – Krawall-*

*gier radikaler Halbstarker – Krawallbrüder – Rädelsführer – Politische Phantasten – Politisches Rowdytum – Provokateure – Halbstarke Wirrköpfe – Mob – Terror – Ausschreitungen – Kriminelle.* In einigem Abstand davon standen noch die Wörter *Die Anständigen* und *hart und konsequent.*
»Ich arbeite an einer sprachsoziologischen Untersuchung über Mordhetze«, flüsterte Marcel. »Titel: *Vor dem Pogrom. Über die Technik der Einrichtung von Ghettos durch Sprache.*«
Leo hatte auf den Zettel gestarrt. »Siehst du die Lage so schwarz?« hatte er gefragt.
»Du etwa nicht?« Auf den Zettel deutend, hatte Marcel gesagt: »Das hier wird zu Mord führen, soviel ist sicher.«
Der Arzt ließ von Marcel ab. Er hob die Achseln. »Wir müssen auf jeden Fall eine Aufnahme machen«, sagte er.
Er bat Leo, Marcel beim Auskleiden behilflich zu sein. »Wir müssen zuerst einmal die Wunde säubern«, sagte er zu Carla. »Ich sehe mal nach, ob OP Zwo frei ist.«
Als er gegangen war, sagte Carla zu Marcel: »Das geht nur mit Teilnarkose. Du wirst überhaupt nichts spüren.« Marcel verhielt sich teilnahmslos; in der Wärme, unter dem grellen grauen Licht ließ er sich gleichgültig ausziehen, ging aber allein in Unterhose und Hemd zum Untersuchungstisch und legte sich darauf. Sie sahen, daß er einen mageren und zierlichen Körper hatte. Carla breitete eine Wolldecke über ihn.
»Es ist also doch mehr als eine Platzwunde?« fragte Leo leise.
»In solchen Fällen besteht immer Frakturverdacht«, sagte Carla.
Sie schüttelte unwillig den Kopf, als Leo sagte: »Du siehst prima aus in deinem weißen Kittel.«
Der Arzt kam zurück und berichtete, der Operationssaal sei in zehn Minuten frei. Er fühlte noch einmal Marcels Puls, dann setzte er sich auf einen der Stühle. Offensichtlich war er müde.
Plötzlich hörten sie, wie er sagte: »Ihr schnappt nach dem

Bonbon der Revolution statt nach dem Brot der Reform.«
Leo lag eine scharfe Antwort auf der Zunge, aber er überlegte sich, daß er Carla nicht in Ungelegenheiten bringen wollte. Vielleicht mußte sie sich mit diesem Medizinmann gut stellen. Leo hatte sich auf das Fensterbrett gesetzt, weil es dort am dunkelsten war; in diesem medizinischen Raum kam er sich zu groß, zu klotzig vor.
Es war Carla, die antwortete, ohne sich zu besinnen.
»Wir wollen nur nicht mehr die Scheiße dieser Gesellschaft fressen«, sagte sie.
Leo sah zu dem Arzt hinüber. Würde er irgendein Zeichen des Unwillens, des Ekels von sich geben? Aber er schien es schon gewohnt zu sein, daß Mädchen, die sich mit lang fallenden dunklen Haaren und blassen Gesichtern ein romantisches Aussehen gaben, bedenkenlos skatologische Ausdrücke in den Mund nahmen. Es schien, als zöge er sich wieder in seine Müdigkeit zurück.
»Gesellschaft«, sagte er nach einer Weile. »Es ist doch ganz gleichgültig, in welcher Gesellschaft man lebt. An einer Gesellschaftsordnung ist nur wichtig, ob sie von anständigen oder von unanständigen Leuten gemacht wird.«
»Ach du meine Güte!« sagte Carla.
Leo schaltete sich ein. »Also nur ein paar nette Leute an die Spitze«, sagte er, »und schon haben wir einen anständigen Kapitalismus. Glauben Sie wirklich an so was?«
»Oder einen anständigen Kommunismus«, antwortete der Arzt. »Ja, eigentlich ist das meine Meinung.«
»Eine unbrauchbare Elite-Theorie«, sagte Leo. »Hört sich gut an, wie alle diese liberalen Phrasen, aber . . .«
Eine Schwester unterbrach ihn. Sie meldete, der OP-Raum sei vorbereitet. Zusammen mit Carla rollte sie den Tisch hinaus, auf dem Marcel lag. Der Arzt lächelte Leo höflich zu, als er ihnen folgte. Leo bedauerte, daß er ihm das Wort *Phrasen* an den Kopf geworfen hatte.
Sein Vater war noch auf, als er nach Hause kam. Sie bewohnten ein Reihenhaus in Lankwitz, er und sein Vater.

Seine Mutter war bei seiner Geburt gestorben. Sein Vater war von 1933 bis 1945 im KZ gewesen, und als er herauskam, hatte er nichts Eiligeres zu tun gehabt, als ein Kind zu machen, an dem die vom Krieg und vom Warten erschöpfte Frau gestorben war. »Wenn sie wüßte, wat du für'n Laban jeworden bist!« sagte Leos Vater manchmal. Er selber war eher klein und mager. Jetzt war er fünfundsechzig und sah aus, als sei er Leos Großvater, nicht sein Vater. Er war Schlosser bei Siemens gewesen; sie hatten ihn vor drei Jahren als Werkmeister pensioniert. Von dem Geld, das er für die Jahre im KZ erhalten hatte, ließ er Leo studieren; zusammen mit den hundertachtzig Mark vom *Berliner Modell* reichte es gerade.
»Ick mache deine zwölf Jahre Oranienburg wieda jut«, hatte Leo einmal gesagt. Zu Hause, mit seinem Vater, berlinerte er.
»Laß man, denk nich dran!« hatte sein Vater erwidert. »So mußte et ehm't kommen.«
In Wirklichkeit war er nicht der Meinung, es hätte eben so kommen müssen. Daß er 1933 Mitglied der Stadtteil-Leitung Wedding der KPD gewesen war, hatte ihn zwölf Jahre seines Lebens gekostet. Seine Ansicht über die Partei pflegte er in dem Satz zusammenzufassen: »In der Theorie war die Partei imma jroß.« Und er fügte hinzu: »Nischt wie allet imma jenau voraussagen, is ooch nich abendfüllend.«
Leo mußte ihm die Demonstration vor dem Pressehaus genau schildern. Er nickte anerkennend.
»Allerhand, wat ihr so fertichbringt!« sagte er. »Und allet so aus der la meng. Ohne Orjanisation, ohne Partei!«
Sie saßen in der Küche. Leo, der seit dem Nachmittag nichts mehr gegessen hatte, aß ein Wurstbrot, trank helles Bier.
»Wenn ick denke, wie jenau wir imma übalecht haben, ehe wir wat riskierten«, sagte sein Vater.
Er rauchte eine gebogene Pfeife, stieß graues Gewölk aus.

»Ob et jut is, det ihr so wenich übalecht? Ick jloobe, ihr wißt janich, mit wem ihr euch da anlecht. Der Rudi Dutschke hat's bestimmt nich jewußt.«
Leo beobachtete, wie das KZ-Trauma seinen Vater förmlich schüttelte.
»Vater«, sagte er, »et hilft allet nischt. Wir müssen unsere Erfahrungen alleene machen.«
»Ick weeß schon«, erwiderte sein Vater, wieder gefaßt. »Nur det ihr jetzt in eure Niederlaje looft, det steht fest.«
Leo hatte keine Lust, über Sieg oder Niederlage zu sprechen; sein Vater hatte ihn auf einen ganz anderen Gedanken gebracht. Wenn eine große revolutionäre Partei, dachte er, zu lange überlegt hatte, ehe sie etwas riskierte, dann durfte auch er möglicherweise einmal überlegen, die Folgen bedenken, das kleinere Übel wählen, anstatt besinnungslos zuzuschlagen, nur weil ein Freund in Gefahr war.
Nur daß eine solche Erwägung natürlich alles veränderte.
Er mußte diese Frage Marcel vorlegen. Wenn Marcel keine Fraktur hat, überlegte er, werde ich morgen zu ihm gehen und ihm erzählen, daß ich den Schlag gegen ihn hätte abwehren können. Er stellte sich vor, wie Marcel reagieren würde.
»Das ist doch ganz unwichtig«, würde er wahrscheinlich sagen. »In jedem Kampf gibt es wechselnde subjektive Situationen.«
Leo würde versuchen, es ihm so geduldig wie möglich zu erklären. »Ich habe Angst vor der Gewalt gehabt«, hörte er sich sagen. »Da kann ich doch nicht mehr dafür eintreten, daß andere die Gewalt anwenden, zu der mir der Mut fehlt. Und zu denen, die du die Apostel der Gewaltlosigkeit nennst, kann ich mich jetzt auch nicht mehr schlagen – sanft sein, weil man feige ist: also nein!«
Was würde Marcel dagegen vorbringen? Leo fielen keine schlagenden Argumente ein, die er Marcel in den Mund legen könnte. Natürlich, Marcel würde einen methodischen

Vortrag halten: über die objektive Bedeutung der Gewalt, über die Zersetzung des revolutionären Denkens durch Psychologie. Und das alles nicht einmal, um Leo zu trösten, um ihm über das Peinliche wegzuhelfen, sondern weil er wirklich an die Macht objektiver Erkenntnisse glaubte, daran, daß ihnen gegenüber subjektive Schwächen gar nicht ins Gewicht fielen. Was bedeutete ein einziges sekundenschnelles Versagen in der langen Geschichte der Revolution? Nichts.
Zuletzt würde er seinen geliebten Merleau-Ponty zitieren. »Der euphorische Revolutionär stammt aus der Bilderfabrik von Epinal«, würde er sagen.
Als sein Vater schlafen gegangen war, rief Leo im Krankenhaus an. Es dauerte eine Ewigkeit, bis er Carla an den Apparat bekam.
»Marcel ist in Ordnung«, sagte sie. »Er hat keine Fraktur. Er muß nur zwei oder drei Tage in der Klinik bleiben.«
Sie teilte ihm die Besuchszeiten mit. Er spürte, wie sie darauf wartete, daß er etwas mit ihr vereinbarte. Sie war nicht mehr abweisend wie vorhin.
Nachdem er eingehängt hatte, überlegte er, daß ihm noch einiges an Material für die ›Insulae‹-Arbeit fehlte. Es gab da einige Häuser in Ostia, die er noch nicht untersucht hatte. Sein Vater würde ihm das Geld für die Reise geben. Er brauchte nicht viel.

# Das Zeitgefühl der Unruhe: Die siebziger Jahre

ALEXANDER KLUGE

## *»Das Zeitgefühl der Rache«*

1.

Baronin Mucki, eine Wertanlage. Sie ist als Prostituierte eine spezialisierte Fachkraft. Jetzt ist sie 22 Jahre alt, mit 38 Jahren wird sie verbraucht sein. Was dann folgt, ist entweder ein Lotterleben, führt zur Katastrophe oder aber sie geht freiwillig in Pension. Ihre Zuhälter Tigges und Herrchenröther stellen ihr das unverblümt vor Augen.
Als Wertanlage hat Mucki Schäfer ihre Manager 118 000 Mark Abstand bei Erwerb gekostet, hiervon 32 000 (d.h. der Wert eines Luxus-Kraftwagens Lotus Europa Special) Anzahlung. Um rentabel zu sein, muß Frl. Schäfer zwischen ihrem Alter von 22 Jahren und ihrem Alter von 38 Jahren 58 400 Kunden abfertigen. Dies brächte theoretisch, wenn sie abzüglich ihrer *Selbstbehalte* auf den Bruttopreis 100 DM für jeden Kunden an Tigges und Herrchenröther ablieferte, 5 840 000 DM. Es gehen aber noch pro Jahr 30 Tage für Urlaub, Sonntage oder Erholung ab. Wird sie krank, werden die Ausfalltage auf die 30-Tage-Pauschale für Erholung angerechnet (Tigges erklärt, wieso Gesundwerden Erholung ist). Dies bedeutet: 16 Jahre mal 30 Tage mal 10 Kunden à 100 DM ist gleich 480 000 DM. Verbleiben 5 360 000 DM Rückflüsse.
Es ist immer zu wenig Zeit für richtige Arbeit am Kunden, obwohl doch insgesamt 16 Jahre zur Verfügung stehen.
Mucki Schäfer hat einen Hirtenhund. Den Hund streicheln, ihm etwas zu fressen geben, ihn einmal kurz anguk-

ken (alles dies setzt bereits voraus, daß Tigges ihn Gassi führt, und nicht Mucki) bedeutet über 16 Jahre hochgerechnet, denn falls er stirbt, besorgt Mucki sich einen neuen, einen Verlust von 600 000 DM. Herrchenröther legt Hundegift aus, in der Hoffnung, daß der Tod des Hundes Mucki so leid tut, daß sie auf Neuanschaffung eines Hundes verzichtet. Wird von Mucki überführt. Sie weiß aber keine Strafen.
Mucki besitzt eine Schwarze Kasse, in die sie kleine Geldsummen abzweigt.
Das System der Strafen, wenn Mucki nicht pariert, insbesondere sich nicht an die Zeiten hält. Die Strafen beruhen darauf, daß Grundlage von Muckis Beruf Vorstellungsvermögen ist. Daher hat sie eine Begabung für Angst. Also sind Strafen: Badezimmer-Verbot, die Gefahr, einem Verrückten oder einem Dilettanten ausgeliefert zu werden.
Hitzewelle. Gegen Abend Hauptstoßzeit. Zwei Amateusen, Kellnerinnen in dem Lokal, in dem Mucki hauptsächlich verkehrt, springen ein.
Mucki Schäfers früherer Herr, von dem Tigges und Herrchenröther sie gekauft haben, hieß *Abführgesicht*, jetzt schon lange tot. Von ihm hat sie ein Kind, das im Internat in der Nähe der Edertal-Sperre untergebracht ist. Es soll vom schmählichen Beruf der Mutter niemals etwas erfahren, ein besseres Leben führen. Schärfstes Druckmittel ihrer Manager: die Drohung, der Schulleitung Meldung über Muckis Tun zu machen.

2.

In dem Verkehrslokal Muckis ist der Kellner Max erkrankt, ein junger, mandeläugiger Ausländer. Er liegt in der ihm vom Wirt gestellten Dachkammer. Seinen Arbeitsplatz nimmt ein Ersatzmann ein, so muß Max seine Bleibe räumen. Suche nach einem neuen Platz, praktisch nach Zeit, wo er seine schwere Hirngrippe ausheilen kann. Von einer der Kellnerinnen benachrichtigt, nimmt Mucki sich der Sache an, sucht mit Max irgendein Plätzchen, an dem Ruhe ist für die Krankheit. Sie hat sich angesteckt, legt sich gleich dazu. Es ist eine schöne Woche mit diesem vor Krankheit tapsigen jungen Liebhaber. Ein solcher Privatmoment bringt alles durcheinander.

3.

Tigges und Herrchenröther suchen bereits seit 7 Tagen ihr verschwundenes Wertobjekt Mucki. Deshalb scheiden auch alle Verstecke für Max aus, die in Muckis Verfügungsbereich standen. Jetzt werden Mucki und Max gefunden. Der genesene Max wird krank geschlagen. Es geht aber Tigges um mehr: Generalprävention. Er wird gefangen gehalten und soll weiter gequält werden – zur Abschreckung. Das Zuhälterwesen steht der Justiz nicht nach (»was die können, können wir auch«). Auch Mucki sieht der Bestrafung entgegen: Die Schulleitung wird endgültig benachrichtigt. Mucki Schäfer sieht keinen Ausweg: Sie wendet von Max und sich die Strafe ab, indem sie ihre Schwarze Kasse abliefert. Tigges, der, solange er nicht wußte, wo diese Kasse versteckt ist, Begnadigung zusagte, sieht jetzt Grund für verschärfte Bestrafung: Diese Schwarze Kasse war unzulässig.

4.

Mucki Schäfer wendet sich an Kriminalkommissar Pfuller, der das Vertrauen zahlreicher dieser Frauen besitzt. Sie orientiert ihn über Tigges und Herrchenröthers Tätigkeit, z.B. ist nicht nur Max, sondern auch eine Kollegin Muckis von ihnen krumm und lahm geschlagen worden, anschließend verstorben. Ziel ist nicht, daß Pfuller eingreift, denn dann erhielte er ja keine weiteren Informationen. Daß er es weiß, genügt, eine Art großflächiger Kontrolle und Krisenverhütung zu betreiben.
Aber der ehrgeizige Kriminalrat Kobras, der den konserva-

tiven Pfuller für lax hält, nimmt den Fall Pfuller aus der Hand. Er hat Pfullers Gespräche mit Wanze abgehört. Jetzt werden festgenommen: Tigges, Herrchenröther. Max, ohne Arbeitsbewilligung, wird des Landes verwiesen. Mucki Schäfer ist Kobras' Kronzeugin.

»Sicher bin ich nur im Gefängnis.« Mucki begeht Straftaten, um sich ebenfalls einsperren zu lassen. Aber was sie auch tut, Kobras nimmt es nicht zur Kenntnis. Er braucht eine nicht vorbestrafte Kronzeugin. Mucki ist verzweifelt.

5.

Der Gerichtstermin rückt näher. Aus dem Gefängnis verlautet, daß Tigges gedroht habe, Mucki umzubringen, wenn sie gegen ihn aussagt. Mucki will gar nicht gegen ihn aussagen. Sie ist keine Verräterin. Sie verletzt sich die Zunge, um sich zu hindern, im Verhör weich zu werden. Am besten, wenn sie gar nichts sagen kann. An den Verletzungen, die sie sich selbst zugefügt hat, stirbt sie.

6.

Nuttenvater Pfuller hat ein Gedächtnis wie ein Elefant. Es ist gespeist aus seinem Gefühl für Proportionen und Gerechtigkeit. Er arbeitet jahrelang an der Rächung Muckis. Die Zeit der Rache ist kürzer als die Zeit des Kapitulierens, aber länger als fast alle übrigen Zeiträume, allerdings auch kürzer als das Leben eines Baumes oder bestimmter Schildkröten oder Karpfen. Es gelingt Pfuller, den ehrgeizigen Kobras zu stürzen. Kobras wird aus dem Amt entlassen. Allerdings hat sich Pfuller hierzu in Straftaten verwickeln müssen, muß ebenfalls in Pension. Das ist ihm die Rache wert.

OTTO JÄGERSBERG

## *Dazugehören*

Einige Gäste haben nach der Begrüßung des Vaters auch für Franz noch das übertriebene Lächeln und den schwungvollen Handschlag.
Warum macht er das mit, warum ist er nicht in der Stadt geblieben und hat Vater und Bruder diese idiotische Veranstaltung überlassen? Will er sich nur bestätigen, daß nichts sich verändert hat und alles so weiter lebt und die Dinge so sind, daß er nur verachten kann?
Franz fühlt sich einsam. Er langweilt sich. Er fühlt sich durch die Zustände verärgert. Es kommt ihm alles so unbedeutend vor. Wozu sich dieser sinnlosen Anstrengung unterziehen?
»Ich danke Ihnen.«
»Wie schön, Sie in unserer Mitte zu sehen.«
»Sie sehen blendend aus.«
»Freue mich, daß Sie auch an mich gedacht haben.«
Also hatte der Vater seinen Namen mit auf die Einladungskarten drucken lassen. Daher wohl die durch eine Spekulation auf firmenwichtige Bekanntmachungen genährte Feierlichkeit bei der Vorstellung ihm bislang unbekannter Honoratioren. Oberkreisdirektor Markwirth: »Ich hoffe, wir werden bald miteinander zu tun bekommen, nicht nur beruflich versteht sich, und in Harmonie. Der Kreis braucht Impulse.«
»Ich bin ja eigentlich erst noch mitten im Studium, Herr Markwirth.«
»Na dann!« Es soll aufmunternd klingen, doch meint Franz Markwirths Gleichgültigkeit zu spüren. Dagegen ist der einarmige Achsmann, des Landes wachstumsfreudigster Papierfabrikant, von anderer Art, ohne Vorteilserwartung und voll guter Ratschläge: »Wird langsam Zeit, daß die Uni ohne dich auskommt. Für son Lappen da gib ma keine Jahre hin. Papier vergilbt auch hinter Glas im Rah-

men. Das sag ich dir als Fabrikant und als Jäger: Sei nicht blöd, promovieren tun heut die kleinen Leute. Mach du man ordentlich rum, Franz, und dann nix wie rein inn Betrieb. Akademiker die hält man sich. Wir müssen unsre Köpfe sauberhalten.« Und dabei stubbt er, dessen besseren, handgeschöpften Produkten als Wasserzeichen eine geradezu aufrührerische Figur mit erhobenem Schlachtbeil eingeprägt ist, den jagdunfallbedingten Armstumpf freundlich gegen Franz' Brust.
»Sie sehen so zivil aus?« Stuhlmacher, Oberst oder Generalmajor, Franz kennt sich da nicht aus, auf jeden Fall oberster Chef des Militärflugplatzes, mustert ihn mit gespielt soldatischer Strenge.
»Ich geh nur mit«, sagt Franz.
»Als Treiber?«
Franz nickt. Stuhlmacher wippt auf den Zehenspitzen und gluckst vor Vergnügen, wobei die Reste eines früheren Doppelkinns, die faltenreich seinen ganzen Hals ausmachen, wie Schals im Winde flattern.
»Dann bleiben Sie hinter mir, junger Mann, da werden Sie zu tun kriegen, ich schwörs Ihnen.« Stuhlmacher zwinkert ihm zu, und wie einem Freund auf die Schulter, schlägt er auf den Kolben seiner Flinte, deren auffällige Würgebohrung wie fabrikneu glänzt. Franz will sich diesem Begrüßungsablauf entziehen, will wie sein jüngerer Bruder Karl durch die Gruppen der Treiber gehen, die Hunde prüfen, die Waffen begutachten, doch kaum hat er sich abgewandt, holt ihn das ›Bleib‹ seines Vaters zurück.
So steht er weiter schräg hinter dem Vater. *Kloss & Sohn*, Hoch- und Tiefbau, lassen defilieren.
Der Vater ist klein und schmal, seine Haltung gebeugt und aus dem grünen Rock ragt auf einem dünnen Hals ein von bleicher Haut straff umspannter Kopf. Er hält die Grußhand abgewinkelt von sich, und Franz weiß, die Finger greifen nicht zu, die Hand liefert sich schlaff den anderen aus, doch die Augen packen den Gegenüber und in der Stimme liegt der Ton des Diktats.

Was verbindet ihn mit dem Mann? Ohne ihn zu fürchten oder zu verachten, fühlt Franz sich vor dem Vater befangen, gehemmt, unfrei. Er hat die Figur des Vaters. Dessen Willen meint er für andere Ziele gleich stark zu besitzen. Aber welche Ziele hat der Vater über Halten und Mehren von Besitz hinaus? Und was hält Franz für seine Ziele, außer, daß sie nicht die des Vaters sind? Über des Vaters mögliche Empfindungen scheut er in dem Maße nachzudenken, wie er über die eigenen Rechenschaft abzugeben sich fürchtet.

Nur nicht so werden wie der Vater, will Franz, nur nicht so leben wie er und die anderen.

Anders Karl. Schon in Größe und Proportionen ein eindrucksvollerer, und vom Gesicht her, in dem sich für alle, die sie kannten, die Erinnerung an die Mutter aufbewahrt, ein angenehmerer Anblick. Wo er auftaucht bildet sich eine Gasse, und man zieht ihn in die Mitte. Eine leichte Bemerkung von Karl ist ein guter Witz für die Herren, und das Auffangen eines emporgeschleuderten Messers ein Kunststück. Die von Markwirth angebotene Zigarre steckt er lachend einem alten Treiber in den Mund, ohne daß Geber und Empfänger gekränkt sind. Karl kann umgehen. Wo er sich auch bewegt, die Menschen fühlen sich ihm zugehörig, und er handelt sicher, weil er ihnen angehört. Franz neidet Karl den leichten Gewinn und verachtet ihn zugleich. Wie angepaßt und oberflächlich sein Bruder doch ist. Und dumm und langweilig, so ganz mit allem im reinen.

Bürgermeister Durler, die letzte Wahl hat den jungen Verwaltungsbeamten erst in die Region gebracht, in Militärjakke mit Hoheitszeichen, assortiert mit jagdüblichem Loden, wirbt um sein Geschäft: »Ihr Vater war parteipolitisch abstinent, was sicher nicht unklug war zu einer Zeit, in der man Unternehmer mit Christdemokrat gleichsetzen konnte. Heute sind die entscheidenden Männer auch und gerade hier Sozialdemokraten. Sie sollten Farbe zeigen, Herr

Kloss, wenn Sie in den Betrieb einsteigen; ein Signal für die Mitarbeiter geben!«
Der Vater hat mitgehört. Er lacht. »Von meinen Leuten sind gewiß mehr in der CDU als in Ihrer Partei.«
»Traurig genug«, sagt Durler.
»Man muß die Kirche im Dorf lassen«, sagt der Vater. Mitgliedschaft schränkt ein, da folgt Franz dem Vater, ein Unternehmer kennt keine Parteien, nur Lieferanten und Kunden.
»Ich möchte nicht verpflichtet sein«, sagt Franz, »und niemand soll sich mir verpflichtet fühlen.«
Franz sieht nach dem Vater. Der ist mit der Antwort einverstanden.
»Schöne Worte«, sagt Durler. »Aber ich meinte ja kein Gemauschel – Sie verstehen schon –, sondern Anschauung, wenn Sie so wollen: Gesinnung.«
Wie kann der meinen, denkt Franz, daß ich vor ihm Bekenntnisse ablege?
Während Franz überlegt, was er Durler antworten soll, sagt der Vater: »Gesinnung heißt für uns in erster Linie anständige Arbeit tun.« Und damit ist das Gespräch zu Ende.
»Jagdheil, Herr Durler«, sagt Franz.
»Jägerdank, Herr Kloss.«
Da kommt einer her, denkt Franz, und weiht sein Leben der Ausschmückung des Flächennutzungsplans und der Erweiterung der Industriezone. Und seine Existenz ist stabil, und die Entwicklung ist vorgezeichnet, sein Wollen grenzt der Stadthaushalt ab, und will mich in sein Lager ziehen. Wie beschränkt ist das alles.
Der Leiter des Bauamtes, Kinzig, mit dessen Tochter Franz den Schulweg gemeinsam ging, was aber nicht zu der von Kinzig erwünschten Verbindung führte, will ihn gleich wieder in die Familie ziehen: »Ich öffne radikal die sechziger Jahrgänge. Man muß nicht alles den Erben überlassen. Ich würde dich gern zur Weinprobe sehen. Übrigens hat sich Doris lebhaft nach dir erkundigt.« Kinzig

zielt ungeachtet der Gefühle der Hauptbetroffenen weiterhin auf Hochzeit. Die Vorstellung, er könne die Tochter an jemanden aus seiner Behörde verlieren oder ein anderer rangminderer Einwohner würde sich seiner Tochter bedienen, um sich zu ihm aufzuschwingen, peinigt ihn. Noch immer sieht er in Franz, als Firma und als Person, allein die standesgemäße Lösung.
»Ich muß morgen leider wieder zurück«, sagt Franz, »ich steh im Examen.«
Kinzig sagt aus einem enttäuschten Mund: »Aber dann meld dich das nächste Mal gleich, und wir feiern das Examen mit. Die beste Flasche stell ich dafür zurück.«
»Einen schönen Gruß an Doris, ich ruf bestimmt an.« Ein harmloser und freundlicher Mann, ich will nichts mit ihm zu tun haben und muß ihn doch enttäuschen, nur weil ich seine Tochter nicht heirate. Wie soll ich hier leben, wo sie mich in ihre Geschäfte und ihr vermeintliches Glück einbeziehen wollen?
Die leitenden Angestellten der Kloss, Jörger, Bauleitung und Personal, und Ricke, kaufmännische Abteilung, befragen Franz zum Studium, und Jörger, durch die Praxis auf den Baustellen ein dröhnender und direkter Mann, bald zum Studentenleben: »Und die Damen, Herr Kloss!?«
Franz strafft sich und sagt gleich polternd: »Ganz wie zu Ihrer Zeit, Herr Jörger.«
Der Vater wendet sich um, ist was?
»Ha!« stößt Jörger aus, »wie zu meiner Zeit, das ist gut«, und verzieht das Gesicht zu einer erinnerungsseligen Grimasse.
In der Universitätsstadt hat Franz eine Freundin, Sabine. Er hat sie nicht mitgebracht, obwohl der Vater es ausdrücklich gewünscht hatte. Franz ist sich ihrer nicht sicher. Sie wohnt hin und wieder einige Tage bei ihm, bis sie wieder zu ihren Eltern zieht. So wie sie weggeht, ohne daß Außergewöhnliches vorgefallen ist, so wenig außergewöhnlich ist der Grund warum sie zu ihm kommt. Sie schlafen gut zusammen. Franz hätte sich in seinen Gefüh-

len gern nach den ihren gerichtet. Es ist einfach zu lieben, wenn man geliebt wird. Sabine lachte gern, auch in Momenten, in denen er sie lieber ernst gesehen hätte. Das enttäuschte ihn. Seine Mutter hatte ihn geliebt. Das war selbstverständlich. Aber Sabine, warum sollte sie ihn lieben? Welch schreckliche Vorstellung wenn er sie mitgebracht hätte und sie stünde jetzt neben ihm, begafft. Der Herr Kloss junior mit Braut!

Ricke bleibt bei Franz stehen und übernimmt es, ihn mit den Herren von der Gemeinnützigen Baugenossenschaft, den Sparkassen und Banken, den Kiesgruben-, Sägewerks- und Betonfabrikbesitzern, den Architekten, Beamten und Amtsförstern bekannt zu machen. Da ist keiner, der für die Kloss nicht von Geschäftsinteresse wäre.

In Rickes Art liegt Besorgnis. Er mag denken, wie komm ich klar mit dem Sohn, wenn er den Vater ablöst. Franz meint, Ricke denkt, den Vater ersetzt er nie. Wie unter Zwang fragt Franz nach dem Stand der laufenden Geschäfte im Betrieb. Und bereut die Frage gleich. Vor Ricke sollte er die Pose lassen. Das ist einer, der um seine Zerrissenheit weiß und ihn durchschaut. Ricke, nicht ohne Erstaunen von Franz zur Lage gehört zu werden, spricht vom steigenden Zementpreis.

»Aber ist doch wohl aufzufangen«, sagt Franz, weil er nun mal angefangen hat. Vom Vater kommt ein Seitenblick.

»Wir können uns bei den meisten Kunden keine Nachkalkulationen erlauben«, sagt Ricke.

»Verstehe«, sagt Franz. Er ist verlegen und ärgerlich. Der Ricke glaubt ihm doch nicht, daß er sich für den Zementpreis interessiert. Und steht so da, als erwarte er weitere Fragen.

»Warum kaufen wir nicht in Frankreich?«

Der Vater mischt sich ein, unwillig: »Wir können nicht einen alten Lieferanten sitzenlassen. Der hat ja auch Gründe für seinen Preis.«

Ricke lenkt ein: »Was wir durch den Kurs gewinnen, geht beim Transport wieder drauf. Wir haben das durchkalku-

liert. Und, wie Ihr Vater schon sagt, wir haben langfristige Lieferverträge, da kommen wir so leicht nicht raus.«
Ich Idiot, denkt Franz und sagt: »Im Frühjahr soll sich der Zementpreis wieder beruhigen, las ich im Handelsblatt.«
»Hoffentlich«, sagt Ricke.
Ein Hund hat sich losgerissen und im Feld einen Fasan gestellt. Der Hund wird weggezerrt, der Fasan flattert davon, die Treiber lachen, einige Jäger murren.
»Der hat keine Disziplin mehr«, entschuldigt sich der Halter und zieht dem Hund den Riemen über.
»Franz, schreib ihn auf!« ruft der Vater, »der Fall muß vors Jagdgericht.«
Es kommt Stimmung auf. Franz weiß nicht, was er tun soll, soll er lachen, soll er seinen Vater unterstützen und rufen, wir bringen Sie vor Gericht mein Herr?
Ricke reicht Franz Zettel und Kugelschreiber. »Sie müssen das schon ernst nehmen.«
»Was soll ich denn schreiben?«
»Dr. Scheubles Hund vorm Anblasen Hahn geflügelt.«
Franz schreibt.
In der Treibergruppe geht eine Feldflasche um. Sie wird Karl hingehalten, der sie mit einem Schluck leert. Selbst seine Unverschämtheit erntet Anerkennung. »Schluckt wien Stier!«
Ricke sagt: »Gut, Sie wieder bei uns zu sehen, Franz. Ich hoffe, daß es Ihnen wieder zur Gewohnheit wird. Es geht ja nicht nur um den Betrieb. Ihr Vater und Karl brauchen Sie.«
Franz haßt Ricke vor allen, er ist ihm der Ähnlichste.
»Ich brauch noch Abstand«, sagt Franz, »hier erinnert mich alles . . .«
»Ich kann Sie gut verstehen«, sagt Ricke, »wir alle haben Ihre Mutter nicht vergessen.«
Die Mutter war beim Waschen mit einem defekten Kabel in Berührung gekommen. Es war grotesk. Sie beschäftigten zwei Haushaltshilfen, und die Mutter starb in der Waschküche. Franz war seitdem nur zu Weihnachten nach Hause gekommen.

»Der Verlust wird leichter zu überwinden sein, wenn Sie wieder in der Familie leben«, sagt Ricke.
Das ist es, das Gefühlvolle, das Mitleidende, das Weiche was Franz Ricke hassen läßt. Er sieht die gleichen Eigenschaften in mir, denkt Franz, er kennt mich. Die Vertrautheit stört ihn. Wer ist denn Ricke? Ein wenn auch schwer, aber ersetzbarer Angestellter, der ihm ähnlicher und mehr zugehörig ist als Vater und Bruder. Allein wegen Ricke wird es eine Katastrophe, wenn er in den Betrieb kommt. Was immer schwieriger hinauszuschieben ist. Der Vater verlangt längst nicht mehr den korrekten Abschluß des Studiums, er drängt nicht, gibt aber bei jeder Gelegenheit zu verstehen, daß er Franz' baldigen Eintritt in die Firma erwartet. Früher schützte ihn vor all dem die Mutter. Aber wie kommt er jetzt da raus?
Franz mag Ricke nicht anschauen.
Als hätte der Vater seine Verlegenheit gespürt, dreht er sich zu ihnen um. »Nun wollen wir mal. Alle da, Ricke?« Immer wehrt der Vater für ihn ab, wie er auch für ihn entscheidet. Was für eine lächerliche Figur würde ich erst auf seinem Stuhl machen, denkt Franz. Ricke blickt auf eine Liste und zählt die Gäste. »Ich denke ja.«
»Meine Herren«, sagt der Vater, nicht lauter, nicht in eine eventuell entstandene Stille, einfach zu den Gruppen gewandt, ohne den Standort zu wechseln, und schon ersterben die Gespräche, und man gruppiert sich um ihn. »Zum ersten Mal haben Sie auf den Einladungen den Namen meines Sohnes Franz gefunden. Das wird in Zukunft die Regel sein. Eine kleine Eigenart hat die Sache schon, denn Franz wird Sie nicht als Jäger begleiten, sondern als Treiber, als Ehrentreiber gewissermaßen, hierin einem ehemaligen Bundespräsidenten nicht unähnlich . . .« Grinsen bei den jüngeren Treibern. Darunter sind Haller und Fendrich. Franz kennt sie aus der Grundschule.
Die Jagdgäste nicken Franz freundlich zu.
Wie peinlich ist das alles. Franz blickt zu Boden. Wann fangen sie endlich an!

Der Vater schmückt launig Franz' Wahlverwandtschaft zu Heinemann aus, der mürrisch die Diplomatenjagden absolvierte und dessen unwaidmännische Kommentare zur Strecke berühmt waren. So ein Verhalten sei von seinem Sohn nicht zu erwarten, Franz sei von Jugend an mit dem Waidwerk vertraut. Der Vater deutet die jagdliche Abstinenz des Sohnes nicht, aber die meisten hier wußten, die Sache war von grundsätzlicher Art. Moralische Motive, christliche gar, einer empfindsamen Knabenseele; ein absolutes Bekenntnis zu ›Du sollst nicht töten!‹ und zu dem Vorsatz, daß nach dem Vergangenen kein Deutscher mehr ein Gewehr heben soll. Durchaus ehrenwerte Gründe, aber man sagte sich: Übersteigerte Empfindlichkeit eines jugendlichen Spinners, gibt sich! Nachdem Franz an einem Friedensmarsch teilgenommen hatte, machte sich auch Verärgerung breit. Kloss' Ältester Pazifist! Wer hatte denn die Panzerbrücken, Kasernen und Flugzeugpisten in der Region gebaut?
Der Vater bestimmt die älteren fußmüden Jäger zu einem Trupp, das geht nicht ohne Protest und Gelächter, er selbst wird hier Jagdleiter sein, die andere Gruppe bildet unter Karls Führung eine böhmische Streife. Es gibt noch Ermahnungen, nur bei freier Schußbahn anzulegen, die Abstände einzuhalten, keine weiblichen Vögel zu schießen und die Schonzeiten zu achten.
Ein Treiber reicht Karl das Jagdhorn, und Karl bläst an.
Wie sie so in breiter Linie dahinstreifen, sieht Franz in dem ganzen eine Pflichtübung. Es dient der Firma und verpflichtet ihn zu nichts. Er will das wie einen Spaziergang ansehen. Mögen sie ihn für einen Außenseiter halten, für Vaters Nachfolger; er hat nichts damit zu tun. Morgen ist er wieder weit weg.
Hoffentlich ist er am Abend mit dem Vater nicht allein.
Die Wolken liegen wie hingegossen in der Luft, und hinten am Wald kriecht erster Nebel hervor.
Die Männer stapfen durch die Stoppeln, nach jeder Parzel-

le geht es über einen Graben, ho ho, schrecken die Treiber und schlagen mit ihren Knüppeln auf den Boden.
Karl dreht sich zu Franz um. »Du mußt brüllen«, schreit er und macht es ihm vor. »Ho, ho! Has ho!«, er reckt den gewehrfreien Arm und springt hoch, »ho«, sein Hund jault auf, weil ihn die Strippe würgt, und Karl fährt ihm übers Maul. Franz sagt: »Ich bin Ehrentreiber, mein Lieber.« Es sollte ironisch klingen, forsch brüderlich, aber es wirkt unpassend und wie belehrend. Und Franz ist beschämt, er will korrigieren, ho ho, schreien und jubelnd in die Luft springen, doch Karl gibt ihm nicht einmal eine Chance, er stolpert schon weiter. »Ho ho! Has ho!«
Aus einer Furche bricht ein Hase auf. Die Jäger stehen, und die Treiber strecken ihre Knüppel zu dem – Franz empfindet es so aus der Nähe – schrecklich langsam laufenden Tier. Und wie überflüssig die Haken, anstatt Raum zu gewinnen, läuft es nur kurvenreich vor der Linie der Treiber und Jäger her. Schüsse. Es reißt ihm das Vorderteil weg, es überschlägt sich, kommt wieder hoch, bricht auf den zerschossenen Vorderläufen zusammen und versucht auf den Stümpfen weiterzulaufen. Dabei klagt es erbärmlich. Die Hunde werden geschickt. Und die Jäger signalisieren unter sich, gut gestoppt, bravo, der erste Hase! Ein Treiber ist vorgelaufen, weil die Hunde streiten und nicht fertig werden mit dem Hasen. Hundepfeifen und Geschimpfe. Keine Disziplin. Der Träger scheucht die Hunde, hebt den Hasen an den Hinterläufen und schlägt ihm den Knüppel ins Genick. Und weiter gehts, ho ho, Has ho!
Stuhlmacher, die Flinte lässig wie einen Spazierstock wippend, hält sich in Franz' Nähe. Einem aus dem Graben aufspringenden Hasen ruft Franz nach. Stuhlmacher macht keine Anstalten zu schießen. Franz ruft »Da, da!« und zeigt auf den davonlaufenden Hasen. Stuhlmacher kommt zu Franz und sagt lächelnd: »Ich hab meine Brille vergessen.« Was soll das, denkt Franz, will der hier den Tierfreund machen?

»Sind Sie eigentlich General oder was, Herr Stuhlmacher.«
»Oberst, Herr Kloss.«
Franz fühlt sich durch die freundliche Art Stuhlmachers herausgefordert.
»Und was macht man da, als Oberst?«
Stuhlmacher überhört den beleidigenden Ton, er gibt bereitwillig Auskunft über Menschenführung und soldatischen Auftrag. »Ich will Ihnen ein Beispiel geben, wie notwendig und schwierig meine Aufgaben sind. Um die Ostertage 68 revoltierten Studenten und Arbeiter in Paris. Ich hielt mich da zu einer Tagung auf. Ich habe gesehen, wie sie über die Champs-Élysées marschierten und riefen: Nieder mit der Regierung – aber sie trugen die Trikolore vor sich her. Hier bei uns rief niemand: Nieder mit der Regierung – aber man riß die schwarzrotgoldene Fahne von den Masten und trampelte auf ihr herum.«
Er betonte wirkungsvoll und sprach flüssig, er mußte die Geschichte schon oft erzählt haben.
»Und Sie bringen die Wehrpflichtigen dazu, daß sie die Fahne wieder achten lernen.«
Stuhlmacher läßt sich nicht provozieren, die Frage hebt noch seine gute Laune. Während um sie herum die Schüsse knallen, plaudert Stuhlmacher über den freiheitlichen Staat. »Das vorherrschende Gefühl in diesem Land zu allen Fragen der Nation ist lau. Einen Ruck gibt sich die Nation und ein Gemeinsamkeitsgefühl geht als Aufschrei von den Alpen bis Helgoland nur, wenn wir im Fußball siegen oder ein überzüchteter Mensch seine Nase um Sekundenbruchteile vor einer anderen hat. Und in dieser Lage muß ich dem Soldaten klarmachen, wofür er dient, und ihn für so große Dinge wie Freiheit und diesen Staat und die Notwendigkeit beides zu schützen wenn schon nicht zu begeistern, so wenigstens zu überzeugen versuchen.«
»Und haut das hin?«
»Mehr denn je«, sagt Stuhlmacher, »verläßt der oft, zu oft, durch Elternhaus und Schule ohne Antwort gebliebene

junge Mensch die Dienstzeit als Staatsbürger mit eingeschliffenem Auftragsgefühl.«
»Wie schön für Sie«, sagt Franz.
»Für uns alle«, sagt Stuhlmacher, »Sie haben wohl nicht gedient?«
»Nein«, sagt Franz.
»Verweigerer?«
Franz nickt.
»Davon gibts jetzt immer weniger«, sagt Stuhlmacher. Ein Hund kommt mit einem Hasen im Maul auf sie zugelaufen. Die Läufe des Hasen schlenkern wie Glieder einer kaputten Puppe. Der Hund will vor ihnen ablegen, aber Stuhlmacher verscheucht ihn. Verwirrt sucht der Hund seinen Herrn und gerät zwischen die Treiber. Fendrich hechtet nach dem Hund und erwischt ihn am Schwanz. Der Hund krümmt sich vor Schmerz und läßt den Hasen fallen. Fendrich schnallt ihn zu anderen an seinen Gürtel.
Wie schwach ist ein Hase? So einer ist er auch, denkt Franz bitter, der wegläuft und ausweicht und die Kurve kratzt. Orientierungslos vom eigenen Hakenschlagen, letztenendes so durcheinander, daß die Flucht keine Richtung hat, ahnungslos wo die eigentliche Gefahr lauert. Freilich, weiß Franz vom Vater, will der Hase nur vom Bau ablenken und kehrt, wenn er nicht gestoppt wird, in seine Höhle zurück, wie der Mann zum Weib, der Täter zum Opfer, Jägerwissen. Der Täter zum Opfer?
Es sind eine Menge Hasen im Feld. Die Jäger rücken schießend zum Wald vor, und hinter ihnen sammeln die Treiber die erlegten Hasen auf.
Die Nähe Stuhlmachers ist Franz lästig. Er läuft einem von Karl geschossenen Hasen nach und hebt ihn auf, bevor Karls Hund heran ist. Stuhlmacher holt ihn ein und sagt: »Ein Jäger sammelt seine Opfer nicht auf. Auch im Krieg kümmert sich der Soldat nicht um seinen gefallenen Gegner.«
Was soll das, will er etwa meinen Beifall? Franz wirft einen mißtrauischen Blick auf Stuhlmacher, der gemütlich wei-

terspaziert, die Waffe gesichert, den Hut nachlässig im Genick, mit locker schlenkernden Schritten. Franz bleibt zurück.
Die Hinterläufe des Hasen sind schon kalt. Franz muß den Arm anheben, damit der Hase nicht mit dem Kopf auf dem Boden schleift.
Vor dem Wald schwenkt die Linie der Treiber und Jäger in großem Bogen aus den Stoppeln in Felder mit brusthohem Grünfutter ein. Gok, gok, gok! heißt es nun, und die Treiber schlagen in die Stauden. Schwerfällig brausen Fasanen auf. Knallen aus vielen Rohren. Federn fliegen. Kadaver fallen zu Boden.
Franz sieht, Karl trifft gut, von seinem Vater weiß ers, da schaut er nicht hin, auch zu Ricke nicht, aber Jörger, Jörger hat Stil, schneller Anschlag, kurzes visieren, sicherer Schuß. Andere, Markwirth, Kinzig, auch Durler, schießen saumäßig. Achsmann, den Armstumpf in der spezialgefertigten Schafttasche, trifft am besten. Und auch Franz, der von Jugend an zur Jagd erzogene, findet die Hunde sind unausstehlich, sie wieseln kläffend zwischen den Stauden, flügeln kaum einen Vogel auf, und die Treiber müssen selbst die weit hinter der Jägerlinie abstürzenden Vögel zusammensuchen.
Franz geht hinter Scheuble und Achsmann. Fendrich, der für Scheuble sammelt, nimmt Franz den Hasen ab. »Kann ich selber tragen«, sagt Franz. Fendrich schleppt schon mit beiden Händen und hat sich dazu eine Menge Hasenläufe unter den Gürtel gestopft, so daß die Hasen wie ein Rock an ihm herunterhängen.
»Der kann den Hals nicht voll kriegen«, sagt Fendrich und zwinkert ihm zu. Scheuble läßt Fendrich nicht von seiner Seite und die Kadaver nicht zum Sammelplatz bringen. Scheuble ist einer, den der Stolz auf seine Strecke dazu bringt am Sammelplatz einen Fotoapparat aus seinem Wagen zu holen. Natürlich hat Fendrich den Gimpel in Scheuble gerochen und foppt ihn bei jedem Hochgang einer Henne mit zielbezogenem Geschrei. Ohne Arg schießt

Scheuble die Hennen mit und wird am Abend viele Flaschen Wein auf den Tisch der Treiber stellen müssen.
Franz ist denn doch gar nicht so unkonzentriert, die Schießerei, die Rufe, das Gekläff lassen ihn nicht träumen. Er hat seine Augen beim Verlauf, wägt die Strecke, und galt am Anfang aus nicht näher überdachtem Trotz innerlicher Beifall jedem davongekommenen Tier, so faßt sein Blick jetzt die aufbrechenden Vögel und er zählt automatisch die fallenden und ihr Verhältnis zu den abgegebenen Schüssen. Seine Stiefel schleifen achtlos die Pflanzen, und er weist für Achsmann mit Geschrei auf Ziele.
Am Ende des Feldes stehen die Fußmüden und fangen ab. Das erste Treiben ist zu Ende. Die Treiber schleppen die Strecke zum Sammelwagen. Die Jäger rauchen und reden. Ein Tablett mit Schnaps geht rum. Scheuble gibt Fendrich Anweisungen, wo seine Beute hinzulegen ist, damit man sie später auseinanderhalten kann. Franz hat sein Vergnügen daran. Achsmann hebt sein Glas auf Franz: »Dank dem Ehrentreiber für den prächtigen Hahn: Direkt vor den Lauf!« Franz trinkt.
Der Vater erklärt das Gebiet für das neue Treiben. Es geht über Weide, Äcker und durch Rübenfelder.
Einige Leute aus dem Ort arbeiten auf den schmalen Parzellen. Arbeiterbauern, die den Samstagnachmittag nutzen.
Der Vater winkt Franz zu sich. Sie gehen mit Markwirth.
»Natürlich hatten die alten Zustände ihre Vorteile«, sagt Markwirth, »es ging schnell, wenn man sich einig war.«
»Wann wären wir uns nicht einig gewesen«, sagt der Vater.
Darüber will Markwirth keine Diskussion. Keine Frage, daß man unter den bisher waltenden Verhältnissen mit Baugenehmigungen und Ausnahmevergünstigungen unbürokratisch verfahren konnte.
Das ist nun, weil der Ort durch die Gemeindereform in einen größeren Kreis aufgegangen ist und die Strukturpla-

nung in der entfernten Kreisstadt und unter stärkerem Einfluß aus der Landeshauptstadt entschieden wird, nicht mehr so einfach zu haben. Die Firma Kloss, einst das größte Baugeschäft in der Region, ist in eine Randzone verdrängt und von der neuen Schaltstelle für die Vergabe von kommunalen Aufträgen aus gesehen nur ein kleineres Unternehmen. Und es geht dem Vater um die Fragen, wie weit reicht Markwirths Einfluß unter den neuen Verhältnissen und ist er bereit sich für die Kloss zu verwenden.
»Wie wir mit einem Großprojekt fertig werden, haben wir ja hinlänglich bewiesen. Und wir sind nie mit einer Nachkalkulation angekommen«, sagt der Vater.
»Sicherlich«, sagt Markwirth, »das hat man auch registriert.«
Daran glaubt der Vater nicht. Bei großen Aufträgen ist die Kloss schon lange nicht mehr berücksichtigt worden. Und die Ausschreibungen, an denen man sich beteiligt hat, sind von regionfremden Großfirmen unterboten worden, die im Ausland die Gewinne machen und sich erlauben können, im Inland mit Verlust zu arbeiten.
»Wenn sich nicht bald was tut, müssen wir anfangen Stammarbeiter zu entlassen«, sagt der Vater.
Markwirths Hund hat einen Fasan aufgetan und noch bevor der Vogel in der Luft ist, hat Markwirth ihn geschossen. Franz geht hin, nimmt ihn, weil er am Kamm Blut austreten sieht und ihm die Berührung des warmen Halses unangenehm ist, an den Füßen und trägt ihn den Männern nach.
»Die Auftragslage ist allgemein schlecht. Ich erwarte 1978 ein mittleres Hoch, ab 1982 ist die Bauwirtschaft übern Berg«, sagt Markwirth.
»Wer dann noch übriggeblieben ist«, sagt der Vater.
»Die Kloss wird dabei sein«, sagt Markwirth beschwingt.
»Wir arbeiten seit drei Jahren mit Verlust. Wir leben von Rückstellungen«, sagt der Vater.
Markwirth spricht von einer Großfirma, der es noch schlimmer geht und die gezwungen ist, die unrentabelsten

Aufträge auszuführen nur um die Arbeiter zu halten. Auch diese Firma, beklagt sich der Vater, hat seine Angebote unterboten.
»Die treiben das nicht mehr lange«, sagt Markwirth, »man spricht von Verkauf.«
»Ach was«, sagt der Vater, »heute ist doch weit und breit keiner zu sehen, der Geld in die Branche stecken würde. Wär auch sowieso verloren. 1972 hätte man verkaufen sollen. 72, da hat sich das gelohnt! Aber heute? Was bleibt denn da noch bei Liquidation? Zehn Prozent, wenns hoch kommt. Vom Sozialplan will ich gar nicht reden.«
»Bei der Kloss sind das ja überflüssige Erwägungen«, sagt Markwirth, »bei dem hoffnungsvollen Nachfolger.«
Franz ist gemeint. Markwirth lächelt ihn an. Franz lächelt auch.
Der Vater sagt: »Ne, ne, heute verkauft man nicht, heute macht man in dieser Branche nur noch Konkurs.«
Franz spürt Leben in seiner Hand, ein Zucken geht durch die Füße des Fasans, und plötzlich beginnt er wild mit den Flügeln zu schlagen, daß Franz ihn vor Schreck fallen läßt. Markwirth und der Vater bleiben stehen.
»Lebt er noch?« fragt Markwirth.
Die Vorstellung, den Hahn töten zu müssen, ist so unerträglich für Franz, daß er ohne sich zu vergewissern nein sagt und ihn jetzt doch am Hals aufnimmt.
Die normale Art einen toten Fasan zu tragen.
»Gerade das mittelständische Unternehmen, der in der Region verankerte und mit einer Stadt sozial verwurzelte traditionsreiche Familienbetrieb, wie Ihrer, kann in diesen Zeiten besser klarkommen«, sagt Markwirth.
»Wenn er nicht vom behördlichen Auftraggeber im Stich gelassen würde. Was dauernd geschieht«, sagt der Vater.
»Wir haben das Infrastrukturprogramm«, sagt Markwirth.
»Hat keine Belebung gebracht, und die Produktion im öffentlichen Bau geht um weitere drei Prozent zurück«, sagt der Vater.

»Dem Bundesrat ist gerade das zweite Gesetz über die Durchführung von Statistiken der Bautätigkeit und die Fortschreibung des Gebäudestandes zugeleitet worden«, sagt Markwirth.
»Was haben wir davon?«
»Damit liegt den Politikern endlich ein Berichtssystem vor, das sie die Bautätigkeit besser beurteilen läßt.«
»Wie tröstlich, daß wir Gesetze machen, die den Politikern wenigstens die Beurteilung, warum wir vor die Hunde gehn, erleichtern«, sagt der Vater.
»Na, na«, sagt Markwirth.
Franz spürt den warmen Hals des Hahns und daß in ihm noch Leben ist. Blut läuft über seine Hand. Er wagt nicht hinzuschauen. Der Hals pocht in seiner Hand. Er drückt fester. Warum stirbt das Tier nicht? Es ist getroffen, blutet. Dann denkt er, ich kann es doch nicht erwürgen, und er lockert den Griff wieder. Wagt weiter nicht hinzuschauen. Aber der Fasan lebt. Ich lasse ihn einfach fallen. Da in der Bodensenke. Aber sie werden es merken. Ich blamiere mich. Ich habe gesagt, er sei tot. Hätte ich es nicht gesagt, hätte ich ihn vor ihren Augen totmachen müssen. Ich muß etwas tun. Wie die Treiber, mit der Handkante den Kopf wegschlagen. Oder drehen, den Hals umdrehen. Warum tu ich denn nichts?
»Der Wohnungsmarkt hat wieder Zukunft«, sagt Markwirth, »die Großwohneinheiten, die Wohnsilos, die Trabantenstädte gehören der Vergangenheit an. Ich erwarte große Aktivität im Bereich des Eigenheimbaus.«
»Das hat der Kanzler auch gesagt«, sagt der Vater.
»Macht es nicht schlechter«, sagt Markwirth.
»Schlägt aber nicht bis zu uns durch«, sagt der Vater.
»Das kommt dann noch. Die Landesregierung bereitet ein umfangreiches Förderungsprogramm vor«, sagt Markwirth.
Franz hält den Fasan hinter seinem Rücken. Er spürt die pochende Halsader und preßt den Daumen dagegen. Noch einmal schlagen die Flügel, schon matter. Franz schaut

krampfhaft zum Horizont. Markwirth dreht den Kopf zu ihm. »Stabile Einfamilienhäuser mit energiesparender Isolierung, sonnenenergiespeichernden Außenflächen, vielleicht sogar Recycling von Haushaltsmüll als Heizmethode, da liegt die Zukunft. Was meinen Sie?«
»Ja«, sagt Franz, »da gibt es viele Möglichkeiten.«
Nur nichts anmerken lassen. Was hat Markwirth eigentlich gefragt? Franz bemüht sich ein nachdenkliches Gesicht zu machen. Warum sagt der Vater denn nichts? Ich kann doch nicht sagen, der Hahn lebt noch, erschießt ihn, ich kann ihn nicht töten.
»Für die Entwicklung solcher Technologien hat ein Betrieb wie unsrer keine Mittel«, sagt der Vater.
»Gerade Außenseiter haben diese Entwicklung schwungvoll angekurbelt«, sagt Markwirth.
Die anderen Jäger sind weit voraus und sammeln sich vor einer Straßenböschung zum neuen Treiben.
»Wir warten hier«, sagt der Vater.
Markwirth ejiziert die Patronenhülsen und stopft neue Patronen in die Läufe. Das Jagdhorn tönt, und die Streife kommt in ihre Richtung.
Der Hahn ist ruhig. Der Hals pocht nicht mehr. Jetzt müßte er tot sein, denkt Franz. Er schaut hin. Blut sickert zwischen seinen Fingern. Der Schnabel ist weit aufgesperrt, die Zunge ragt steif heraus. Er muß tot sein, erstickt. Der Vater zieht eine lederumkleidete Jackenflasche hervor. Eine Gelegenheit. Franz legt den Fasan auf den Boden und streckt seine Hand nach der Flasche aus. Der Vater reicht sie ihm, und sein Blick bleibt einen Moment auf Franz' blutverschmierter Hand. Während Franz trinkt, flattert der Vogel wieder, springt sogar.
»Guck den zähen Daus«, sagt Markwirth und kickt mit der Stiefelspitze gegen den Kopf des Fasans.
Franz fühlt, wie er rot wird. Der Vater blickt ihn an. Franz hustet, als hätte er sich verschluckt.
»Daß wir den Hahn nicht vergessen«, sagt Markwirth.
Jetzt wird der Treiber schon ermahnt. Sie trauen mir nichts

zu, denkt Franz, ich bin nur ein Anhängsel, vom Vater behütet. Ich gehöre nicht dazu. Ich bin ein Tierquäler. Ich hätte nicht herkommen sollen.
»Laßt den Alten Schuß«, hört man Karl rufen, und die Jäger treiben mit den Treibern armschlagend und gewehrschwenkend unter Gebrüll Markwirth und dem Vater das Wild vor die Büchsen.
»Ein guter Schütze, Ihr Sohn«, sagt Markwirth.
»Von Kindesbeinen an mit dabei«, sagt der Vater.
Über mich werden sie nie so sprechen, denkt Franz. Was können sie über mich schon sagen? Ich habe ihre Zuneigung nicht. Ich werde nie ihr Vertrauen gewinnen. Zu Recht. Ich bin ein Versager.
Franz säubert seine blutige Hand mit Rübenblättern.
Er nimmt den toten Hahn auf und geht zum Sammelwagen. Da bücken sich Mann und Frau über Rüben, Säcke um die Knie gebunden. Sie ziehen die Rüben raus, schmeißen sie auf einen Haufen und rutschen weiter. Sie kümmern sich nicht um das Schießen. Als Franz an ihnen vorübergeht, drehen sie sich zu ihm um.
»Guten Abend, Herr Kloss!« Wobei sie, auf allen vieren, noch den Kopf neigen. Den Mann hat Franz mal im Betrieb gesehen. Und in plötzlicher Eingebung, daß diese Menschen ihm ähnlicher sind als die Jagdgäste, bleibt er stehen. »Eine Heidenarbeit, was!«
»Och«, sagt der Mann und blickt zufrieden über das bisher Geleistete.
Franz sagt: »Mit der Maschine wär das n Klacks!«
So könnte der Vater gesprochen haben.
»Na ja«, sagt der Mann, nickt bestätigend und lacht dabei merkwürdig. Die Frau guckt zweifelnd den Mann an, was lacht der so? Und Franz ärgert sich, zu einem Arbeiter aus der eigenen Firma, der nebenher seine kleine Landwirtschaft betreibt, so etwas verdammt Blödes gesagt zu haben. Er geht weiter, ihn fröstelt.
»Feiner Hahn, den Sie da geschossen haben«, ruft ihm der Mann nach.

Selbst in ihrer Freundlichkeit beleidigen sie mich, denkt Franz. Sie werden mich nie aufnehmen. Ich finde nicht den richtigen Ton.
Es dunkelt rasch. In der Ferne strahlen Lichtkegel auf der Autobahn.
Franz legt den Fasan zu der Strecke vor den Sammelwagen. Haller und ein anderer Treiber sind beim Aufbrechen. Sie stoßen die Finger in die After der Fasanenkadaver und zerren die Eingeweide heraus.
»Und mit dem Stinkefinger wühlt er heut nacht seiner Frau in der Futt«, sagt Haller.
»So siehst du aus«, sagt der Treiber, »dazu zieh ich Handschuhe an.«
Franz stimmt mit in ihr Gelächter ein. Aber wie falsch klingt das.
Die Vorgänge zwischen den Menschen sind so gemein. Was hat er mit dieser Welt zu tun? Franz träumt. Er wird sich selbst abschaffen. Dann werden sie schon sehen. Als ewiger Vorwurf wird er in ihren empfindungsarmen Köpfen weiterleben.
Die Jäger gruppieren sich zur letzten Jagd, ein Kesseltreiben, am Wald. Die Treiber schwärmen ins Unterholz, und die Jäger fangen ab, was aus dem Wald läuft und fliegt.
Franz setzt sich auf einen Feldstein und schaut zu. Der Wald steckt voller Hasen und Fasanen, auch Rebhühner sind dabei. Der Tod der Hasen hat etwas leichtes, spielerisches. Ihr rasender Lauf schließt, wenn sie richtig gestoppt sind, mit Überschlägen ab, wie Purzelbäume. Manchmal brechen sie auch einfach zusammen, das wirkt niederdrükkend. Die Fasanen stürzen schwerfällig ab, und wie zum Hohn schwanken ihnen die ausgeschossenen Federn anmutig nach. Die Rebhühner zeigen im Sterben ein großartiges Bild. Getroffen steigen sie steil in die Höhe, himmeln und fallen verendet wie ein Stein herab.
Ich gebe dem Sterben der Tiere Noten, denkt Franz, und hätte doch selbst, aus Angst mich zu blamieren, einen Fasan eher qualvoll erwürgt. Ich habe nicht den Mut, das

Selbstverständliche zu tun. Ich verlängere das Leiden eines Tieres, weil ich mein eigenes Leiden nicht überwinden kann. Ich bin ein Feigling. Ich gehe weg. Ich komme nie wieder. Ich bin auch zu feige, mich umzubringen.
Unter den Jägern gibt es Bewegung. Karl schreit nach dem Verbandskasten. Haller holt ihn aus dem Sammelwagen. Franz läuft mit.
Stuhlmacher hat es am Ohr erwischt. Nur einige Blutstropfen. Karl legt dem protestierenden Stuhlmacher einen festen Kopfverband um. Der unglückliche Schütze ist ein Amtsförster, er stammelt Entschuldigungen.
»Lächerlich«, sagt Stuhlmacher.
»Ich hab Sie nicht gesehen«, sagt der Förster, »ich sah nur die Silhouette. Sie hatten auch das Gewehr nicht im Anschlag. Ich dachte, da steht ein Treiber.«
Stuhlmacher und Karl lachen.
»So habe ich das nicht gemeint«, sagt der Förster, »ich bin ganz durcheinander, ich tu keinen Schuß mehr.«
Der Vater sagt: »Wir sind sowieso durch.«
Karl bietet Stuhlmacher an, ihn zum Arzt zu fahren.
Das hätte ich auch machen können, denkt Franz. Warum komm ich nicht auf die Idee? Ich bin nicht nützlich.
Karl vergißt nicht das Totverblasen, bevor er mit Stuhlmacher wegfährt. Der Amtsförster ist untröstlich. Er muß jetzt den Spott tragen.
Die Treiber kommen aus dem Wald. Am Sammelwagen wird die Strecke nicht mehr gelegt. Zum Fotografieren ist es schon zu dunkel.
Der letzte Schnaps geht um.
Der Vater lädt zum Schüsseltreiben in den Ochsen ein. Die Gesellschaft löst sich plaudernd zwischen den parkenden Autos auf.
Franz fährt den Vater zum Umkleiden nach Hause.
Der Vater schimpft auf Markwirth. Der ist für die Firma nicht mehr nützlich. Weil ihn die Verhältnisse unaufhaltsam nach oben spülen ist die Kloss kein Partner mehr für ihn. Steigende Tendenz im Eigenheimbau! Gerede,

nichts als Gerede! Der Vater ist wütend. In den öffentlichen Institutionen und Körperschaften hat die einfarbige Parteiherrschaft nur Pfründenwirtschaft und Verfilzung gebracht. Markwirth gluckt mittendrin, bläst nichts als die Verwaltung auf und brütet Konzeptionen aus, die die Unsicherheit in der Branche nur vermehren. Die Entwicklung ist vorgezeichnet: Markwirth macht Karriere in der Landeshauptstadt, sein Nachfolger ist ein der Dominalherrschaft noch unterworfener Mann, für die Firma keine Hoffnung.
»Wir haben uns an einer Ausschreibung in Algerien beteiligt. Ricke fliegt nächste Woche hin. Er spricht nicht mal französisch.«
»Haben wir denn da Chancen?«
»Weiß ich nicht. Fünfundvierzig Jahre leite ich die Firma und muß mich einem wildfremden Verbindungsmann anvertrauen. Araber, wir haben uns in englisch unterhalten. Verstand ihn kaum. Ricke hat ihn angebracht. Was soll ich tun?«
»Vielleicht haben wir Glück«, sagt Franz.
Der Vater brütet die entscheidende Frage aus. Was soll ich ihm nur sagen, denkt Franz. Ich will nicht und ich kann nicht.
»Ich kann in diesen Größenordnungen nicht denken«, sagt der Vater, »ich bin nur übersichtliche Geschäfte gewohnt. Ich kann es nicht zulassen, daß Technokraten wie Jörger und Ricke die Geschicke der Firma bestimmen. Ich will, daß du im März eintrittst und zum neuen Jahr den Betrieb übernimmst.«
»Ich kann erst im nächsten Jahr Examen machen«, sagt Franz.
»Das ist mir egal«, sagt der Vater.
»Ich weiß nicht, ob ich der Firma viel nützen kann.«
»Das sehn wir dann schon.«
Damit ist für den Vater die Sache erledigt. Er räkelt sich, fragt mild und väterlich gestimmt: »Warum hast du deine Freundin nicht mitgebracht?«

Der neue Betriebsleiter braucht eine Frau. Wenn ich sie nicht heranschaffe, wird er auch das besorgen, denkt Franz, er tritt nicht eher ab, bis er mich auf seinem Sessel hat und sicher aufgehoben weiß in pausenlosem Familienleben. Ich kann nicht mit ihm reden. Warum sage ich ihm nicht, daß ich mir nicht sicher bin und nicht weiß, was ich tun soll.
»Sie konnte nicht.«
»Schade.«
Endlich spricht der Vater über die Jagd. Die wilden Förster! Sind die Niederwildjagd nicht gewöhnt. Nie eine Schrotpatrone im Lauf gehabt. Ein bequemes Kissen unter ihren grünen Hintern sitzen sie im Staatsforst und schießen nur Hochwild. »Und ausgerechnet Stuhlmacher trifft es, alter Soldat im Bleiregen; und das in Friedenszeiten!«
Der Vater kichert.
Als sie zu Hause ankommen, sagt der Vater: »Karl hat einen Fuchs geschossen.«
»Er schießt sehr gut«, sagt Franz.
»Ich möchte ihn von der Schule nehmen. Das Abitur schafft er doch nie. Er ist der richtige Mann für die Baustelle. Was meinst du?«
»Ich weiß nicht. Hast du ihn gefragt?«
»Einen besseren Mitarbeiter kannst du dir nicht wünschen. Wir stecken ihn zu Jörger, der wird ihn hinbiegen. In ein paar Jahren kann er die Bauaufsicht machen.«
Jetzt bin ich schon verantwortlich für Karl, ›Jörger wird ihn hinbiegen‹ in meinem Namen, ich darf das nicht zulassen. Im Betrieb sind achthundert Arbeiter und hundert Angestellte. Und ich soll sie beschäftigen, leiten, schützen. Wie kann ich das denn? Die ledigen Ausländer hat man aus dem Urlaub nicht zurückkommen lassen, aus Alters- und anderen Gründen Ausscheidende werden längst nicht mehr ersetzt. Die Pleite des in der Struktur gesunden Betriebs ist vorgezeichnet, meint Franz. Der Vater hat sich immer gescheut, Einheimische zu entlassen. Das muß ich tun. Was soll ich den Leuten denn sagen, wo überall unser

Firmenschild leuchtet und die Villa auf dem Hügel prangt? Seit Jahren leben wir von der Hand in den Mund? Da lachen sie mir doch ins Gesicht.
Franz zieht sich nicht um; nur nicht auffallen. Er wechselt nur die Schuhe. Geht dann ins Wohnzimmer. Wartet auf den Vater.
Über dem Kamin hängt das Bild der Mutter. Der Vater hat es nach ihrem Tod malen lassen. Ein Ölporträt nach einer Fotografie, auf der sie viel jünger war, als Franz sie in Erinnerung hat. Auf dem Bild lächelt für ihn nur eine hübsche Frau, etwas dümmlich. Das Gesicht drückt nur den Wunsch zu gefallen aus.
Franz gießt sich einen Schnaps ein. Wie soll er hier leben? Soll er in diesen Sesseln sitzen, Geschäftsfreunde zu Gast haben, mit Karl und dem Vater fernsehen?
Er betrachtet sein Spiegelbild in der Verandascheibe und sieht sich beim Trinken zu.
Was kann ich tun, denkt Franz, abwarten, daß mir Erfahrung und Wissen und Lebensart zuwächst, mich mit Leidenschaft der Firma widmen, mit Leib und Seele Betriebsführer sein?
Der Vater kommt. »Du stehst da wie ein Fremder. Hat sich etwa was verändert?«
»Nein, es ist wie früher«, sagt Franz.
Sie fahren zum Ochsen.
Vor den Eingang hat man die Strecke gelegt. Drumherum die zumeist umgezogenen Gäste und Treiber, die mit ihren Frauen oder Bräuten gekommen sind. Der Vater kontrolliert ob die Vögel alle ausgeschleudert und die Hasen ausgedrückt sind. Der von Karl geschossene Fuchs erregt Aufmerksamkeit. Er sieht ganz eigenartig aus in dem dreckigen Plastiksack zwischen der so friedlich daliegenden Hundertschaft von Vögeln und Hasen. Der Fuchs muß eingeschickt werden.
Stuhlmacher hat einen neuen Verband um den Kopf. »Nur aus ästhetischen Gründen«, beruhigt Stuhlmacher den be-

sorgt fragenden Vater. »Freu mich schon drauf, morgen so vor meine Soldaten zu treten.«
Scheuble hat Blitzlichter besorgt. Zum Gruppenbild der Treiber bugsieren Haller und Fendrich Franz in die Mitte. Franz möchte die Arme um die neben ihm Stehenden legen. Er traut sich nicht.
Vor dem Essen hält Achsmann die Dankrede. Voller Anspielungen auf Eigenheiten und Schießleistungen der Jäger, humorvoll.
Es gibt ein einfaches Essen, Jägerart, Bier aus dem Faß, Schnaps.
Bevor die Gäste gemütlich werden, muß das Jagdgericht tagen. Franz wird zum Ankläger bestimmt. Ricke hilft ihm bei der Klageschrift: Dr. Scheubles Hund ist schon aktenkundig, kommen dazu die Hennen. Franz winkt Fendrich.
»Sechs Hühner hat er erledigt«, sagt Fendrich, »krieg ihn ordentlich ran, Franz.«
Kinzig hat einen Hasen im Treiben vergessen, ein Hahn ist in die Hochspannung gebraust und verendet, dafür kommt das Elektrizitätswerk dran, der unglückliche Amtsförster ... und so weiter.
Franz trinkt noch einen Schnaps, dann muß er reden. Markwirth ist der Richter. Er klopft auf den Tisch. »Der Herr Staatsanwalt, bitte!«
Franz macht seine Sache leidlich, aber ohne Witz, nur zum Elektrizitätswerk fällt ihm ein, es zur kostenlosen Stromlieferung für die ganze Stadt auf ein Jahr zu verurteilen. Beifall.
Jörger, als Verteidiger, hat leichtes Spiel und die Lacher für sich, als er Franz, dem Ankläger, rechtsaufweichende Milde ankreidet, wenig zimperlich mit dem Gericht umspringt und allseits höheres Strafmaß fordert, und der Strom darf beileibe nicht aus dem Atomkraftwerk stammen. »Denn diese Dinger wollen wir hier nicht!« Bravo! Weil die Kloss da keine Aussicht hat auch nur einen Stein zu verbauen, weiß Franz.

Markwirth spricht erfahren Jägerrecht. Scheuble ist das schwarze Schaf. Sechs Flaschen Schnaps und öffentliches Abbitten in Gesang, der Amtsförster muß Stuhlmacher einen Hirsch aus dem Staatswald zum Abschuß lassen, Kinzig für zehn Minuten die Kellnerin in den Keller ›treiben‹ und eindeutige Trophäen mit aus der Tiefe bringen und dergleichen mehr. Dann wird es laut.
Der Amtsförster, schon betrunken, küßt Stuhlmacher auf Stirn und Verband.
Achsmann erzählt von einer Jagd in den Auwäldern, bei der eine alte Pilzsammlerin von einem Schrotkorn getroffen wurde. »Es gelang uns nicht sie zu beruhigen. Sie schrie wie am Spieß: Nirgends ist man mehr sicher! Es war schrecklich.«
Und? Man will was Lustiges hören.
»Nirgends ist man mehr sicher! Immer wieder.«
Und dann? So geht doch keine Jagdgeschichte aus!
»Wir konnten sie nicht beruhigen. Nirgends ist man mehr sicher! schreiend verschwand sie im Wald.«
Das ist alles? Achsmann bestätigt nachdenklich.
»Vielleicht war das der schnellste Weg zum Irrenhaus«, sagt Jörger. Befreiendes Gelächter.
Durler erzählt was Deftiges aus seiner Heimat.
Donnerwetter, der versteht Spaß. Dann muß Scheuble singen. Auch das ist komisch.
Franz streckt die Beine unter den Tisch, trinkt Bier und Schnaps und fühlt sich irgendwie wohl.
Ein Treiber spielt Ziehharmonika und Fendrich Gitarre. Ein Rundgesang. Nach dem Vorsänger die ganze Gesellschaft: »Das hat der Robert fein gemacht, fein gemacht, drum wird er auch nicht ausgelacht, ausgelacht. Drum lieber Herr Jörger sing ein Lied, sing ein Lied!« Jörger singt eine frivole Stanze. Durler weiß auch eine ganz dolle. So geht das eine Weile und dann im allgemeinen Lärmen unter.
Neue, sonderbare Gedanken gehen in Franz' Kopf um. Bin ich wirklich so einzig in meinem Leiden und Fühlen? Geht

es den anderen nicht ebenso, ist es dem Vater nicht ebenso ergangen? Sie haben mir etwas voraus, sie haben die wichtigeren Fragen gestellt und Antwort erhalten. Sie haben etwas erreicht, sie sind gefestigt, glücklich, normal.
Und Franz verlangt plötzlich nach dieser Welt, er will mit dabei sein und mitmachen, er will die Firma schon leiten, das kann er, er spürt, er ist der richtige Mann, er will Verhandlungen führen, Leute seiner Wahl einstellen, Versager entlassen, Aufträge reinholen, aufsehenerregende Pläne vorlegen ... Er will gleichgültig gegenüber dem persönlichen Glück sein, aber seinen Platz in der Mitte haben, anerkannt sein und normal, normal wie die anderen ... Sie müssen seine Sehnsucht doch spüren, sie müssen ihm doch anmerken, daß er dazugehören will!
Karl, ja, ihm gelingt alles so leicht. Karl gehört dazu. Er hat das Wohlwollen und die Zuneigung, er ist einer von ihnen. Das bin ich doch auch. Nicht besser, nicht schlechter ...
Franz trinkt und lacht und schlägt voller Zustimmung über eine Bemerkung Achsmann auf die Schulter.
Ja, ich bin einverstanden, merkt ihr denn nichts?
Der Vater, Achsmann, Markwirth blicken zweifelnd zu ihm.
Nein, ich bin nicht betrunken, seht her ... ich hebe das Glas, trinke auf euch, Alkohol macht mir nichts aus, vertrag soviel wie ihr ... Ich habe Fehler gemacht, all mein Denken war so unerheblich und hat mich nur ins Abseits gebracht, ich war verschlossen und wollte besonders sein. Vorbei. Nicht mehr wahr. Ich will normal sein und meine Pflicht erfüllen ... mit euch und für euch leben ... meinen Bruder und meinen Vater lieben.
Franz ruft Karl zu sich, gratuliert ihm zum Fuchs, umarmt ihn, gibt ihm zu trinken.
Karl ist einen Augenblick erstaunt, so kennt er den Bruder nicht, dann trinkt er und lacht.
Na bitte, es ist ja so einfach, wenn man nur will. Ich muß nur den ersten Schritt tun, sagt sich Franz, ich muß ihnen

allen meine Bereitschaft zeigen, sie merken schon, wer ich wirklich bin und daß ich zu ihnen gehöre.
Franz geht zum Tisch der Treiber, singt den Kehrreim mit und bittet Fendrich um die Gitarre. Das kann er auch.
»Der Herr Franz singt jetzt eigenhändig!« ruft Fendrich und man klatscht. Franz verneigt sich. Schraubt an den Saitenspannern. Wie dumm, gleich werden sie wieder denken, die Gitarre sei ihm nicht sauber genug gestimmt. Er läßt es, schrammt einige Akkorde und singt, singt laut: »Mein Lieschen trägt keine Hosen . . .« Er hat viel zu hoch angesetzt, es waren auch nicht alle ruhig, jetzt hat er die richtige Stimmlage, jetzt fängt er erst richtig an: »Mein Lieschen trägt keine Hosen«, ein lustiges Liedchen, er hat es vor einer Woche auf einer Party gehört, »schon seit dem ersten April«, todsicher wird die Pointe ankommen, »weil sie unter der grenzenlosen«, jetzt kommts, »Hitze nicht leiden will.« Was ist?
Sie begreifen nicht. Sie sitzen nur da und glotzen. Der Herr Franz hat gesungen. Aber was?
Franz legt die Gitarre Fendrich in den Schoß. Die Frau neben Fendrich unterdrückt ein Prusten. Betroffenes Schweigen.
Ein nettes Lied. Warum lachen sie nicht, warum machen sie nicht weiter, danken mir im Rundgesang? Ich bin betrunken, sagt sich Franz, ich bin so betrunken, daß ich nicht einmal merke, wie sie schmunzeln über meinen kleinen Beitrag. Nein, sie schmunzeln nicht. Es ist nur grenzenlos peinlich. Ich habe nicht gut gesungen, an dem Lied kann es nicht liegen, was haben wir neulich gelacht darüber . . . So schlecht habe ich doch gar nicht gesungen . . . Was haben sie denn nur . . . Ich tu so, als müßte ich auf die Toilette . . . Nur nichts anmerken lassen . . . nicht zum Vater blicken . . . Ich gehe ganz normal zur Toilette, als wenn nichts gewesen wäre. Aber es war doch auch nichts!
Jetzt klatschen einige. Höflich manierlich. Das ist kein Beifall.

Womit habe ich sie nur so erschreckt?
Gott sei Dank, die Ziehharmonika spielt wieder. Wenigstens einer fängt mit dem Rundgesang an: »Das hat der Herr Franz fein gemacht . . .«, und langsam kommen Stimmen dazu, »fein gemacht.«
Dann hat er es geschafft. Er ist im Flur, er kann wieder den Kopf heben, hier ist niemand, hinter ihm singen sie, »drum wird er auch nicht ausgelacht«, er tritt vor den Ochsen, wo zwei Frauen die Kadaver in einen Kastenwagen verstaun, »aus-ge-lacht«, schallt es ihm nach, und er beginnt zu laufen.

HEINRICH BÖLL

## *Du fährst zu oft nach Heidelberg*

Für Klaus Staeck, der weiß, daß die Geschichte von Anfang bis Ende erfunden ist und doch zutrifft.

Abends, als er im Schlafanzug auf der Bettkante saß, auf die Zwölf-Uhr-Nachrichten wartete und noch eine Zigarette rauchte, versuchte er im Rückblick den Punkt zu finden, an dem ihm dieser schöne Sonntag weggerutscht war. Der Morgen war sonnig gewesen, frisch, maikühl noch im Juni und doch war die Wärme, die gegen Mittag kommen würde, schon spürbar: Licht und Temperatur erinnerten an vergangene Trainingstage, an denen er zwischen sechs und acht, vor der Arbeit, trainiert hatte.
Eineinhalb Stunden lang war er radgefahren am Morgen, auf Nebenwegen zwischen den Vororten, zwischen Schrebergärten und Industriegelände, an grünen Feldern, Lauben, Gärten, am großen Friedhof vorbei bis zu den Waldrändern hin, die schon weit jenseits der Stadtgrenze lagen; auf asphaltierten Strecken hatte er Tempo gegeben, Be-

schleunigung, Geschwindigkeit getestet, Spurts eingelegt und gefunden, daß er immer noch gut in Form war und vielleicht doch wieder einen Start bei den Amateuren riskieren konnte; in den Beinen die Freude übers bestandene Examen und der Vorsatz, wieder regelmäßig zu trainieren. Beruf, Abendgymnasium, Geldverdienen, Studium – er hatte wenig dran tun können in den vergangenen drei Jahren; er würde nur einen neuen Schlitten brauchen; kein Problem, wenn er morgen mit Kronsorgeler zurechtkam, und es bestand kein Zweifel, daß er mit Kronsorgeler zurechtkommen würde.
Nach dem Training Gymnastik auf dem Teppichboden in seiner Bude, Dusche, frische Wäsche und dann war er mit dem Auto zum Frühstück zu den Eltern hinausgefahren: Kaffee und Toast, Butter, frische Eier und Honig auf der Terrasse, die Vater ans Häuschen angebaut hatte; die hübsche Jalousie – ein Geschenk von Karl, und im wärmer werdenden Morgen der beruhigende, stereotype Spruch der Eltern: »Nun hast du's ja fast geschafft; nun hast du's ja bald geschafft.« Die Mutter hatte »bald«, der Vater »fast« gesagt, und immer wieder der wohlige Rückgriff auf die Angst der vergangenen Jahre, die sie miteinander nicht vorgeworfen, die sie miteinander geteilt hatten: über den Amateurbezirksmeister und Elektriker zum gestern bestandenen Examen, überstandene Angst, die anfing, Veteranenstolz zu werden; und immer wieder wollten sie von ihm wissen, was dies oder jenes auf spanisch hieß: Mohrrübe und Auto, Himmelskönigin, Biene und Fleiß, Frühstück, Abendbrot und Abendrot, und wie glücklich sie waren, als er auch zum Essen blieb und sie zur Examensfeier am Dienstag in seine Bude einlud: Vater fuhr weg, um zum Nachtisch Eis zu holen, und er nahm auch noch den Kaffee, obwohl er eine Stunde später bei Carolas Eltern wieder würde Kaffee trinken müssen; sogar einen Kirsch nahm er und plauderte mit ihnen über seinen Bruder Karl, die Schwägerin Hilda, Elke und Klaus, die beiden Kinder, von denen sie einmütig glaubten, sie würden verwöhnt – mit all

dem Hosen- und Fransen- und Rekorderkram, und immer wieder dazwischen die wohligen Seufzer »Nun hast du's ja bald, nun hast du's ja fast geschafft.« Diese »fast«, diese »bald« hatten ihn unruhig gemacht. Er hatte es geschafft! Blieb nur noch die Unterredung mit Kronsorgeler, der ihm von Anfang an freundlich gesinnt gewesen war. Er hatte doch an der Volkshochschule mit seinen Spanisch-, am spanischen Abendgymnasium mit seinen Deutschkursen Erfolg gehabt.

Später half er dem Vater beim Autowaschen, der Mutter beim Unkrautjäten, und als er sich verabschiedete, holte sie noch Mohrrüben, Blattspinat und einen Beutel Kirschen in Frischhaltepackungen aus ihrem Tiefkühler, packte es ihm in eine Kühltasche und zwang ihn, zu warten, bis sie für Carolas Mutter Tulpen aus dem Garten geholt hatte; inzwischen prüfte der Vater die Bereifung, ließ sich den laufenden Motor vorführen, horchte ihn mißtrauisch ab, trat dann näher ans heruntergekurbelte Fenster und fragte: »Fährst du immer noch so oft nach Heidelberg – und über die Autobahn?« Das sollte so klingen, als gelte die Frage der Leistungsfähigkeit seines alten, ziemlich klapprigen Autos, das zweimal, manchmal dreimal in der Woche diese insgesamt achtzig Kilometer schaffen mußte.

»Heidelberg? Ja, da fahr ich noch zwei-dreimal die Woche hin – es wird noch eine Weile dauern, bis ich mir einen Mercedes leisten kann.«

»Ach, ja, Mercedes«, sagte der Vater, »da ist doch dieser Mensch von der Regierung, Kultur, glaube ich, der hat mir gestern wieder seinen Mercedes zur Inspektion gebracht. Will nur von mir bedient werden. Wie heißt er doch noch?«

»Kronsorgeler?«

»Ja, der. Ein sehr netter Mensch – ich würde ihn sogar ohne Ironie vornehm nennen.«

Dann kam die Mutter mit dem Blumenstrauß und sagte: »Grüß Carola von uns, und die Herrschaften natürlich. Wir sehen uns ja am Dienstag.« Der Vater trat, kurz bevor er startete, noch einmal näher und sagte: »Fahr nicht zu oft nach Heidelberg – mit dieser Karre!«

Carola war noch nicht da, als er zu Schulte-Bebrungs kam. Sie hatte angerufen und ließ ausrichten, daß sie mit ihren Berichten noch nicht fertig war, sich aber beeilen würde; man sollte mit dem Kaffee schon anfangen.
Die Terrasse war größer, die Jalousie, wenn auch verblaßt, großzügiger, eleganter das Ganze, und sogar in der kaum merklichen Verkommenheit der Gartenmöbel, dem Gras, das zwischen den Fugen der roten Fliesen wuchs, war etwas, das ihn ebenso reizte wie manches Gerede bei Studentendemonstrationen; solches und Kleidung, das waren ärgerliche Gegenstände zwischen Carola und ihm, die ihm immer vorwarf, zu korrekt, zu bürgerlich gekleidet zu sein. Er sprach mit Carolas Mutter über Gemüsegärten, mit ihrem Vater über Radsport, fand den Kaffee schlechter als zu Hause und versuchte, seine Nervosität nicht zu Gereiztheit werden zu lassen. Es waren doch wirklich nette, progressive Leute, die ihn völlig vorurteilslos, sogar offiziell, per Verlobungsanzeige akzeptiert hatten; inzwischen mochte er sie regelrecht, auch Carolas Mutter, deren häufiges »entzückend« ihm anfangs auf die Nerven gegangen war.
Schließlich bat ihn Dr. Schulte-Bebrung – ein bißchen verlegen, wie ihm schien – in die Garage und führte ihm sein neu erworbenes Fahrrad vor, mit dem er morgens regelmäßig ein »paar Runden« drehte, um den Park, den Alten Friedhof herum; ein Prachtschlitten von einem Rad; er lobte es begeistert, ganz ohne Neid, bestieg es zu einer Probefahrt rund um den Garten, erklärte Schulte-Bebrung die Beinmuskelarbeit (er erinnerte sich, daß die alten Herren im Verein immer Krämpfe bekommen hatten!), und als er wieder abgestiegen war und das Rad in der Garage an die Wand lehnte, fragte Schulte-Bebrung ihn: »Was denkst du, wie lange würde ich mit diesem Prachtschlitten, wie du ihn nennst, brauchen, um von hier nach – sagen wir Heidel-

berg zu fahren?« Es klang wie zufällig, harmlos, zumal Schulte-Bebrung fortfuhr: »Ich habe nämlich in Heidelberg studiert, hab auch damals ein Rad gehabt und von dort bis hier habe ich damals – noch bei jugendlichen Kräften – zweieinhalb Stunden gebraucht.« Er lächelte wirklich ohne Hintergedanken, sprach von Ampeln, Stauungen, dem Autoverkehr, den es damals so nicht gegeben habe; mit dem Auto, das habe er schon ausprobiert, brauche er ins Büro fünfunddreißig, mit dem Rad nur dreißig Minuten. »Und wie lange brauchst du mit dem Auto nach Heidelberg?« »Eine halbe Stunde.«
Daß er das Auto erwähnte, nahm der Nennung Heidelbergs ein bißchen das Zufällige, aber dann kam gerade Carola, und sie war nett wie immer, hübsch wie immer, ein bißchen zerzaust, und man sah ihr an, daß sie tatsächlich todmüde war, und er wußte eben nicht, als er jetzt auf der Bettkante saß, eine zweite Zigarette noch unangezündet in der Hand, er wußte eben nicht, ob seine Nervosität schon Gereiztheit gewesen, von ihm auf sie übergesprungen war, oder ob sie nervös und gereizt gewesen war – und es von ihr auf ihn übergesprungen war. Sie küßte ihn natürlich, flüsterte ihm aber zu, daß sie heute nicht mit ihm gehen würde. Dann sprachen sie über Kronsorgeler, der ihn so sehr gelobt hatte, sprachen über Planstellen, die Grenzen des Regierungsbezirks, über Radfahren, Tennis, Spanisch, und ob er eine Eins oder nur eine Zwei bekommen würde. Sie selbst hatte nur eine knappe Drei bekommen. Als er eingeladen wurde, zum Abendessen zu bleiben, schützte er Müdigkeit und Arbeit vor, und niemand hatte ihn besonders gedrängt, doch zu bleiben; rasch wurde es auf der Terrasse wieder kühl; er half, Stühle und Geschirr ins Haus zu tragen, und als Carola ihn zum Auto brachte, hatte sie ihn überraschend heftig geküßt, ihn umarmt, sich an ihn gelehnt und gesagt: »Du weißt, daß ich dich sehr, sehr gern habe, und ich weiß, daß du ein prima Kerl bist, du hast nur einen kleinen Fehler: du fährst zu oft nach Heidelberg.«

Sie war rasch ins Haus gelaufen, hatte gewinkt, gelächelt, Kußhände geworfen, und er konnte noch im Rückspiegel sehen, wie sie immer noch da stand und heftig winkte.
Es konnte doch nicht Eifersucht sein. Sie wußte doch, daß er dort zu Diego und Teresa fuhr, ihnen beim Übersetzen von Anträgen half, beim Ausfüllen von Formularen und Fragebögen; daß er Gesuche aufsetzte, ins Reine tippte; für die Ausländerpolizei, das Sozialamt, die Gewerkschaft, die Universität, das Arbeitsamt; daß es um Schul- und Kindergartenplätze ging, Stipendien, Zuschüsse, Kleider, Erholungsheime; sie wußte doch, was er in Heidelberg machte, war ein paar Mal mitgefahren, hatte eifrig getippt und eine erstaunliche Kenntnis von Amtsdeutsch bewiesen; ein paar Mal hatte sie sogar Teresa mit ins Kino und ins Café genommen und von ihrem Vater Geld für einen Chilenen-Fond bekommen.
Er war statt nach Hause nach Heidelberg gefahren, hatte Diego und Teresa nicht angetroffen, auch Raoul nicht, Diegos Freund; war auf der Rückfahrt in eine Autoschlange geraten, gegen neun bei seinem Bruder Karl vorbeigefahren, der ihm Bier aus dem Eisschrank holte, während Hilde ihm Spiegeleier briet; sie sahen gemeinsam im Fernsehen eine Reportage über die Tour de Suisse, bei der Eddy Merckx keine gute Figur machte, und als er wegging, hatte Hilde ihm einen Papiersack voll abgelegter Kinderkleider gegeben für »diesen spirrigen netten Chilenen und seine Frau«.

Nun kamen endlich die Nachrichten, die er mit halbem Ohr nur hörte: er dachte an die Mohrrüben, den Spinat und die Kirschen, die er noch ins Tiefkühlfach packen mußte; er zündete die zweite Zigarette doch an: irgendwo – war es Irland? – waren Wahlen gewesen: Erdrutsch; irgendeiner – war es wirklich der Bundespräsident? – hatte irgendwas sehr Positives über Krawatten gesagt; irgendeiner ließ irgendwas dementieren; die Kurse stiegen; Idi Amin blieb verschwunden.

Er rauchte die zweite Zigarette nicht zu Ende, drückte sie in einem halb leergegessenen Yoghurtbecher aus; er war wirklich todmüde und schlief bald ein, obwohl das Wort Heidelberg in seinem Kopf rumorte.

Er frühstückte frugal: nur Brot und Milch, räumte auf, duschte und zog sich sorgfältig an; als er die Krawatte umband, dachte er an den Bundespräsidenten – oder war's der Bundeskanzler gewesen? Eine Viertelstunde vor der Zeit saß er auf der Bank vor Kronsorgelers Vorzimmer, neben ihm saß ein Dicker, der modisch und salopp gekleidet war; er kannte ihn von den Pädagogikvorlesungen her, seinen Namen wußte er nicht. Der Dicke flüsterte ihm zu: »Ich bin Kommunist, du auch?«
»Nein«, sagte er, »nein, wirklich nicht – nimm's mir nicht übel.«
Der Dicke blieb nicht lange bei Kronsorgeler, machte, als er herauskam eine Geste, die wohl »aus« bedeuten sollte. Dann wurde er von der Sekretärin hineingebeten; sie war nett, nicht mehr ganz so jung, hatte ihn immer freundlich behandelt – es überraschte ihn, daß sie ihm einen aufmunternden Stubs gab, er hatte sie für zu spröde für so etwas gehalten. Kronsorgeler empfing ihn freundlich; er war nett, konservativ, aber nett; objektiv; nicht alt, höchstens Anfang vierzig. Radsportanhänger, hatte ihn sehr gefördert, und sie sprachen erst über die Tour de Suisse; ob Merckx geblufft habe, um bei der Tour de France unterschätzt zu werden, oder ob er wirklich abgesunken sei; Kronsorgeler meinte, Merckx habe geblufft; er nicht, er meinte, Merckx sei wohl wirklich fast am Ende, gewisse Erschöpfungsmerkmale könne man nicht bluffen. Dann über die Prüfung; daß sie lange überlegt hätten, ob sie ihm doch eine Eins geben könnten; es sei an der Philosophie gescheitert; aber sonst: die vorzügliche Arbeit an der VHS, am Abendgymnasium; keinerlei Teilnahme an Demonstrationen, nur gäbe es – Kronsorgeler lächelte wirklich liebenswürdig – einen einzigen, einen kleinen Fehler.

»Ja, ich weiß«, sagte er, »ich fahre zu oft nach Heidelberg.«
Kronsorgeler wurde fast rot, jedenfalls war seine Verlegenheit deutlich; er war ein zartfühlender, zurückhaltender Mensch, fast schüchtern, Direktheiten lagen ihm nicht.
»Woher wissen Sie?«
»Ich höre es von allen Seiten. Wohin ich auch komme, mit wem ich auch spreche. Mein Vater, Carola, deren Vater, ich höre nur immer: Heidelberg. Deutlich höre ich's, und ich frage mich: wenn ich die Zeitansage anrufe oder die Bahnhofs-Auskunft, ob ich nicht hören werde: Heidelberg.«
Einen Augenblick lang sah es so aus, als ob Kronsorgeler aufstehen und ihm beruhigend die Hände auf die Schulter legen würde, erhoben hatte er sie schon, senkte die Hände wieder, legte sie flach auf seinen Schreibtisch und sagte: »Ich kann Ihnen nicht sagen, wie peinlich mir das ist. Ich habe Ihren Weg, einen schweren Weg mit Sympathie verfolgt, aber es liegt da ein Bericht über diesen Chilenen vor, der nicht sehr günstig ist. Ich darf diesen Bericht nicht ignorieren, ich darf nicht. Ich habe nicht nur Vorschriften, auch Anweisungen, ich habe nicht nur Richtlinien, ich bekomme auch telefonische Ratschläge. Ihr Freund – ich nehme an, er ist Ihr Freund?«
»Ja.«
»Sie haben jetzt einige Wochen lang viel freie Zeit. Was werden Sie tun?«
»Ich werde viel trainieren – wieder radfahren, und ich werde oft nach Heidelberg fahren.«
»Mit dem Rad?«
»Nein, mit dem Auto.«
Kronsorgeler seufzte. Es war offensichtlich, daß er litt, echt litt. Als er ihm die Hand gab, flüsterte er: »Fahren Sie nicht nach Heidelberg, mehr kann ich nicht sagen.« Dann lächelte er und sagte: »Denken Sie an Eddy Merckx.«
Schon als er die Tür hinter sich schloß und durchs Vorzimmer ging, dachte er an Alternativen: Übersetzer, Dolmet-

scher, Reiseleiter, Spanischkorrespondent bei einer Maklerfirma. Um Profi zu werden, war er zu alt, und Elektriker gab's inzwischen genug. Er hatte vergessen, sich von der Sekretärin zu verabschieden, ging noch einmal zurück und winkte ihr zu.

PETER SCHNEIDER

## *Das Wiedersehen*

Der Mann am Nebentisch hielt die Zeitung so steil, daß ich mitlesen mußte. Jedesmal, wenn ich an der Zeitung vorbei auf die Straße schaute, verfing sich mein Blick in einer Schlagzeile, die man für jede fünfte oder sechste Ausgabe voraussagen konnte und doch immer wieder las. Irgend jemand, der schon lange gesucht wurde, war gefaßt worden, und irgendein anderer, von dem man noch nie gehört hatte, wurde jetzt gesucht. Weil mir das Warten zu lang wurde, ging ich in das Geschäft gegenüber und kaufte eine Wanderkarte des südlichen Schwarzwalds. Die Karte war so groß, daß ich den Cafétisch abräumen mußte, um sie ausbreiten zu können. Die Landschaft sah aus wie eine Zeichnung aus dem Gedächtnis. Keine Autobahnen, keine Flughäfen, keine Städte, nur winzige dörfliche Ansiedlungen, durch Wanderwege verbunden. Die Täler waren grün, die Berge braun, die Flüsse blau, alles gesehen aus der Perspektive eines Fallschirmspringers, der sich an einem sonnigen Sommertag aus der Luke stürzt. Ich suchte in den Zeichen und Symbolen nach einem Hinweis, wo ich mit Karin hinfahren könnte. Aber jede Erklärung auf dem Kartenrand las sich wie Hohn: Mühle, Kloster, Höhle, Zahnradbahn. Dann fiel mir ein, daß die ganze grün gemalte Landschaft jetzt von Schnee bedeckt sein mußte, der Boden festgefroren, die Äste der Laubbäume kahl und schwarz. Als ich die Karte zusammenfaltete, spürte ich den

Blick des Mannes vom Nebentisch. Ich schaute ihn an und sah einen Verdacht in seinen Augen.
Als ich Karin hereinkommen sah, wurde es unwichtig, wo wir hinfahren würden. Erst einmal hinaus aus der Stadt, sich schieben lassen von der Musik aus dem Heck, anhalten, wenn es dunkel ist. Ich sah ihr zu, wie sie sich setzte, eine Zigarette anzündete, mich mit spöttischem Erstaunen ansah, als ich ablehnte, *Seit Mittwoch habe ich keine mehr angefaßt! – Du bist der häufigste Nichtraucher, den ich kenne!*, sah ihr beim Reden zu. Hatten sich die Falten um die Mundwinkel etwas tiefer gegraben oder bildete ich mir das ein? Den kleinen Pickel über der Oberlippe hatte ich vergessen, aber sie benutzte denselben Lippenstift, immer noch oder schon wieder: violett-rot. *Ich will künstlich aussehen, wenn ich mich schminke, und nicht so idiotisch natürlich!* Sie machte den Mund weit auf beim Reden, überhaupt ihre Bereitschaft, den Mund aufzumachen: beim Lachen, Küssen, Trinken, Singen. Auch ich redete nur über die letzten drei Stunden, als hätten wir uns gestern zuletzt gesehen. Aber während ich sprach, fühlte ich mich angeschaut von demselben vergleichenden Blick. Sollte ich ihr sagen, daß ich mich gestern betrunken hatte? Aber wollte ich damit widerlegen, was sie an mir sah? Natürlich würde sie auch momentane Veränderungen in meinem Gesicht als längst geschehen betrachten, jede Abweichung hatte in diesem Augenblick etwas Endgültiges. Was ist ein Jahr? *15 Kilometer Autobahn, wenn man die gerauchten Zigaretten aneinanderlegt, bei dir etwas mehr, eine halbe Liebesgeschichte, auf den Monatsdurchschnitt gerechnet, bei mir etwas weniger.* Einen Moment lang sahen wir uns wieder an mit dem ersten Blick, als wir Gründe und Absichten nicht gelten ließen. Jetzt war es noch möglich, einfach aufzustehen und zu gehen, das ganze Treffen für einen sentimentalen Irrtum zu erklären. Ohne Erklärung, fast ohne Schmerz.
*Ich verzeihe dir nicht, wie du jetzt aussiehst! – Ich will mich an diese eine Geste von dir gar nicht gewöhnen!*
Ich wollte ihren Blick von mir ablenken, ich rief den Kell-

ner und sah ihr zu, wie sie mit langen dunkelroten Fingernägeln eine neue Zigarette aus der Packung fischte.
Ich bin die mit den zu kleinen Händen, erinnerst du dich?
Ich wollte ihr widersprechen, aber es war kein Vorwurf in ihrer Stimme, nur Spott.
Habe ich das gesagt?
Als wir aus der Stadt hinaus waren, spürten wir den Wind. Er trieb uns kleine Ästchen, Kieselsteine und Blätter entgegen, die wie ein Schwarm winziger Tiere auf uns zuliefen und direkt vor den Vorderrädern seitlich davonstoben. An immer anderen Stellen fielen Lichtbündel aus den niedrig fliegenden Wolken auf einzelne Punkte der Landschaft. Vor den Wolkenmassen, die am Horizont die blauschwarze Färbung der Berge annahmen, erschien das Licht gelb und staubig, die Landschaft, in der manchmal ein beschneiter Hügel oder ein nasses Ziegeldach aufleuchtete, sah aus wie gemalt. Während ich mit beiden Händen das Steuer festhielt und mit einem TEE um die Wette fuhr, ließ Karin die Kassette immer wieder an den Anfang desselben Liedes zurücklaufen.
Daß du das Lied nicht kennst! Wir tanzen schon ein halbes Jahr danach!
Wir hatten nicht mehr dieselben Freunde, aber wir mochten immer noch dieselbe Musik. Das Lied kam wie aus großer Tiefe, die Töne klangen, als würden sie durch Wasser gepreßt. Ich sah die ganze Gruppe auf dem Meeresgrund sitzen: grinsend und mit der Lockerkeit betrunkener Wassermenschen spielten sie ihre Instrumente, mit trägen, durch das Wasser gemilderten Bewegungen. Jedesmal, wenn der Refrain kam, schlug Karin den Rhythmus auf den Autositz und sang aus Leibeskräften mit. Die Zeit da draußen, die Zeit unserer Begegnung im Café lag Jahre hinter uns. Jetzt galt nur die Zeit in dem Auto, und sie wurde durch Anfang und Ende des Liedes gemessen.
Als es zu dämmern begann, bog ich von der Autobahn ab. Die Berge zur Linken waren der Autobahn näher gekom-

men, die breiten, jetzt schattenlosen Abhänge verschwanden nach oben in weißen Nebelfetzen. Ich nahm die Straße zum Schauinsland. Rechts und links der Serpentinenstraße sahen wir vereinzelte Schneeflecken, die sich allmählich ausdehnten und das hügelige Gelände einebneten. Auf einmal war es, als führen wir nur noch in ein flaches Bild hinein, das durch den Rahmen der Frontscheibe begrenzt wurde. Der Nebel, der uns jetzt einhüllte, nahm dem Raum alle Tiefe und schien auch Karins Körper flach gegen die Rückenlehne zu pressen. Karin hatte den Recorder ausgestellt und sprach nicht mehr, ich setzte mich steil auf und näherte den Kopf so weit wie möglich der Frontscheibe, um die Sichtstrecke ein paar Zentimeter zu verlängern. Nur sekundenlang, wenn das Licht eines nahen Hauses wie ein Atemstoß den Nebel zerteilte, war der Rand des Schneeaufwurfs an einer feinen Rußschicht von den darüber liegenden Dunstschwaden zu unterscheiden.
Glaubst du, daß wir hier etwas finden, fragte Karin.
Ich weiß nicht, wir müssen fragen, sagte ich.
Wie lange hast du eigentlich Zeit?
Bis Montag früh.
Ich dachte, wir hätten einen Tag länger.
Ein Wegweiser, den der Scheinwerfer plötzlich aus dem Nebel löste, zeigte den Weg zu einem Hotel, das ich kannte. Das Dach des Hotels senkte sich tief in eine Schneewächte hinab. Als wir ausstiegen, hörten wir den Wind, als hätten wir soeben eine schalldichte Tür aufgemacht. Unmittelbar über uns verfing er sich in den Wipfeln von Bäumen, die wir nicht sahen, aber wir hörten nicht nur das peitschende Geräusch aneinanderschlagender Nadelzweige, sondern auch ein gefährliches Splittern und Krachen von tiefer her aus den Stämmen. Die Tür unter dem überdachten Eingang war aus schwerem Holz, und der Wind drückte so stark dagegen, daß ich sie kaum aufbekam. Wie Karin mich an der Tür reißen sah, begann sie zu lachen.
Klingt unheimlich echt, dieser Wind, Vollstereo!
Die Frau an der Rezeption sagte Grüß Gott! und sah uns

verwundert an, als wir nach einem Zimmer fragten. Ob wir vergessen hätten, daß Heiligabend sei, alle Zimmer seien längst besetzt oder reserviert. Es war ihr lästig, daß sie doch noch ein Doppelzimmer fand, zu dem sie uns den Schlüssel aushändigte. Wir holten die Sachen aus dem Auto und sahen uns in dem holzverkleideten Zimmer um. Eine Glastür führte in einen unbeheizten Wintergarten. Davor erkannte ich den dunklen Umriß einer Baumgruppe, vielleicht ein Fichtenwäldchen, das frühere Generationen als Windfang in die kahle Senke gepflanzt hatten. Ich öffnete das Fenster, und wieder hörten wir das unwirklich laute Reißen und Toben da draußen.
Ich sagte Karin, daß wir uns dicht unter dem höchsten Punkt der Umgegend befänden. Der Satz traf im Augenblick auf nichts zu. Als ich das Fenster schloß, war es, als hätte ich uns im Zimmer eingeschlossen. Die plötzliche Abwesenheit des Nebels und der Geräusche rief ein Dröhnen in mir hervor. Es störte mich, daß uns jetzt nichts mehr ablenkte. Ich sah Karin zu, wie sie auspackte, und sagte, wir sollten hinaufgehen, noch etwas essen. Sie sah mich an wie jemanden, der sich auf der Flucht befindet.
Geh schon vor, ich möchte mir noch etwas anderes anziehen!
Ich setzte mich an den grünen Kachelofen auf die Eckbank. Die Gäste am Nebentisch sprachen leise und hörten ganz auf, als ich den Kellner um die Speisekarte bat. Zu spät! sah ich in ihren Augen, da kommt einer am Weihnachtsabend zum Essen zu spät! Sie warteten, bis sie das Echo ihres Gedankens aus dem Mund des Kellners hörten und wischten sich das Fett aus den Mundwinkeln, als ich etwas Kaltes bestellte: Schwarzwälder Schinken und Sekt.
Erst als sie unmittelbar vor mir stand, merkte Karin, daß sie mit ihrem Gang durch die Gaststube eine Prüfung vor einer schweigenden Jury abgelegt hatte.
Ist es immer so still im Schwarzwald?
In ihrem dunklen ausgeschnittenen Samtkleid sah sie als einzige festlich aus. Sie hatte die Lippen mit dem violetten

Stift nachgezogen und sich die Augenlider mit Silbersternchen besprenkelt, von denen einige auf ihre nackten Schultern gefallen waren. Aber in dieser Stille, in der jedes laute Wort zum Gebrüll wurde, wirkte ihre Erscheinung wie eine Drohung. Ich war in diesem Moment stolz auf sie, auf ihre Bereitschaft, aufzufallen. Auf den Wind da draußen!
Auf Eric Clapton!
Auf das kleine Jesuskind, weil es die Weihnachtsferien erfunden hat.
Wir suchten mit den Sektgläsern die Stelle, wo sie klingen, und machten uns an den Schinken. Ein Besteck klirrte auf den Boden, und ein Kind wurde getadelt. Unter dem Tisch neben uns entstand ein kurzer Zweikampf zwischen den Händen des Kindes und denen des Kellners: wer würde das Besteck als erster auf den Tisch zurückbefördern?
Was ist hier eigentlich los?
Sie schauen dich an, als ob sie dich kennen. Sie blättern im Geist irgendwelche Steckbriefe durch.
Ich glaube, sie trauen uns allerhand zu.
Was gehen uns eigentlich diese Leute an?
Gar nichts.
Warum reden wir dann darüber?
Es war das alte Gefühl der Gemeinsamkeit, das durch Abgrenzung gegen Dritte entsteht. *Wir erzielen eine Übereinstimmung, die uns nichts kostet. – Oder: Wir haben uns im Gespräch meistens besser verstanden als im Bett!* – Ich sah Karin beim Essen zu. Sie bereitete jeden Bissen sorgfältig vor und hielt, wenn sie ihn heruntergeschluckt hatte, einen gewissen Abstand zum nächsten ein. Auch bevor sie das Sektglas nahm, wartete sie ein Weilchen, bis ihr Gaumen frei war für ein neues Gefühl, und trennte dann jeden Schluck vom nächsten.
Hast du dich denn gefreut, fragte sie.
Ja, sehr. Aber mir war auch ein bißchen mulmig.
Jetzt immer noch?
Nein, jetzt nicht mehr.
Du hast dich verändert. Du schaust anders.

Ich hab gestern zu viel getrunken.
Du schaust offener, dein Gesicht ist irgendwie deutlicher geworden.
Der Kellner löschte das Licht im Vorraum und schlug mit einem Handtuch die Krümel von den Tischen. Als er die Sektflasche wegräumen wollte, nahm Karin sie ihm aus der Hand. Es war noch ein Rest darin.
Noch eine Flasche.
Wir schließen jetzt gleich.
Macht nichts. Wir möchten noch eine Flasche.
Sie sah ihn streitlustig an, schenkte sich das Glas voll und gab ihm die leere Flasche. Ihr war warm geworden vom Trinken, ihr Gesicht glühte vor Unternehmungslust.
Was willst du eigentlich in drei Tagen herausfinden, fragte sie.
Bevor ich hergekommen bin, hab ich's gewußt.
Hast du ›Harold und Maude‹ gesehen? Es ist ein ziemlich alberner Film, aber es gibt eine Stelle darin, wegen der ich noch einmal hineingehen würde. Der Knabe Harold sitzt mit seiner achtzigjährigen Geliebten am Meer und schenkt ihr einen Ring. Maude betrachtet ihn lange, dann wirft sie ihn mit einer ganz schnellen und jungen Bewegung ins Meer. Jetzt weiß ich wenigstens immer, wo er ist, sagt sie. In diesem Moment war der ganze Kinosaal in der Luft, ja wir flogen alle, als diese alte Frau eine lächerliche oder langweilige Zukunft wegwarf, um einen Augenblick ganz zu haben.
Wir entkorkten die neue Flasche und redeten weiter, bis der Kellner uns hinauswarf. Als wir unten im Zimmer vor dem gewaltigen Ehebett standen, war plötzlich eine Kälte zwischen uns. Ich trat auf Karin zu, aber sie spürte die Unsicherheit meiner Berührung und wendete sich ab. Ich vermied es, ihr zuzusehen, wie sie sich mit raschen, gleichgültigen Bewegungen auszog. Nur jetzt nicht Stellung nehmen müssen zu einem anderen Körper, die Anstrengung vermeiden, über eine Zimmerbreite hinweg, Lust zu zeigen. Wir hatten getrunken, wir hatten uns durch den Nebel

gearbeitet, wir waren schwer vom Reden und Essen, wir hatten ein Recht darauf, nichts weiter als müde zu sein. Wir hatten jetzt keine Kraft mehr zu einem körperlichen Austausch, wir wollten einfach nur schlafen.
Karin zündete sich eine Zigarette an, setzte sich ins Bett und stellte den Recorder an. Ich setzte mich neben sie und hörte zu. Es war nur ein winziger Lautsprecher an dem Gerät, und die Musik übertönte nur schwach das Brausen des Windes. Elektronisch verzerrte Stimmen, von einem Sitarspieler begleitet, flüchtige Botschaften von einem anderen Planeten, die nur wir auffangen konnten, dicht unter dem höchsten Punkt der Umgegend. Ich lehnte mich ganz zurück und gab das Gewicht meines Körpers an die Wand ab. Allmählich hatte ich ein sickerndes Gefühl in den Gliedern, weiße Lichtkreise schwammen von der Lampe unter der Holzdecke durch das Zimmer, legten sich als gleißende Linien um alles Sichtbare, sanken ins Dunkle am Fußende des Bettes. Karins Gesicht war jetzt von einer durchsichtigen Klarheit und leicht nachzuzeichnen, ein schwarzer, halboffener Mund unter der hellen, durchlässigen Stirn, *hör einfach zu und versuche, die Stimmen zu verstehen, beobachte mich nicht und vergleiche mich nicht mit der, die du kennst, deine einzige Aufgabe ist, in diesem Augenblick da zu sein, denn wir leben nur jetzt, nachher nicht mehr.* Sanft und nur mit den Fingerkuppen berührten wir uns, die Erinnerungen waren aus unseren Fingern gewichen, und als wir uns ansahen, gab es kein Wiedererkennen. Als das Band zuende war, machten wir das Licht aus und legten uns nebeneinander, müde, ohne Verlangen.
Plötzlich spürte ich, wie sich Karin in der Dunkelheit aufsetzte.
Ich habe das vorhin schon gemerkt, als wir voreinander standen, es ist alles verplant, bevor es angefangen hat, ich weiß überhaupt nicht, warum ich mich auf diese Reise eingelassen habe, drei Tage in diesem schwachsinnigen Hotel, mitten im Schwarzwald, eingeklemmt in deine Termine, ich rede nicht davon, daß die Zeit zu kurz ist, aber diese

Zeit hat kein offenes Ende, und das Ergebnis stand bereits fest, bevor du mich in diesem Café getroffen hast.
Ich nahm sie in den Arm, um sie zum Schweigen zu bringen. Wir berührten uns nun im Dunkeln und suchten, durch Erregung die verlorene Gegenwart wiederherzustellen, aber nun war der Zwang zur Erlösung in unseren Fingern. *Nie mehr, nie mehr diesen lächerlichen Kampf um die Lust: hast du Lust, habe ich keine, hast du keine, kriege ich sie!* Karin schob meine Hände weg. Nachdem die Angst vor der ersten Berührung überrumpelt war, wollte sie nicht mit mir zusammensein unter dem Druck einer alten Beweislast.
Wir erwachten spät und bestellten das Frühstück ins Zimmer. Der Kellner starrte mißtrauisch auf Karins Hemd, als würde sich darunter eine Waffe verbergen. Gestern war er nur hochnäsig gleichgültig gewesen, heute schien er Beobachtungen anzustellen. Irgendjemand war gefaßt worden und irgendein anderer wurde jetzt gesucht. Aber die Brötchen waren frisch, die Marmelade hausgemacht, es war kein Gift im Kaffee. Draußen hatte sich der Wind gelegt, die beschneite Landschaft sah sanft und langweilig aus, vollkommen gezähmt durch Wege, Lifte, Gasthäuser, Telegraphenmasten. Als wir hinausgingen, sahen wir durch die gläserne Wand der Schwimmhalle die blinden Gesichter in Liegestühlen, die nackten Körper wirkten wie Schatten der vermummten Gestalten am Hang gegenüber, die von Liften gezogen wurden. Wir gingen nach Westen, an der Waldgrenze entlang den Berg hinunter. Die Wolken wurden von einem warmen Wind talwärts getrieben, unten war der Rhein an der breiten Dunstschicht zu erkennen, die sich von Norden nach Süden zog, dahinter unnatürlich nah die Vogesen. Der Weg war so schmal, daß wir meistens hintereinander gingen, Schnee fiel aus den Ästen oder lief in den Falten der Rinde herab, das Geräusch unserer Schritte wurde von dem nassen Moosgrund verschluckt. Wir sprachen wenig, zeigten uns einen vom Wind zerknickten Baum, sahen in die frisch gesplitterte Bruchstelle,

horchten auf das kaum hörbare Rauschen in den Wipfeln, das keine Erinnerung an die Gewalt des gestrigen Sturmes aufkommen ließ. Später setzten wir uns auf ein Stück Moos, das im Windschatten lag und von der Sonne erwärmt wurde.

Wenn es gelang, an nichts zu denken, konnte man hören, wie sich die Schneekristalle voneinander lösten. Ein dunkler, stetiger Ton war darunter wie Orgelgeräusch: die Harmonie aller Naturlaute oder das ferne Rollen eines Skilifts. Plötzlich hatte ich das Gefühl, das alles schon einmal erlebt zu haben. Waren wir nicht denselben Weg schon einmal gegangen, auf der Suche nach merkfähigen Gründen für den bevorstehenden Abschied? Oder war das nur ein ähnlicher Weg in einer anderen Landschaft? Die Angst, daß die ganze vergangene Zeit in die Wiederholung eines Spaziergangs zusammenrutschte, trieb uns zur Aufzählung von Errungenschaften, die die Abwesenheit des anderen ermöglicht hatte.

Ich hatte immer das Gefühl, daß du mich zu scharf anschaust. Seither habe ich mich nie mehr so stark in Frage gestellt gefühlt.

Es war eine ständige Beobachtung zwischen uns. Irgendwie schlug immer eine Art Verwandtschaft durch, bevor wir Lust aufeinander bekamen.

Sich einfach hinzugeben oder den anderen zu verführen, ohne daß eine Gegenleistung erwartet wird, das war in der Zwischenzeit nie so schwer. Aber manchmal habe ich das Gefühl, ich vermisse auch die Ängste, die du bei mir auslöst.

Am meisten habe ich es genossen, nicht mehr zu zweifeln: an meiner Lust oder Unlust. Aber die Nähe, die zwischen uns möglich war, habe ich zu niemand mehr herstellen können.

Vielleicht braucht es eine gewisse Fremdheit, damit man Grund zur Annäherung hat.

Dasselbe Gewäsch wie vor Jahren.

Es wird immer ein Gewäsch, wenn du eine Trennung erklärst.

Es war dann gleichgültig, was wir sagten. Alle Sätze wurden von der Müdigkeit in unseren Beinen angesteckt, die Gedanken kollerten vor uns die Hänge hinab und ließen sich nicht weiterverfolgen. Wir waren etwa drei Stunden gelaufen, und unten im Tal gingen jetzt die Lichter an. Wir gingen noch bis zur Talstation und nahmen die Seilbahn hinauf. An den unteren Hängen hatten sich wieder Nebelschwaden gebildet, die sich langsam gegen den Berg hin ausdehnten. Wir waren die einzigen Fahrgäste in der Kabine und schauten auf das glitzernde Tal hinab, das langsam wie ein Meeresboden unter einem aufsteigenden Taucher schwarz und konturenlos wurde. Als wir die Nebelgrenze durchstießen, und die Lichter unter uns im Dunst zerfielen, schimmerten einzelne Sterne durch die Wolkenlöcher. Es war ein festliches Gefühl, ihnen in der Nacht entgegenzufahren. Wir erreichten das Hotel, als die anderen Gäste, dunkel gekleidet, sich gerade zum Festessen setzten. Wir sagten dem Kellner, daß unser Tisch zur Verfügung stünde, und gingen ins Zimmer hinunter. Mit schweren Gliedern warfen wir uns aufs Bett. Glühende, langsam dunkler werdende Landschaft im Kopf, dösten wir ein. Dann schoben wir uns aneinander und liebten uns mit schweren, dämmernden Bewegungen, es gab keine Behauptungen mehr, keine Erinnerungen.
Wir erwachten durch ein Klopfen an der Tür. Da ich nicht aufmachte, rief eine Männerstimme durch die Tür. Die Rezeption habe sich geirrt, das Zimmer sei doch vorbestellt gewesen und müßte geräumt werden. Ich antwortete, wir dächten gar nicht daran, das Zimmer zu räumen, noch nicht einmal umziehen würden wir, wir hielten uns auch an Absprachen, die auf einem Irrtum beruhten. Gleichzeitig feuerte ich ein paar Zündkapseln mit der winzigen Anhängerpistole an meinem Schlüsselbund ab. Wir bestellten Kirschwasser und Schinken aufs Zimmer, bereit, uns gegen jeden Feind zu verbünden. Aber als wir uns jetzt berührten, war wieder dieses trockene Gefühl in den Fingern.
Hau ab! Mach daß du aus dem Zimmer kommst!

Ich hab keine Lust, mich mit deinen Krämpfen abzugeben!
Ich habe erst recht keine Lust!
Dann geh doch! Worauf wartest du!
Ich gehe, verlaß dich darauf!
Wenn wenigstens die Polizei käme und uns mitnähme zur Identifikation! Ich ging hinaus, durch den Speiseraum, vorbei an den Kellnern, die sich zum Grüßen zwangen, vorbei an der ganzen flüsternden Festgemeinschaft. Draußen war jetzt wieder so dichter Nebel, daß ich das Hotel aus den Augen verlor, bevor ich das Auto erreicht hatte. Ich fuhr im Schrittempo durch den weißen Tunnel, der sich nur meterweise öffnete, um irgendein Gasthaus zu finden, in dem ich mich besaufen könnte. Eines, das ich kannte, war geschlossen, und als ich weiterfuhr, sah ich, daß der Zeiger der Benzinuhr fast auf Null stand. Vergessene Geschichten fielen mir ein, Geschichten über Leute, die fünfzig Meter von ihrem Hotel erfroren waren, weil sie im dichten Nebel immer im Kreis gegangen waren. Aber zurückfahren kam nicht in Frage. Schließlich fand ich ein Hotel, in dem ich zwei besoffenen Einsamen Gesellschaft beim Schnaps leistete. Als ich spürte, daß die Gleichgültigkeit aus meinen Adern im Gehirn anlangte, fuhr ich zurück.
Kurz vor der Abzweigung zum Hotel sah ich eine Gestalt am Straßenrand, in eine Decke gehüllt.
Was machst du denn hier in diesem wahnsinnigen Nebel!
Ich hab dich gesucht. Du warst zu lange weg.
Sie hatte fast eine Stunde lang vor dem Hotel gewartet. Ich brachte sie durch das Spalier der Gäste, die uns teilnehmend betrachteten, nach unten ins Zimmer. Wir versuchten uns dann zu erklären, was geschehen war. Es brachte keine Erleichterung, der Schreck saß uns in den Knochen.
Am anderen Morgen fuhren wir zurück. Wir redeten vorsichtig miteinander, als wollten wir uns von etwas ablenken. Ich haßte die Straße, die unter uns wegsauste.

# Das andere Deutschland: Leben in der DDR

## GÜNTER KUNERT

### *Die Waage*

Alles ist einfach. Weil alles in zwei Teile zerfällt, was unsere Eltern noch nicht wußten, und eine Waage bildet; die unsichere Hand zeichnet sie mit Kopierstift auf feuchten Bierfilz. Schau her, Döskopp: Das ist die Welt, ein Strich teilt sie in Hälften, so und so, und jetzt ist es eine Waage. Eine Seite selbstverständlich schwerer als die andere, welche ist klar: Wo wir draufsitzen. Weil wir draufsitzen.
Prost – auf den Orden, dessen rotemaillierter Trägerbalken seit heute vormittag im rechten Rockaufschlag steckt: Für vorbildliche Planerfüllung. Das kannten unsere Eltern nicht, die beiden zerbröselnden Skelette daheim unter ihren einsinkenden Hügeln, verwildert seit langem, weil der Totenkult lächerlich ist. Wir sind doch keine alten Ägypter.
Moderne Menschen, Mitstreiter im Kampf der Kämpfe, entkamen der Dunstglocke des Aberglaubens beizeiten; ihr Weihrauch steigt aus gemütlichen Zigarren, und das Weihwasser serviert eine barmherzige Schwester, die alles andere als eine Nonne ist: Man überzeuge sich davon nach Lokalschluß.
Noch eine Lage Bier.
Noch eine Runde Lebenslust aus der Flasche mit dem russischen Etikett. Hört mal her, unsere Erzeugerskelette, als sie noch keine waren, existierten auf belächelnswert altertümliche Weise in der Lautlosigkeit ihres hölzernen Zimmers, wo sie sich jeden Abend gegenübersaßen, über ein Buch geneigt, über ein zurückgebliebenes gewiß, über

stumpfsinniges Strick- oder Häkelzeug, über ein handwerkliches Irgendwas, daran Mühe wenden, sie verschwenden hieß; saßen da und spürten nicht das mächtige Mahlwerk, das System, darin sie staken und zerrieben wurden unter dem goldenen Schimmer ihrer Petroleumlampe, ausgeliefert Kursschwankungen der Börse, Viren, Bazillen, Generalstäben, Zeitungen, Götzen, Göttern, Uranos, dessen Vergewaltigung, dessen Notzucht der Erde sie ungestört hinnahmen.

Wir nicht. Wir arbeiten an der Abschaffung der Nacht. An der Einführung der Vernunft. Wir sind nicht so blind wie die Maulwürfe, die nichts taten, als uns zeugen und gebären, um rasch wieder unter dem Boden zu verschwinden, auf dem wir es uns anders einrichten: besser.

Unter einem fremden Blick trinken sie, die geräuschvollen, die ihres Daseins sicheren Gäste, fünf insgesamt, aber spüren ihn nicht, da er über sie hinweggeht aus Augen, die zu hoch an der Wand hängen und Herrn Dr. Marx gehören, aber zu schlecht gezeichnet sind, als daß er viel sehen könnte. Und sähe er was, was sollte er sagen mit dieser gegen seinen Mund gepreßten Glasscheibe, mit der Pappwand am Hinterkopf, eingezwängt in vier Goldleisten. Auch wurden ihm weder Stimmbänder noch Gemüt durch jene Flüssigkeit aus der russischen Bottle gelockert, so daß er sich nach mehr als achtzigjährigem Schweigen umständlich und langfristig räuspern müßte, um wenigstens »Cheers« zu sagen oder eine andere Nettigkeit zu seinen Nachfahren, die inzwischen fast alle Probleme gelöst, fast alle Fragen geklärt haben. Er vernimmt schweigend, wie einfach es heute sei: Konsonanz, Akkord, Homophonie, Gleichklang, Einstimmigkeit; die von ihm aufgedeckten klassischen Antagonismen abgeschafft, beseitigt! Heute, lieber Genosse Karl, zerfallen wir in Gesellschaftsnützliche und Nichtnützliche, wobei einem durch ein bißchen emailliertes Blech bestätigt ward, man gehöre der Kategorie an, der man sich ohnehin zuzählte.

Es ist eine Waage: In der einen Schale steigt die menschliche Spreu nach oben, zu leicht befunden, in der anderen sitzen wir; wir hier um unseren Stammtisch, goldrichtig, schwergewichtig, zukunftsträchtig. Sitzen und reden, bis die zweizeigrige Pflichtmahnerin spricht: Vergiß nicht deinen Dienst. Keine Lage, keine Runde mehr, sondern zahlen.

Durch das fliegenbekackte Glas nimmt Karl Heinrich undeutlich wahr, wie die fünf sich erheben; vier bewegen sich mit forciert forschen Schritten auf den Ausgang zu, indes der fünfte, der mit blinkender Knopflochfüllung, einen elfenbeinfarbenen Sturzhelm vom Wandhaken hebt, der bediensteten Anti-Nonne einen Geldschein zusteckt, seinen Schenkel an ihr nachgiebiges Fleisch preßt, flüstert, was Dr. Marx nicht verstehen, sich aber denken kann, um endlich eilig den anderen hinauszufolgen.

Gleich darauf wird draußen ein Motor angefacht, Dröhnen und Heulen, abklingen, leiser werden, wegknattern über die Landstraße, die jetzt von dem vorwärtsrasenden Scheinwerfer des Motorrades zu einem weißen Tunnel verwandelt wird, über den sich das Gebirge überflüssiger Nacht wölbt. Dahin auf der Maschine, die Geschwindigkeit und Lebensgefühl produziert. Auch vom Motorrad aus betrachtet ist alles einfach, weil es immer vorangeht, immer voran. Wer fährt, befindet sich stets in Übereinstimmung mit der Straße, gleich welcher, sie bringt einen ja an ein Ziel, wie man hoffen darf. Vorerst jedoch und jedenfalls hin zu den Schornsteinbäumen am Horizont, deren Wipfel, Unruh unter allen, glutgefärbt wehend und dampfend sich über die Landschaft verbreiten. Da hinten am Horizont stellen sie her, was durch dünnen Draht zu jedermann gelangt, Licht leuchten und Maschinen laufen läßt, und wovon man nicht genau weiß, was ist das eigentlich, das da aus den Steckdosen fließt. Ein unzeitgemäßes Mirakel.

Sich stark fühlen, fünfundzwanzig PS stark, stark, weil die rauchenden Türme mit der blutig leuchtenden Krone der Gegenwart den dringlich erwarten, der auf zwei Rädern

durch den selbstgefertigten Lichttunnel auf sie zurennt, nicht rechts, nicht links schauend: Stark aus dieser Gewißheit, die die Drehzahl unter dem Hintern erhöht.
Die Essen steigen unaufhaltsam. Lichter verkünden hinter der nächsten Kurve: Gleich bist du angelangt. Du kommst noch zurecht. Den du ablöst, der kann sich auf dich verlassen. Alle können es, die heute nacht Kaffee kochen, ungeduldige Blinddärme entfernen, in Kinos hocken, Kräne unter Flutlicht umherschwenken. Du bist gleich, gleich, gleich da.
Da geschieht, daß eine Gestalt im Scheinwerferlicht auftaucht: plötzlich und unerwartet. Als würfe sie einer dem Fahrer vors Motorrad, um ihm den wichtigsten Weg zu verlegen: den zur Pflichterfüllung. Zu spät erkennt die mottenhafte Figur den Heranrasenden, der seinerseits zu spät die Bremse betätigt, vor sich sekundenlang eine schreckstarre Maske, durchbrochen von drei schwarzen Löchern: Auge, Auge, Mund, aus denen sich das Nichts vorarbeitet. Es erfolgt der Zusammenprall, der Aufschluß gibt, wie weich, wie nachgiebig, sackartig ein Körper wirkt, fährt man mit dem Motorrad in ihn hinein. Nach der als zeitlupengleich empfundenen Kollision, liegt eine schlappe, beutelige Sache da, hutlos, weißhaarig, stößt Lallen aus und stinkt nach Bier und Schnaps. Alt und besoffen, wenn man das ist, gilt es, sich vor Straßen zu hüten, und seien sie noch so nächtlich vereinsamt wie diese hier – was hastig festgestellt wird. Man ist allein. Allein mit der Barriere, die den Weg versperrt, die der Zufall aufgerichtet hat. An Schicksal wird nicht geglaubt. Jeder schmiedet seines selber, und das vordere Schutzblech kann man ausbeulen. Der Abzulösende wartet. Es warten die Generatoren, die Turbinen, die Schornsteine, die Einwohner darauf, daß alles seinen Gang gehe. Da heißt es, sich entscheiden. Abwägen. Auf der Waage, die jeder in sich trägt: Da verschiebt man betrügerisch die Gewichte vor sich selber; da tritt man auf den Anlasser, da schwingt man sich auf den kunstledernen Sattel und betritt die Zentrale, da der Wartende schon

die Mütze aufsetzt und unruhig das Zifferblatt über der Schalttafel aus Marmor mustert.
Und die Nacht beginnt wie sonst in dem ausgedehnten Raum und im Angesicht pendelnder oder schwach bebender Zeiger, indem Kaffee gekocht wird: Heißer Trank, erbarme dich meiner. In der braunen Brühe, die Wohlbehagen durch die Adern pumpt, ertrinkt, versäuft, versackt, was sich als Schemen hinter der Scheibe eines Voltmeters wälzt. Schwamm drüber, Kaffee drüber.
Kontrolle. Spannung nachregeln. Telefon: Keine besonderen Vorkommnisse, kein Staub, kein Schmutz auf dem glänzenden Linoleum, keine schnapsstinkende, keine greisenhafte Spreu aus der oberen Schale.
Stunde um Stunde, Zigarette um Zigarette wird die Zeit von ihrem eigenen Fortschritt dahingerafft und verschwindet spurlos; Hand um Hand wird in der Toilette gewaschen, das Gesicht dazu, das über dem Waschbecken im Spiegel schwebt: spurenlos.
Später steigt die Sonne aus dem Gummiarabikum, aus dem Kleister hinter den städtischen Dächern, so zäh nämlich, so zögernd, als halte etwas sie davon ab, an den Tag zu bringen, was geschehen ist. Dann erscheint ihr Gefunkel über den Schindeln, Helligkeit, Klarheit, der Tag, die Ablösung: Keine besonderen Vorkommnisse. Man gibt einander die Hand, der eine nimmt seine Mütze ab, der andere setzt die seinige auf und geht hinaus: So einfach ist alles. Die Gespenster, die Geister, Spukbolde, Widergänger sind verbannt in die Turbinen, wo ihr Jaulen, ihr Zischen und Toben die Schaufelräder rasend macht.
Draußen umfängt eine milde Luft den müden Mann, aber sie ist nicht allein. Während der Morgendämmerung sind vor der Tür zwei Polizisten aus dem Rasen gewachsen, sie reißen ihre blinkenden Wurzelstiefel los, zeigen, daß sie gehen können, und zwar dem entgegen, dessen Motorrad sie an der Gebäudemauer gefunden haben: Zwischen Vorderrad und Scheinwerfer die Deformation, an der heute nacht ein alter Mann verstorben ist.

Wo Warten für den Normalstand menschlicher Existenz gehalten wird, in der Stätte des Unbehagens, des staatsbürgerlichen Traumas, sitzt stets ein Uniformierter schreibend hinter einer Schranke, harrt eine unbequeme Bank verdächtiger Gesäße, und hängt er an der Wand: der Bärtige. Jennys Gatte, dessen Kinder nicht über den Schatten des Vaters zu springen vermochten, Fluch der Sprößlinge bedeutender Persönlichkeiten; hängt still an der Wand, zwar nicht Fleisch, aber doch Farbe und Karton gewordene Wirklichkeit des alten Märchens vom Hasen und Igel, der immer schon da ist, wo man auch eintrifft. Selbst wenn der Hase den Gashebel am Motorrad ganz aufdreht, er kommt doch zu spät und weiß es nicht.

Warten. Ein Protokoll wurde bereits aufgenommen, eine Aussage gemacht, eine Sachlichkeit als angenehm empfunden. Warten.

Geräusch der von Amtsfingern unbeholfen benutzten Schreibmaschine stört nicht die Gelassenheit des Wartenden; nicht stört der leere und gleichzeitig konzentrierte Ausdruck des Schöpfers einer Theorie, die zur materiellen Gewalt wird, falls oder wenn sie die Massen ergreift. Gemächlich wird eine Zigarette entzündet und das verwunderte Stocken der Schreibmaschine ignoriert; polizeilicherseits bevorzugt man anderes Verhalten: Unruhe, Unsicherheit, Angst, Reue, Verzweiflung, keine Selbstsicherheit.

Warten.

Während Akten in unverständlicher Zeremonie von Tür zu Tür getragen werden, schweigend und bedrohlich. Warten: Zwei Aktenträger raunen sich eine Bemerkung oder einen Befehl zu, Türen klappen: Warten.

Unbegreifliches Zeitverschleudern: Man gab alles zu Protokoll, sagte alles aus, verheimlichte nichts, im Gegenteil: Man hat außer dem äußeren Vorgang den inneren erklärt, hat die Waage dargestellt, freilich ohne Kopierstift und Bierfilz, bloß mit Worten, jedoch eindringlich und nachdrücklich genug. Daß da etwas abzuwägen war auf dem holprigen Pflaster im unsicheren Schein überalterter Later-

nen, nachdem. Nutz oder nichtnutz, das war hier die Frage. Nützlich was für wen. Nicht umsonst gelernt. Alles im Zusammenhang sehen. Gelernt: Alles dialektisch betrachten. Gelernt: Einzelinteressen treten zurück, du bist mein Zeuge da oben an der Wand: Sprich für den Nachgeborenen und gib zu Protokoll.
Die Lippen, von Unmengen Bart getarnt, werden auf einmal sichtbar, ein Beben öffnet sie. Die Maschine klappert. Akten wandern hin und her. Erst war die Erde eine Scheibe, nun eine Kugel, aber das bleibt nicht so. Kein Gedanke an Tod nach dem geringfügigen Zusammenprall, nach dem trunkenen Lallen am Boden, nach dem Blick auf die Waagschale, die sich unter der manipulierten Last von Schornsteinen, Turbinen, Menschenmassen, einer Kugel gar tief, tief senkte, so daß die andere Schale völlig aus dem Blickfeld stieg.
Hinter der Scheibe zwischen vier eichenen Leisten haben die Lippen zu arbeiten begonnen, bilden ganz deutlich Sprache, wie der Wartende erkennt, die er nicht hört. Hebt sich also von der Bank, kreuzt den Raum und gelangt unter das Löwenhaupt, das zu ihm spricht. Die Schreibmaschine schweigt vor Betroffenheit endgültig.
Befände sich nicht die Glasscheibe dazwischen, die Worte wären vernehmlich. Aber würden sie von den Worten abweichen, die man von ihm längst kennt? Man weiß doch alles von ihm, beinahe zu viel schon, und was Neues ließe sich nach achtzig Jahren von dem alten Mann kaum erfahren. Man darf sich daher beruhigt von dem Bild abwenden, welches ein personifiziertes Gespenst zeigt, das in Europa, das auf allen Kontinenten, das in Großhirnrinden umgeht, immer das gleiche und immer ein anderes zugleich.
Geruhsames Abwenden in das Angesicht zweier Polizisten, deren Stimme kein Glas eindämmt, die einem in den Ohren dröhnt, o Jericho: Sie müssen hierbleiben, hierbleiben, hierbleiben.
Aber wieso und warum und weshalb denn hierbleiben in der unrichtigen Hälfte, auf der falschen Seite, durch die

man zum Staub erhoben wird: Nein, nicht hierbleiben. Eure Gewichte sind falsch geeicht. Nicht hierbleiben, nicht hier!
Es bedarf einiger Mühe, den Protestierenden in eine jener kahlen Kammern zu schaffen, in der sich keine Porträts befinden. Hier kann sich der Hase für allein ans Ziel gekommen halten.

STEPHAN HERMLIN

## *Die Kommandeuse*

Am 17. Juni 1953, kurz vor Mittag, betraten zwei Männer die Zelle einer gewissen Hedwig Weber in der Saalstedter Strafanstalt und machten, als die Weber auf die Frage nach dem Grunde ihrer Haft erwidert hatte, sie habe fünfzehn Jahre abzusitzen wegen Verbrechens gegen die Menschlichkeit, ihr mit den Worten: »Solche wie Sie suchen wir gerade!« die Mitteilung, sie sei frei.
Spät am Vorabend hatte die Prostituierte und Kindesmörderin Rallmann, die in der darüberliegenden Zelle saß, sie mit dem verabredeten Zeichen ans Fenster geholt. Die Weber hatte sich am Fenster hochgezogen und ein Flüstern gehört, in der Stadt werde gestreikt. Sie wollte zurückfragen, aber die Rallmann war schon weggesprungen. Frühmorgens, während der Freistunde, war zum erstenmal etwas zu ihnen herübergedrungen wie Singen und Rufen. Die Weber hatte faul, unwillig gedacht, was die wohl wieder einmal feierten, sie hatte dann in Gedanken nach dem Datum gesucht, das ihr nicht einfallen wollte, und wozu auch, die erfanden ja immer neue Feiertage. Während sie jetzt den Männern gegenüberstand, schien ihr, als sei die Freistunde heute kürzer gewesen als sonst. Sie hatte dann ein, zwei Stunden später erneut vielstimmigen Lärm gehört, viel näher als sonst, schärfer, bestimmter, aber ohne

deutliche Worte. Die Weber hatte vor ein paar Jahren einmal wegen Diebstahls vier Monate im Gefängnis gesessen. Jetzt hatte im Strichkalender an der Wand die achtundzwanzigste Woche begonnen. Sie saß lange genug, um gegen die Geräusche der Haft abgestumpft zu sein. Der Flügel der Strafanstalt, in dem die Frauen untergebracht waren, lag ein gutes Stück von der Straße weg. Das, was gelegentlich von draußen hereindrang, wurde von ihr nicht immer genau erkannt, es war auch nicht wichtig an sich, es wurde nur zum Anlaß, in einen Gedanken, eine Vorstellung hineinzuspringen, wie man auf eine fahrende Bahn springt: man brauchte sich nicht weiter zu rühren, man war drin, alles kam von selbst auf einen zu. Sie träumte dann wild, gierig vor sich hin, aber doch ohne Ziel, ohne Glauben. Auch heute früh hatte sich daran gar nichts geändert, nicht einmal, als die Rallmann sie wieder ans Fenster geholt hatte: sie sehe Rauch. Die Weber konnte keinen Rauch sehen. Was denn, es war leichter Südwind und heiß, die Sonne drückte den Rauch von der Pumpenfabrik herunter. Der Rauch war in ihr selbst, ein Nebel breitete und breitete sich in ihr aus, sie hörte ein Hasten in den Gängen und dumpfe Schläge von unten zwischen dem Lärm der Menge. Dann kam von weit her ein Schrei, den die Weber kalt registrierte: es war ein unmenschlicher Schrei, wie ihn nur ein Mensch ausstoßen kann.
In den Zellen war es bisher still geblieben. Jetzt begann dort ein Sprechen, laut, hastig, mit schrillem Lachen; es kam näher mit Schritten und dem Schließen von Türen. Dann klirrten Riegel, und die Weber sah die beiden Männer. Der sich nach dem Grund ihrer Strafe erkundigt hatte, war jung, hübsch, groß; an dem anderen, Älteren, fiel ihr nur der Blick auf, der dem ihren, als sie antwortete, ganz schnell begegnet war. Der Blick streifte sonst immer um Haaresbreite an einem vorbei, aber auf Leute mit diesem Blick war Verlaß. Die beiden standen in der Tür; sie trugen Baskenmützen und Sonnenbrillen, und hinter ihnen sah man Häftlinge den Gang hinunterlaufen. Sie erkannte die

Inge Grützner aus dem oberen Stockwerk, die ihr über die Köpfe der beiden Männer weg lustig zuwinkte und auch schon verschwunden war. In der Weber lief eine rasende Folge von Glaubenwollen und Nichtglaubenkönnen ab. Dieser Nebel, das, was sich in ihr breitmachte und blähte, war eine wilde, verworrene Sucht zu schreien, zu toben, etwas in Trümmer zu schlagen. Die Männer sagten, in Berlin und überall sonst seien große Dinge im Gang, die Regierung sei gestürzt, die Kommune gehe stiften, die Amis seien schon im Anrollen.
»Und der Russe?«
»Der Russe will doch keinen Krieg haben wegen Ulbricht«, sagte der Hübsche und betrachtete pfeifend die Wände, als sei da wer weiß was zu sehen. »Der geht auf die Weichsel zurück.«
»Leute wie Sie«, sagte der Ältere, »können wir brauchen. Sie müssen in den Saalstedter Führungsstab. Ich kann jetzt schon sehen, was alles sich uns an den Hals schmeißen wird. Da braucht man Leute mit Erfahrung und Überzeugung.«
Die Weber fragte aus ihrem Nebel heraus: »Sagt ihr auch die Wahrheit? Bin ich wirklich frei?« Die beiden lachten.
Die Weber hörte den Lärm in den Gängen und auf der Straße, ihr war, als höre sie plötzlich eine halbvergessene Musik, das Gellen der Pfeifen über dem Knattern der Trommeln, das den folgenden Marsch einleitete, und diese Musik eingebettet in tobendes Heil-Gebrüll, das sich von Straße zu Straße fortpflanzt, und in diesem Moment war sie aus dem Nebel heraus. Sie sah deutlich und gleichgültig auf die sieben Monate in dieser Zelle zurück, in der sie fünfzehn Jahre hatte verbringen sollen, und auf die sieben Jahre vor diesen sieben Monaten, voller Angst, Verstellung, Hoffnungslosigkeit, voll unausdrückbarem Haß auf alles, was sie unter sich geahnt hatte und nun über sich sah, auf diese neuen Leute in den Verwaltungen und ihre Zeitungen und Fahnen und Wettbewerbe und Spruchbänder. Diese ganze Zeit war ein langer Alptraum gewesen mit un-

begrenzten, unbegrenzbaren Drohungen, vor denen man nicht fliehen konnte, weil etwas in einem nicht an die Möglichkeit einer Flucht, einer Änderung glaubte. Alte Verbindungen hatte sie nicht gesucht. Sie hörte nur regelmäßig bei einer Bekannten, die nicht wußte, wer sie war, am Radio die Suchmeldungen der Kampfgruppe. Sie hatte ein, zwei Namen gehört, die sie von früher kannte. Eines Tages hörte sie ihren eigenen Namen: »Gesucht wird die Angestellte Hedwig Weber, zuletzt gesehen im März 1945 in Fürstenberg.« Sie hätte sich fast verraten. Es war auch klug, daß sie »Fürstenberg« sagten, das gleich neben Ravensbrück liegt.

Sie hatte ein paarmal in Fabriken angefangen, es aber immer schnell satt bekommen mit den Leuten und auch mit der Arbeit. Die falschen Papiere, die auf den Namen Helga Schmidt lauteten, zwangen sie in eine aus tausend Einzelheiten bestehende fremde Vergangenheit, von der sie nichts wußte. Sie hatte Geschichten mit Männern gehabt, damit die Zeit schneller verging. In Magdeburg hatte sie jemand kennengelernt, der sie an den Oberscharführer Woringer erinnerte, mit dem sie in Ravensbrück ein Verhältnis gehabt hatte. Als sie nach dem Diebstahl einer Rolle Kupferdraht zu vier Monaten verurteilt worden war, hatte sie sich zum erstenmal beruhigt – die Strafgefangene Schmidt konnte man nicht mehr beobachten, man konnte ihr keine Fragen stellen, sie brauchte nicht mehr zu befürchten, auf der Straße erkannt zu werden. Sie hatte danach von ihrem Vater aus Hannover einen Brief bekommen – dort kümmerte sich kein Mensch um einen, im Gegenteil, seine frühere Tätigkeit im Reichssicherheitshauptamt sei für die Justizverwaltung eigentlich eine Empfehlung gewesen, er könne nicht klagen, aber sie solle lieber noch nicht kommen, er habe noch Schwierigkeiten mit einer Neubauwohnung. Sie hatte dieses Leben bald wieder so über, mit den blauen Hemden und dem ganzen Betrieb von Unterschriftenlisten und Kultur und Fakultäten und Ferienheimen und den Volkspolizisten auf ihren Lastwagen und mit dem Ge-

laufe nach einem Stück Wäsche, das einfach nicht aufzutreiben war, und vor allem hatte sie das Gehen auf der Straße und das Sitzen im Café satt, wo sie immer darauf achten mußte, nicht aufzufallen und das Gesicht möglichst im Profil zu zeigen – sie hatte das alles so über, daß sie ernsthaft daran dachte, einfach nach Hannover zu fahren, obwohl sie fürchtete, dort eher gesucht zu werden als hier, wo sicher niemand mehr sie vermutete. Aber damals war geschehen, was sie tausendmal ins Auge gefaßt und erwogen und gerade aus diesem Grunde schließlich für unmöglich gehalten hatte: ein ehemaliger Häftling hatte sie hier in Saalstedt auf der Straße erkannt, als sie einen Laden verließ, sie war festgenommen und zu fünfzehn Jahren Zuchthaus verurteilt worden.
In diesem Augenblick jetzt sagte sich die Weber, daß Alpträume nicht ewig dauern und daß, was oben war, wieder oben sein wird. Es hatte einfach so kommen müssen. Sie mußte lächeln, weil ihre Hand unwillkürlich, vielleicht schon eine ganze Weile, eine ihr seit langem vertraute bestimmte Bewegung vollführte: sie schlug mit einer unsichtbaren Gerte gegen einen unsichtbaren Stiefelschaft.
»Auf den Blümlein können Sie sich verlassen. Der weiß, was gespielt wird«, sagte der Hübsche, »der war noch gestern in Zehlendorf. Der hört das Gras wachsen. Daher der Name.« Er lachte wieder.
»Mir scheint, wir können uns überhaupt alle aufeinander verlassen«, sagte der Mann, der Blümlein hieß, bescheiden. »Sie müssen vor allem was anderes auf den Leib bekommen. So fallen Sie zu sehr auf. Na, das können Sie sich bei der HO aussuchen. Kostet heute nichts.« Er ließ der Weber an der Tür den Vortritt.
Auf dem ersten Treppenabsatz lag die fröhliche blonde Wachtmeisterin Helmke, mit zertrampeltem Gesicht, aber noch atmend.
»Das war bestimmt eine der größten Quälerinnen«, sagte der Hübsche im Vorbeigehen.
Die Weber war nie gequält worden. Niemand war gequält

worden in Saalstedt. Das war etwas, was die Weber nie hatte verstehen können, und gerade darum sagte sie jetzt: »Na, und ob ...« Dabei bemerkte sie, daß Blümlein einen kurzen Blick zu ihr hinüberschoß. Der Mann konnte lachen, ohne sein Gesicht zu verziehen. Der Blick besagte: Wir beide verstehen uns schon ... Die Weber verspürte etwas wie Geborgenheit. Das Zuchthaus war nun beinahe leer. Irgendwo hatte jemand einen Radioapparat so laut wie möglich aufgedreht.
»Man hätte Lust, den ganzen Tag am Kasten zu sitzen«, sagte Blümlein, »der Rias bringt eine Sondermeldung nach der anderen.«
Die Weber erinnerte sich, wie sie die Einnahme von Paris gefeiert hatten und die von Smolensk und von Simferopol und wie die Nester alle hießen. Man darf gar nicht daran denken, dachte sie.
Es trieb sie, irgend jemand Nachricht zu geben von dem, was mit ihr geschehen war. Niemand fiel ihr ein; Worringer hätte es eigentlich sein können, aber er war weg wie eine Erscheinung; einmal hatte es geheißen, er sei in Argentinien. Sie dachte an ihren Vater in Hannover.
»Wartet doch mal eine Minute. Ich möchte einen Brief schreiben.« Sie traten zu dritt in eine Art Wachstube, deren Tür weit offenstand. Eine Schreibmaschine lag neben einem umgeworfenen Stuhl ohne Lehne. Durch die leeren Fensterrahmen, in denen noch zackige Splitter steckten, kam ein heißer Wind. Die Weber angelte sich von einem Stoß Papier ein Blatt herunter. Sie fand auch einen Bleistift in einer Schublade. Halb auf dem Tisch sitzend, schrieb sie rasch:
»Lieber Vater, es ist soweit. Der Osten mußte ja mal frei werden. Bald ziehen wir wieder unsere geliebte SS-Uniform an. Dann wird auch die Stunde kommen, da ich meinen Dienst in der politischen Abteilung oder bei unserer Gestapo versehen kann. Gute Freunde haben sich meiner angenommen, bis endgültig unsere Fahne weht. Das wird nicht mehr lange dauern. Deine Hedi.«

Sie suchte nach einem Briefumschlag, konnte aber keinen finden. Das kann man immer noch erledigen, dachte sie und schob den Brief in die Tasche.
Auf der Straße wurde sie vom Licht geblendet. Sie hatte nicht gedacht, daß die Straße so leer sein würde. Vor dem Zuchthaus lungerten noch ein paar Leute herum und sahen ihr nach. Der Lärm war abgelaufen wie Wasser nach einem Sturzregen. Alles war heiß und leer, und sie schwamm wie in einem Element in dieser Leere und in dem heißen Wind, der mit früh gefallenen verbrannten Blättern spielte. An der Ecke der Merseburger Straße hatte ein Trupp einen Bierwagen angehalten. Zwei Männer luden die Kästen ab, andere teilten Flaschen aus an Umstehende und Passanten. Ein Alter in Weste und kragenlosem Hemd nahm die schweißnasse Mütze ab und sah die Weber mit angestrengtem, müdem Blick an: »Kannst ruhig mithalten. Der Ami zahlt alles.«
Durch die Straße fuhr langsam ein kleiner Lautsprecherwagen und rief die Einwohner von Saalstedt für sechs Uhr zu einer Freiheitskundgebung auf dem Marktplatz zusammen. Die Weber sah in einem Vorgarten einen Mann, der ein Taschentuch auf dem Kopf trug, in einem winzigen Beet wühlen. Sie sah auch, daß jemand das Fenster schloß, als der Lautsprecherwagen vorbeifuhr. Sie überraschte sich wieder dabei, wie ihre Hand die unsichtbare Gerte pfeifen ließ. Sie wünschte plötzlich, die Leute in den Häusern und Vorgärten und überall sonst vor sich zu haben, den Blick in ihre Gesichter zu zwängen wie auf dem Appellplatz von Ravensbrück. Als sie in die Feldstraße einbogen, stapelte sich vor einem Haus mit eingeschlagenen Scheiben ein Haufen Papier, das sich in einer unsichtbaren Flamme krümmte und schwärzte. Zwei, drei Leute kümmerten sich um das Feuer, das große schwarze Flocken an den Häuserwänden hochtrieb. Aus dem zweiten Stock fiel durch flatternde Gardinen ein verspäteter Aktendeckel knallend auf die Straße. Die Buchhandlung im Erdgeschoß stand offen mit durcheinandergewirbelten Auslagen. Der Hübsche

griff sich das oberste Buch von dem Stoß, den ein Bursche in buntem Hemd gerade auf die Straße trug, und entzifferte die Aufschrift: »Tscheschoff ... Noch so ein Iwan. Ab dafür.« Sie sahen eine Weile zu, wie die Flamme in dem Band blätterte.
Der Führungsstab befand sich im dritten Stock eines Mietshauses. Man ließ die Weber ein paar Minuten in einem leeren Zimmer warten, dann rief Blümlein sie hinüber, wo die übrigen saßen. Sie kannte keinen von diesen sieben oder acht Männern. Man fragte sie nach Ravensbrück und allem möglichen anderen. Blümlein und ein großer Mann mit kahler Stirn und schweren Lidern schienen die Respektspersonen zu sein; sie konnte sich beide gut in Uniform vorstellen. Später verlangte sie etwas zu essen und zog sich dann im Badezimmer um. Während sie beim Waschen war, dröhnte und rasselte etwas die Straße herunter. Sie stieß das Fenster auf und folgte mit dem Blick der kleinen Kolonne sowjetischer Panzer, während es ihr im Hals trocken wurde. Von hier oben ging der Blick über die Dächer weg, er faßte sogar noch ein Stück des Flusses, weil die Stadt zum Markt und zum Fluß hin abfiel. Es waren jetzt mehr Menschen in den Straßen, man konnte Spaziergänger erkennen und Frauen mit Kinderwagen, als sei Sonntag, es gab auch eine Menge Betrunkener, deren Gegröl dünn und fern heraufdrang, und durch alle Geräusche knirschten die Panzer, mit ihren Kommandanten in den offenen Türmen, gleichmütig und hartnäckig die Straße hinab und verschwanden mit kreischenden Ketten um die Ecke.
Die Weber kehrte rasch ins Zimmer zurück. Es kamen und gingen Leute, manche aufgeräumt, manche kopfhängerisch und flackernd. Einer berichtete, die Pumpenfabrik sei nicht zum Streik zu bringen, die Arbeiter hätten einen Trupp mit Knüppeln vom Fabrikhof getrieben.
»Man muß mit dem roten Pack rechnen«, sagte der Mann mit der kahlen Stirn zur Weber. Er zog sie in eine Ecke und fuhr fort: »Nur die Nerven behalten, Parteigenossin ...« Er sprach halblaut und lächelte: »Merken Sie sich

eins: Wir haben auch hier mit allen möglichen Leuten zu rechnen, denen wir nicht fein genug sind oder die uns an die Wand drücken wollen. Wir sind nicht ganz unter uns, verstehen Sie? Auch jetzt heißt es: Legal an die Macht. Noch sind wir nicht soweit. Wir sind nicht das einzige Eisen, das der Ami im Feuer hat. Man muß noch auf das liberale Kroppzeug gewisse Rücksichten nehmen.«
Blümlein stellte sich dazu: »Na, Chef, kleiner NS-Schulungsbrief?«
Der Kahlstirnige sprach weiter: »Ich sage Ihnen das, weil Sie heute abend auf der Kundgebung als Vertreterin der politischen Gefangenen sprechen sollen. Also: immer gut auf die Tube gedrückt, aber auf die richtige ...« Die Weber fragte nach den Panzern, wie es mit dem Abzug der Russen sei. »Kommt Zeit, kommt Rat. Die Volkspolizei haben wir weggefegt, die hat sich verkrochen. Die hat ja nicht mal geschossen. Der Russe wird auch noch klein werden.« Mit solchen Männern an der Spitze, dachte die Weber, müssen wir es schaffen. Eine Sekunde lang dachte sie sich eine ganze unendliche Zukunft, erfüllt von Aufmärschen, Sondermeldungen, brüllenden, jubelnden Lautsprechern; sie stellte sich eine Menge verschiedenfarbiger, adretter Uniformen vor, die eine zivile Masse neidisch und respektvoll musterte; aus den Giebelfenstern schleiften die langen Fahnen bis fast in die Straßen hinunter; sie sah sich selbst, ganz in Weiß, und Worringer, ganz in Schwarz, aus dem Standesamt treten, vor dem sein Trupp Spalier stand. Eine blinde, wilde Wut wischte das Zimmer fort, die Gespräche, die Geräusche. Sie sah sich wieder an der Arbeit, einer genau eingeteilten, auf lange Sicht berechneten, vernünftigen, nützlichen Arbeit: Ermittlungen, Verhöre, später Ravensbrück, das hatte alles seine Ordnung, seinen Sinn gehabt. Nur habt ihr uns noch nicht gekannt, dachte sie, aber das nächste Mal werdet ihr uns kennenlernen. Das andere ist nur ein Vorspiel gewesen.
Sie gingen in Gruppen zu zweit und zu dritt zum Markt. Leute lagen in den Fenstern und sahen auf die Menge hin-

ab, die zur Kundgebung zog. Die Menge ging schlendernd, schwatzend; sie blieb gelegentlich vor den Anschlägen stehen, auf denen der Militärkommandant die Verhängung des Belagerungszustandes verkündete. Die Weber hörte vor einem geplünderten Laden, den eine Gruppe schweigend betrachtete, im Vorbeigehen einen breitschultrigen Mann sagen: »Das kostet nur unser Geld. Lumpenpack . . .«
Eine Stimme erwiderte schnell und spitz: »Wo gehobelt wird, fallen Späne.«
Der Mann wandte sich drohend um, aber die Weber konnte seine Antwort nicht mehr hören. Am Eingang zum Markt stießen sie auf die ersten Panzer. Ein kleiner Soldat mit rasiertem Kopf lehnte an der Fassade und drehte sich eine Zigarette. Eine Frau, die vor der Weber ging, spie ihm theatralisch vor die Füße. Der kleine Soldat sah ihr verwundert ins Gesicht und tippte ein paarmal vorsichtig mit dem Finger an die Schläfe. Jemand lachte verlegen.
Man hatte die Rednertribüne an der Rückseite der Marienkirche errichtet und hinter die Tribüne ein weißes Spruchband gehängt, auf dem »Freiheit!« stand. Die Weber hatte nur die Tribüne und das Spruchband im Auge, sie bemerkte kaum die Panzer, die auf allen vier Seiten um den Markt standen; sie kümmerte sich auch nicht um die Menge, die in lockeren Strudeln durcheinanderquirlte. Die Russen hatten die Kundgebung zugelassen. Gut, das würden sie noch bereuen. In ihrem Kopf war ein Gewoge von Glockengeläut und Kommandos auf dem Appellplatz, eine eisige Raserei, in der sie sich an die Stichworte zu klammern suchte, die ihr der Kahlstirnige eingeschärft hatte. Sie hörte Blümlein die Kundgebung eröffnen, einem Redner das Wort erteilen, sie hörte nach einer Weile: »Es spricht zu Ihnen ein Opfer des kommunistischen Terrors, die ehemalige politische Gefangene Helga Schmidt.«
Sie begriff erst nach Sekunden, daß sie gemeint war. Es war vielleicht ganz gut, daß man auf diesen Namen zurückgekommen war. Dann vernahm sie eine alte halbver-

gessene Stimme, ihre eigene: »Volksgenossen ...« Vielleicht wäre es besser gewesen, mit einer anderen Anrede zu beginnen. Aber nun machte sie keinen Fehler mehr. Es war alles so leicht, als habe sie die ganze Zeit nichts anderes getan als gerade das. Sie sagte, daß die lange Not der Nachkriegszeit, der totalitäre Terror die Bevölkerung Mitteldeutschlands geläutert habe. Dieses Volk wisse wahrhaft, was Freiheit und Menschenwürde bedeute, besonders seine politischen Gefangenen; in den Kerkern und im von Elend und Hunger geprägten Alltag des Regimes sei die unverbrüchliche Verbundenheit zum Abendland erwachsen, die dem Westen die Befreiung der achtzehn Millionen nach Recht und Freiheit Schmachtenden zur Pflicht gemacht habe, jene Befreiung, die jetzt gerade Wirklichkeit werde.
Die Menge lief vor ihrem Blick zu veränderlichen farbigen Flecken zusammen, zwischen denen Streifen des staubigen Pflasters sichtbar wurden. Das werdet ihr uns auch noch büßen, dachte sie, daß wir euch so nehmen müssen. Sie hatte die Empfindung, daß jemand sie beobachte, auf besondere Weise. Sie hakte sich in einem Gesicht fest, dem alten bartstoppeligen Gesicht eines kleinen Mannes in schäbigem Anzug, der mit blassen, ängstlichen Augen zu ihr hinaufsah. Er hatte ein-, zweimal geklatscht, ein-, zweimal den Kopf geschüttelt. Es wurde öfters applaudiert, einmal hier, einmal dort; es war ein zögernder, verwirrter Beifall, der manchmal an der falschen Stelle kam. Sie sprach jetzt zu dem schäbigen alten Mann, als sei er der einzige Zuhörer. Wer bist denn du, dachte sie, jetzt klatschst du, aber wenn es hart auf hart geht, haust du in den Sack. Wer seid ihr denn überhaupt. Verräter und Defätisten wart ihr alle mehr oder weniger. Ihr habt unseren Krieg verloren, weil es euch um euern Fraß ging und um eure vier Wände statt um den Führer und das neue Europa. Und als Schluß war, haben wir euch angewidert, und ihr habt euch denen mit dem roten Winkel und den Bolschewisten an den Hals geschmissen. Ihr seid Mörtel, im besten Fall, wenn es um den Bau von Großdeutschland geht, und ihr wart ein Drecks-

mörtel beim letztenmal. Jetzt gebt ihr uns den kleinen Finger, ihr Idioten, aber wir nehmen die Hand dazu und alles übrige, und dann drehen wir euch durch den Wolf. Sie sagte laut: »Die Stunde der Abrechnung naht. Die Gnadenfrist der roten Unterdrücker läuft ab. Nur diese Panzer schützen sie noch. Haltet euch bereit: und dann leuchtet ihnen heim mit Kugel und Strick!«
Sie trat einen Schritt zurück. Die Menge brach auseinander. Der alte Mann war fort, ohne sich umzusehen. Gruppen steuerten auf die Nebenstraßen zu. Dicht neben sich hörte sie eine tiefe Stimme das Niederländische Dankgebet singen. Weiter hinten hatten ein paar Leute das Horst-Wessel-Lied angestimmt, und zugleich entstand ein Tumult, der in das Lied einbrach. Man sah einige Männer, die auf die Singenden einschlugen: »Welche von der Pumpenfabrik!« rief jemand. Aber gerade jetzt begann der Platz zu brüllen und zu beben: die Panzerleute hatten ihre Motoren angeworfen und ließen sie auf Touren laufen, sie lehnten an den riesigen Maschinen und lachten. Die Panzer standen an ihrem Platz, nur ihre Motoren donnerten. Die Weber war von der Tribüne gestiegen. Vor ihr gingen die Menschen auseinander, und sie begriff, daß die Kundgebung beendet war. Sie suchte mit den Blicken den Kahlstirnigen, Blümlein, den Hübschen, irgend jemand, den sie kannte. Sie machte ein paar Schritte in Richtung Feldstraße. Da stand sie zwischen zwei jungen Leuten in Trenchcoats, von denen einer sich zu ihrem Ohr beugte, um durch das Motorengebrüll zu sagen: »Hedwig Weber? Bitte folgen Sie uns!« Sie machte keinen Versuch, davonzulaufen oder um Hilfe zu rufen. Niemand hätte sie gehört, niemand achtete auf sie. Es war alles so schnell, so rasend schnell gegangen, daß es nicht wahr sein konnte. Es konnte nicht das Ende sein, es war nicht das Ende. Und sie dachte: Vielleicht laß ich euch noch heute abend baumeln.
Drei Tage später stand sie vor Gericht. In der Nacht vor der Verhandlung hatte sie einen Traum gehabt: Ein ungeheures Glockengeläut war in den Lüften, ein Tosen und

Schreien ging durch die Straßen, tausendfacher, unwiderstehlicher Marschschritt hallte vor den Fenstern, ein feldgrauer und khakifarbener Heerwurm durchzog die Stadt. Da ging die Tür ihrer Zelle auf, und ihr Vater erschien in der schwarzen Uniform, mit dem Totenkopf an der Mütze, und sagte: »Hedi, der Führer erwartet dich unten.« Vor Gericht leugnete sie nicht, denn es gab nichts zu leugnen. Sie war zwei Jahre hindurch Lagerführerin in Ravensbrück gewesen. Sie hatte vorher bei der Gestapo gearbeitet. Man fragte sie, wie viele Häftlinge auf ihre eigene Anweisung hin ermordet worden seien. Sie antwortete, nicht mehr als achtzig oder neunzig. Ja, sie habe auch selber Häftlinge mißhandelt, mit Fußtritten und Peitschenhieben, und habe die Bluthunde auf sie gehetzt. Alles das hatte sie schon einmal gestehen müssen, sieben Monate zuvor, als sie zu fünfzehn Jahren Zuchthaus verurteilt worden war. Sie begriff, aus welchem Grunde man sie alles wiederholen ließ. Der Saal war bis auf den letzten Platz gefüllt, und im Publikum mußten sich viele befinden, die ihre Rede auf dem Markt angehört hatten. Man verlas das Protokoll dieser Rede, man verlas auch den Brief, den man bei ihr gefunden hatte.

Bis zum Beginn der Verhandlung hatte sie eine immer schwächer und schwächer werdende Hoffnung bewahrt, daß der Prozeß nicht stattfinden, daß diese Rote-System-Regierung doch noch über den Haufen geworfen würde. Vielleicht kamen doch noch die Amerikaner, die längst gemerkt hatten, daß sie den Krieg gemeinsam mit Hitler hätten führen müssen, und holten sie heraus. Wenn sie sich setzen konnte und der Verteidiger oder der Staatsanwalt oder irgendwelche Zeugen das Wort hatten, ließ sie sich in einem Strom von Vorstellungen und unhörbaren Verwünschungen treiben. Das Geschwätz da vorn interessierte sie nicht. Die Feiglinge von Amis, dachte sie, fressen wir, wenn wir die Russen und Franzosen und das übrige Gesindel gefressen haben. Sie werden mich zu zwanzig Jahren oder zu lebenslänglich verurteilen, dachte sie, aber nicht

einmal ein Viertel davon werde ich absitzen. Dann sah sie wieder den Appellplatz vor sich und eine gesichtslose Masse in gestreiften Lumpen bis zum Horizont. Und jeden Sommer geht's dann in die Ferien, dachte sie und sah sich mit Worringer in einer Landschaft mit Meer und Bergen und Palmen, wie sie es auf Bildern von der Riviera gesehen hatte, und zugleich erinnerte sie sich an einen Kameraden, der ihr erzählt hatte, wie sie in der Gegend von Avignon eine ganze Landstraße mit Franzosen behängt hatten, einen an jeden Baum rechts und links. Dann war sie in Gedanken wieder in Ravensbrück, wie sie die Hunde rief und Häftlinge in die Latrinen trieb: »Faß, Thilo! Faß, Teut!«
Die Beratung des Gerichts dauerte nur wenige Minuten. Als man sie in den Saal zurückbrachte, bemerkte sie unter den Zuhörern den kleinen schäbigen Mann, der ihr auf dem Markt aufgefallen war. Sein Gesicht war ihr zugekehrt; sie las darin nichts als Ekel und Haß. Sie dachte, als das Gericht erschien, ganz schnell: Lebenslänglich, lebenslänglich, lebenslänglich. Man hatte sie aufstehen lassen. Sie war zum Tode verurteilt. Durch ein Brausen hörte sie einzelne Worte: das Urteil sei endgültig und sofort vollstreckbar. Sie wollte nicht schreien und umfallen. Zum ersten und letzten Male in ihrem Leben suchte sie in sich vergeblich die unbekannte Kraft, die sie an ihren eigenen Opfern toll gemacht hatte. Da war eine deutsche Studentin gewesen, die sich stumm zu Tode prügeln ließ; eine Russin hatte vorher noch »Hitler kaputt!« gerufen; vier Französinnen waren, die »Marseillaise« singend, zum Erschießen in den Bunker gegangen. Eine Stimme in ihr jammerte um ihr Leben. Da war nur diese Stimme in ihr und eine blutige wüste Leere, als zwei Volkspolizisten sie abführten.

KLAUS SCHLESINGER

## *Der Tod meiner Tante*

Meine Tante starb, als ich vierzehn war. Sie hinterließ zwei gleichlautende Abschiedsbriefe. »Bitte, verzeiht mir!« schrieb sie. »Ich kann nicht mehr weiter. Eure Euch liebende Hedwig.«
Der erste Brief war an meine Mutter gerichtet und trug als Nachsatz die Worte: »Ich kann nicht, kann nicht, kann nicht.«
Der zweite war für ihren Sohn und hatte die fast unleserliche, im Schriftbild stark nach unten abfallende Beifügung: »Gott wird mir verzeihen.«
Ihr Tod kam für uns überraschend. Wir kannten sie als eine energische und lebenslustige Frau. Sie war die jüngste Schwester meines Vaters und mit dem Elektriker Kurt P. verheiratet, dessen Spuren sich, wie die meines Vaters, in den letzten Monaten des Krieges verloren hatten. Damals hofften wir, mein Vater und mein Onkel wären in die Gefangenschaft geraten und würden eines Tages überraschend vor der Tür stehen.
Meine Tante hatte sich, wie meine Mutter, zu Lebzeiten ihres Ehemannes um den Haushalt und die Kindererziehung gekümmert. In den ersten Jahren nach dem Krieg arbeiteten beide als Trümmerfrauen, später in der Fabrik Elektroapparatewerke J. W. Stalin, Berlin-Treptow; meine Mutter als Skalenzeichnerin, meine Tante als Bohrerin.
Meine Tante fand sich mit den veränderten Bedingungen des Nachkriegs besser ab als meine Mutter. Sie fuhr am Wochenende oft mit dem Rucksack über Land, tauschte die kleinen Wertsachen der Städter gegen Nahrungsmittel und teilte sie mit uns. Öfter sprach sie meiner Mutter, die zur Skepsis neigte, Mut zu: »Trudchen«, sagte sie, »man darf nie die Hoffnung verlieren«, ließ sich das Rommésspiel geben und begann Karten zu legen. Immer stand dann Herzkönig ins Haus.

Meine Tante war zeit ihres Lebens bemüht gewesen, als rechtschaffene, in geordneten Verhältnissen lebende Frau zu gelten. Von ihrer Umwelt wollte sie sich, wie sie sagte, vorteilhaft abheben. Nachlässigkeiten duldete sie nicht. Selbst in den chaotischen Wochen nach dem Kriegsende ließ sie mich – wenn ich bei ihr wohnen durfte – nicht zum Spielen gehen, bevor ich mir nicht die Schuhe geputzt und die Haare gekämmt hatte. »Du willst doch kein Straßenkind werden«, sagte sie warnend.
An eine hervorstechende Eigenart meiner Tante erinnere ich mich noch genau. Mitten im Zimmer stehend, begann sie plötzlich die Hände aneinanderzureiben, wobei sie ihr Gesicht auf unbeschreiblich komische Weise verzog. Diese Geste war Ausdruck ihres höchsten Wohlbefindens. Noch heute habe ich das eigentümlich flirrende Geräusch ihrer aneinanderreibenden Hände im Ohr.
Meine Tante hatte einen Sohn, der sich nach einer unerwiderten Liebe zu einer bekannten Filmschauspielerin kurz vor Abschluß des Abiturs freiwillig an die Front gemeldet hatte. Als Fähnrich der deutschen Wehrmacht geriet er im Januar 1945 in amerikanische Gefangenschaft, aus der er zweieinhalb Jahre später entlassen wurde. In Bayern hatte er ein Mädchen kennengelernt, das er im Frühjahr 1949, nachdem er auf Wunsch seiner Braut zum Katholizismus konvertiert war, heiratete. Es war der größte Wunsch meiner Tante, daß ihr Sohn mit seiner Frau nach Berlin ziehen möge, aber er schrieb in einem Brief, dies sei ihm unmöglich, solange die Russen noch dort stünden. Vorläufig wolle er sich hier, in Freising/Obb., dem Wohnort seiner Frau, eine neue Existenz aufbauen.
Daraufhin entschloß sich meine Tante, persönlich mit ihm zu sprechen. Sie wollte über die grüne Grenze gehen, von der sowjetischen zur amerikanischen Besatzungszone. Meine Mutter riet ihr heftig davon ab. Nach allem, was man hörte, war eine solche Reise für eine Frau Anfang vierzig kein ungefährliches Unternehmen, aber meine Tante war von ihrem Vorhaben nicht abzubringen, und sie rieb

sich, in Vorfreude auf das erste Wiedersehen mit ihrem einzigen Sohn nach fünf Jahren, die Hände.
Der Grenzübertritt vollzog sich reibungslos. Bei ihrer Rückkehr schien meine Tante durchaus zufrieden und berichtete, ihr Sohn leide zwar unter beruflichen und finanziellen Schwierigkeiten, »er hat doch nichts gelernt!«, habe aber eine nette und gute Frau gefunden und wolle es sich mit der Rückkehr nach Berlin noch einmal überlegen.
Tatsächlich erschien er im folgenden Sommer mit seiner Frau in Berlin. Er war bewundernswert groß, spielte, wie er mir erzählte, bei München 1860 als Torwart in der 2. Männermannschaft und war, was seinen sportlichen Aufstieg betraf, zuversichtlich.
»Warte ab«, sagte er zu mir, »in der nächsten Saison stehe ich in der Ersten.«
Die Frau meines Cousins hieß Toni, trug ein Dirndlkleid und konnte auf zwei Fingern pfeifen.
Mein Cousin wollte zwei Wochen bleiben, fuhr aber – für uns alle, auch für meine Tante überraschend – nach drei Tagen wieder zurück. Er habe sich hier, bei den Russen, nicht sicher gefühlt. Die Angst habe ihm immer im Nacken gesessen, berichtete meine Tante und fügte mit besorgtem Gesicht hinzu: »Wer weiß, was er im Krieg erlebt hat.«
Anscheinend begann mein Cousin auch seine beruflichen Chancen zuversichtlicher zu werten, denn meine Tante freundete sich mehr und mehr mit dem Gedanken an, daß er sich endgültig in Freising/Obb. niederlassen wollte. »Er hat da als Katholischer auch mehr Möglichkeiten«, sagte sie einmal, »und die Gegend ist ja wie ein Traum.«
Im Winter 1950 beantragte meine Tante die Genehmigung für eine vierwöchige Reise in die amerikanische Zone, die ihr für das kommende Frühjahr zugebilligt wurde. Selten habe ich meine Tante in größerer Zufriedenheit gesehen.
Zu meinem vierzehnten Geburtstag im Januar schenkte sie mir die Jahrgänge 1948 und 1949 der Zeitschrift »Natur und Technik«, die sie nach längerem Bemühen in einem Antiquariat erstanden hatte, und dazu zwei Bücher aus der

kleinen Bibliothek meines Cousins. »Jörg Jenatsch« von Conrad Ferdinand Meyer und eine Nettelbeck-Biografie. Außerdem stellte sie mir fürs nächste Osterfest das Luftdruckgewehr meines Cousins in Aussicht. Ich wurde rot vor Freude. Meine Tante verzog das Gesicht, rieb ihre Hände und lächelte dann.

Als ich ihr vierzehn Tage vor ihrer Abreise die Wohnungstür öffnete, erkannte ich sie nicht wieder. Sie war totenblaß, ging wie abwesend an mir vorbei und setzte sich wortlos auf einen Sessel. Meine Mutter lief erschrocken im Zimmer umher, beschwor sie, um Gottes willen zu erzählen, was denn passiert sei, »mein Gott, Hete, nun sag doch schon was!«, aber meine Tante brach in Tränen aus und war erst nach einer Viertelstunde fähig, einen Satz zu sprechen. »Ich wollte Manfred doch keine unnötigen Kosten machen«, sagte sie unter Tränen.

Geschehen war folgendes: Meine Tante hatte, die Reise in die Westzone vor Augen, sich alter, auf dem Hängeboden lagernder Materialbestände ihres Mannes erinnert. Einem Hinweis der Nachbarin folgend, hatte sie ein paar Kilogramm des Buntmetalls in den Westsektor der Stadt gebracht und dort bei einem Altwarenhändler für einen überraschend hohen Westmarkpreis verkaufen können. Heute hatte sie nun den größeren Teil, siebeneinhalb Kilogramm Bleirohr, über die Grenze bringen wollen. Sie hatte das Metall über dem Gasherd zu kleinen Barren verschmolzen, in der Einkaufstasche verstaut und sich in die Straßenbahnlinie 4 gesetzt, die damals noch durch die Bernauer Straße fuhr, deren eine Seite zum französischen und deren andere zum sowjetischen Sektor gehörte.

An der Eberswalder Straße, kurz vor der Sektorengrenze, waren die erst seit kurzer Zeit tätigen Kontrolleure durch den Wagen gegangen. Wie beim ersten Mal hatte meine Tante die Tasche unauffällig neben sich gestellt, und – sagte sie unter Tränen – es hätte auch diesmal nichts passieren können, wäre nicht einer der Kontrolleure mit dem Fuß zufällig gegen die Tasche gestoßen. Er habe dann gefragt,

sein Gesicht unter Schmerzen verziehend, ob ihr diese Tasche gehöre, und meine Tante habe nicht gewagt zu verneinen.
Sie habe aussteigen und sich in einem Raum der nahegelegenen Post einer Kontrolle der Tasche und einer Leibesvisitation unterziehen müssen. Dann habe man sie mit dem Polizeiauto zum Präsidium in die Neue Königsstraße gefahren, wo sie von einem Kriminalpolizisten verhört worden sei. Sie habe gleich alles zugegeben. Man habe ihr allerdings nicht geglaubt, daß sie es erst zum zweiten Mal getan habe. Dann seien ihr – und an dieser Stelle ihrer Erzählung begann sie wieder hemmungslos zu weinen, so daß meine Mutter lange und beruhigend auf sie einreden mußte, ehe meine Tante in der Lage war weiterzuerzählen –, dann seien ihr Fingerabdrücke abgenommen worden und anschließend sei sie in einen Raum gebracht worden, in dem man sie von allen Seiten fotografiert habe. »Von allen Seiten«, wiederholte sie ungläubig und schluchzend, »wie ein Verbrecher.«
Sie schwieg und starrte an meiner Mutter vorbei aus dem Fenster. Ich erinnere mich nicht, meine Tante je fassungsloser gesehen zu haben als in jenem Moment.
In den folgenden zwei Wochen kam sie jeden Abend zu uns. Sie saß auf einem der beiden Sessel, gegenüber meiner Mutter, redete kaum, und wenn doch, dann nur über ein Thema: was nun, um Gottes willen, geschehen würde, sie hätte ihr ganzes Leben nie etwas mit der Polizei zu tun gehabt: »Wie soll ich denn dem Jungen unter die Augen treten?«
»Aber Hete«, sagte meine Mutter dann und gab ihrer Stimme einen möglichst sorglosen Klang, »du bist doch kein Schieber. Es war doch dein persönliches Eigentum. Laß dir mal keine grauen Haare wachsen.«
Meine Tante schwieg dann meist und schien beruhigt. Doch je öfter meine Mutter die sorgenvollen Bedenken meiner Tante zerstreuen wollte, desto verschlossener wurde sie. Die Veränderung, die in ihr vorging, war wider-

sprüchlich. Einerseits trieb sie die Vorbereitungen für die Reise zu ihrem Sohn voran. Sie kaufte sich einen neuen Mantel und erschien zwei Tage vor ihrem Reisetermin mit einer neuen Frisur. Andererseits trug sie die wenigen Äußerungen über ihre – wie sie sich ausdrückte – Angelegenheit weitaus gefaßter und – wie mir heute scheint – der möglichen Konsequenzen bewußter vor. Was mir schon damals auffiel: sie sah mir nicht mehr in die Augen, wenn sie mit mir sprach.

Einmal, sie saß bei uns am Abendbrottisch, ohne etwas zu essen, hob sie den Kopf und sagte: »Trudchen, ich werde beobachtet.«

»Aber Hete!« sagte meine Mutter.

»Doch«, sagte meine Tante, und sie schien sich ihrer Sache vollkommen sicher zu sein. »Gestern abend stand im Hausflur gegenüber ein Mann. Er hat dauernd hoch gesehen.«

Meine Mutter schüttelte ungläubig den Kopf.

»Doch«, sagte meine Tante beharrlich, »ich habe ihn auch in der S-Bahn getroffen. Er hat mich beobachtet.«

»Hete, du täuschst dich bestimmt«, sagte meine Mutter beschwörend.

»Nein«, sagte meine Tante, »so kann man sich nicht täuschen.«

»Du redest dir etwas ein«, sagte meine Mutter. »Bestimmt grübelst du zuviel.«

»Trudchen«, sagte meine Tante, »sie werden mich ins Gefängnis stecken.« Sie schlug die Hände vor ihr Gesicht, offenbar erschrocken über ihren Mut, etwas auszusprechen, was man in unseren Kreisen – auf sich selbst bezogen – nicht einmal zu denken wagte. Ich weiß noch, daß dieses Wort ein ähnlich befremdliches Gefühl in mir auslöste wie das Wort Pest, wenn ich es in einem Buch las. Ich erinnere mich auch noch an den entsetzten Ausdruck, der in das Gesicht meiner Mutter trat, wie wenn jemand ins Zimmer gekommen wäre und den Tod meines als vermißt geltenden Vaters bekanntgegeben hätte. Aber selbst das, scheint mir heute, wäre für sie begreifbarer gewesen als dieses Wort, das für sie, wie für meine Tante, der Beginn einer unauslöschlichen Schande, eines untilgbaren Fluchs zu sein schien.

»Aber Hete!« rief meine Mutter, als sie sich wieder in der Gewalt hatte, »du mußt doch nicht mit dem Schlimmsten rechnen. Fahr erst mal zu Manfred und laß alles andere auf dich zukommen.«

Als meine Tante an jenem Tag nach Hause ging, sahen wir ihr, wie jedes Mal, aus dem Fenster hinterher und winkten, wenn sie sich umdrehte, so lange, bis sie um die Ecke gebogen war.

Meine Tante wohnte im vierten Stockwerk des Hauses Nr. 38 in der früheren Weißenburger Straße. Am nächsten Vormittag, ihrem Reisetag, habe sie, erzählte man uns, die Aufmerksamkeit einiger Passanten erregt, indem sie, auf dem Fensterbrett stehend, Anstalten machte herunterzuspringen. Es habe sich schnell eine Menschenmenge angesammelt und man habe ihr durch Gesten und durch lautes Rufen bedeutet, sie solle zurücktreten. Tatsächlich sei sie vom Fensterbrett heruntergestiegen und habe das Fenster geschlossen.

Eine Nachbarin, durch den Lärm auf der Straße aufmerksam geworden und schon im Besitz des zweiten Wohnungsschlüssels, den meine Tante ihr für die Dauer ihrer Reise wegen der fälligen Ablesung des Gaszählers überlassen hatte, klingelte an der Tür und betrat dann, da niemand öffnete, die Wohnung. Im Zimmer, das zur Straße hinausging, sei niemand gewesen, erzählte sie uns später. Als sie aber die Tür der zum Hof liegenden Küche öffnete, habe sie meine Tante auf dem Fensterbrett sitzen gesehen, mit dem Rücken zu ihr, die Beine in der Luft baumelnd. Noch bevor sie, die Nachbarin, ein Wort über die Lippen gebracht habe, sei meine Tante hinuntergesprungen.

Die Ärzte stellten am Leichnam meiner Tante einen doppelten Schädelbasisbruch, Frakturen beider Oberschenkel und Verletzungen der wichtigsten inneren Organe fest.

Zwei Wochen später bekam meine Mutter Post aus Freising/Obb. Sie enthielt detaillierte Angaben über die Art und Weise, in der die Beerdigung stattfinden solle, und legte die Gründe dar, weshalb es meinem Cousin unmöglich sei, an der Feierlichkeit teilzunehmen, wollte er nicht seine berufliche Existenz gefährden.
Der Brief schloß mit den Sätzen: »Alle meine Gedanken sind bei Euch. Wenn ich auch den Freitod meiner geliebten Mutter aus Gründen des Glaubens niemals werde billigen können, so ehre ich doch ihr Motiv, sich und mir das Schlimmste ersparen zu wollen.«

REINER KUNZE

## *Element*

Auf sein Bücherbrett im Lehrlingswohnheim stellte Michael die Bibel. Nicht, weil er gläubig ist, sondern weil er sie endlich einmal lesen wollte. Der Erzieher machte ihn jedoch darauf aufmerksam, daß auf dem Bücherbrett eines sozialistischen Wohnheims die Bibel nichts zu suchen habe. Michael weigerte sich, die Bibel vom Regal zu nehmen. Welches Lehrlingswohnheim nicht sozialistisch sei, fragte er, und da in einem sozialistischen Staat jedes Lehrlingswohnheim sozialistisch ist und es nicht zu den Obliegenheiten der Kirche gehört, Chemiefacharbeiter mit Abitur auszubilden, folgerte er, daß, wenn der Erzieher Recht behalte, in einem sozialistischen Staat niemand Chemiefacharbeiter mit Abitur werden könne, der darauf besteht, im Wohnheim auf sein Bücherbrett die Bibel stellen zu dürfen. Diese Logik, vorgetragen hinter dem Schild der Lessing-Medaille, die Michael am Ende der zehnten Klasse verliehen bekommen hatte (Durchschnittsnote Einskommanull), führte ihn steil unter die Augen des Direktors: Die Bibel verschwand, und Michael dachte weiterhin logisch. Die

Lehrerin für Staatsbürgerkunde aber begann, ihn als eines jener Elemente zu klassifizieren, die in Mendelejews Periodischem System nicht vorgesehen sind und durch das Adjektiv »unsicher« näher bestimmt werden.

2

Eines Abends wurde Michael zur Betriebswache gerufen. Ein Herr in Zivil legte ihm einen Text vor, in dem sich ein Ich verpflichtete, während der Weltfestspiele der Jugend und Studenten die Hauptstadt nicht zu betreten, und forderte ihn auf zu unterschreiben. – Warum? fragte Michael. Der Herr blickte ihn an, als habe er die Frage nicht gehört. – Er werde während der Weltfestspiele im Urlaub sein, sagte Michael, und unter seinem Bett stünden nagelneue Bergsteigerschuhe, die er sich bestimmt nicht zu dem Zweck angeschafft habe, den Fernsehturm am Alex zu besteigen. Er werde während der Weltfestspiele nicht einmal im Lande sein. – Dann könne er also unterschreiben, sagte der Herr, langte über den Tisch und legte den Kugelschreiber, der neben dem Blatt lag, mitten aufs Papier. – Aber warum? fragte Michael. Der Text klinge wie das Eingeständnis einer Schuld. Er sei sich keiner Schuld bewußt. Höchstens, daß er einmal beinahe in einem VW-Käfer mit westberliner Kennzeichen getrampt wäre. Damals hätten sich die Sicherheitsorgane an der Schule über ihn erkundigt. Das sei für ihn aber kein Grund zu unterschreiben, daß er während der Weltfestspiele nicht nach Berlin fahren werde. – Was für ihn ein Grund sei oder nicht, das stehe hier nicht zur Debatte, sagte der Herr. Zur Debatte stehe seine Unterschrift. – Aber das müsse man ihm doch begründen, sagte Michael. – Wer hier was müsse, sagte der Herr, ergäbe sich einzig aus der Tatsache, daß in diesem Staat die Arbeiter und Bauern die Macht ausübten. Es empfehle sich also, keine Sperenzien zu machen. – Michael begann zu befürchten, man könnte ihn nicht in die Hohe Tatra trampen lassen, verbiß sich die Bemerkung, daß er

die letzten Worte als Drohung empfinde, und unterschrieb.
Zwei Tage vor Beginn seines Urlaubs wurde ihm der Personalausweis entzogen und eine provisorische Legitimation ausgehändigt, die nicht zum Verlassen der DDR berechtigte, und auf der unsichtbar geschrieben stand: Unsicheres Element.

3

Mit der topografischen Vorstellung von der Hohen Tatra im Kopf und Bergsteigerschuhen an den Füßen, brach Michael auf zur Ostsee. Da es für ihn nicht günstig gewesen wäre, von Z. aus zu trampen, nahm er bis K. den Zug. Auf dem Bahnsteig von K., den er mit geschulterter Gitarre betrat, forderte eine Streife ihn auf, sich auszuweisen. »Aha«, sagte der Transportpolizist, als er des Ausweispapiers ansichtig wurde, und hieß ihn mitkommen. Er wurde zwei Schutzpolizisten übergeben, die ihn zum Volkspolizeikreisamt brachten. »Alles auspacken!« Er packte aus. »Einpakken!« Er packte ein. »Unterschreiben!« Zum zweitenmal unterschrieb er den Text, in dem sich ein Ich verpflichtete, während der Weltfestspiele die Hauptstadt nicht zu betreten. Gegen vierundzwanzig Uhr entließ man ihn. Am nächsten Morgen – Michael hatte sich eben am Straßenrand aufgestellt, um ein Auto zu stoppen – hielt unaufgefordert ein Streifenwagen bei ihm an. »Ihren Ausweis, bitte!« Kurze Zeit später befand sich Michael wieder auf dem Volkspolizeikreisamt. »Alles auspacken!« Er packte aus. »Einpacken!« Diesmal wurde er in eine Gemeinschaftszelle überführt. Kleiner Treff von Gitarren, die Festival-Verbot hatten: Sie waren mit einem Biermann-Song oder mit der Aufschrift ertappt worden: WARTE NICHT AUF BESSRE ZEITEN. Sein Name wurde aufgerufen. »Wohin?« – »Eine schweizer Kapelle braucht einen Gitarristen«, sagte der Wachtmeister ironisch. Er brachte ihn nach Z. zurück. Das Konzert fand auf dem Volkspolizeikreisamt statt. »Sie wollten also nach Berlin.« – »Ich wollte zur Ostsee.« – Der Polizist entblößte ihm die Ohren. »Wenn Sie noch einmal lügen, vermittle ich Ihnen einen handfesten Eindruck davon, was die Arbeiter-und-Bauern-Macht ist!« Michael wurde fotografiert (mit Stirnband, ohne Stirnband) und entlassen. Um nicht weiterhin verdächtigt zu werden, er wolle nach Berlin, entschloß er sich, zuerst nach Osten und dann oderabwärts zur Küste zu trampen. In F. erbot sich ein Kraftfahrer, ihn am folgenden Tag unmißverständlich weit über den Breitengrad von Berlin hinaus mitzunehmen. »Halb acht vor dem Bahnhof.« Halb acht war der Bahnhofsplatz blau von Hemden und Fahnen: Man sammelte sich, um zu den Weltfestspielen nach Berlin zu fahren. Ein Ordner mit Armbinde fragte Michael, ob er zu einer Fünfzigergruppe gehöre. – »Sehe ich so aus?« – Der Ordner kam mit zwei Bahnpolizisten zurück. »Ihren Ausweis!« Michael weigerte sich mitzugehen. Er erklärte. Er bat. Sie packten ihn an den Armen. Bahnhofszelle. Verhör. Die Polizisten rieten ihm, eine Schnellzugfahrkarte zu lösen und zurückzufahren. Er protestierte. Er habe das Recht, seinen Urlaub überall dort zu verbringen, wo er sich mit seinem Ausweis aufhalten dürfe. – Er müsse nicht bis Z. zurückfahren, sagten die Polizisten, sondern nur bis D. Falls er jedoch Schwierigkeiten machen sollte, zwinge er sie, das Volkspolizeikreisamt zu verständigen, und dann käme er nicht zu glimpflich davon. Ein Doppelposten mit Hund begleitete ihn an den Fahrkartenschalter und zum Zug. »Wenn Sie eher aussteigen als in D., gehen Sie in U-Haft!« Auf allen Zwischenstationen standen Posten mit Hund. In D. erwarteten ihn zwei Polizisten und forderten ihn auf, unverzüglich eine Fahrkarte nach Z. zu lösen und sich zum Anschlußzug zu begeben. Er gab auf. Auf dem Bahnsteig in Z. wartete er, bis die Polizisten auf ihn zukamen. Nachdem sie Paßbild und Gesicht miteinander verglichen hatten, gaben sie ihm den Ausweis zurück. »Sie können gehen.« – »Wohin?« fragte Michael.

ULRICH PLENZDORF

*kein runter kein fern*

sie sagn, daß es nicht stimmt, daß MICK kommt und die Schdons rocho aber ICH weiß, daß es stimmt rochorepocho ICH hab MICK geschriebn und er kommt rochorepochopipoar ICH könnte alln sagn, daß MICK kommt, weil ICH ihm geschriebn hab aber ICH machs nicht ICH sags keim ICH geh hin ICH kenn die stelle man kommt ganz dicht ran an die mauer und DRÜBEN ist das SPRINGERHAUS wenn man nah rangeht, springt es über die mauer SPRINGERHAUS RINGERHAUS FINGERHAUS SINGERHAUS MICK hat sich die stelle gut ausgesucht wenn er da aufm dach steht, kann ihn ganz berlin sehn und die andern Jonn und Bill und die und hörn mit ihre ANLAGE die wern sich ärgern aber es ist ihre schuld, wenn sie MICK nicht rüberlassn ICH hab ihm geschriebn aber sie habn ihn nicht rübergelassn aber MICK kommt trotzdem so nah ran wies geht auf MICK ist verlaß sie sagn, die DRÜBEN sind unser feind wer so singt, kann nicht unser feind sein wie Mick und Jonn und Bill und die aber MICK ist doch der stärkste EIKENNGETTNOSETTISFEKSCHIN! ICH geh hin dadarauf kann sich MICK verlassn ich geh hin Mfred muß inner kaserne bleibn und DER hat dienst ICH seh mir die parade an KEIN FERN und dann zapfenstreich KEIN RUNTER und dann das feuerwerk und dann MICK parade ist immer schau die ganzen panzer und das ICH seh mit die parade an KEIN FERN dann zapfenstreich KEIN RUNTER dann feuerwerk KEIN RUNTER dann MICK KEIN RUNTER arschkackpiss ICH fahr bis schlewskistraße vorne raus zapfenstreich stratzenweich samariter grün frankfurter rot strausberger grün schlewski grau vorne raus strapfenzeich stratzenweich mit klingendem spiel und festem tritt an der spitze der junge major mit seim stab der junge haupttambourmajor fritz scholz, der unter der haupttribüne den takt angegeben hat

mit sein offnes symp warte mal symp gesicht und seim durchschnitt von einskommadrei einer der bestn er wird an leunas komputern und für den friedlichn sozialistischen deutschen staat arbeitn denn er hat ein festes ziel vor den augn dann feurwerk dann MICK ICH weiß wo die stelle ist ubahn bis spittlmarkt ICH lauf bis alex dann linje a kloster grau märk mus weiß spittlmarkt vorne raus SPRINGERHAUS MICK und Jonn und Bill und die aufm dach EIKENNGETTNOSETTISFEKSCHIN rochorepochopipoar!
*Schweigen. Sonne. Rote Fahnen. Die Glockenschläge der neunten Stunde klingen über der breiten Straße auf. Und da beginnt mit hellem Marschrhythmus unter strahlend blauem Himmel der Marsch auf unserer Straße durch die zwanzig guten und kräftigen Jahre unserer Republik, unseres Arbeiter- und Bauernstaates, die großartige Gratulationscour unserer Hauptstadt zum zwanzigsten Geburtstag der DDR auf dem traditionellen Marx-Engels-Platz in Berlin. Auf der Ehrentribüne die, die uns diese Straße immer gut und klug vorangegangen sind, die Repräsentanten der Partei und Regierung unseres Staates, an ihrer Spitze Walter Ul* jetz komm sie aber bloß fußtruppn panzer noch nicht *NVA mit ausgezeichneter Kampftechnik, die unsere gute Straße hart an der Grenze des imperialistischen Lagers sicher flankiert, bildet den Auftakt der Kampfdemonstration. Die Fußtruppen der Land- und Luftstreitkräfte sowie der Volksmarine, in je drei Marschblökken, ausgerichtet wie straffe Perlenschnüre, paradieren mit hellem Marschtritt unter winkenden Blumengrüßen der Ehrengäste an der Haupttribüne vorbei* Mfred wird sich in arsch beißn, daß er da nicht bei ist er ist bloß BULLE BULLN marschiern nicht – Aber Junge, dein Bruder ist kein Bulle, er ist Polizist wie viele andere – MAMA – Wenn er nochmal Bulle zu seinem, dann weiß ich nicht was ich! Den Bullen kriegst du noch wieder! – Mfred der B B marschiern nicht B sperrn bloß ab B lösn auf B drängeln ab B sind B Mfred rocho ist rochorepocho B rochorepochopipoar wenn ICH dran bin mit armee und dem, geh

ICH als panzermann, wenn sie mich nehm das ist die einzige scheiße, wenn man GESTÖRT ist sie nehm ein nicht zur armee aber wenn man sich freiwillig meldet, müssn sie ein nehm *Dann werden die Motorgeräusche stärker, voller: Silberglänzende Panzerabwehrraketen auf Schützenpanzerwagen, Geschoßwerfer, Panzerabwehrkanonen, die schlanken Rohre schützend zum Himmel gerichtet, sind die nächsten, die unter dem Winken und Rufen der Tausende begeisterter Betrachter unsere Straße heraufrollen. Die Bedienungen dieser Technik erreichten bei allen Gefechtsschießen Höchstnoten. Dann zittert die Luft. Schwere modernste Kettenfahrzeuge rasseln heran und dröhnen: Panzerverbände, darunter erstmalig gezeigte gewaltige Brückenlegepanzer und Raketentruppen, deren Spezialfahrzeuge teilweise mit drei Raketen bestückt sind, donnern in exakter Formation über den Asphalt* ICH kenn ein den habn sie auch genomm wenn man die prüfung besteht, ob man normal ist wenn man weiß, was die hauptstädte sind von polen tschechen ungaren sowjetunion und die warschau prag budapest und moskau als panzermann würdich Mfred laut sagn, du bist ein B und er könnte nichts machn panzermann ist mehr als B B bleibt B aber panzermann ist panzermann ich möchte panzer sein silberner panzer dann würdich alle B niederwalzn und DEN auch vielleicht nicht alle B aber Mfred ganz sicher aber vielleicht Mfred auch nicht ICH würde meine schlankn rohre auf ihn richtn und sagn, sag das du ein B bist, auch wenn er dann schon studiert aber B bleibt B und wenn ers sagt, muß er noch gegn mich boxn zwei rundn er muß immer gegn mein panzer boxn und ICH würde bloß dastehn und stillhaltn bis ihm seine knochn blutn und IHN würdich vielleicht auch nicht umwalzn ICH würde meine schlankn rohre auf IHN richtn und sagn, hol sofort MAMA zurück und sag, daß sie nicht haltlos ist und daß sie die schönste Frau ist und dassich ein taschenmesser habn darf zwei drei tausendmilljonen, wennich will und dassich mit links schreibn darf und dassich kein kronischer BETTNÄSSER bin und nicht GESTÖRT und keine haltung und faul und dassich tischler werdn kann und dann fragich IHN, ob ER sich ändern will und wenn ER ja sagt, sagich, das muß ER erst beweisn ER muß zum ballspiel damit aufhörn, seine stinkendn zigarettn zu rauchen, daß eim zum kotzen wird, wenn man in sein zimmer kommt dadamit muß ER anfangn und dann muß ER aufhörn, sich beim essn die sockn auszuziehn und zwischn den zen zu puln zen schreibt man mit ha und dann seine stulle anfassn und ER muß mir WESTKAUGUMMIS kaufn und ER muß aufhörn damit, daß in der wohnung nichts aus WESTN sein darf und daß der WESTN uns aufrolln will MICK will kein aufrollen und Bill und die und Jonn und ER muß jedn tag dreimal laut sagn, in WESTN kann man hinfahrn, wo man will, in WESTN kann man kaufn, was man will, in WESTN sind sie frei MAMA IST IN WESTN – Eure Mutter hat die Republik verraten, wir sind jetzt ganz auf uns, wir drei. Jetzt zusammen halten. Haushalt gemeinsam. Manfred wird sich weiter um seinen Bruder wie schon, und er wird weiterhin gut lernen und noch besser wie in der letzten. Jetzt gerade und mir keinen Ärger in der Schule, klar?! Er geht zur Hilfsschule. Wer sagt? Frag ihn doch. – Mfred der B und VERRÄTER – Er geht zur HILFSSCHULE? Wer hat das veranlaßt? Mama. – VERRÄTER – Seit wann?! Seit wann ist er auf dieser Schule?! Seit der dritten. Seit er sitzengeblieben ist. Warum weiß ich das nicht? Wa-rum – ich – das – nicht – weiß?! Mama hat es verboten. – VERRÄTER – Ich will das Wort Mama oder Mutter für diese Frau nicht mehr! – MAMA – Diese Frau hat ihn also hinter meinem Rücken in diese Schule! Deswegen also seine guten Leist in der letzten! Da kommt er mit! Das werden wir ja! Das hat er sich so! Sich vor normalen Leistungen drück! Hinter meinem Rück! Diese Frau und dann sich ab! Das mach ich rück! Wo ist diese Schule? Wie heißt der Direk? Brade? – vater Brade schafft keiner, nicht mal die 4c und die schaffn jedn lehrer – Als hilfsschulbedürftig im Sinne des Paragrafen neunzehn des Gesetzes über das einheitliche warte mal über das ein das sozialistische Bildungssystem und der fünften Durchführungsbestimmung zu diesem Gesetz sind alle schulbildungsfähigen schwachsinnigen Kinder. Mein Sohn ist nicht schwachsinn – der lauscher an der wand hört seine eigne schand – im Irrtum. Bei Ihrem Sohn sind alle Merkmale einer ausgepägten intellektuellen Schädigung. Mein Sohn ist nicht geschädigt! Einfach faul, von früh auf, keine Haltung. Ihr Sohn ist nicht faul, und er hat sogar eine relativ gute Merkfähigkeit für ein schwachsinn. Schwachsinn ist doch nur eine Folge kapita warte mal also kapita wo soll im Sozialismus der Nährboden für Schwachsinn! Wo ist im Sozialismus der Nährboden für Krebs? Krebs ist eine Krank. Schwachsinn ist auch eine Krank. Lediglich die Ursachen für Krebs sind. Die Ursachen für Schwachsinn sind auch noch nicht, mein lieber Mann. Kein korrekter Vorgang hinter meinem Rück als Vat. Das ist nicht selten aus Furcht und wir sind nicht ver die Unterschriften beider Eltern. Bei mir braucht keiner Angst, das ist eine Intrige dieser Frau, politisch, aus Haß gegn, sie wußte um meine Tätig, ich bin beim, und dann hat diese Frau die Republik im Wissen, daß mir die weitere Tätigkeit beim nicht, verlange ich die sofortige Rückschulung. In der päda Praxis konnten solche Rückschulungen bisher nur in äußerst seltenen so etwa bei groben Fehlern in der Aufnahmedia warte mal dia, liegt bei ihrem Sohn keinesfalls vor, mein lieber Mann. Wie ich bereits sagte, arbeiten die Hilfsschulen mit speziellen Lehrplänen. Ein zu uns über Kind kann daher die ohnehin vorhandenen Rückstände nicht nur nicht – hilfser bleibt hilfser – sondern die Leistungsunterschiede zur Oberschule vergrößern sich rasch und schließen eine spätere Rück – hilfser bleibt hilfser rochorepochopiapoar – Das ist alles der Einfluß dieser – MAMA hat auch nie kapiert, warum bei 35 minus e ist gleich siebzehn, e gleich 18 ist, oder sie hat es kapiert, weil siebzehn und e 18 ist aber sie weiß auch nicht, wie man darauf kommt, warum man e auf die andre seite bringn muß auf welche andre seite überhaupt und warum e auch d sein kann e kann doch nicht d sein und was dabei variabl kain und abl sind variabl abl und kain sind sind sind arschkackpiss alle wußtn das, bloß ICH nicht sitzenbleiber schweinetreiber sitzenbleiber fünfenschreiber – ausgerechnet er nicht, das kann doch bloß daran, daß er zu faul. Einfach zu! Nie hat es das! Sieh dir meinen Vater an. Unter dem Kapitalismus nicht mal als Arbeiterjunge. Die Familie ernährn und wie hat er sich hoch. In den Nächten mit eisernem und morgens um vier. Von mir will ich ganz. Aber nimm seinen Bruder. Leistungen sehr, wenn auch noch. Keine Klagen, weil vom ersten Tag an. – Mfred der B ich bin hilfser aber Mfred ist B es muß ja auch hilfser gebn aber B muß es nicht gebn ICH hatte schon immern jagdchein – Jagdchein schreibt man mit sch. Er soll nicht immer die Endungen verschlucken, deswegen schreibt er auch falsch. Geht das nicht in seinen Kopf? Sprich mir nach: *reden, singen, laufen.* Das schreibt er jetzt zehnmal. – arschkackpiss repochopipoar MICK-MAMA – Der Junge kann doch nichts dafür, wenn er nicht alles begreift. – MAMA – Du hast für alles eine Entschuldigung, was den Jungen. Ich hab auch nicht alles begriffen und bin trotzdem ein halbwegs anständiger Mensch geworden. Du immer mit deinem halbwegs, heute sind die Anforderungen, dir würde es auch nichts schaden, wenn du, manches muß man eben einfach, sich hinsetzen und pauken, das Einmaleins kann man nicht begreifen, das muß man bis es einem in Fleisch und Blut. *Er* ist Arbeiterjunge und *er* kann. Daß ich hier richtig verstanden werde. Ich will hier keinen Gegensatz zwischen Arbeitern und Söhnen von Frisören – frösen von sisören frönen von sisören frisen von sösören sösen von frisönen – Schließlich sind wir alle eine große Gemeinschaft und wenn er so weiter, landet er noch in der Hilfsschule. Ein Fleischmann und in der Hilfs. Wir heißen Fleischmann und nicht Fleichmann. Seinen eigenen Namen wird er doch noch! Wie es in deiner Familie, weiß ich natürlich. Bitte laß meine Familie aus dem Spiel! – MAMA – Ich werde dafür, daß er, sagen wir in zwei Jahren, auf Durchschnitt zwokommafünf und Manfred wird ihm dabei helfen, noch besser als. Schließlich seid ihr Brüder. In Ordnung Manfred?! Ich wünsche eine deutliche Ant! Da wird eben gesessen und gearbei und nicht mehr runter und kein fern und jeden um sechzehn Uhr wird bei mir und angetanzt die Schularbeiten der ganzen und die Leistungen durchgesprochen, solange bis es, und dann werden wir ja *Schon dröhnen am Firmament über der Straße unserer Arbeiter- und Bauerngeschichte Böllerschüsse. Seidene Banner der Arbeiterklasse und unserer Republik schweben durch die Sonnenstrahlen herab. Und ringsum hinter dem Platz, auf dem die Marschmusik des abmarschierenden Spielmannszuges und des Musikcorps der NVA verklungen war, hört man ein Summen, Singen, Rufen – die breite und bunte Front der Berliner Bevölkerung zieht zur Gratulationscour auf der Straße heran. Die Straße ist voller* Manfred wird das beaufsichtigen, Einwände? – ZWOKOMMAFÜNF KEIN RUNTER KEIN FERNkalernkalorumkapitalismuskonzentrationsmängl sind ein tüpiches zeichn – und in zwei Jahren wird mich kein Lehrer mehr in die Schule und ich wie dumm dastehen, und mein Sohn ist versetzungsgefährdet, und die Schule bereits schon lange signalisiert und Information gegeben, und ich weiß nichts. Jeder Brief wird mir in Zukunft und jede Arbeit vorgelegt – vorgelege das sind, wenn man vorgelege dien sie erhöhn sie sind eine zusatzeinrichtung zur erhöhung der drehzahl der welle zum ballspiel bei drechselbänkn bei der verarbeitung sehr spröder holzartn zum ballspiel kiefer die würde ja splittern es empfiehlt sich, bei kiefer kernholz zu nehm, wenn überhaupt zum drechseln eher von den einheimichen hölzern buche esche also kurzfasrige hölzer dabei geht es auch mit kiefer wenn man aufpaßt kiefer ist gut – daß die Schule meine Dienststelle informiert, daß der Sohn des Nossen Fleich schlechte Leist, erziehungsschwierig außer Werken, ich weiß. Wegen seinem Holzfimmel – filzhommel folzhimmel – keine Illusi warte mal Illu. Ich habe nicht und mein Vater hat nicht in den schweren Jahren, damit unsere Kinder Tischler! Damit ich hier richtig verstanden, das richtet sich nicht gegen Tischler. Es muß und es soll auch Tischler. Aber sollen die mal Tischler, die solange immer Doktor. Wobei ich nichts gegen Doktoren. Doktoren muß es. Sie sind sogar die Verbündeten, aber wir orientieren sowieso daß im Zuge der technischen – sisiwo – wenig intelligenzintensive Tätig zum Beispiel Tischler durch weitgehende Mechani beziehungsweise Substi neuer Werkstoffe wie zum Beispiel Plaste – schlaste klaschte klaste pflaste klaschte von plaste kriegt man krebs plastekrebs – und da soll er Tischler werden? Sein TASCHENMESSER gibt er sofort ab und das ganze Holz kommt aus dem Kell. Plaste hat Zukunft, und das hört auch auf, daß er nicht von Plaste essen. Wir alle essen von Plaste, und es bekommt. Nimm Manfred! Ißt er etwa nicht? Und außerdem ist es hyg. Er wird sich daran gewöhnen, an Rechtsschreiben hat er sich auch und sehr gut. Und noch ein Punkt: das Bettnässen. Das hört nun auch auf. Zehn Jahre und nicht wissen, wann man auf Clo. Meine Meinung hierzu, daß wir ihm das Linksschreiben abgewöhnt und er jetzt aus Protest ins Bett. Er soll sich zusammennehmen, oder ihr geht zum Arzt. Es gibt gegen alles ein *ihre Freiheit ringenden Völkern. Die DDR ist richtig programmiert. Sie hat in aller Welt Freunde und ein hohes Ansehen. Unsere Straße war nie eine glatte Chaussee. Schwer war der Anfang, voller Mühen und Entbehrungen. Aber sie ist gepflastert mit dem entschlossenen Willen von Millionen. Zeugnis der Befreiungstat der Sowjetunion ein T vierunddreißig mit der russischen Aufschrift: Tod dem Faschismus. Dann ganz groß fotoko* würd ich auch bei mir vorne draufschreibn, wenn ich panzer wär und dann würdich meine schlankn rohre auf IHN richtn und befehln, rufn sie sofort aus, tod dem faschismus das würde ER bestimmt machn und dann würdich sagn, sagn sie, daß sie ein faschist sind das würde ER nicht machn und dann würdich mit meine schlankn rohre auf IHN losfahrn und dann würde ER wegrenn aber ICH würde IHM nachfahrn und wenn er in ein haus rennt oder in seine DIENSTSTELLE, würdich davor in Stellung gehn und sagn, gebt IHN raus oder ICH schieße das ganze haus in klump und sie würdn IHN rausgebn, weil sie sich ihr schönes haus nicht für ein faschistn kaputtmachn lassn würdn und dann würdich IHN vor mir hertreibn bis vor Mfreds kaserne und würde sagn, gebt Mfred den B raus und sie würdn vielleicht auf mich schießn aber ihre kugln komm durch mein silbernen panzer nicht durch und sie müßtn Mfred rausgebn rocho und dann zwingich IHN, mit Mfred zwei rundn zu boxn, bis ER auf die bretter geht rochorepocho und immer, wenn Mfred nicht richtig zuhaut, weil er IHM nichts tun will, lang ich ihm eine mit meine zwei schlankn rohre, daß er umfällt rochorepochopipoar ER hat nur kraft aber Mfred ist im verein er weiß wo er hinhaun muß, daß es gemein ist bloß im verein darf er nicht aufn magn und die ohrn immer auf die ohrn – Jedenfalls, da hat deine Mutter recht, Manfred, daß du ihn haust, das muß! Das ist nicht! Dazu hat hier nur einer das, klar? Wenn er anfängt. Stimmt das? Wie ein Idiot geht er plötzlich auf mich los. Stimmt das? – wenn Mfred mich nicht rausläßt wennich aufs clo muß – Das mit Mfred macht er auch bloß um mich zu ärgern. Warum spricht er seinen Bruder nicht mit seinem Namen? Der Idiot und dann wundert er sich. – hier sagt ja niemand mein nam – Aber das ist doch nicht wahr. Junge. – MAMA ja du aber die nie – Was heißt denn hier die? Ich soll nie? Also? Das macht er immer so, der Idiot, sagt keinen Ton! Laß den Idiot! – MAMA – Und das mit dem Clo sagt er auch nur, um sein Bettnässen auf mich zu schiebn, zehn Jahre und nicht wissen, wann er aufs Clo muß, das ist doch nicht normal. Jetzt sag mal wirklich, läßt Manfred dich nicht aufs Clo, wenn du mußt? – MAMA MAMA MAMA wenn er da ist, darf ich nur aufs clo, wenn er bestimmt er stellt sich einfach vor die tür – Der spinnt! Aber wenn wir da sind, kann sich Manfred doch nicht. Ich sag ja, der spinnt. Nachher bin ich noch Schuld, daß er eine Fünf nach der andern schreibt. – wenn ihr da seid und ICH geh aufs clo, ohne ihn zu fragn, haut er mich später – Der spinnt. Der fängt an. Er geht wie ein Idiot auf mich los. Du sollst den Idiot lassen, ich hab das schon mal gesagt! – MAMA – Daß du gegen mich bist, weiß ich. Deine Mutter ist nicht gegen dich, Manfred. Aber was er hier vorbringt, ist natürlich. Und von Manfred als dem Älteren und Reiferen hätte ich erwartet, daß er nicht. Jedenfalls wollte ich so nicht verstanden werden, daß Manfred ihn so beauf. Und in Zukunft will ich da keine Klagen mehr. Und was das Hauen anlangt, folgender Vorschlag. Ich stifte ihm auch ein paar Boxhandschuhe und damit kann er in Zukunft auf Manfred losgehen und dabei lernt er gleich etwas von der Technik. Das kann nicht schaden. Sag Manfred! – Mfred – Gut, eine Runde. Sag Manfred! – Mfred – Gut, zwei Runden. Sag Manfred! – Mfred – Gut, drei Runden. – immer auf die ohrn EIKENNGETTNOSETTISFEKSCHIN MICK-MAMA SPRINGERHAUS vorne raus MICK und Jonn und Bill und die mit ihre ANLAGE auf dem ICH muß glotzen *Straße gehört der Jugend. Ein über tausendköpfiger Fanfarenzug von Jung- und Thälmannpionieren, die Besten ihrer Freundschaften, führt die nächsten Marschblöcke an. Mädchen und Jungen mit blütenweißen Blusen schwenken mit* ich glotz mir das hier zuende an ob da auch hilfser bei sind von uns keine samariter grau strausberger grün schlewski grau ich fahr durch scheiß zapfenstreich schilling grau alex um auf a märkmus weiß kloster grau spittelmarkt vorne raus SPRINGERHAUS MICK MICK ist größer als die andern man sieht ihn sofort auch ist MICK blond seine haare gehn ihm bis auf die hüftn sie sind auch wellig wenn wind ist, stehn sie ab wie bei MAMA er hat auch so kleine hände sie riechen süß nach WESTKREM und sie sind warm mit den klein gerilltn huckln, wenn sie mich anfaßt und die nägl glänzn und sind lang und vorn rund sie soll aufpassn, daß sie nicht kaputtgehn beim gitarrespieln er soll lieber ein plättchen nehm, sonst kann er mich nicht mehr aufm rückn krauln wenn die anfälle komm das ist schön holz ist schön messer sind schön schlafn ist schön trinkn – Er darf einfach nicht mehr soviel trinken, dann wird er auch nicht mehr ins Bett nässen – träum ist schön blütenweiße blusn sind schön weiße blusn sind schön blusn sind schön die denkn ICH kann nicht mehr träum, weil sie MAMAS BLUSE habn, Mfred und DER – Ist dieses Kleidungsstück bekannt? Aha. Um was für ein handelt es sich? Sehr richtig, eine Bluse. Eine Mädchenbluse. Welchem Mädchen gehört beziehungsweise hat sie? Er weiß es nicht. Manfred, wo hast du diese Bluse? In seinem Bett unter der Matratze. Was hat es also mit dieser Bluse? Nichts, sie liegt in seinem, aber er hat nichts. Sieh mich an! Was hat es mit dieser Bluse?! Er legt sie immer unters Kopfkissen. Und dann? Er schweigt. Nun gut, fünf Tage kein und kein und dann werden wir ja! Ich glaube, die Bluse gehört Mama dieser Frau. – Mfred der B und VERRÄTER – Ach sie gehört! Das ist ja abnorm. Das ist ja perv! Wie kommst du zu dieser Bluse von dieser Frau? Geklaut wird er sie haben, damals noch. – VERRÄTER – Stimmt das? Gut, weitere fünf Tage kein und kein und außerdem kein. Was ist noch von dieser Frau? Rede! Wir durchsuchen dich sowieso–sisiwo wisiso sosowie sisowie MAMAS TASCHENTUCH das findn die nie das schluck ICH runter rocho ICH brauches bloß anzufassn dann kommt MAMA rochorepocho sie kommt und holt mich nach WESTN rochorepochopipoar sie kommt vom Springerhaus über die MAUER und ihre haare gehn ihr bis auf die hüftn die gitarre hat er bei sich keiner kann ihr was er ist stark ein schlag auf der gitarre und alle falln um und sie nimmt mich bei der hand mit den klein gerilltn huckln und sie sagt entschuldige bitte, daß ich erst jetzt komme ich mußte mir erst ein haus und ein auto kaufn es hat zwei zimmer für dich eins zu schlafn und eins da steht eine hoblbank und soviel holz wie du willst aber zuerst fahrn wir nach italien oder wohin und dann hopsich mit ihr über die MAUER keiner macht was sie habn angst, weil MICK so groß ist oder sie sehn uns nicht es ist nacht sie will mich rübertragn aber ICH sag ihr, gib mir bloß ein finger ich spring alleine wie früher springerhaus fingerhaus und er macht es und ich spring und

Jonn und Bill und die fangn an zu spieln EIKENNGETT-NOSETTISFEKSCHIN rochorepochopipoar und ICH mach für jedn eine gitarre für MICK die beste ICH bin hilfser und blöd und alles und hilfser brauchn sie in WESTN auch nicht aber gitarrn machn kann ich aus dem bestn holz aus linde ICH hab jetzt ein zimmer und holz und eine hoblbank und ICH bin der GRÖSSTE GI-TARRNMACHER in WESTN aber nicht für stars für alle die sich keine kaufn könn aber spieln wolln ICH nehm auch kein geld nur von stars außer von MICK und Jonn und Bill und die schdons das ist es, was die armen so erbittert und die reichn auf die barrikade treibt MAMA *unsern besten freund aus. Sprechchöre rufen mit kräftiger Stimme: Mit der Jugend jung geblieben* wennich in WESTN bin, darf Mfred nicht mehr B bleiben mit bruder in WESTN wie damals bei IHM, als MAMA da durfte ER auch nicht mehr da mußte ER die DIENSTSTELLE wechseln deswegn haßt er MAMA es ist bloß wegn vater Brade dem schreibich, daß es nicht wegn ihm ist wenn alle so wärn, wärich noch da und frau Roth und herr Kuhn und unsre ganze schule und alle hilfser außer eberhardchen es ist wegn MAMA *leuchtet das Blau der FDJ die Straße herauf. Tausendzweihundert Musiker ziehen an der Spitze der drei Marschblöcke mit zwanzigtausend FDJotlern heran. Die eng geschlossenen Reihen der Marschformationen vermitteln ein anschauliches Bild von der Kraft der Jugend, von unserem Tatendrang. Rhythmisches Klatschen von den Tribünen begleitet sie. Da verhält der Zug vor der Ehrentribüne. Die Hymne der Republik steigt, von den vielen Tausend gesungen, in den Himmel. Die mächtigen neuen Bauten ringsherum werfen das Echo zurück. dann zieht auch die letzte, die machtvolle Marschformation der FDJ auf der sonnenhellen Straße hinaus – hinaus ins dritte Jahrzehnt unserer* die gehn in Richtung Springerhaus nachher fängt MICK schon an ICH muß los die wern mich sehn zu hell arschkackpiss auch egal hauptsache ICH bin bis neun wieder da wenn DER vom dienst kommt, schlägt er mich tot soll ER doch auchegal ICH geh zu MICK wenn nicht, das ist verrat ICH kenn die stelle ICH nehm die u oder tram? ICH nehm die u samariter grün oder die tram heißt japanich baum tram tram bäume und wald? tramteramteramteramtramtram MAMA ICH kann japanich französich mong cher mongmon mong frer gastrong schpukt mir warte mal schpukt mir schpukt mir also schpukt immer in die bulljong englich scheißampel mit ihr ewiges rot ICH nehm die u die u die diudiudidudibu *Fahrgäste ohne gültigen Fahrausweis zahlen außer dem Fahrpreis laut Tarif 5 MDN Nachlösegebühr. Modehaus Dorett. Bei Augenqual nur Zapletal. Schöner unsere Hauptstadt – Mach mit. DDR 20 DDR 20 DDR 20 DDR 20 DDR 20. Weiße Schiffe Frohe Stunden. DDR 20 DDR 20 DDR 20. Ich bin zwanzig. Unsere Besten. Besteigen und Verlassen fahrender Züge lebensgefährlich. Bitte benutzen Sie auch die hinteren* zuch kommt der zuch kommt schön neu der zuch fährt nach alex über strausberger weiß ich doch bin nicht vons dorf *Nicht öffnen während der Fahrt! Lebensgefahr!* Du ißt mich nicht, du trinkst mich nicht du tust mich nicht in kaffe rein du bist mich doch nicht krank MAMA vorm schlafngehn zwei tablettn mit etwas flüssichkeit wenn vom arzt nicht anders – Mein Gott, Junge, warum hast du das bloß getan? – MAMA nicht wegn dir es ist aber besser so – Lebensgefahr! Schwester halten sie. Wieviel tabletten waren. Wie kommt das Kind überhaupt? Haben sie das Testament, er hat ein testament, er wollte – liebe MAMA es ist besser so meine sachn sind alle für dich du kannst nun auch weg – Aber, Junge, ich will doch nicht weg von dir, ich laß dich doch nicht allein. Stimmt es, daß er eine Klassenarbeit bei – Mfred der B und VERRÄTER – Deine Arbeit ist wieder, Fleischmann. Alle andern. Ich weiß nicht mehr was ich. Fünfenschreiber. Der Idiot spinnt doch mal wieder. Der hat garantiert den Film gestern mit dem Selbstmord gesehn. Du bist jetzt mal ruhig! Dir haben wir es doch. Du solltest doch. Hab ich nicht gesagt, kein fern?! Was hat er gestern? Keine Ahnung, soll ich vielleicht. Ruhe! Raus! Schon immer gesagt, daß der Einfluß des Westfern *Not-*

*bremse! Handgriff bei Gefahr ziehen* Leistungen des einzelnen nun mal das Maß für alles in unserer Gesellschaft. Wenn ich auch zugebe, daß manchmal mit allzugroßer Härte erzwungen, statt mich rein zeitlich mehr um ihn. Aber meine Aufgaben als. Trotzdem der Meinung, daß hier ein Fall von extremer Drückebergerei. Indizien wie KLASSENARBEIT sprechen. Nicht zulassen. Will aber jedenfalls bis auf Wider dahingehend modi, daß runter möglich, wenn Manfred. Kein fern bleibt bestehen, sein Taschenmesser kann er wieder, wenn er sagt von wem *Bitte benutzen Sie auch die hinteren Wagen, sie sind* von Eberhardchen Ich hab jetzt vielleicht tausend mark schuldn bei ihm oder warte mal dritte Klecker dann vier jahre hilfs am tag eine mark für das messer das sind das sind wenn der mich sieht zwanzig stück hat er verpumpt das sind am tag zwanzig mark – Gut Fleischmann! – das jahr hat dreihundert warte mal also zwölf monate der monat hat war das schon schlewski? samariter grün strausberger grün schlewski grau also das sind dabei war sein vater heilich die bibl oder die heiliche schrift – Mein Vater hat nur heilige Schriften. Sag bloß, du hast noch nichts von der bibl, ehj? – und adam erkannte sein weib eva und sie gebor IHM zwei söhne kain und abl sind variabl abl und kain wieso kannte er sein weib nicht? warte mal kain und abl und sie wurdn bauern und da gingn sie zu IHM und brachtn IHM von den früchtn des feldes also korn und rübn und junge schafe abl war schäfer und kain bauer und da sagte ER, was abl hat, gefällt mir die jungn schafe aber was kain hat nicht warum nicht? ICH wußte gleich, daß ER was gegn abl hat abl war auch der kleinere bruder von beidn und da war kain ergrimmt und ER sagte, warum bist du ergrimmt? kain sagte, weil es ungerecht ist und ER sagte, was ungerecht ist, bestimme ich klar? und da war kain noch mehr ergrimmt und das wußte ER und da schlug kain abl tot, der gar keine schuld hatte und da fragte ER, wo ist abl und kain sagte, keine ahnung soll ich vielleich vielleicht warte mal soll ich vielleicht meines Bruders hüter sein? aber ER wußte es schon, daß abl tot war von kain und verfluchte kain und schickte ihn in die wüste und kein geld und nichts und da sagte kain, die schlagn mich tot und da sagte ER, das stimmt und ER machte ein zeichn an kain wahrcheinlich tinte und da durfte keiner kain totmachn, weil ER nämlich gar nichts gegen kain hatte die steckten unter einer decke sondern gegen abl und kain konnte wegziehn und heiratn und alles und abl war tot was daran heilich sein *Alexanderplatz* raus umsteign oder ICH lauf den rest esbahn rathaus geradeaus springerhaus auf dem dach MICK EIKENNGETTNOSETTISFEKSCHIN rochorepochopipoar oder ich fahr? *Benutzen Sie bitte auch die hinteren Wagen, sie sind schwächer besetzt. DDR 20* oder ich lauf *DDR 20* wennich mit links an der treppe, laufich links ist wo der daum rechts ist MAMA *DDR 20* ICH lauf ist auch besser, wenn die bahn steckn oder ich fahr? ICH lauf ICH hab gesagt ICH lauf also lauf ich lauf jäger lauf jäger lauf jäger lauf mein lieber jäger *DDR 20* ist ranzich dreißich ist warte mal ist vierzich ist würzich fünfzich ist fünfzich warte mal *DDR 20 DDR 20 DDR 20 DDR 20 DDR 20* masse licht masse leute masse fahn – Eins, zwei, drei, wenn die Partei uns ruft sind wir – hier kommich nicht durch doch fahrn – haben früh erfahren der Arbeit Frohngewalt in düstern Kinderjahren und wurden früh schon alt – masse ausländer hau du ju du im gummischuh slihp ju werri well in jur bettgestell? o werri matsch wat ju sei ist kwatsch MAMA ICH kann englisch *Wir sind auf dem richtigen Weg! Folgt dem Beispiel unserer Besten! Stärkt die Republik mit Höchstleistungen in Wissen* rathaus bitte melden ICH kann sie nicht sehn hallo *Druschba – Freundschaft Druschba – Freundschaft – Drusch* masse leute wenn die alle zu MICK masse licht rathaus ICH kann sie nicht sehn ICH bin geblen esbahn esbahn ist gut esbahn mussich durch esbahn fressbahn *auch der Rhein wieder frei. Brechen den Feinden die Klauen, Thälmann ist immer dabei* ernst thälmann ist der war der die faschistn habn ernst thälmann sie habn in buchnwald ernst thälmann spricht zu den bauern der sich warte mal der sich auf stock stützt thälmann grüßt freundlich thälmann holt ihn ein und grüßt freundlich thälmann unterhält sich gern mit einfachn menschn was ich über ernst thälmann *DDR 20 DDR 20 DDR 20 DDR 20 die DDR ist richtig programmiert. PLAN der berliner... Geschlossene Veranstaltung. Der Musterschüler. Nathan der... Trabrennbahn Karlshorst DDR – Sozialismus DDR – Sozialismus.* Eins, zwei, drei, vier Klasse – die könn brülln *Sieger der Geschichte* B sind auch hier Mfred B sperrn ab laß sie was ich über den neuen fernsehnturm der neue fernsehnturm in der haupstadt der ddr berlin sagan mein kind sorau der wind wien berlin wieviel städte das sind vier MAMA masse leute masse licht das sehn sie auch in WESTN in WESTN habn sie kein so hohn fernsehnturm wie der fernsehnturm in der hauptstadt der ddr ist mit seinen mit seinen warte mal zweitausenddreihundertvierunddreißig metern der größte in rathaus bitte komm ich seh sie jetzt danke rathaus *Erfolg haben ist Pflicht! Die sozialistische Menschengemeinschaft ist unser größter Erfolg! Schöner unsere Hauptstadt – Mach mit DDR* 20 masse fahn masse lärm *grüßen wir den Vorsitzenden des... haben Platz genommen die Mitglieder des... hurra hurra hurra und die Kandidaten des... und den Sekretär des... wir begrüßen den Stellvertreter des Vorsitzenden des... hurra hurra hurra und den Stellvertreter des Vorsitzenden... weiterhin den Vizepräsidenten des... drei, vier, Klasse! Wenn die Partei uns ruft... und andere hervorragende Persönlichkeiten... den außerordentlichen Botschafter... und die Delegationen ausländischer Jugendorganisationen unter ihnen mit besonderer Herzlichkeit... Liebe Freunde und Genossen! Liebe Berliner! PGH Hans Sachs* schöne schuhe *Bowling* bowling ist, wenn also bowling ist warte mal das ist ein verfahren zur arschkack schon dunkl ist ja schon dunkl scheiß masse licht schon dunkl wars der mond schien helle als ein auto blitzeschnelle langsam um die ecke drinnen saßn B was machn die hier fahrn auto laß sie ICH muß renn schon dunkl MICK ICH komm! drinnen saßn drinnen saßn warte mal stehend leute schweigend ins gespräch MAMA als ein totgeschossner hase überm über also er lief geradeaus springerhaus B masse B – Hau ab hier, Kumpel! – wieso ICH – Hau ab, ist besser. Die lochn uns ein! – wieso MICK – MICK ist nicht, keiner da. – MICK kommt – Siehst dun? War alles Spinne. Die drübn habn uns beschissn! MICK kommt du spinnst der haut ab schön lange haare hat er bis auf die hüfte wenn wind ist, stehn sie ab da sind welche masse leute B auch B sperrn ab lösn auf drängeln ab Mfred was machn die mit den leutn was machn die leute Nosse Unterleutnant! der leutnant von leuten befahl sein leutn nicht eher zu MAMA die wolln uns nicht zu MICK – Die habn uns beschissn, Kleiner! MICK hat mir ich will zu – Wie alt bistn du? Hau ab hier! Das ist ernst! – was machn die B drängeln ab ICH WILL NICHT WOHIN SOLLN WIR – Spree oder was? Die machen ernst. Aufhörn! Power to the people. Ist doch Scheiße. Gehn Sie weit. Wohin denn? Laßt uns raus! I like MICK! Halt doch die Klap, Kump. Die haben was gegen uns. Ich auch gegn die. Ruhe. Fressen halten! Sie können uns hier nicht! Gehn Sie weit! Mir ist. Geh zu Mama, Bauch waschen. – die habn die habn ja knüppl die habn ja knüppl draußn was wolln die – Dreimal darfste raten! Die wolln uns! Ruhe bewahren! Nicht provozieren! Gehn Sie weiter! Wohin denn? Lassen Sie uns! Hat kein Zweck, die. Wir solln in die Ruine! Die wolln uns in die Ruine. Nicht in die Kirche schiebn lassen! Damit Sie uns! Aufhörn! Amen! Friede sei mit euch! – kirschners kleener karle konnte keene kirschen kaun MAMA die wolln uns und in die machn ernst die drängln uns in die kirche ICH kenn die die hat kein dach mehr die haun uns die haun uns in die Kirche die haun auf die köpfe aufhörn die dürfn nicht MAMAMICK – Hautse, hautse immer auf die Schnauze! Ruhe! Haltet die Fressen. Was haben wir denn? Nicht wehren! Säue! Genossen, wir! Halten Sie den Mund! – MAMA wir sind drin ICH war noch nie inner kirche darf keiner kein was tun wir sind heilich lieber gott die haun auch mädchen die haun alle die haun die dürfn doch nicht – Nicht wehren!

Hinlegen! Legt euch hin! Hände übern Kopf! Wehren! Wehrt euch! Singen! Wacht auf verdammte dieser ... Deutschland Deutschland über ... Power to the people ... – die singn oh du lieber augustin alles ist MAMA DIE HAUN MICK – Wir müssen brülln! Alle brülln, dann hörn sie uns draußen. Brüllt! – arschkackpissrepochopipoaaaaar Mfred! das ist Mfred der B! er haut inner kirche darf keiner kein Mfred! manfred! MANFRED! HIER! ICH! ICH BIN HIER DEIN BRUDER! Nicht haun mehr ICH BIN HIER! MANFRED! HERKOMM! Hier nicht haun MAN du sau

THOMAS BRASCH

## *Fliegen im Gesicht*

Die Schicht ist um 5 zuende. Um viertel sechs werde ich am Tor sein. Holst du mich ab?
Was sonst, sagte er, ich bin um fünf am Tor.
Er streichelte ihr über die Wange, beugte sich herunter und küßte sie auf den Hals. Dann drehte er sich um und ging.
Ich hätte es ihr sagen sollen. Morgen kommt sie von der Schicht, und ich bin nicht da. Sie wird denken, ich hätte es vergessen. Bis halb sechs wird sie warten und dann wird sie weinen. Sie wird denken, ich wäre bei irgendeiner gewesen. Als ich mit Harry unterwegs war, hat sie dreimal bei ihm angerufen. Ich hätte es ihr sagen müssen. Oder irgendeine Geschichte, daß ich wegfahre, dann müßte sie morgen nicht warten. Irgendwann erfährt sie es sowieso. Entweder schreibe ich ihr von drüben oder ich bin tot. Vielleicht bin ich morgen um fünf tot. Wie das klingt: Vielleicht bin ich morgen tot. Heute sage ich, daß ich morgen um fünf am Tor bin und morgen um fünf liege ich im Leichenschauhaus. Oder ich sitze vor einem Polizisten. Einer von hier oder einer von drüben? Ich hätte es ihr sagen sollen. Erzähl

deine Märchen jemand anders, du denkst doch nicht, daß ich das glaube, was willst du drüben, hätte sie gesagt, mich angesehen und sich umgedreht. Dann wäre ich trotzdem zu der Stelle gegangen und hätte es versucht. Aber es wäre anders gewesen als jetzt.
Robert ging über die Straße zur Haltestelle und stieg in die Bahn.
Ich werde irgendwohin fahren. Noch über sechs Stunden. Irgendwo werde ich aussteigen und mich auf eine Bank setzen. Vielleicht trink ich noch einen und gehe dann zu der Stelle. Ich muß jetzt an etwas anderes denken. Ich werde drüben studieren und irgendwann werde ich sie holen, und wir leben zusammen. Wenn es sicher ist, wird sie kommen. Ich werde alles vorbereiten. Oder ich bin tot.
Entschuldigen Sie, die Hiddenseer Straße, können Sie mir sagen, wo ich aussteigen muß. Ich bin hier fremd.
Der kleine Mann lächelte Robert an.
Ich weiß nicht, Hiddenseer. Ich weiß nicht. Ich bin auch fremd hier. Vielleicht fragen Sie den Fahrer.
Schönen Dank, sagte der Kleine und lächelte wieder.
Der Mann begann sich zum Fahrer durchzudrängen, und Robert stieg aus.
Morgen wird sie warten, und übermorgen wird sie ein Ferngespräch anmelden. Meine Mutter wird Angst haben. Das erste, woran sie denken wird, ist der Krach, den sie im Betrieb kriegt. Oder sie denkt an Vater: Wenn der noch leben würde, wäre das nicht passiert. Und ich bin vielleicht tot. Aber wenn ich es schaffe, wird alles anders. Ich rufe an. Das ist gut. Mutter, werde ich sagen. Nein, zuerst rufe ich im Betrieb an. Hallo, sage ich. Ja, Robert, wo bist du? Warum warst du nicht am Tor. Du kannst mich doch nicht. Dann werde ich sie unterbrechen und sagen, ganz ruhig, so, als ob nichts passiert wäre: Ich bin im Westen. Und dann nichts mehr. Ich werde warten, daß sie etwas sagt. Ganz einfach warten.
Hallo, Sie, hallo. Bleiben Sie doch mal stehen. Ja, Sie meine ich.

Aus. Sie haben mich die ganze Zeit beobachtet. Sie wußten von Anfang an alles.
Robert spürte, wie der Schweiß unter seinen Achselhöhlen herausschoß. Er drehte sich um. Aus dem Fenster des Neubaublocks sah ein Mann heraus und streckte den Arm nach unten.
Da unten liegt mein Kissen. Es ist herausgefallen. Der Fahrstuhl ist kaputt. Ich bin nicht mehr gut auf den Beinen. Kannst du es mir heraufbringen? Vierter Stock rechts: Werner. Die Tür ist angelehnt.
Schon gut, sagte Robert, hob das Kissen auf und ging auf das Haus zu. Vor der Fahrstuhltür standen zwei Jungen, und Robert ging hinter ihnen in die Kabine. Sie stießen einander an. Zu Werner, sagte der eine und beide lachten. Im vierten Stock stieg Robert aus, ging den Flur hinunter, öffnete die Tür am Ende des Ganges und trat in die Wohnung. Der Geruch von altem Fett schlug ihm entgegen.
Lassen Sie die Tür offen, hörte er.
Robert ging an der Kochnische vorbei ins Zimmer. Auf dem zerwühlten Bett saß der Alte, nur mit einer Pyjamahose und einem Unterhemd bekleidet.
Bist du geflogen? Vier Stockwerke in einer halben Minute. Nicht schlecht.
Der Fahrstuhl funktioniert, sagte Robert und legte das Kissen auf den Sessel.
Das hätte ich wissen müssen, aber sie sagen einem ja nicht Bescheid, wenn der Hase wieder läuft.
Der Alte schob seine Beine über die Bettkante und sah Robert an.
Willst du einen Tee? Du kannst ein Glas kriegen. Ich setze gleich Wasser auf.
Danke. Ich muß weiter. Machen Sie sich keine Umstände.
Umstände.
Der Alte lachte. Mir macht nichts mehr Umstände.
Ich hab was zu erledigen, sagte Robert.
Ich verstehe schon. Du denkst: Der hat einen ganz schö-

nen Vogel. Erst läßt er mich das Kissen hochbringen, und jetzt soll ich mich noch in seine dreckige Wohnung setzen.
Zwischen jedem Wort holte er tief Luft, und Robert schien, als hörte er ein Pfeifen in der Stimme des Mannes.
So eilig wird es nicht sein, daß du einem alten Mann nicht zehn Minuten Gesellschaft leisten kannst.
Robert setzte sich in den Sessel und sah sich um. Der Alte suchte seine Schuhe, fand einen und ging schließlich barfuß in die Kochnische.
Er hat gewußt, daß der Fahrstuhl funktioniert. Was soll ich mit ihm reden? Es ist auch egal. Sechs Stunden. Besser hier sitzen als auf der Straße vor jeder Uniform zittern.
Der Alte begann zu husten. Er stand am Spülbecken und ließ das Wasser in den Kessel laufen. Der Husten wurde stärker, und plötzlich ließ der Alte den Kessel fallen und erbrach sich ins Becken.
Jetzt kotzt der auch noch.
Robert ging in die Kochnische.
Es geht gleich wieder, flüsterte der Alte, und sein Körper zitterte.
Dann erbrach er sich wieder, und Robert sah die roten Klumpen im Becken. Der Alte drückte den Kopf gegen die Wand. Tränen rannen über sein Gesicht. Seine Hose rutschte herunter. Er griff nach ihr, aber er bekam sie nicht mehr zu fassen. Robert bückte sich und zog sie wieder hoch. Das Zittern des Körpers wurde stärker.
Jetzt kippt er weg.
Robert faßte ihn an den Schultern und in den Kniekehlen, hob ihn hoch und trug ihn zum Bett. Der Alte hatte die Augen geschlossen.
Wie leicht er ist.
Robert schob ihm das Kissen unter den Kopf und deckte ihn zu. Dann ging er zur Tür.
Ich kann ihm auch nicht helfen. Warum sollte ich dableiben. Irgendwo muß dieser verdammte Fahrstuhl gewesen sein.

Suchen Sie jemand, hörte Robert hinter sich eine Stimme. Die grauhaarige Frau stand in der Wohnungstür und trocknete sich die Hände an einem Geschirrtuch ab.
Ich wollte zu Herrn Werner.
Von dort kommen Sie doch gerade, oder?
Ich habe vielleicht das Schild übersehen. Vielleicht habe ich den Namen falsch gelesen.
Die Frau schob das Geschirrtuch unter ihre Schürze.
Was wollen Sie denn von Herrn Werner.
Ich soll ihm was bringen, von seiner Schwester.
Sie trat einen Schritt auf ihn zu.
Was denn, eine Schwester hat der? Das kann doch nicht wahr sein. Das ist der Gipfel. Die sollte lieber mal selber kommen, statt jemanden herzuschicken. Ihr Bruder machts nicht mehr lange, das können Sie ihr sagen. Der ist schon jetzt nicht mehr ganz bei sich. Hier oben, meine ich. Den ganzen Tag marschiert er im Stechschritt durchs Zimmer. Oder er holt fremde Leute in die Wohnung. Jetzt hat er auch noch angefangen nachts zu singen. Singen, was sage ich. Er krächzt. Und plötzlich stellt sich heraus, er hat eine Schwester. Sagen Sie ihr mal, sie soll ...
Robert drehte sich um und ging zurück.
Sagen Sie es ihr. Ihr Bruder verreckt hier, und sie schickt irgendwelche Leute. Sie sollte sich was schämen.
Der Alte schlief. Robert deckte ihn zu und sah ihn an. Das Gesicht war faltig, von Bartstoppeln bedeckt, vom Ohr zum Kinn lief eine tiefe Narbe. Die Fingernägel waren lang und schmutzig. Jetzt bewegte er sich und stöhnte. Er schob die Decke zurück, und Robert sah die schmale behaarte Brust, die sich in unregelmäßigen Abständen hob und senkte. Das Turnhemd war fleckig und an einer Stelle ausgerissen. Robert schob dem Alten die Decke bis unters Kinn und setzte sich wieder in den Sessel. Er zog eine Zigarette aus der Tasche und zündete sie an.
Und wenn er stirbt. Ein Arzt? Die Polizei: Was wollen Sie in dieser Gegend. Woher kennen Sie den Mann. Sie werden kein Wort glauben. Ein Kissen. Haha. Das sagen Sie

doch nicht im Ernst. Wohin wollten Sie. Was arbeiten Sie. Im Augenblick gar nicht. Das ist interessant. Folgen Sie uns. Klärung eines Sachverhalts.
Robert warf die Zigarette in eine leere Vase, stand auf, ging zum Bücherschrank neben der Tür, nahm ein Buch heraus und las:
Fern von Moskau.
Er schlug das Buch in der Mitte auf:
Sie werden es selbst hinbringen, Genosse Sjatkow, werden mit dem Genossen Umara und Batmatew zusammen dieses kostbare Geschenk Genossen Stalin persönlich überreichen, antwortete Pissarew. Wieder dröhnte Beifall, wie ihn der Adun und die uralte Taiga noch niemals gehört hatten.
Robert schloß das Buch und stellte es zurück.
Auch das noch. So einer. Das klassische Paar: Junger Bürger vor der Flucht trifft auf Veteran der Arbeiterbewegung.
Robert nahm den Bilderrahmen aus dem Regal. Von einem Zeitungsfoto sahen ihn Männer in Lederjacken mit geschulterten Gewehren und Sternen auf den Mützen an.
Rot Front, sagte Robert.
Da war ich dabei, hörte Robert und drehte sich um.
Der Alte hatte seinen Rücken gegen das Kopfende geschoben und sah ihn an.
Da war ich vor 38 Jahren. In Spanien. Gib mal her.
Robert ging zum Bett und gab ihm das Bild.
Ich habs aus der Berliner Zeitung ausgeschnitten.
Der Alte legte sich auf den Rücken und hielt das Foto mit beiden Händen vor seine Augen.
Vor 38 Jahren, flüsterte er, und ich war dabei.
Schon gut. Soll ich Ihnen Tee machen.
Du glaubst es wohl nicht. Aber es ist so. Ich war dabei und immer, wenn ich das Bild sehe, fühle ich mich wie damals. Es war eine große Zeit. Andere haben in ihrem Leben nichts geschafft als zwei Kinder und drei Tage Treueurlaub. Bei mir ist das anders.

Ich mache Tee. Robert ging in die Kochnische.
Habe ich lange geschlafen, fragte der Alte.
Nicht lange, sagte Robert und ließ das Wasser in den Kessel laufen. Ein paar Minuten bloß.
Er suchte die Streichhölzer.
Tut mir leid wegen vorhin.
Robert stellte den Kessel auf die Flamme:
Wo ist der Tee.
Der Alte hatte sich zur Wand gedreht und sah noch immer auf das Bild.
Unten im Schrank.
Robert füllte Tee in die Kanne. Dann setzte er sich auf einen Hocker in der Kochnische und wartete.
Immer wenn ich das Bild sehe, denke ich daran. Ich sehe die Sterne an den Mützen und gleich höre ich auch die Schüsse und sehe die Fliegen in den toten Gesichtern.
Ja, ja, sagte Robert.
Er sah den Alten sprechen, aber er hörte ihm nicht mehr zu. Nach einigen Minuten stand er auf und goß das kochende Wasser in die Kanne. Er nahm zwei Gläser aus dem Schrank, ging ins Zimmer und setzte sich wieder in den Sessel.
Sowas kann man nicht vergessen, sagte der Alte und drehte sich zu Robert.
Hör auf. Ich kenn das Lied. Ich habe es schon im Kindergarten vorgespielt bekommen.
Der Alte sah ihn gerade an.
Was ist los mit dir.
Nichts. Mit mir ist nichts los. Ich weiß nur, was jetzt kommt, und will es nicht zum tausendsten Mal hören.
Ach so, du willst es nicht hören, sagte der Alte. Aber deine Schlabbermusik, dein Dabidubidai auf elektrisch, das willst du hören.
Laß gut sein. Ich kenn das Spiel auswendig. Gleich wirst du sagen, daß wir alles besser wissen. Daß wir hinten alles reingestopft bekommen und vorn das Maul aufreißen.
So ist es, sagte der Alte.

Es hat euch keiner drum gebeten. Das ist doch die Antwort, die du hören wolltest, oder.
Geh zum Fenster. Los.
Was soll das schon wieder.
Das wirst du sehen.
Robert ging zum Fenster.
Was siehst du. Sag mir nur was du siehst. Vor dreißig Jahren hättest du nichts gesehen als Trümmer und Dreck. Und was siehst du jetzt?
Kästen, sagte Robert, Riesenknast mit Grünanlagen.
Ach so, schrie der Alte, Ruinen sind wohl schöner, Frieren ist wohl besser.
Hör auf. Schon gut. Ich habe dir gesagt, daß ich das Spiel kenne. Ich gehe, brüll du deine schönen neuen Wände an.
Robert ging zur Tür.
Warte, rief der Alte. Es ist meine Schuld. Ich wollte dir etwas anderes sagen. Ich war in Spanien. Wir haben gekämpft und wir wußten wofür. Ich habe die Fliegen auf den Gesichtern der Toten gesehen. Ich war ein junger Mann. Aber sie haben uns fertiggemacht. Als es keinen Sinn mehr hatte, sind wir über die Grenze gegangen. Es war nicht einfach, doch als es nicht weiterging, mußten wir über die Grenze.
Gut, sagte Robert und setzte sich wieder in den Sessel, spielen wir es zuende. Ihr mußtet also über die Grenze und ihr seid gegangen. Über welche Grenze kann ich gehen, wenn es keinen Sinn mehr hat?
Wie meinst du das.
Stell dich nicht dümmer als du bist, sagte Robert und sah den Alten gerade an. Das gehört doch zu diesem Gesellschaftsspiel. Du hattest deinen Text, jetzt habe ich meinen, und der heißt: Ich kann nicht machen, was du konntest. Schließlich habt ihr um die schönen Häuser auch noch eine Mauer gebaut.
Wenn wir sie nicht gebaut hätten, wärt ihr jetzt alle drüben, wo es glitzert und funkelt. Der Alte lehnt sich zurück.

Oder gerade nicht, sagte Robert.
Was willst du denn drüben. Was willst du denn von denen.
Gar nichts. Von denen will ich gar nichts. Aber besser da, als hier fern von Moskau. So, und jetzt kannst du zur Telefonzelle gehen. Polizeiruf 110.
Der Alte sah ihn an.
Was ist mit dir los. Wer hat dir was getan. Was willst du denn.
Robert stand auf und stellte sich in die Mitte des Zimmers. Ihm schien, als habe er diese Sätze schon hundertmal gesagt und seiner eigenen Stimme dabei zugehört.
Was ich will, schrie er, diese Nabelschnur durchreißen. Die drückt mir die Kehle ab. Alles anders machen. Ohne Fabriken, ohne Autos, ohne Zensuren, ohne Stechuhren. Ohne Angst. Ohne Polizei.
Er schlug mit der Faust gegen das Regal, aber die Müdigkeit blieb in seiner Stimme.
Von vorn anfangen in einer offenen Gegend.
Setz dich doch hin, sagte der Alte.
Ich weiß, schrie Robert weiter, das war alles schon da, das klingt alles pathetisch, das ist alles nichts Neues. Wenn ich was Besseres wüßte, würde ich jetzt nicht hier stehen.
Er ließ die Arme sinken. Der Alte stand auf, nahm den Plattenspieler aus dem Regal und stellte ihn auf den Tisch vor das Bett, ging zum Schrank und nahm eine Schallplatte aus dem Fach.
Setz dich hin, sagte er, du zitterst ja.
Robert ließ sich in den Sessel fallen.
In Spanien stands um unsere Sache schlecht. Zurück gings Schritt um Schritt, sang eine harte metallische Stimme. Und die Faschisten brüllten schon: Gefallen ist die Stadt Madrid.
Madrid, hörte Robert auch den Alten singen.
Da kamen sie aus aller Welt mit einem roten Stern am Hut.

Am Manzanaras kühlten sie dem Franco das zu heiße Blut.
Das waren Tage der Brigade 11 und ihrer Freiheitsfahne . . .
Robert sah, wie der Alte die Augen schloß.
Noch fünf Stunden. Ich werde an die Grenze gehen. Sie werden schießen. Ich werde daliegen mit Fliegen im Gesicht.
Es war wieder still im Zimmer.
Der Alte öffnete die Augen.
Manchmal denkt man, es ist einem egal, sagte er leise. Es gibt nichts mehr, was einen freut. Die Freunde sind tot oder kennen dich nicht mehr. Es könnte einem egal sein, aber plötzlich hat man Angst. Manchmal denke ich, es wäre besser, wenn ich in Spanien gefallen wäre. Aber ich werde hier sterben, im Bett neben einem Plattenspieler.
Robert stand auf und legte den Tonarm wieder auf die Platte.
In Spanien stands um unsre Sache schlecht, sang die Stimme wieder.
Wir haben nichts gemeinsam, sagte der Alte.
Robert drehte den Knopf für die Lautstärke bis gegen den Anschlag, und die Musik übertönte die Stimme des Alten.
Doch, sagte Robert, wir haben beide Angst vor den Fliegen im Gesicht.
Was, schrie der Alte, beugte sich nach vorn und sah plötzlich zur Tür.
Robert drehte sich um. Neben dem Schrank stand die grauhaarige Frau aus dem Flur. Sie kam durchs Zimmer, ging auf den Tisch zu und riß den Tonarm von der Platte.
Sind Sie endgültig verrückt geworden, schrie sie den Alten an, müssen Sie sich das Zeug bei voller Lautstärke anhören? Es gibt noch Leute, die ihre Ruhe haben wollen, wenn sie von der Schicht kommen. Ich werde mit Ihrer Schwe-

ster sprechen. Sie gehören in ein Altersheim oder in die Irrenanstalt.
Die Frau wandte sich um.
Sind Sie auf seine großen Geschichten reingefallen, sagte sie. Ihnen hat er wohl auch erzählt, daß er ein Freiheitskämpfer war. In Rußland oder in Spanien oder bei den Indianern. Ruhmreiche Vergangenheit. Orden und Ehrenzeichen. Daß ich nicht lache.
Der Alte sprang auf. Seine Hände zitterten.
Der ist in seinem Leben nicht weitergekommen als bis Oranienburg, und jetzt holt er sich jeden Tag junge Leute rauf, spielt ihnen den großen Mann vor und verstopft mit seinen Zeitungen den Müllschlucker.
Robert sah, wie der Alte einen Schritt auf die Frau zu machte.
Mach, daß du rauskommst. Faschistin, Nazikrähe, solche Weiber haben Hitler an die Macht gebracht, dieses Land ins Unglück gestürzt und jetzt fressen sie den ganzen Tag Butterkremtorte.
Die beiden starrten einander haßerfüllt in ihre Gesichter. Robert drückte sich gegen das Kissen und sah auf die Uhr.

HANS JOACHIM SCHÄDLICH

## *Versuchte Nähe*

Ein Feiertag; immerhin ist es ein Feiertag, ein heller Anzug rechtfertigt sich; und er geht später, wird später als sonst zu seinem Platz gefahren.
Die Fahrt ist nicht das einzige an diesem Morgen, einem sonnigen, wie er bemerkt hat zu früher Stunde; es täuschen sich manche und würden nicht tauschen mit vierzehnstündiger Beschäftigung täglich, auch an einem Feiertag.
Vor der Fahrt, die ihn entspannt, wenn er, zurückgelehnt, dem Zentrum der Stadt sich nähert durch fahnenreiche

Straßen: Gespräche, in denen er, schnell wechselnd, anordnet, wünscht, empfiehlt, rät, unterrichtet wird in umfassender Weise, aber kurz, geordnet nach den Wichtigkeiten; vor den Gesprächen, vor einfachem Frühstück, das dem Rat von Ärzten folgt wie alle Mahlzeiten – heute mit Grund reicher: der Besuch des Arztes, des Blutdrucks wegen und der Dosierung einiger Medikamente, und: Schwimmen nach Vorschrift, einhundert Meter wenigstens, im Hausbad, gesellig begleitet von Mitarbeitern, denen es ehrenvoll und vergnüglich.

Die Fahrt ist schön; er ißt eine Apfelsine, vorsichtig trotz der Serviette, er trägt einen hellen Anzug; noch kauend schlägt er die Zeitung auf, das Bekannte, er weiß es, und doch.

Auch dem Fahrer gefallen diese Fahrten mit ihm, sein aufmunterndes Wort, seine Aufgeräumtheit, die übertragbar ist.

Er ist nicht der erste am Ziel, soll es nicht sein, zahlloses Personal ist längst eingetroffen, und auch die anderen, seine Kollegen, die ihn begrüßen, gut gelaunt. Noch ist die Runde nicht vollzählig, Gäste aus dem Landesinneren und Fremdländer werden erwartet, die Gelegenheit erhalten sollen, geehrt zu werden und zu ehren. Die ihn persönlich kennen, Gäste, unternehmen bei ihrer Ankunft zu seiten des Podestes den Versuch, herüberzuwinken, lächelnd, freundschaftlich. Meist kann er zurückgrüßen, auch, wenn er mit einem Kollegen ein Wort wechselt gerade.

Es ist warm, man sieht Blumen am Rande des Podestes, die trennende Ordnung der Arbeit ist noch außer Kraft, die Gelöstheit läßt manches Gespräch zu, das nicht möglich wäre anders für manchen.

So ist es immer an diesem Tag, er mag ihn, und er mag ihn nicht. Die große Anstrengung, drei Stunden, vier, in der Sonne, sichtbar zu sein allen. Doch unleugbar ist auch Erheiterung, Belebung, Stärkung durch die Nähe der vielen, so daß Lust und Scheu einander widerstreiten.

Der Gedanke, er könnte fehlen an diesem Tag, kann nicht

gedacht werden. Sogar Krankheit, allerdings leichtere, darf kein Grund sein. Unbeachtet können bleiben, die Unpäßlichkeit als Vorwand für Streit ansehen wollen und nur gelten lassen als Krankheit von Größerem. Die aber einfache Sorge spüren müßten um ihn und Sorge also um Größeres, in seiner Krankheit selber sich geschwächt fühlend, sollen unbesorgt bleiben und wollen es.
Viele außer diesen, Feiertagsgäste auf der Suche nach Erzählbarem, auch Kinder, wären bloß enttäuscht. Auf Bilder verwiesen, die ihn zwar deutlicher zeigen als er sich selbst zeigt aus einiger Entfernung für Zuschauer. Es ist aber der Satz *Ich habe ihn gesehen* von unerklärtem Gewicht und muß gesagt werden können.
Und andere Gründe als Krankheit gibt es: die Geschäfte, denen er fernbleibt für drei, vier Stunden; auch die anderen, die die Geschäfte lenken mit ihm, sind versammelt. Nie hat man ihn von seinem erhöhten Platz aus, unter den Augen Tausender, hinter der blumengeschmückten Umrandung, telefonieren sehen. Nie ist bemerkt worden, daß Boten ihm Nachricht übermitteln und forteilen mit seiner Weisung. Nicht einmal sprechen sieht man ihn, nachdem die Glockenschläge erschallt sind, die Fanfare ertönt ist, den Beginn anzuzeigen. Ein Scherzwort vielleicht, dem Nachbarn zur Linken oder Rechten zugeworfen, gewiß nicht die Geschäfte betreffend. Nur mit den Vorüberziehenden spricht er, später. Verläßliche Männer an seiner Stelle müssen die Ordnung in Gang halten solange, gestützt von Personal wie an jedem Tag.
Das Podest, welches die Passanten und Zuschauer mehrfach überragt, ist von einem Seil umgeben unten, etwa in Hüfthöhe. In kurzen Abständen ist hinter oder vor dem Seil Personal postiert, das zum Schutz dient und auch wie Schmuck ist. Die jungen Männer, uniformiert und leichtbewaffnet, werden für die Dauer des Vorbeizuges nicht ausgetauscht. Sie haben andere abgelöst, die vor ihnen dort standen und andere abgelöst haben; so, daß das Podest geschützt ist seit zwei Tagen.

Andere, nicht uniformiert, sind zahlreich unter die Zuschauer gemischt, haben sich auf Dächern nahegelegener Häuser eingerichtet und sitzen an Fenstern, die des schönen Wetters wegen geöffnet sind. Die Leiter des Personals stehen selbst auf dem Podest, müssen aber in dieser Minute keine Mühe auf die Arbeit ihrer Leute verwenden, da jede Möglichkeit mehrfach besprochen wurde und hohe Verantwortliche für diesen Tag benannt sind.
Eine Ansprache ist zu halten, so ist es Brauch, und ein aufstrebender Kollege, jüngst in den engsten Kreis aufgenommen, tritt an die Mikrofone. Der Redner sagt, was auch er gesagt hätte, daß nämlich den Tätigen gedankt werde für Leistung.
Nicht vollbracht zu seinem Nutzen oder dem des Redners, sondern zum Nutzen der Tätigen selbst und des großen Vorhabens. Wenn also gedankt wird, so ist es das Vorhaben, das Sprache gewinnt durch den Mund eines Redners, und es danken sich die Tätigen durch den Dank des Redners selbst.
Der Beifall ist stark nach kurzer Rede, auch er und seine Kollegen klatschen, und der Redner auch, die Lautsprecher übertragen es. Den Beifall des Redners, obwohl mißdeutbar, versteht der Vertrautere als Beifall für etwas.
Aus großer Höhe sieht man nicht, daß er nach links blickt, ohne den Kopf zu drehen, links steht der General, dem von unten, vom Platz her, der umsäumt ist von Tausenden, gemeldet wird, dies nach neuerlichem Fanfarenstoß, daß alles angetreten sei. Er sieht hinunter auf dieses ausgezeichnete Bild. Ein schwer widerstehliches Verlangen, sich hinunterzubeugen, den Kopf seitwärts auf den Fußboden zu legen, das rechte Auge ungefähr in der Höhe der Köpfe, den Geräuschen der Fahrzeuge, ihrem Geruch, Lack, Blech, Gummi, ganz nahe.
Sie sehen herüber, in der kurzen Stille, der Tag ist sonnig, für eine Sekunde schließt er die Augen, atmet tief ein, der Gedanke an ihre Stärke, solch einen Augenblick hat dieser Tag.

Stärkender als starkes Kampfgerät ihr Blick, obgleich Schüler noch, des Generals, aber die das Leben geringachten vor dem großen Vorhaben, und zahllosen Männern, sehr jungen, vorgesetzt sein sollen nach beendeter Lehre. Andere, ausgelernt, Barette kühn auf ihren Köpfen, ausgerüstet mit dem Mut von Falken, auf schwebenden Halt Vertrauende, die vom Himmel sich stürzen auf den Feind, sehen ihn an. Er möchte die Hand auf ihre Schulter legen: Ihr, meine Festen.

Allen. Diesen und den anderen, auf dem Lande, dem Wasser und am Himmel. Unvermögend wäre das teuere Kampfgerät ohne sie. Unzulässige Selbstverleugnung ist es, freilich sympathische, daß ihr Mund den neuen Panzer, den aufsehenerregenden, »Kampfmaschine« getauft hat.

Doch auch umgekehrt, denkt er; was vermöchten sie ohne Maschinen, fahrende, schwimmende, fliegende?

Freunde aus Fleisch und Freunde aus Stahl, keinem kann der Vorzug gegeben werden, vorzüglich sind beide, und unübertrefflich, wenn sie vereint.

Es weckt ihn aus solchen Gedanken der Zug der Tätigen, dessen Spitze den Blick schon passiert hat. Die schöne Ordnung ist abgelöst, er bedauert es und bedauert es nicht über dem Anblick der Vielfalt.

Auf eigens gezimmerten Stellagen, die von vier Personen getragen werden, nähern sich hoch über den Köpfen die Porträts bärtiger Männer. Hinter ihnen, in mehreren Reihen, tragen starke Jünglinge Fahnen, die sie leicht hin- und herschwenken. Auf kunstvoll drapierten Lastwagen, die im Schrittempo vorbeirollen, haben die Tätigen Zeichen der Tätigkeit plaziert: eine Maschine für den Landbau, von der es heißt, sie sei die soundsoviel Tausendste; ein großes Zahnrad, von einem breiten weißen Band umgürtet, auf dem zu lesen steht, wie die Erbauer von Zahnrädern vorankommen wollen; eine Kabeltrommel, deren Kabel die Stelle allen Kabels vertritt, das erzeugt wurde. Die Zeichen rühren ihn, er sieht sie gern, doch weiß er, daß Erklärung von Absicht und sprichwörtlicher Eifer nicht ausreichen.

Die Tätigen begleiten die Wagen und folgen ihnen; Väter, Söhne auf ihren Schultern, zeigen ihren Söhnen ihn. Die Kinder schwenken Papierfähnchen in den Landesfarben oder Sträußchen.
Trotz der Entfernung bis zu denen, die vorbeiziehen, sind ihre Gesichter zu erkennen, und, er hat ein gutes Auge. Es ihnen gleichzutun, die lachen, winken, ist leicht. Aber daß so viele ihn sehen und sich einprägen, möchte er aufwiegen und sieht in die Gesichter, die, ihm am nächsten, herankommen und fortgehen, um sie zu behalten. Seine Augen wandern unablässig von rechts nach links; einzelne Züge, die ihm auffallen, will er sich merken, doch sie wechseln zu schnell für diese Absicht. Er stellt, sein Gedächtnis zu stützen, Vergleiche an, Namen murmelnd wie Notizen, vergleicht, die er sieht, mit seinen Kollegen, Mitarbeitern, und sieht, da es seinem Auge mühselig wird, der Menge zu folgen, nur die, die er kennt.
Fragt sich, hat Zeit heute, was andere sonst für ihn sich fragen und andere, wie er den vielen, die ihn sehen, erscheint. Zuerst: wer sind die, sie tragen eine Adresse voran auf einem Schild oder Band, aber nie eines einzelnen, und er, den sie sehen als einen einzelnen, will einzelne: wo wohnt der, der dort lacht, wann ist der losgegangen zu einer Straßenecke, die ihm jemand genannt hat, und: warum geht der dort unten, will er, daß er ist, wie er sein soll, damit er, wie er ist, sein will?
Warum sagt ihm niemand, fragt er, wie es ist, wenn einer dort geht und ihn sieht. Und, warum versetzt ihn keiner in den da, der dort geht, daß er eins wäre mit dem, wie er an der Straßenecke, weit entfernt von hier, ankommt, seine Kollegen, die schon da sind, begrüßt, oder begrüßt wird von denen, die kommen, eine Zigarette raucht, wartet, und losgeht endlich, langsam, der Zug stockt, und geht weiter, schon hört er den Lautsprecher, der Grüße übermittelt den Ankommenden, wendet den Kopf nach links, dem Podest entgegen, lacht hinüber und winkt sich zu.
Sieht, als er sagen will, So also, daß er, ohne verstanden zu

werden, aber es ist vom Mund ablesbar, ein Wort vertrauter Verbundenheit ruft, und ruft es.
Er folgt der Lust, weiterzuziehen mit den vielen, die sich bald verlieren am Ende der großen Straße, nach diesem feiertäglichen Vorbeigang ist er durstig und kauft wie andere an einem Kiosk zwei Biere, die er schnell trinkt, muß aber bleiben, hinunterblicken, lachen, winken, den Vorbeiziehenden öfter freundschaftliche Neigung bekundend, unterstützt von seinen Händen, die er vor der Brust zusammenlegt als wolle er sie waschen, bis in Kopfhöhe anhebt und wie schüttelnd hin- und herbewegt auf einer kurzen Strecke zwischen sich und den Passanten. Er kann nicht fortgehen und nach gleicher Zeit wie die Vorübergehenden, die nicht länger als zwei Stunden unterwegs sind von ihrer Straßenecke bis zu den Kiosken am unteren Ende der Allee, Bier trinken, oder essen. Und anderes, wozu den anderen, denen er mit einem Strauß Blumen jetzt zuwinkt, die also vor ihm gelegen haben müssen, Gelegenheit gegeben ist am Ende der Straße, ist ihm verwehrt, und er muß es bedenken am Morgen.
Leichter ist es, zwei Stunden, drei, unter sonnigem Himmel die asphaltierte Straße entlangzugehen im Gespräch mit anderen, von Musik, wenngleich lauter, begleitet, als diese Zeit und länger in der Sonne zu stehen, fast unbewegt, von den Händen abgesehen und dem jetzt häufigeren Wechsel des Standbeins, und ganz ohne Erfrischung.
Willkommen in solcher Lage ist der Anblick von Festwagen, auf welchen sportliche Jünglinge Handstände vollführen oder längere Zeit auf dem Kopf stehen und junge Mädchen, in roten oder schwarzen Trikots, wie die Jünglinge das Zeichen des Landes auf der Brust, seidene Tücher schwingen im Rhythmus angedeuteten Tanzes oder mit Reifen umgehen nach Art von Jongleuren.
Er winkt den Gelehrten, die, so sagt er, der Absicht und dem Eifer die Einsicht hinzufügen, und winkt ihnen wie älteren Brüdern. Ihre Eigenart, Dingen nachzudenken ohne täglichen Zweck, sondern um des Einsehens willen, ist

nützlich dem großen Vorhaben, weiß er, und hat sich dessen versichert.
Jetzt schon zum zweitenmal, während er die Linke zum Gruß erhebt, sieht er auf seine Armbanduhr, von plötzlicher Müdigkeit befallen, die vor allem sich ausdrückt in dem Wunsch, einige Minuten zu sitzen, und ungern bedenkt er, daß, nach vorgesehener, aber doch kurzer Mittagspause der Besuch fremdländischer Gäste erwartet wird, der, nach der Ordnung, wieder nur stehend, und aber herzlich, empfangen werden muß.
Nur von den Bühnenkünstlern kommt noch Aufmunterung. Viele kennt er, nicht nur aus der Entfernung der Loge, sondern bei anderer Gelegenheit sind sie ihm begegnet, und er hat sie ins Gespräch gezogen aus Sympathie für die Kunst der Verwandlung. Hauptsächlich zieht ihn an gesungenes Handeln oder handelnder Gesang. Denen zu lauschen, die dem Wort zweifachen Klang verleihen und also zweifache Kraft! Und gehört werden noch, wenn die Sprache, deren sie sich bedienen, unverstehbar, Italienisch oder gestört. Bedauern muß er, daß ihm das Amt versagt, starker Neugier auf die Maschinerie unter, über und hinter der Bühne nachzugeben, jene verästelte Apparatur, die in der Hand geschickter Leute jedes gewünschte Bild herzustellen vermag. Er erlaubt sich die Vorstellung, die Bühnenkünstler zögen in Kostümen jener Gestalten vorüber, die ihm besonders wert.
Die am längsten gewartet haben an einer Straßenecke und jetzt, zu den letzten zählend, vorübergehen, schon eilig, sind kaum noch zu Reihen geordnet; manche, bemüht, ihre Kinder zum Gehen anzuhalten oder in lebhaftem Gespräch mit dem Nachbarn, blicken nicht mehr herauf. Der Vorbeizug hat für sie geendet nach mehrstündiger Dauer, unerachtet des Podestes.
Solche Achtlosigkeit ist ihm, obgleich selber müde, unbehaglich. Es stört ihn die Beobachtung, daß die Vorüberziehenden, wie er, zu Aufmerksamkeit sich zwingen müssen. Daß die Unbehaglichkeit, je weniger Tätige, meist achtlos,

vorüberziehen, sich steigert zu Nervosität, registriert er mit dem Wunsch nach vernünftiger Erklärung. Sogar Unsicherheit gibt er sich zu angesichts der wenigen, die die Straße vor dem Podest noch passieren, und hätte doch ehestens unsicher sein sollen vor den vielen davor, dem Unübersehbaren, das vorbeugender Kontrolle vielköpfig sich zu entziehen scheint. Niemand nimmt wahr, daß kurze Verlorenheit sich seiner bemächtigt. Auch seinen Kollegen, die in unmittelbarer Nähe stehen, etwas hinter ihm, und stets noch fröhlich winken gelegentlich, bleibt es verschlossen.

Jetzt stört es ihn, daß er nicht jeden Mann des Personals, das ringsum verteilt ist, von Angesicht kennt, um jeden mit eigenen Augen aufsuchen, von den Passanten und Zuschauern unterscheiden zu können. Stellte er sich den Platz als berechenbar vor, sollte am Ende des Vorbeizuges nur Personal zurückbleiben, das den Blick von dem Zug der Tätigen endlich abwendet und von allen Seiten zu ihm herüberblickt: Es ist nichts. Auch über dir der Himmel ist sauber.

Sehr kurze Zeit will er denken, das eigene Personal, bewaffnet, starre ihn an: aus der Menge, die verschwunden ist, von Häuserdächern herab und aus geöffneten Fenstern, die leichten, entsicherten Waffen auf *ihn* richtend; ein Bild, das er, lächelnd, winkend noch einmal, sogleich abweist.

Wenig später gibt ein Offizier, dem aufgetragen ist, das Ende anzuzeigen, ein vereinbartes Zeichen; aus den Lautsprechern kommt ein Lied, das immer ertönt am Ende des Vorbeizuges, und wer kann, singt mit, ausgenommen das Personal auf den Dächern.

SIEGFRIED LENZ

## *Die Wellen des Balaton*

Auch das Bad im Balaton erfrischt ihn nicht. Er krümmt den Körper, taucht bis zum Hals hinab, schließt die Augen vor dem Glitzern der bewegten Einöde. Der See ist zu flach, Judith, sagt er, das Wasser erwärmt sich zu schnell. Die kleine Frau mit den Sommersprossen stößt sich vom sandigen Grund ab, schnellt bis zur Hüfte empor, wieder und wieder, und schmettert ihre Handteller auf das Wasser, sodaß die Spritzer flach zu ihm hinspringen. Es sind wieder zwei Busse angekommen, sagt sie, vielleicht sind sie es – siehst du, Berti? Der Mann richtet sich auf, blickt zu dem neuen, weißgrauen Hotel zwischen den alten Bäumen hinüber und entscheidet: Keine deutschen, Judith, es sind keine deutschen Busse.

Als er, noch in nasser, blasenwerfender Badehose, den Gepäckraum seines Autos öffnet, geht der Hotelmanager vorbei, ein untersetzter Mann mit blauschwarzem Haar, leise vor sich hinsprechend, in gezischten Worten, die wie das immer schwächer werdende Echo einer Auseinandersetzung klingen. Der Manager ist schon vorüber, da merkt er, daß er den westdeutschen Gast in der Badehose gesehen hat, und er kehrt in knappem Bogen zu ihm zurück und bietet ihm seine Hilfe an. Gemeinsam tragen sie Badetücher, aufblasbare Gummimatratzen, schwere Bademäntel, Kork-Badeschuhe, ein Reise-Necessaire, eine Ledertasche und einige Illustrierte zum Seeufer hinunter, in den Halbschatten eines alten Baumes, dessen freigewaschene Wurzeln wie eßbar aussehen. Es scheint, sagt der Hotelmanager, heite der Balaton will vorzeigen ganze Schenheit. Rauchen Sie, fragt der Gast.

Rauchend, ausgestreckt auf der Gummimatratze, sieht er seiner Frau entgegen, die sich schiebend, drehend gegen den Widerstand des Wassers zum Ufer hinarbeitet, eine blitzende Bugwelle vor dem fettlosen Bauch. Der nahe

Ufersaum blendet ihn, die ferne Küste hinter dem künstlichen Bootshafen ertrinkt in blassem Karpfenblau. Bevor die Frau aus dem Wasser steigt, schiebt sie zwei Finger unter den Gummizug ihrer Badehose und zieht mechanisch den Stoff nach unten, tiefer über die Schenkel. Nur zwei österreichische Busse, sagt er, während sie sich unter dem seegrünen Frottiermantel aus dem Badeanzug pellt, zuerst das Oberteil auseinanderhakt, dann die Hose ringelnd nach unten abstreift und sie mit dem Fuß in den Sand wischt. Bei dieser Strecke, sagt sie, ganz von Stralsund hierher, da kann niemand pünktlich ankommen. Er hält ihr eine angerauchte Zigarette hin. Er sagt: Es geht alles von unserer Zeit ab; statt drei Tage können wir jetzt nur noch gut zweieinhalb Tage miteinander sprechen.
Der Mann blättert in einer Illustrierten, überschlägt mit lauschend erhobenem Kopf einige Seiten; er lauscht zur vielbefahrenen, von den Bäumen abgeschirmten Uferstraße hinüber; dort ist eine Steigung, dort müssen fast alle Fahrer schalten. Er fragt gereizt: Riechst du es auch? Es ist das hiesige Benzin, so mies wie ihre Streichhölzer. Sag bloß, du riechst es nicht. Weißt du, was mir der Mann an der Tankstelle sagte, als ich ihn auf die niedrige Oktanzahl hinwies? Er sagte: Eine Oktanzahl wie bei euch werden wir erst unter dem Kommunismus anbieten können. Versuch das mal zu verstehen, Judith.
Trotz der Badekappe ist der Saum ihres Haars naß geworden; vor dem ovalen Handspiegel versucht sie es seufzend zu legen, zu bändigen, in die gewohnte Form zu zwingen, die Füße im warmen Sand vergraben.
Wie ungeduldig er plötzlich die Ledertasche öffnet, kramt, sichtet, eine Schachtel heraushebt, die gefüllt ist mit Photographien von unterschiedlicher Größe. Er will sie nicht ansehen, er will sich nur vergewissern, daß auch die eingepackt worden sind, auf die er besonderen Wert legt. Da ist ein Photo mit aufgebogenen Ecken, offenbar aus einem Album gelöst, alles in bräunlichem Licht: Sieh mal hier, Judith, hier hast du Trudi und mich auf einem sogenannten

Holländer, sie muß etwa sieben gewesen sein damals: hat sie nicht ein altes, wissendes Gesicht? Ich nehme an, sie wird kaum anders aussehen, jetzt mit Vierzig.
Sie verkantet den Handspiegel, sucht nicht mehr sich selbst, sondern beobachtet nur noch das Paar an ihrem Wagen, das sich jetzt zunickt, eine Bestätigung gefunden zu haben scheint. Judith erkennt, daß sie selbst erkannt worden ist, von einer hochbeinigen Frau mit tiefen, mißbilligenden Stirnfalten, die ihren Begleiter, einen schlaff wirkenden Mann im Polohemd, zum Seeufer mitzuziehen versucht. Widerwillig fügt er sich ihrem Drängen, hält sich hinter ihr bereit, ihr das erste Wort zu lassen. Jetzt läßt Judith den Spiegel sinken, wendet sich dem aufgestützt liegenden Mann zu und sagt hastig: Besuch, Berti; ich fürchte, wir bekommen Besuch. Und nachdem der Mann sich mit Verzögerung umgedreht hat: Das kann ja wohl nicht wahr sein, Berti, weiß du, wer da kommt? Der »innere Rhythmus« persönlich – Frau Schuster-Pirchala, meine Masseuse aus Bremen. Laß sie doch kommen, sagt Berti.
Nach der Begrüßung – Judith nennt ihren Mann ohne Hemmung Doktor Thape –, die anscheinend deshalb so familiär gerät, weil man sich im Ausland begegnet ist, ziehen sie von der Lagerstelle an einen grünen Gartentisch um, von dem die Lackfarbe, die sich in Streifen aufwirft, allmählich abplatzt. Hier sitzt es sich doch gemütlicher, sagt Judith, und vielleicht haben wir sogar die Chance, einen Kaffee zu bekommen. Frau Schuster-Pirchala, in eigentümlich gelassenem Abwehrkampf gegen Insekten – »die bevorzugen mich wegen meines süßen Blutes« –, lächelt skeptisch, sie ist jetzt drei Wochen in diesem Land gewesen, sie weiß, daß nicht einmal zornige Erwartung einen Kellner hier dazu bringt, mehr Wünsche zu beachten, als er gerade erfüllen möchte. Wir sind auf der Heimreise, sagt sie, und sagt: Mein Mann hat sich einen Jugendtraum erfüllt; am Ende hat er doch noch die wilden Pferde der Pußta gesehen, nicht wahr, Erich?
Wenn sie nur Farbe hätten, sagt Berti, zieht dem Tisch ge-

schrumpelte Lackstreifen ab und schnippt sie ins Wasser. Ich meine, sagt er, wieviel ließe sich unter Farbe verbergen, aber hier hat man sich wohl ein für allemal für grau entschieden. Er beugt sich vor, um das Nummernschild eines Busses zu erkennen, der knirschend auf dem Kieselsplitt des Parkplatzes manövriert. Sind sie es, fragt Judith, und er darauf: Wieder ein »A«, und nach einer Weile, beiläufig, als glaubte er den Landsleuten eine Erklärung schuldig zu sein: Uns steht nämlich ein Wiedersehen bevor – mit meiner Schwester und ihrem Mann. Weil es nicht anders ging, haben wir uns hier am Ufer des Balaton verabredet. Sie kommen mit dem Bus aus Stralsund. Ist das nicht DDR, fragt Frau Schuster-Pirchala und winkt erfolgreich einen vorbeihastenden Kellner heran, der auch gern bereit ist, Kaffee zu servieren, wenn auch nicht hier am Wasser, sondern nur, wie er sagt, »auf Terrasse an der Sonne«. Die Masseuse und ihr Mann fühlen sich auf den Kaffee angewiesen, sie verabschieden sich, man wird sich gewiß beim Abendessen sehen; dann gehen sie hintereinander die leichte, lichtgesprenkelte Erhebung zum Hotel hinauf.
Wieder auf der Luftmatratze, hebt Judith die Schachtel mit den Photographien zu sich hinüber, stürzt einzelne, mit Gummibändern zusammengehaltene Päckchen heraus. Vorsicht, sagt Berti, bring sie mir nicht durcheinander. Sie löst das Gummiband von einer Serie, läßt die Photographien wie Spielkarten durch die Hände gleiten, sieht sich fest, schiebt die Bilder mit dem Daumen weiter, blättert überraschend zurück. Es wird mir schwerfallen, Trudi zu duzen, sagt die Frau plötzlich; im Brief ist es eher möglich, aber wenn sie erst vor mir steht ... und noch schwieriger wird es bei Reimund – von ihm weiß ich nur, daß er Schiffsausrüster ist und seinen Namen in ziemlich steiler, sparsamer Schrift schreibt. Du wirst sehen, sagt Berti, er ist ein Prachtbursche; schließlich hat meine Schwester seinetwegen das Studium aufgegeben und ist Kindergärtnerin geworden. Aber warum hat er in all den Jahren nie mehr in einem Brief geschrieben als seinen Namen, fragt die Frau

leise und steckt ein Sortiment von Bildern zusammen, sorgfältig, als könnte ein Vergleich ihr den benötigten Aufschluß bringen. Sie vergleicht die Photographien, deckt da etwas ab, schiebt da etwas zusammen, und dann fragt sie: Ist dir schon aufgefallen, daß Trudi auf keinem der Bilder lächelt, die sie uns in all den Jahren geschickt hat? Muß sie das denn, fragt der Mann, und die Frau darauf, in aufzählender Tonart: Hier im Garten nicht; hier vor dem Leuchtturm nicht – ich nehme an, das ist ein Leuchtturm mit dieser grünen Mütze –, nicht mal hier an Bord des Dampfers, den Reimund vermutlich ausgerüstet hat. Ich weiß nicht, Berti, aber ich hab das Gefühl, verwandte Fremde zu treffen. Ihr entgeht nicht die immer gleiche, unbestimmbare Schmerzlichkeit in Trudis Gesicht, der leichte Ausdruck von Abwehr, den sie für jeden Photographen bereithält. Der Mann schlägt eine Illustrierte zu, klopft eine Zigarette auf der Packung zurecht, grinst für sich und sagt: Vielleicht wirst du gleich feststellen, daß Reimund keinen Schlips besitzt, da er auf allen Photographien ohne Schlips abgebildet ist. Wenn du mir schon so kommst, sagt Judith – ich finde, daß der Mann deiner Schwester auf allen Bildern verkleidet aussieht: ein Intellektueller, der unter die Proleten gefallen ist und versucht, sich ihrer Mode anzugleichen. Hör doch auf damit, sagt Dr. Thape, ich möchte viel lieber wissen, was auf den Gedenksteinen vor all diesen Bäumen steht, den frisch gepflanzten, meine ich. Das kann ich dir sagen, Berti, es sind die Namen, die Berufe und Verdienste der Leute, die man gebeten hat, diese Bäume zu pflanzen: Dichter, Kosmonauten, durchreisende Mitglieder eines Politbüros. Kein Kollege von dir, kein Patentanwalt.

Ein altmodischer Ausflugsdampfer, übersät mit verwaschenen Rostflecken, dreht von der Pier ab und verabschiedet sich mit reichlich wichtigtuerischen Signalen aus seiner neben dem Schornstein liegenden Sirene.

Judith erschrickt, als die Kapelle zu spielen beginnt. Dort hinter den Bäumen, in der hölzernen Orchestermuschel, haben die Musiker Platz genommen und spielen zum »Tanz im Freien«. Sie eröffnen mit »Blue Moon«. Sittsam schieben die Paare über die runde, hölzerne Tanzfläche. Die Männer, sagt Judith, sieh dir die Männer an: alle mit Schillerkragen wie dein Schwager Reimund. Was meinst du, ob er auch tanzt? Herrgottnochmal, Judith, woher soll ich das wissen: ich kenne ihn ebenso gut wie du, nämlich von seiner Unterschrift und dem immer gleichen Schnörkel, in den er seinen Namen auslaufen läßt. Außerdem sind wir ja nicht hierher gefahren, um miteinander zu tanzen. Und gereizt sagt der Mann: Du wirst sehen, der erste Tag geht vorbei, ohne daß wir miteinander gesprochen haben. Dann bleiben uns nur noch zwei Tage, denn am Montagabend ... Mußt du in Wien sein, setzt Judith den Satz fort. Nach dreizehn Jahren, sagt der Mann, da hat sich genug angestaut, das wegerzählt werden muß.

Obwohl sie hier gern noch liegen bleiben möchte im wandernden Schatten des alten Baumes, hilft sie ihm dann doch, die gesamte Badeausrüstung zum Auto zu tragen, und begleitet ihn ins Hotel zu dem weiträumigen, kostbar möblierten Empfang. Mädchen in knapp geschnittenen blauen Uniformen, nicht nur nach Sprachkenntnissen und Schönheit, sondern offenbar auch nach besonders eindrucksvoller Lethargie der Bewegungen ausgesucht, beraten längere Zeit blickweis, welche von ihnen dem westdeutschen Gast zu dieser Zeit eine Auskunft geben sollte. Hören Sie, sagt Dr. Thape, ich möchte Sie um etwas bitten: falls der Bus aus Stralsund eintrifft, würden Sie uns dann freundlicherweise eine Nachricht geben; wir sind jetzt auf unserem Zimmer. Das Mädchen nickt bedächtig. Schon auf der Treppe, sagt Judith: Ist dir klar, daß sie uns überhaupt nicht nach der Zimmernummer gefragt hat?

Die Frau spült und wringt die Badeanzüge aus und hängt sie unter dem Fenster zum Trocknen auf und setzt sich so, daß sie den kleinen, belebten Hafen überblickt, während der Mann einen Polsterstuhl ruckend in die Stellung bringt, aus der er ein Stück der Uferstraße – nur als grauschwarzes, blinkendes Band erkennbar – und die Auffahrt zum Hotel beobachten kann. Er blättert abermals die Illustrierte durch, heftig, unkonzentriert, mit einer reißenden Bewegung, daß es jedesmal ein Geräusch gibt wie von einem schwachen, aber immer noch genauen Peitschenschlag. Unter einem wachsenden Druck, den er selbst noch nicht benennen möchte, hat er für alles nur Vorwurf übrig, oder doch vorwurfsvolle Nachfrage. Was machst du da eigentlich, fragt er, obwohl die Frau sich beinahe regungslos und vollkommen lautlos verhält. Ich wundere mich über Trudi, sagt Judith, wenn sie den Kopf nur etwas schräg legte, dann wäre die vernarbte Wange nicht zu sehen. Trudi aber scheint darauf zu bestehen, sie dem Photographen zu zeigen, und zwar jedesmal. So ist Trudi eben, sagt der Mann, sie möchte keinen im Zweifel lassen über sich. Was meinst du, mit welchen Worten sie uns zum ersten Mal von Reimund erzählte? Es war wenige Tage, bevor ich fortging; Mutter lebte noch; wir saßen und hörten Radio, weil Mutter so gern Radio hörte, Volkslieder aus dem Osten vor allem; da kam Trudi nach Hause, sehr spät für ihre Verhältnisse. Sie hatte Reimund kennengelernt. Sie sagte etwa: Entschuldigung, daß ich so spät komme, ich habe einen Mann namens Reimund Wolters kennengelernt, er hat zweieinhalb Jahre gesessen wegen bedenkenloser Vergeudung volkseigener Schiffsausrüstungsbestände, inzwischen wurde er rehabilitiert: ein Mann, mit dem man reden kann. Komisch, sagt Judith, auf den Bildern macht er ganz und gar nicht den Eindruck, als ob man mit ihm reden könnte. Sieh dir nur an, wie düster dein Schwager hier aussieht, wie schweigsam und verkniffen – hier, am Gartenzaun –, und dazu die zusammengewachsenen Augenbrauen ... Nun mach aber mal Pause, Judith; was meinst du, zu welchen Ansichten ich über dich kommen müßte, wenn es von dir nur die Photos gäbe, die du erst gar nicht entwickeln läßt. Jedenfalls, sagt die Frau, würdest du von mir nicht sagen können, daß ich aussähe wie eine Kommunistin. Sieht er denn etwa so aus, fragt der Mann, und dann fast anklä-

gerisch: Wie sieht denn überhaupt ein Kommunist aus? Falls du das weißt, dann bist du wirklich die einzige, die das weiß.
Knapp aus dem Handgelenk feuert er die Illustrierten fort; sie rutschen über den Tisch und fallen zu Boden. Komm, Judith, laß uns etwas trinken. Sie gehen ins Restaurant hinunter, es zieht sie zu den schweren Blumenkübeln neben einer Säule, ein junger Kellner folgt ihnen träge, und kaum haben sie sich gesetzt, da fragt er in vertrauensvollem Ton, offenbar bemüht, frische Erfahrungen auszuspielen: Whisky? Zwei Whisky, die Herrschaften? Dr. Thape bestellt eine Flasche Wein; er fügt hinzu: Von dem, der hier am nächsten wächst. Da, Berti, sieh mal! Was denn nun schon wieder? Der »innere Rhythmus«, und wie er sich verkleidet hat! Frau Schuster-Pirchala und ihr Mann betreten das Restaurant, sie in einem rosafarbenen Abendanzug mit einem Gürtel aus übereinanderliegenden goldenen Blättern; ihr Mann, einen Kopf kleiner, trägt zu weißen Hosen ein weinrotes Klubjackett, dem in der Herzgegend ein kolossales Wappen aufgestickt ist. Hoffentlich entdecken sie uns nicht, sagt Judith; da ist es schon geschehen, da wedelt die Masseuse ein freudiges Erkennungszeichen herüber, stubst ihren gleichgültigen Mann an und befiehlt die Richtung: dorthin, zu den Blumenkübeln. Ich hoffe, Sie haben nichts dagegen, wenn wir uns zu Ihnen setzen.
Herr Schuster oder Pirchala blickt so konzentriert in sein Weinglas, als habe er da etwas zu erforschen, was seine ganze Aufmerksamkeit beansprucht, und er tut es auf beinah leidende Art immer dann, wenn die drei musizierenden Zigeuner wieder mal an ihren Tisch herantreten. Die Masseuse lächelt ihnen zu, sie steckt dem Geiger einen lappigen Geldschein unter die Schärpe und darf sich einen Titel wünschen. Diese Leute, Herr Doktor, sagt sie später, haben alle ihren inneren Rhythmus bewahrt, und das ist es, worauf es ankommt; deshalb können sie sogar dem Kommunismus Heiterkeit abtrotzen. Sie blickt unmutsvoll auf ihren Mann, der zusammengesunken in schlechter Haltung

dasitzt; das Wappen erinnert Judith an die Markierungssprache von Jägern: hier liegt die günstigste Stelle für einen Blattschuß. Erich richtet sich auf, drückt das Kreuz durch und lächelt resigniert; gleich wird sie ihn auffordern, über den inneren Rhythmus der Männer zu sprechen, die sich um die wilden Pferde der Pußta kümmern und mit denen sie am Feuer saßen und sangen und Kaffee tranken. Plötzlich springt Dr. Thape auf und ruft: Das müssen sie sein, Judith, das sind sie!
Der Mann läuft mit schwingenden Schultern auf die Eingangstür zu, wo sich ein Pulk neuer Gäste staut, rötliche, ermüdete Gesichter, die skeptisch und neugierig zugleich das Restaurant begutachten – eine Umgebung, zu der man verurteilt worden ist, in der man sich wird einrichten müssen; und wie lange sie zögern und es einfach nicht wagen, sich allein an einen der freien Tische zu setzen, obwohl da kein Oberkellner und kein Reiseleiter auftaucht, der ihnen sagt, wo sie Platz nehmen sollen! Da sind sie, sagt Judith leise, meine Schwägerin und ihr Mann. Und die Masseuse darauf: Wie lange haben Sie sich nicht mehr gesehen, Frau Thape? Nie, wir haben uns noch nie gesehen, nur auf Photographien; es ist das erste Mal. Dort die Dame mit dem unzeitgemäßen Hut, fragt Frau Schuster-Pirchala. Neben dem Mann mit dem Schillerkragen, bestätigt Judith.
Dr. Thape umarmt freimütig und etwas ringerhaft seine Schwester – gerade so, als wollte er an ihr einen Ausheber probieren –, umarmt dann achtsamer seinen Schwager, der leicht zu versteifen scheint, doch mit gutmütigem Lächeln sagen möchte: Wenn's sein muß; hoffentlich geht's gut.
Am Tisch erwartet Judith stehend die Verwandten; zur Begrüßung nimmt sie beide Hände Trudis und streift leicht ihre Wange; Reimund im Schillerkragen erhält einen kraftlosen Händedruck. Und das hier, sagt Judith süßsauer, sind gute Bekannte aus Bremen, die wir hier zufällig getroffen haben, Herr und Frau Schuster-Pirchala. Man schüttelt sich über dem Tisch die Hände. Ja, wie machen wir das nun, sagt Dr. Thape in der Hoffnung, die Bremer

Bekannten würden sich in innerem Rhythmus verabschieden, hier gibt es nur fünf Stühle. Nehmen Sie doch einen vom Nebentisch, sagt die Masseuse und widmet Reimund, durch nichts begründet, ihr offenherzigstes Lächeln. Sie werden Durst haben, sagt Judith, sie werden Hunger haben; sie werden erschöpft sein nach so langer Fahrt; du mußt gleich für sie sorgen, Berti. Es geht schon, sagt Trudi, nur ein bißchen heiß war es zuletzt. Trudi setzt den Hut ab, schüttelt das Haar aus, zieht den verknitterten Rock über die Knie und winkt knapp einem älteren Ehepaar zu, Mitreisenden offenbar. Tja, sagt sie, da wären wir also; etwas spät, aber das liegt nicht an uns. Was glaubst du, Reimund, fragt Dr. Thape, was wäre das beste für den ersten Durst? Bei uns steht das fest, sagt Reimund: Trudi ein Bier, ich zwei Bier – so einfach ist das. Er mustert die fremde Frau, ihren Goldblattgürtel, die goldfadendurchwirkte Tasche; er spürt, daß sie sich mit ihrem Lächeln das Recht zu einer Frage erkaufen möchte, und um ihr zuvorzukommen, fragt er: Bleiben Sie länger in Ungarn? Wir sind auf der Heimreise, sagt Frau Schuster-Pirchala, und erzählt dann ungefragt, wie es ihrem Mann gelang, in drei Wochen einen Jugendtraum einzulösen.
Daß sich am ersten Schluck auf das Wiedersehen auch dies fremde Paar beteiligt, will Dr. Thape gar nicht schmecken; aus totem Winkel gibt er seiner Frau auffordernde Signale, die sie nur mit unschlüssigem Heben der Schultern beantwortet. Jedenfalls erkennt sie, daß er ihr die Verantwortung zuschiebt für die unerwünschte Anwesenheit dieser Leute, und weil sie jetzt nichts mehr daran ändern zu können glaubt, wendet sie sich ab und sucht Trudis Blick. Ich hörte, daß Sie aus der DDR kommen, sagt Frau Schuster-Pirchala; wie geht es heute in der DDR, im allgemeinen? Reimund blickt ratlos Trudi an, die mit ausgestrecktem Zeigefinger zartfühlend an ihrem Bierglas entlangfährt, und dann sagt er: Aus der Art Ihrer Frage schließe ich, daß Sie wissen möchten, ob es in der DDR immer noch Streuselkuchen gibt; als Augenzeuge darf ich Ihnen versichern,

daß das der Fall ist. Ich fürchte, sagt Dr. Thape unduldsam, wenn wir jetzt etwas zu essen bestellen, dann dürfte der Tisch für sechs Personen zu klein sein. Dann rücken wir eben etwas zusammen, sagt die Masseuse; mein Mann und ich brauchen sowieso kaum Platz, weil wir nur einen Teller mit Rohkost bestellen. Wir, sagt Trudi, wir können doch solange hinübergehen zu unseren Mitreisenden. Was meinst du, Berti? So weit kommt das noch, sagt Berti, winkt übellaunig einen Kellner heran und fordert ihn auf, die Bestellungen anzunehmen.

Und wie geht's Vater, fragt Dr. Thape über den Tisch. Trudi sieht ihren Bruder lange an, gerade so, als hätte sie eigentümliche Schwierigkeiten, diese Frage zu beantworten. Ich weiß nicht, sagt sie leise; manchmal habe ich das Gefühl, er ist sehr alt geworden; manchmal glaube ich aber auch – und das betrifft vor allem seine Haltung –, daß er wieder jünger wird. Er läßt dich grüßen. In eine Pause sagt Frau Schuster-Pirchala: Das ist durchaus typisch für alte Männer, in einem bestimmten Stadium beginnen sie, fast übertrieben auf ihre Haltung zu achten. Außerdem hat er Mutters Leidenschaft übernommen, sagt Reimund, sowas von begeistertem Radiohörer hast du noch nicht erlebt. Wir müssen den Kasten abstellen, sobald er eingeschlafen ist.

Der Kellner irrt sich; er hat fünfmal Karpfensuppe angeschleppt, obwohl nur vier Gäste sie bestellt haben. Bekümmert blickt er auf den überzähligen, dampfenden Teller, auf dem eine ebenmäßig gebogene Bauchgräte leuchtet. Das tragen Sie mal zur Küche zurück, guter Mann, sagt Frau Schuster-Pirchala, worauf Judith lakonisch erklärt: Sie kann hierbleiben, ich werde die Suppe essen. Laß sie nur mir, sagt Dr. Thape, Trudi wird dir bestätigen, daß ich schon als Junge ganz versessen auf Suppen war, was, Trudi? Sie machen sich wohl gar nichts aus Suppen, Herr Schuster-Tschinschilla, fragt Dr. Thape, und der Mann im weinroten Jackett strafft sich und sagt lächelnd: Zuviele Suppen genossen, früher beim Militär, da hat sich Überdruß eingestellt. Übrigens – mein Name ist einfach Schuster. Aber Sie haben wohl nichts dagegen, fragt Dr. Thape, seinen Unwillen mühsam bezähmend, wenn wir unsere Suppen hier so genüßlich vor Ihnen löffeln? Nur zu, sagt Herr Schuster, und macht sogar eine einladende Handbewegung, nur zu, mich stört's nicht. Die Masseuse gibt dem Geiger der Kapelle ein Zeichen, der Mann nickt, er hat verstanden; und noch bevor die Kapelle wiegend und gekrümmt herankommt, fragt sie: Mit der Versorgung der Bevölkerung soll es ja besser geworden sein, oder? Ich meine, in der DDR. Trudi verhält sich, als sei sie gar nicht gefragt worden, und Reimund löffelt mit vorgezeigtem Genuß die Karpfensuppe. Erst als die Masseuse sagt: Man hat da schon von Engpässen gehört, sagt Reimund: Einen Engpaß werden wir gleich hier am Tisch erleben, wenn das Hauptgericht aufgefahren wird. Wir bringen Sie bestimmt nicht in die Klemme, sagt Frau Schuster-Pirchala, wir bekommen nur klitzekleine Rohkostteller. Herrgottnochmal, sagt Dr. Thape, ich hab das Gefühl, hier zieht's. Was meinst du, Judith, wollen wir uns nicht einen anderen Tisch suchen? Der große Ecktisch ist noch frei, sagt Frau Schuster-Pirchala, da haben gut und gern acht Personen Platz.

Trudi lächelt, bei geduldiger Neigung des Kopfes, sie öffnet ihre Handtasche, findet gleich das blaßgrüne, ältliche Etui, läßt es, mit Herrn Schusters Hilfe, ihrem Bruder zuwandern: Vater schickt dir das, sagt sie, er bestand darauf. Sieht ganz nach einer Uhr aus, stellt Frau Schuster-Pirchala fest, und nun sehen alle zu, wie Dr. Thape das Etui öffnet und eine Taschenuhr heraushebt. Na, bitte, sagt die Masseuse; und vermutlich ist die Uhr auch nicht aufgezogen. Sorgsam beobachtet Trudi alle Bewegungen ihres Bruders, registriert seine Ungläubigkeit nicht weniger als seine Rührung und die etwas nachsichtige Freude, und um Entschuldigung bittend fügt sie hinzu: Das ist alles, mehr haben wir euch nicht mitgebracht, nicht mitzubringen gewagt nach Judiths Brief. Wieso, fragt Judith, welcher Brief? Du schriebst mal, daß ihr nichts zu entbehren hättet und daß wir nichts schicken sollten, sagt Trudi ruhig. Du meintest, all diese Dinge bei uns – nein, du hast sie nicht dürftig genannt, aber darüber wollen wir jetzt nicht sprechen. Die Uhr geht, sagt Dr. Thape, die Uhr geht einwandfrei; und die Kette ist so dünn, daß man sie ohne weiteres durchs Knopfloch ziehen kann. Hinter ihm setzt plötzlich die Kapelle ein, er zuckt zusammen wie bei einer überraschenden Injektion, schließt gequält die Augen und hält sie geschlossen, während er mit beiden Händen die Uhr abdeckt, als wollte er sie schützen. Reimund ruft ihm etwas zu, doch er versteht ihn nicht.

Auf Reimunds Teller ist ein beleidigt aussehendes Karpfenmaul zurückgeblieben, zu Trudis Vergnügen steckt er einen Zahnstocher in das Maul, legt den Kopf schräg und verkündet: Hygiene, der erste Schritt zur Revolution. Man sollte sie nicht übertreiben, die Hygiene, sagt Frau Schuster-Pirchala, die meisten Menschen wissen nicht, wie lebensnotwendig die Körperflora ist. Da umschließt Dr. Thape krampfhaft das Etui, legt sich zurück und sagt mit unheilvollem Unterton zur Masseuse hinüber: Ihnen scheint wohl zu allem etwas einzufallen. Frau Schuster-Pirchala ist verdutzt, sie sieht betroffen ihren Mann an. Sie sagt: Ich verstehe nicht, warum Sie sich so aufregen; die Hygiene ist wirklich ... Dr. Thape unterbricht sie ärgerlich, streift Judiths Hand von seinem Oberarm, klopft mit dem Etui auf den Tisch und sagt gepreßt: Damit Sie es nun endlich wissen, ich bin nicht von Bremen hierher gefahren, um mir Ihre Ansichten über Körperflora anzuhören. Ich, wir sind hier, um – falls Sie es noch nicht bemerkt haben – nach langer Zeit Wiedersehen zu feiern. Ein Familientreffen, falls Sie nichts dagegen haben. Berti, sagt Judith gedehnt und beschwichtigend, und Frau Schuster-Pirchala, unter fast schmerzhaftem Protest: So hat man mich noch nie beschuldigt, so aus heiterem Himmel! Wir saßen doch eben gemütlich zusammen, und nun muß man sich das anhören! Wir scheinen hier zu stören, Erich. Komm.

Bitte, sagt Judith einlenkend, mein Mann hat es nicht so gemeint, jedenfalls nicht so, wie es klang, nicht wahr, Berti? Frau Schuster-Pirchala, in düsterem Aufbruch: Das muß einem doch gesagt werden, daß man unerwünscht ist, daß man eine Familienfeier stört, bist du fertig, Erich? Die Bremer Bekannten entfernen sich grußlos und spähen nach einem Tisch in äußerster Entfernung. Entschuldigt, sagt Dr. Thape, aber ich konnte es einfach nicht mehr ertragen. Du warst sehr hart, sagt Judith, du hättest es ihnen schonender beibringen können. Aber das habe ich doch versucht, sagt Berti zornig, die ganze Zeit habe ich deiner Masseuse beizubringen versucht, daß hier jemand fehl am Platz ist. Kinder, sagt Reimund und mimt lippenleckend Vorfreude, streitet euch nicht, dort kommt das Hauptgericht, ein original-ungarisches Hirtengulasch.
Nun hebt Dr. Thape das schweißglänzende Gesicht, er blickt allein Trudi an und hält ihr sein Glas entgegen: Und jetzt, sagt er, wo wir ganz unter uns sind, möchte ich noch einmal mit euch auf unser Wiedersehen anstoßen. Der Kellner unterbricht ihn scheu, er bittet um Aufklärung, was nun mit den beiden Rohkosttellern geschehen solle: Hier nix essen, fragt er, und Dr. Thape, unwirsch: Dort hinten, sehen Sie, am Tisch neben der Eingangstür – dort wird das Zeug erwartet. Köche und Kapellen, sagt Reimund in langgestrecktem Genuß, solange es die hier gibt, lohnt sich immer eine Fahrt nach Ungarn.
Judith entschuldigt sich, sie muß zur Toilette, ihr Weg führt sie zwangsläufig an dem Tisch vorbei, an dem nun die Bremer Bekannten vor ihren Rohkosttellern sitzen. Trudi beobachtet ihre Schwägerin, die dort an den Tisch herantritt und sich hastig bespricht, vermutlich einzulenken versucht. Wißt ihr, sagt Berti, ich habe mich so auf dies Wiedersehen gefreut, daß ich schon die Stunden zählte, um die ihr euch verspätet habt. Und dann drängen sich diese Fremdkörper hier herein. Prag, sagt Reimund, daß wir uns verspätet haben, lag einfach daran, daß sich ein junges Mädchen bei einem Aufenthalt in Prag selbständig machte

– du weißt schon. Sie traf sich dort mit so einem leichtfertigen Westler, der sie vermutlich rausbringen wollte, hat man im Bus erzählt. Aber das kann man doch verstehen, sagt Berti, und Reimund achselzuckend: Ich weiß eben nicht. Vater, zum Beispiel, sagt Trudi, er kann es bis heute nicht verstehen, daß du damals weggegangen bist. Er sagt, du hast uns alleingelassen. Berti möchte etwas entgegnen, doch die Zigeunerkapelle am Nebentisch, mit geprobter Leidenschaft aufspielend, bescheinigt ihm sogleich die Unterlegenheit seiner Stimme, er winkt ab, er verzichtet.
Zum Kaffee muß man hier einfach einen Pflaumenschnaps trinken; sogar Judith läßt sich dazu überreden, sie, die sich in allzu höflichem Schweigen eingerichtet hat, obwohl sie von Reimund angenehm enttäuscht zu sein scheint. Also nun von Anfang an, Trudi, und ganz gemächlich – wie geht es bei euch zuhause? Trudi blickt ihren Bruder an, hebt ratlos die Schultern, da verhindern entweder Fülle oder Gewohnheit eine schnelle Auswahl unter Erlebtem: Tja, Berti, was soll ich dir darauf antworten? Das Haus steht, Vater ist gesund, in deinem Zimmer wohnt seit einigen Jahren eine freundliche alte Frau, eine Lehrerin aus Riga, die nie die Jalousien vor ihrem Fenster öffnet. Reimund hält dem Kellner auffordernd sein leeres Glas entgegen. Dann streicht er Trudi vergnügt über die vernarbte Wange und bittet sie um Entschuldigung für die Unterbrechung. Also, wenn ich auf eine so allgemeine Frage antworten sollte, sagt er, ich würde zuerst das herausrücken, was zählt. Auf die Frage: wie geht's? würde ich nur sagen: keine Ersatzteile. Und dann im einzelnen begründen. Auf eine neue Dachrinne fürs Haus warten wir seit anderthalb Jahren; auf einen Verteilerhahn im Badezimmer siebzehn Wochen. Binderfarbe – du weißt, für den Außenanstrich des Hauses – hat man mir vor vier Monaten versprochen, und auf eine ausziehbare Bodenleiter warte ich mittlerweile schon so lange, daß ich sie mir demnächst selbst bauen werde. Da haben doch viele schon, was sie erfahren möchten, um sich selbst beglückwünschen zu können zur Wahl ihres Aufent-

halts. Na, sagt Berti, dafür sind eure Mieten erheblich niedriger.
Sie beschließen, genauer, Dr. Thape schlägt vor, auf's Zimmer hinaufzuziehen, da spricht sich's ungestörter, da ist man unter sich – vorausgesetzt, Trudi, ihr könnt euch solange von euren Leuten absentieren. Er übernimmt die Rechnung, bittet lediglich um eine Quittung, und ein außergewöhnliches Trinkgeld fördert die Bereitschaft des Kellners, zwei Flaschen Wein auf's Zimmer zu bringen. Berti nimmt Trudis Arm, Reimund hakt sich bei Judith ein: so schieben sie an den Tischreihen vorbei zum Ausgang. Die Bremer Bekannten wenden sich vorsätzlich ab.
Sieh mal, Trudi, sagt Reimund, dies Zimmer ist nicht nur doppelt so groß wie unseres, es hat sogar einen Schreibtisch, es hat einen Balkon und einige Polsterstühle für liebe Gäste. Warum behandeln uns die sozialistischen Freunde nicht ebenso zuvorkommend? Er entdeckt die Badehosen unterm Fenster, er sagt: Ah, wie ich sehe, seid ihr schon in den Balaton gestiegen; ein merkwürdiger See, und wißt ihr, warum? Bei keinem Gewässer der Welt gibt es diese Unverhältnismäßigkeit von Wind und Wellen, das heißt, die Wellen gehen hier sehr viel höher, als es der jeweils herrschenden Windstärke entspricht.
Judith läßt hinter ihrem Rücken den Koffer zuschnappen und tritt vor sie hin mit zwei original verschnürten Päckchen. Sie sagt: Wir haben euch ein Geschenk mitgebracht, nur einige Kleinigkeiten; dies ist für dich, Reimund, und das Viereckige für Trudi. Auf ein mißbilligendes Kopfschütteln sagt Berti: Wir konnten es eben nicht lassen. Beim Anblick der massiven, aus Weißgold gearbeiteten Manschettenknöpfe sagt Reimund: So, Trudi, jetzt bist du gezwungen, mir das entsprechende Hemd zu kaufen; doch die Frau wendet sich ihm nicht zu, sie starrt regungslos auf den Armreif mit der eingelegten Uhr und den sprühenden Steinen, als überlegte sie, ob es für sie überhaupt eine Rechtfertigung gäbe, solch ein Geschenk anzunehmen. Ach, Berti, ich weiß nicht, was ich dazu sagen soll.

Alle drei Lampen des Zimmers brennen, Berti läßt die Photographien wandern, Judith erläutert ihrem Schwager die Lage und Beschaffenheit des Hauses im Bremer Vorort. Und du mußt dir vorstellen, daß dies alles Weideland war, vor nicht einmal zwanzig Jahren. Schön ist es, am Abend auf der Terrasse zu sitzen und auf der Weser, nicht mal sehr fern, die erleuchteten Schiffe vorbeiziehn zu sehen; da mußt du glauben, sie ziehen über die Wiesen. Vielleicht sind sogar einige dabei, sagt Berti, die du ausgerüstet hast. Dann macht er die Verwandten mit einer neuen Serie bekannt: Hier seht ihr nun das Haus von innen: meine Hobby-Werkstatt, die Südansicht des Living-Rooms, Judiths Schlafzimmer und dahinter ihr eigener Aufenthaltsraum. Und für all das, fragt Reimund, habt ihr Handwerker, ja? Judith, sagt Berti, sie tapeziert, malt, baut sich Regale zusammen – nur an elektrische Leitungen traut sie sich nicht heran. Also das, was Trudi bei uns macht, sagt Reimund. Während Judith Wein einschenkt, sagt sie: Ihr müßt uns gleich eure Bilder zeigen, und Trudi darauf: Bilder? Wir haben keine Bilder mitgebracht.
Über ihr Glas hinweg mustert Judith ihre Schwägerin, prüfend, erstaunt auch, vielleicht um herauszubekommen, was sie zwingt, Trudis Überlegenheit anzuerkennen. Sie mustert ihre Kleidung: die Spangenschuhe, das olivfarbene Kostüm, das zerknittert ist von der Reise, den Anhänger auf dem Revers, der offenbar eine Hansekogge unter prallen Segeln darstellt. Sie sagt plötzlich, obwohl sie ursprünglich etwas anderes sagen wollte: Es freut mich, Trudi, daß dir die Sachen gefallen, die ich dir so nach und nach geschickt habe – auch wenn sie gebraucht waren. Es waren auch schöne Sachen, sagt Trudi, bei uns kaum zu bekommen, sogar beim Roten Kreuz waren sie erstaunt.
Reimund hat nichts dagegen, daß Berti eine neue Flasche bestellen will, er gibt mit einer Warum-nicht-Geste seine Zustimmung und nimmt eine voraufgegangene Bemerkung auf: Du irrst dich – heute kann man nirgendwo mehr die pure Freiheit wählen, sondern nur eine mehr oder weniger

umgängliche Bürokratie. Die nämlich befindet darüber, welche Ersatzteile du bekommst, welche Aufstiegschancen du hast, in wievielen Organisationen du aktiv sein mußt, um als vertrauenswürdig zu gelten. Ich sage dir: eine bessere Bürokratie, und die Exportfähigkeit des Sozialismus nimmt zu. Und ich sage dir, Reimund: auch nach fünf Generationen Sozialismus werden die Leute nicht aufhören zu verlangen, was er ihnen vorenthält, nämlich die entscheidenden kleinen Freiheiten. Aber da wir uns nicht gegenseitig überzeugen wollen, sollten wir die Politik aus dem Spiel lassen.
Der Kellner scheint die Rüge nicht verstehen zu wollen, die Dr. Thape ihm dafür erteilt, daß er eine neue Bestellung zu lässig ausführte. Er entläßt ihn blicklos, mit gesenktem Gesicht, ohne ihm ein Trinkgeld zu geben. Immer noch übelnehmerisch erkundigt er sich bei Judith, ob sie das Blitzlicht bereit habe. Wenn ihr einverstanden seid, sagt er, möchten wir jetzt einige Aufnahmen machen. Einzeln, paarweise, überkreuz photographieren sie einander auf dem Zimmer, der aufflammende Blitz blendet so stark, daß zumindest Judith fürchtet, sie werde auf allen Bildern nur mit geschlossenen Augen zu sehen sein. Danach sagt Dr. Thape: Das zumindest hätten wir. Und dann möchte er, nur der Ordnung halber, fragen, wie lange Trudi und Reimund in Ungarn bleiben werden. Vierzehn Tage? Leider, sagt er, muß ich am Montagabend schon wieder in Wien sein.
Sie trinken einander zu. Und nun, Trudi, sagt Dr. Thape, mußt du mir noch erzählen, was unsere kleine Sonja macht, die Meisterschwimmerin, und Ralf, und Bruno von nebenan. Trudi lächelt. Sonja, fragt sie – ihre jüngste Tochter hält alle Rekorde über die Rückenstrecken. Sonja ist mit Bruno verheiratet, der, soviel ich weiß, Richter geworden ist. Und Ralf – er ertrank bei dem Versuch, die Ostsee im Paddelboot zu überqueren. Bruno und Richter, fragt Dr. Thape skeptisch; und Trudi: Warum nicht? Was sollte dagegen sprechen? Immerhin, sagt Berti, haben wir

zusammen die Schulbank gedrückt, und ich war oft genug bei ihnen zuhause. Sein Vater hatte doch immer Scherereien mit der Polizei. Allerdings, sagt Trudi, aber sein Vater hatte diese Scherereien zur richtigen Zeit.
Reimund gähnt, angelt sich sein Jackett mit dem groben Fischgrätenmuster. Es ist nun mal so, sagt er, alles färbt auf uns ab, die Dinge, die Ideen, die Verhältnisse, so oder so, je nachdem, wo einer lebt. Er bittet um Entschuldigung für sein Gähnen und erinnert daran, daß sie heute neun Stunden im heißen Bus saßen, Trudi und er. Sicher hebt er den Hemdkragen übers Jackett und streicht ihn glatt. Leider, lieber Reimund, bin ich nicht ganz deiner Meinung, sagt Berti: auf die Blassen, die Farblosen, da färben die Verhältnisse vielleicht ab, aber nicht auf Leute, die sozusagen eigene Grundfarbe mitbringen.
Draußen auf dem Flur verhandeln sie mit gedämpften Stimmen über den Zeitpunkt des gemeinsamen Frühstücks; Reimund besteht auf neun, er droht, daß er völlig unergiebig sei vor neun, also lassen sie es bei neun und geben einander nur die Hand und winken sich noch einmal zu.
Während Berti sich unter gespanntem Schweigen auszieht, raucht er die letzte Zigarette. Judith sitzt auf ihrer Seite des Doppelbetts, erwartungsvoll wie immer, um gemeinsam, wenn auch nicht den ganzen Tag, so doch die wichtigsten Erfahrungen des Tages zu bilanzieren. Nach einer Weile sagt sie: Eins steht fest, bei Frau Schuster-Pirchala kann ich mich nicht mehr sehen lassen, nach allem. Pichalla oder Tschintschilla, sagt Berti erlöst und in einer Bewegung innehaltend, du findest zehn andere, die dich durchkneten. Wer hat sie nur ausgerechnet heute hierher geschickt, diese Frau, die ja wohl die Empfindlichkeit einer Straßenwalze hat? Ich bin immer noch der Ansicht, sagt Judith, daß du sie anders hättest behandeln müssen. Anders? Sie, die sich in eine Familienfeier drängt? Die sofort das Wort nimmt und quasselt, als gehöre sie dazu? Vielleicht, sagt Judith, vielleicht hat sie selbst Verwandte drüben. Ich begreife einfach nicht; sagt Berti, wie du diese Nervensäge in Rosa in

Schutz nehmen kannst: sie hat mir die Stimmung für den ganzen Abend vermasselt. Immerhin, sagt Judith, als ich sie am Wasser entdeckte, da hast du mich gebeten, sie kommen zu lassen.
Sie liegen nebeneinander im Bett, wie hergerichtet, jeder die rechte Hand unterm Hinterkopf, den Blick zur Decke; nur die Nachttischlampe brennt. Es ist aber so, sagt Judith, ich komme an Trudi einfach nicht heran. Und hast du gehört, wie beiläufig sie mir zu verstehen gab, daß sie all die Sachen, die ich ihr schickte – manchmal ohne dein Wissen – daß sie all die Sachen zum Roten Kreuz trug? Das ist doch wohl nicht wahr, sagt Berti, das hab ich gar nicht mitbekommen. Das ist typisch Trudi; aber darüber reden wir morgen ein Wörtchen. Zum Frühstück mußt du ihr die Uhr mitbringen, denn im Unterschied zu Reimund hat sie ihr Geschenk prompt vergessen. Ich mag Reimund, sagt Judith langsam, und du? – Er hat mich nicht ein einziges Mal gefragt, was ich eigentlich tue, sagt Berti.
Dr. Thape im geblümten Freizeithemd, Judith in ausgebleichten, aber gebügelten Shorts: so kommen sie, Grüße murmelnd, die ausgelegte Treppe hinab, scheren, bevor sie das Restaurant betreten, zum Empfang hinüber, wo neuere Zeitungen und Illustrierte liegen. Ein lachender Junge in reichlich zugemessener Portiers-Uniform – er scheint zu wissen, welch einen Eindruck er in dem viel zu großen Anzug hervorruft – übergibt Dr. Thape einen Brief; vom Ständer mit den Ansichtskarten sieht Judith zu, wie ihr Mann den Umschlag aufreißt, liest, den Brief sinken läßt, noch einmal liest und dann fassungslos nach ihr sucht. Sie geht zu ihm, sie fragt: Aus Wien? Müssen wir abreisen? Von Trudi, sagt er; hier, lies mal, du glaubst es nicht. Und, erregt und geringschätzig zugleich: Es hat sich ihnen eine Chance geboten, sehr früh heute morgen, die einmalige Chance, die letzten wilden Pferde der Pußta zu sehen. Ein Ausflug nur, doch sie werden leider nicht vor Montagabend zurück sein: Judith liest den Brief, hebt dann langsam das Gesicht und sagt: Ein Vorwand, Berti, nichts als

ein Vorwand. Da ist etwas falsch gelaufen; ich weiß nicht, was es sein könnte, aber etwas ist falsch gelaufen. Komm, laß uns ins Restaurant gehen, wir können beim Frühstück darüber sprechen.

# *Autoren- und Quellenverzeichnis*

ALFRED ANDERSCH

Geb. 1914 in München, gest. 1980 in Berzona (Tessin). Autor von Erzählungen, Romanen, Gedichten, Hörspielen, Essays. Veröffentlichungen u. a.: Die Kirschen der Freiheit. Ein Bericht (1952); Sansibar oder der letzte Grund. Roman (1957); Geister und Leute. Erzählungen (1958); Die Rote. Roman (1960); Ein Liebhaber des Halbschattens. 3 Erzählungen (1963); Efraim. Roman (1967); Gesammelte Erzählungen (1971); Winterspelt. Roman (1974); Der Vater eines Mörders. Erzählung (1980); Flucht in Etrurien. Erzählungen (1981).
*Die Inseln unter dem Winde.* Aus: A. A.: Mein Verschwinden in Providence. Copyright © 1971, 1979 by Diogenes Verlag AG, Zürich. (Diogenes Taschenbuch detebe 1/8.)
*Festschrift für Captain Fleischer.* Ebd.
*Jesuskingdutschke.* Ebd.
*Mit dem Chef nach Chenonceaux.* Aus: A. A.: Geister und Leute. Copyright © 1969, 1974 by Diogenes Verlag AG, Zürich. (Diogenes Taschenbuch detebe 1/4.)

HANS BENDER

Geb. 1919 in Mühlhausen bei Heidelberg, lebt in Köln. Herausgeber der *Akzente* und Autor von Gedichten, Erzählungen, Romanen. Veröffentlichungen u. a.: Fremde soll vorüber sein. Gedichte (1951); Eine Sache wie die Liebe. Roman (1954); Wölfe und Tauben. Erzählungen (1957); Wunschkost. Roman (1959); Mit dem Postschiff. Erzählungen (1962); Aufzeichnungen einiger Tage (1971); Einer von ihnen. Aufzeichnungen einiger Tage (1979); Der Hund von Torcello. Erzählungen (1984).
*Die Schlucht.* Aus: H. B.: Worte, Bilder, Menschen. Geschichten, Romane, Berichte, Aufsätze. München: Hanser, 1969.
*Die Wölfe kommen zurück.* Ebd.

JOHANNES BOBROWSKI

Geb. 1917 in Tilsit, gest. 1965 in Ost-Berlin. Autor von Gedichten, Romanen, Erzählungen. Veröffentlichungen u. a.: Schattenland Ströme. Gedichte (1962); Boehlendorff und andere. Erzählungen (1965); Mäusefest und andere Erzählungen (1965); Litauische Claviere. Roman (1966).
*Der Tänzer Malige.* Aus: J. B.: Der Mahner und andere Prosa aus dem Nachlaß. Berlin: Wagenbach, 1968.
*Lipmanns Leib.* Aus: J. B.: Mäusefest und andere Erzählungen. Berlin: Wagenbach, 1965.

HEINRICH BÖLL

Geb. 1917 in Köln, gest. 1985 in Langenbroich (Eifel). Autor von Kurzgeschichten, Hörspielen, Romanen, Essays, Gedichten. Veröffentlichungen u. a.: Wanderer, kommst du nach Spa ... Erzählungen (1950); Und sagte kein einziges Wort. Roman (1953); Haus ohne Hüter. Roman (1954); Das Brot der frühen Jahre. Erzählung (1955); Bilanz. Hörspiel (1957); Doktor Murkes gesammeltes Schweigen und andere Satiren (1958); Billard um halb zehn. Roman (1959); Ansichten eines Clowns. Roman (1963); Entfernung von der Truppe. Erzählung (1964); Gruppenbild mit Dame. Roman (1971); Die verlorene Ehre der Katharina Blum oder Wie Gewalt entstehen und wohin sie führen kann. Erzählung (1974); Berichte zur Gesinnungslage der Nation (1975); Fürsorgliche Belagerung. Roman (1979); Was soll aus dem Jungen bloß werden? Oder: Irgendwas mit Büchern (1981); Die Verwundung und andere frühe Erzählungen (1983); Bild, Bonn, Boenisch (1984); Frauen vor Flußlandschaft. Roman (1985).
*Wanderer, kommst du nach Spa ...* Aus: H. B.: 1947 bis 1951: Wo warst du Adam? und Erzählungen. Köln: Middelhauve, 1973.
*Der Bahnhof von Zimpren.* Aus: H. B.: Erzählungen 1950–1970. © 1972 by Verlag Kiepenheuer & Witsch, Köln.
*Du fährst zu oft nach Heidelberg.* Aus: H. B.: Du fährst zu oft nach Heidelberg. Bornheim-Merten: Lamuv, 1979.

WOLFGANG BORCHERT

Geb. 1921 in Hamburg, gest. 1947 in Basel. Autor von Gedichten, Kurzgeschichten und einem Hörspiel bzw. Schauspiel. Veröffent-

lichungen Laterne, Nacht und Sterne. Gedichte (1946); An diesem Dienstag. Erzählungen (1947); Die Hundeblume. Erzählungen (1947); Draußen vor der Tür. Hörspiel (Schauspiel – 1947); Das Gesamtwerk (1949); Die traurigen Geranien. Erzählungen aus dem Nachlaß (1962).
*Nachts schlafen die Ratten doch.* Aus: W. B.: Das Gesamtwerk. © 1949 Rowohlt Verlag GmbH, Hamburg.

THOMAS BRASCH

Geb. 1945 in Westow (Yorkshire), lebt in West-Berlin. Autor von Gedichten, Stücken, Erzählungen und Filmen. Veröffentlichungen u. a.: Vor den Vätern sterben die Söhne (1977); Kargo. 32. Versuch auf einem untergehenden Schiff aus der eigenen Haut zu kommen (1977); Der schöne 27. September. Gedichte. (1980); Engel aus Eisen. Film (1981); Domino. Film (1982).
*Fliegen im Gesicht.* Aus: T. B.: Vor den Vätern sterben die Söhne. Berlin: Rotbuch Verlag, 1977.

HERBERT EISENREICH

Geb. 1925 in Linz, lebt in Wien. Autor von Erzählungen, Hörspielen, Romanen, Essays. Veröffentlichungen u. a.: Einladung, deutlich zu leben. Erzählungen (1951); Auch in ihrer Sünde. Roman (1953); Wovon wir leben und woran wir sterben. Hörspiel (1958); Die Freunde meiner Frau und neunzehn andere Geschichten (1966); Ein schöner Sieg und 21 andere Mißverständnisse. Erzählungen (1973); Die blaue Distel der Romantik. Erzählungen (1976); Die abgelegte Zeit. Roman (1985).
*Doppelbödige Welt.* Aus: H. E.: Die Freunde meiner Frau und neunzehn andere Geschichten. Copyright © 1966, 1978 by Diogenes Verlag AG, Zürich. (Diogenes Taschenbuch detebe 172.)
*Die neuere (glücklichere) Jungfrau von Orléans.* Ebd.

JÜRG FEDERSPIEL

Geb. 1931 in Winterthur, lebt in Zürich. Autor von Erzählungen, Hörspielen, Romanen. Veröffentlichungen u. a.: Orangen und Tode.

Erzählungen (1961); Massaker im Mond. Roman (1963); Der Mann, der Glück brachte. Erzählungen (1966); Museum des Hasses. Tage in Manhattan (1969); Die Märchentante. Erzählungen (1971); Paratuga kehrt zurück. Erzählungen (1973); Träume aus Plastic. Essays (1974); Brüderlichkeit. Theater (1977); Die beste Stadt für Blinde. Berichte (1980); Kilroy Was Here. Hörspiel (1981); Die Ballade von der Typhoid Mary. Roman (1982); Wahn und Müll. Berichte und Gedichte (1983); Die Liebe ist eine Himmelsmacht. Zwölf Fabeln (1985).

*Orangen vor ihrem Fenster.* Aus: J. F.: Orangen und Tode. München: Piper, 1961. 

FRITZ RUDOLF FRIES

Geb. 1935 in Bilbao (Spanien), lebt in Ost-Berlin. Autor von Erzählungen, Romanen, Essays; Übersetzer. Veröffentlichungen u. a.: Der Weg nach Oobliadooh. Roman (1966); Der Fernsehkrieg und andere Erzählungen (1970); See-Stücke (1973); Das Luft-Schiff. Biografische Nachlässe zu den Fantasien meines Großvaters (1974); Lope de Vega. Biographie (1977); Das nackte Mädchen auf der Straße. Erzählungen (1980); Alexanders neue Welten. Roman (1983); Verlegung eines mittleren Reiches. Roman (1984).

*Der Fernsehkrieg.* Aus: F. R. F.: Der Fernsehkrieg und andere Erzählungen. Frankfurt a. M.: Suhrkamp, 1970.

GERD GAISER

Geb. 1908 in Oberriexingen (Württemberg), gest. 1976 in Reutlingen. Autor von Romanen und Erzählungen. Veröffentlichungen u. a.: Zwischenland. Erzählungen (1949); Die sterbende Jagd. Roman (1953); Einmal und oft. Erzählungen (1956); Schlußball. Roman (1958); Gib acht in Domokosch. Erzählungen (1959); Am Paß Nascendo. Erzählungen (1960); Der Mensch, den ich erlegt hatte. Erzählungen (1965); Ortskunde (1977); Mittagsgericht. Erzählungen (1983).

*Die schlesische Gräfin.* Aus: G. G.: Einmal und oft. München: Hanser, 1956. ²1958.

STEPHAN HERMLIN

Geb. 1915 in Chemnitz, lebt in Ost-Berlin. Autor von Gedichten, Erzählungen und Essays. Veröffentlichungen u. a.: Der Leutnant Yorck von Wartenburg. Erzählung (1946); Reise eines Malers in Paris (1947); Die Zeit der Gemeinsamkeit. Erzählungen (1949); Die Zeit der Einsamkeit. Erzählung (1951); Der Flug der Taube. Gedichte (1952); Die Kommandeuse. Erzählung (1954); Erzählungen (1966); Scardanelli. Ein Hörspiel (1970); Lektüre. 1966–1971 (1973); Gesammelte Gedichte (1979); Lebensfrist. Gesammelte Erzählungen (1980); Bestimmungsorte. Erzählungen (1985).
*Arkadien.* Aus: S. H. Gedichte und Prosa. Berlin: Wagenbach, 1965.
*Die Kommandeuse.* Aus: S. H.: Gesammelte Erzählungen. © 1980 Verlag Klaus Wagenbach, Berlin.

WOLFGANG HILDESHEIMER

Geb. 1916 in Hamburg, lebt in Poschiavo (Schweiz). Autor von Romanen, Erzählungen, Dramen, Hörspielen. Veröffentlichungen u. a.: Lieblose Legenden (1952); Paradies der falschen Vögel. Roman (1953); Ich trage eine Eule nach Athen. Kurzgeschichten (1956); Tynset. Roman (1965); Mary Stuart. Drama (1971); Masante. Roman (1973); Mozart. Biographie (1980); Marbot. Eine Biographie (1981); Mitteilungen an Max über den Stand der Dinge und anderes (1983); Das Ende der Fiktionen. Reden (1984).
*Das Ende einer Welt.* Aus: W. H.: Lieblose Legenden. Frankfurt a. M.: Suhrkamp, 1962. (Überarb. Ausg.)

OTTO JÄGERSBERG

Geb. 1942 in Hiltrup (Westfalen), lebt in Baden-Baden. Autor von Romanen, Erzählungen, Gedichten, Theaterstücken, TV-Arbeiten. Veröffentlichungen u. a.: Weihrauch und Pumpernickel. Roman (1964); Nette Leute. Roman (1967); Cosa Nostra. Theaterstücke (1971); He he, ihr Mädchen und Frauen. Eine Konsum-Komödie (1975); Der letzte Biß. Erzählungen (1977); Herr der Regeln. Roman (1983); Vom Handeln mit Ideen. Geschichten (1984); Wein Liebe Vaterland. Gesammelte Gedichte (1985).
*Dazugehören.* Aus: O. J.: Der letzte Biß. Copyright © 1977, 1979 by Diogenes Verlag AG, Zürich. (Diogenes Taschenbuch detebe 22/4.)

MARIE LUISE KASCHNITZ

Geb. 1901 in Karlsruhe, gest. 1974 in Frankfurt a. M. Autorin von Gedichten, Romanen, Erzählungen, Essays, Hörspielen. Veröffentlichungen u. a.: Zukunftsmusik. Gedichte (1950); Das dicke Kind und andere Erzählungen (1952); Lange Schatten. Erzählungen (1960); Überallnie. Ausgewählte Gedichte 1928–1965 (1965); Ferngespräche. Erzählungen (1966); Steht noch dahin. Neue Prosa (1970).
*Laternen.* Aus: M. L. K.: Lange Schatten. Claassen 1960. 

ALEXANDER KLUGE

Geb. 1932 in Halberstadt, lebt in Ulm. Autor von Romanen, Erzählungen, Essays, Filmen. Veröffentlichungen u. a.: Lebensläufe. Erzählungen (1962); Schlachtbeschreibung. Roman (1964); Lernprozesse mit tödlichem Ausgang (1973); Neue Geschichten. Hefte 1–18. Unheimlichkeit der Zeit. Prosa (1977); Geschichte und Eigensinn (1981, zus. mit Oskar Negt); Neue Geschichten. Hefte 19–28. Der Angriff der Gegenwart auf die übrige Zeit. Prosa (1984).
*Ein Liebesversuch.* Aus: A. K.: Lebensläufe. Anwesenheitsliste für eine Beerdigung. Frankfurt a. M.: Suhrkamp, 1974.
*»Das Zeitgefühl der Rache«.* Aus: A. K.: Neue Geschichten. Hefte 1–18. Frankfurt a. M.: Suhrkamp, 1977.

FRIEDRICH WILHELM KORFF

Geb. 1939 in Hohenlimburg (Westfalen), lebt in Hannover. Autor von Erzählungen und philosophischen Arbeiten. Veröffentlichungen u. a.: Der Katarakt von San Miguel. 24 Geschichten (1974); Auswege. Erzählungen (1983).
*Jericho.* Aus: F. W. K.: Der Katarakt von San Miguel. 24 Geschichten. München: Rogner & Bernhard, 1974. 

GÜNTER KUNERT

Geb. 1929 in Berlin, lebt bei Itzehoe. Autor von Gedichten, Erzählungen, Romanen. Veröffentlichungen u. a.: Erinnerung an einen

Planeten. Gedichte aus 15 Jahren (1963); Tagträume (1964); Im Namen der Hüte. Roman (1967); Die Beerdigung findet in aller Stille statt. Erzählungen (1968); Betonformen. Ortsangaben. Erzählungen (1969); Warnung vor Spiegeln. Gedichte (1970); Tagträume in Berlin und andernorts. Kleine Prosa, Erzählungen, Aufsätze (1972); Die geheime Bibliothek. Prosa (1973); Unterwegs nach Utopia. Gedichte (1977); Kinobesuch. Gesammelte Erzählungen (1977); Unruhiger Schlaf. Gesammelte Gedichte (1979); Verspätete Monologe. Prosa (1981); Zurück ins Paradies. Erzählungen (1984).

*Zentralbahnhof.* Aus: G. K.: Tagträume in Berlin und andernorts. München: Hanser, 1972.

*Die Waage.* Aus: G. K.: Die Beerdigung findet in aller Stille statt. München: Hanser, 1968. [5]1977.

REINER KUNZE

Geb. 1933 in Oelsnitz (Erzgebirge), lebt seit seiner Ausweisung aus der DDR in Passau. Autor von Gedichten und Erzählungen. Veröffentlichungen u. a.: Sensible Wege. Gedichte (1969); Der Löwe Leopold. Fast ein Märchen, fast Geschichten (1970); Zimmerlautstärke. Gedichte (1972); Brief mit blauem Siegel. Gedichte (1973); Die wunderbaren Jahre. Prosa (1976); Das Kätzchen (1979); Eines jeden einziges Leben. Gedichte (1986).

*Element.* Aus: R. K.: Die wunderbaren Jahre. © 1976 S. Fischer Verlag GmbH, Frankfurt a. M.

ELISABETH LANGGÄSSER

Geb. 1899 in Alzey, gest. 1950 in Rheinzabern. Autorin von Gedichten, Erzählungen, Romanen und Essays. Veröffentlichungen u. a.: Der Wendekreis des Lammes. Gedichte (1924); Triptychon des Teufels. Erzählungen (1932); Der Gang durch das Ried. Roman (1936); Das unauslöschliche Siegel. Roman (1946); Der Laubmann und die Rose. Gedichte (1947); Der Torso. Kurzgeschichten (1947); Das Labyrinth. Erzählungen (1949); Märkische Argonautenfahrt. Roman (1950).

*Glück haben.* Aus: E. L.: Der Torso. © 1948 Claassen Verlag GmbH, Düsseldorf.

SIEGFRIED LENZ

Geb. 1926 in Lyck (Ostpreußen), lebt in Hamburg. Autor von Romanen, Erzählungen, Dramen und Essays. Veröffentlichungen u. a.: Es waren Habichte in der Luft. Roman (1951); So zärtlich war Suleyken. Erzählungen (1955); Jäger des Spotts. Kurzgeschichten (1958); Brot und Spiele. Roman (1959); Das Feuerschiff. Kurzgeschichten (1960); Zeit der Schuldlosen. Drama (1962); Deutschstunde. Roman (1968); Leute von Hamburg (1968); Der Spielverderber. Erzählungen (1969); Beziehungen. Essays (1970); Das Vorbild. Roman (1973); Geist der Mirabelle. Geschichten aus Bollerup (1975); Einstein überquert die Elbe bei Hamburg. Erzählungen (1975); Heimatmuseum. Roman (1978); Der Verlust. Roman (1981); Ein Kriegsende. Erzählung (1984); Exerzierplatz. Roman (1985).
*Der Gleichgültige*. Aus: S. L.: Der Spielverderber. © 1965 Hoffmann und Campe Verlag, Hamburg.
*Wie bei Gogol*. Aus: Einstein überquert die Elbe bei Hamburg. © 1975 Hoffmann und Campe Verlag, Hamburg.
*Die Wellen des Balaton*. Ebd.

HEINER MÜLLER

Geb. 1929 in Eppendorf (Sachsen), lebt in Ost-Berlin. Dramatiker, Autor von Prosaarbeiten und Essays. Veröffentlichungen u. a.: Geschichten aus der Produktion 1 (1975); Geschichten aus der Produktion 2 (1974); Die Umsiedlerin oder Das Leben auf dem Lande (1975); Theater-Arbeit (1975); Mauser (1977); Herzstück (1983); Shakespeare Factory (2 Bde., 1985).
*Das Eiserne Kreuz*. Aus: Im Licht des Jahrhunderts. Berlin: Verlag der Nation. – © Rotbuch Verlag, Berlin.

HEINZ PIONTEK

Geb. 1925 in Kreuzburg (Oberschlesien), lebt in München und Riederau am Ammersee. Autor von Gedichten, Prosa, Essays, Hörspielen. Veröffentlichungen u. a.: Die Rauchfahne. Gedichte (1953); Vor Augen. Erzählungen (1955); Mit einer Kranichfeder. Gedichte (1962); Klartext. Gedichte (1966); Die mittleren Jahre. Roman (1967); Liebeserklärungen in Prosa (1969); Tot oder lebendig.

Gedichte (1971); Gesammelte Gedichte (1975); Wintertage – Sommernächte. Gesammelte Erzählungen (1977); Das Handwerk des Lesens (1979); Zeit meines Lebens. Autobiographie (1984).
*Verlassene Chausseen.* Aus: H. P.: Wintertage – Sommernächte. München: Albert Langen – Georg Müller, 1977.

ULRICH PLENZDORF

Geb. 1934 in Berlin, lebt in Ost-Berlin. Autor von Erzählungen, Bühnenstücken, Filmarbeiten. Veröffentlichungen u. a.: Die neuen Leiden des jungen W. Prosafassung (1973) und Bühnenstück (1974); Die Legende von Paul und Paula. Filmerzählung (1974); Legende vom Glück ohne Ende. Roman (1979).
*kein runter kein fern.* Aus: Klagenfurter Texte zum Ingeborg-Bachmann-Preis 1978. München: List, 1978.

JOSEF REDING

Geb. 1929 in Castrop-Rauxel, lebt in Castrop-Rauxel. Autor von Erzählungen und Hörspielen. Veröffentlichungen u. a.: Friedland. Roman (1956); Nennt mich nicht Nigger. Kurzgeschichten (1957); Wer betet für Judas. Kurzgeschichten (1958); Allein in Babylon. Kurzgeschichten (1960); Die Minute des Erzengels. Erzählungen (1961); Papierschiffe gegen den Strom. Kurzgeschichten, Aufsätze, Tagebuchskizzen und Hörspiele (1963); Ein Scharfmacher kommt. Kurzgeschichten (1967); Zwischen den Schranken. Erzählungen (1967); Die Anstandsprobe. Erzählungen (1973); Schonzeit für Pappkameraden. Kurzgeschichten (1977); Und die Taube jagt den Greif. Kurzgeschichten für heute (1985); Neue Not braucht neue Namen. Kurzgeschichten zum Tage (1986).
*Während des Films.* Aus: J. R.: ... Nennt mich nicht Nigger. Kurzgeschichten aus zwei Jahrzehnten. © 1978 Georg Bitter Verlag, Recklinghausen.

LUISE RINSER

Geb. 1911 in Pitzling (Oberbayern), lebt in Rom. Autorin von Romanen und Erzählungen. Veröffentlichungen u. a.: Mitte des Lebens. Roman (1950); Der Sündenbock. Roman (1955); Ein Bündel

weißer Narzissen. Erzählungen (1956); Die vollkommene Freude. Roman (1965); Ich bin Tobias. Roman (1967); Der schwarze Esel. Roman (1974); Den Wolf umarmen. Autobiographie (1981); Die Erzählungen (1985); Geschichten aus der Löwengrube. Erzählungen (1986).
*Die rote Katze.* Aus: L. R.: Ein Bündel weißer Narzissen. © 1956 S. Fischer Verlag GmbH, Frankfurt a. M.

HANS JOACHIM SCHÄDLICH

Geb. 1935 in Reichenbach (Vogtland), lebt seit seiner Ausweisung aus der DDR in Hamburg. Autor von Erzählungen und Romanen. Veröffentlichungen u. a.: Versuchte Nähe. Prosa (1977); Tallhover. Roman (1986).
*Versuchte Nähe.* Aus: H.-J. S.: Versuchte Nähe. Prosa. © 1977 Rowohlt Verlag GmbH, Reinbek bei Hamburg.

KLAUS SCHLESINGER

Geb. 1937 in Berlin, lebt in Ost-Berlin. Autor von Romanen, Erzählungen, Hörspielen, Filmarbeiten. Veröffentlichungen u. a.: Michael. Roman (1971); Hotel oder Hospital. Reportage (1973); Alte Filme. Eine Berliner Geschichte (1976); Berliner Traum. Fünf Geschichten (1977); Leben im Winter. Erzählung (1980).
*Der Tod meiner Tante.* Aus: K. S.: Berliner Traum. S. Fischer Verlag GmbH, Frankfurt a. M. © 1977 VEB Hinstorff Verlag, Rostock.

ARNO SCHMIDT

Geb. 1914 in Hamburg, gest. 1979 in Bargfeld (Celle). Autor von Romanen, Erzählungen, Funkarbeiten, Essays, Übersetzer; Veröffentlichungen u. a.: Leviathan. Erzählungen (1949); Brand's Haide. Erzählungen (1951); Das steinerne Herz. Roman (1956); Die Gelehrtenrepublik. Roman (1957); Kühe in Halbtrauer. Erzählungen (1964); Trommler beim Zaren (1966); Zettel's Traum. Roman (1970); Die Schule der Atheisten. Novellen-Comödie (1972); Abend mit Goldrand. Eine Märchen-Posse (1975); Julia, oder die Gemälde. Scenen aus dem Novecento (1983, Fragm.).

*Er war ihm zu ähnlich.* Aus: A. S.: Sommermeteor. 23 Kurzgeschichten. Fischer Taschenbuch Bd. 1046. © 1966 Stahlberg Verlag, Karlsruhe (unter dem Titel: Trommler beim Zaren). Abdruck mit Genehmigung der S. Fischer Verlag GmbH, Frankfurt a. M.

PETER SCHNEIDER

Geb. 1940 in Lübeck; lebt in West-Berlin. Autor von Gedichten, Erzählungen, Stücken, Essays, Drehbüchern und Fernsehfeatures. Veröffentlichungen u. a.: Ansprachen. Reden, Notizen, Gedichte (1970); Lenz. Eine Erzählung (1973); ... schon bist du ein Verfassungsfeind. Das unerwartete Anschwellen der Personalakte des Lehrers Kleff (1975); Atempause. Versuch, meine Gedanken über Literatur und Kunst zu ordnen (1977); Die Wette. Erzählungen (1978); Messer im Kopf. Drehbuch (1979); Der Mauerspringer. Erzählung (1982); Vati. Erzählung (1986).
*Das Wiedersehen.* Aus: P. S.: Die Wette. Erzählungen. Berlin: Rotbuch Verlag, 1978.

ROBERT WOLFGANG SCHNELL

Geb. 1916 in Barmen, lebt in West-Berlin. Autor von Dramen, Hörspielen, Erzählungen, Romanen, Lyrik, Filmskripten. Veröffentlichungen u. a.: Mief. Erzählungen (1963; 1969 u. d. T.: Die Farce von den Riesenbrüsten); Geisterbahn. Roman (1964); Muzes Flöte (1966); Erziehung durch Dienstmädchen. Roman (1968); Junggesellen-Weihnacht. Erzählungen (1970); Eine Tüte Himbeerbonbons. Geschichten (1976); Die heitere Freiheit und Gleichheit. Vier Geschichten von der festen Bindung (1978); Der Weg einer Pastorin ins Bordell. Erzählungen (1984).
*David spielt vor Saul.* Aus: R. W. S.: Eine Tüte Himbeerbonbons. Darmstadt/Neuwied: Luchterhand, 1976.

WOLFDIETRICH SCHNURRE

Geb. 1920 in Frankfurt a. M., lebt in West-Berlin. Autor von Gedichten, Erzählungen, Romanen, Hörspielen, Film- und Fernsehskripten. Veröffentlichungen u. a.: Kassiber. Gedichte (1956); Eine Rechnung, die nicht aufgeht. Erzählungen (1958); Als Vaters

Bart noch rot war. Roman (1958); Das Los unserer Stadt. Eine Chronik (1959); Man sollte dagegen sein. Geschichten (1960); Schnurre heiter (1970); Auf Tauchstation und 18 weitere Begebenheiten (1973); Ich frag ja bloß (1973); Ich brauch Dich (1976); Erzählungen 1945–1965 (1977); Der Schattenfotograf. Aufzeichnungen (1978); Ein Unglücksfall. Roman (1981).
*Das Manöver.* Aus: W. S.: Erzählungen 1945–1965. München: List, 1977.
*Auf der Flucht.* Ebd.

MARTIN WALSER

Geb. 1927 in Wasserburg am Bodensee, lebt in Nußdorf bei Überlingen. Autor von Romanen, Dramen, Erzählungen, Essays. Veröffentlichungen u. a.: Ein Flugzeug über dem Haus und andere Geschichten (1955); Ehen in Philippsburg. Roman (1957); Halbzeit. Roman (1960); Lügengeschichten. Erzählungen (1964); Das Einhorn. Roman (1966); Die Zimmerschlacht. Drama (1967); Die Gallistl'sche Krankheit. Roman (1972); Der Sturz. Roman (1973); Jenseits der Liebe. Roman (1976); Ein fliehendes Pferd. Novelle (1978); Seelenarbeit. Roman (1979); Das Schwanenhaus. Roman (1980); Brief an Lord Liszt. Roman (1982); Liebeserklärungen. Reden und Essays (1983); Brandung. Roman (1985); Meßmers Gedanken. Prosa (1985).
*Die Rückkehr eines Sammlers.* Aus: M. W.: Ein Flugzeug über dem Haus und andere Geschichten. Frankfurt a. M.: Suhrkamp, 1955.

WOLFGANG WEYRAUCH

Geb. 1907 in Königsberg, gest. 1980 in Darmstadt. Autor von Gedichten, Erzählungen, Hörspielen, Essays. Veröffentlichungen u. a.: Gesang, um nicht zu sterben. Gedichte (1956); Mein Schiff, das heißt Taifun. Erzählungen (1959); Die japanischen Fischer. Hörspiel (1961); Geschichten zum Weiterschreiben (1969); Mit dem Kopf durch die Wand. Geschichten, Gedichte, Essays und ein Hörspiel (1972); Beinahe täglich. Geschichten (1975).
*Im Gänsemarsch.* Aus: W. W.: Mein Schiff, das heißt Taifun. Olten: Walter, 1959. Mit Genehmigung des Autors.
*Uni.* Aus: W. W.: Geschichten zum Weiterschreiben. Neuwied/Berlin: Luchterhand, 1969. © Margot Weyrauch, Darmstadt.

GABRIELE WOHMANN

Geb. 1932 in Darmstadt, lebt in Darmstadt. Autorin von Erzählungen, Romanen, Hörspielen, Film- und Fernseharbeiten. Veröffentlichungen u. a.: Alles zu seiner Zeit. Erzählungen (1958); Sieg über die Dämmerung. Erzählungen (1960); Ein unwiderstehlicher Mann. Erzählungen (1966); Ländliches Fest (1968); Ernste Absicht. Roman (1970); Sonntag bei den Kreisands. Erzählungen (1970); Selbstverteidigung. Prosa und anderes (1971); Gegenangriff. Prosa (1972); Ausflug mit der Mutter. Roman (1976); Böse Streiche und andere Erzählungen (1977); Frühherbst in Badenweiler. Roman (1978); Ach wie gut, daß niemand weiß. Roman (1980); Verliebt, oder? Erzählungen (1983); Der kürzeste Tag des Jahres. Erzählungen (1983); Der Irrgast. Erzählungen (1985).
*Verjährt.* Aus: G. W.: Ländliches Fest. Darmstadt/Neuwied: Luchterhand, 1968.
*Ländliches Fest.* Ebd.

# Deutschsprachige Literatur der Gegenwart

IN RECLAMS UNIVERSAL-BIBLIOTHEK

*Eine Auswahl*

---

Aichinger, Ilse: *Dialoge. Erzählungen. Gedichte.* 110 S. UB 7939
Andersch, Alfred: *Fahrerflucht. Ein Liebhaber des Halbschattens.* 95 S. UB 9892
Andres, Stefan: *Die Vermummten.* 135 S. UB 7703
Artmann, H. C.: *»wer dichten kann ist dichtersmann«.* 101 S. UB 8264
Bachmann, Ingeborg: *Undine geht. Das Gebell. Ein Wildermuth.* 76 S. UB 8008
Bender, Hans: *Das wiegende Haus.* 71 S. UB 8494 – *Die Wölfe kommen zurück.* 70 S. UB 9430
Benn, Gottfried: *Gedichte.* 188 S. UB 8480
*Berlin! Berlin!* Eine Großstadt im Gedicht. 264 S. UB 8400
Bernhard, Thomas: *An der Baumgrenze.* 54 S. UB 8334 - *Der Wetterfleck.* 77 S. UB 9818
Bichsel, Peter: *Stockwerke.* 79 S. UB 9719
Bobrowski, Johannes: *Lipmanns Leib.* 80 S. UB 9447
Böll, Heinrich: *Der Mann mit den Messern.* 79 S. UB 8287
Brandstetter, Alois: *Landessäure.* 93 S. UB 8335
Burger, Hermann: *Der Puck.* 92 S. UB 8580
Canetti, Elias: *Komödie der Eitelkeit.* 139 S. UB 7678
*Deutsche Gedichte der sechziger Jahre.* 294 S. UB 8211
*Deutsche Gedichte 1930-1960.* 463 S. UB 7914
*Deutsche Literatur.* Jahresüberblick. *1981.* 260 S. UB 7760 – *1982.* 272 S. UB 7915 – *1983.* 253 S. UB 8212 – *1984.* 272 S. UB 8045 – *1985.* 320 S. UB 8282 – *1986.* 352 S. UB 8403 – *1987.* 344 S. UB 8404 – *1988.* 284 S. UB 8405 – *1989.* 327 S. UB 8406 – *1990.* 322 S. UB 8407 – *1991.* 309 S. UB 8408 – *1992.* 341 S. UB 8409
Doderer, Heimito v.: *Das letzte Abenteuer.* 107 S. UB 7806
Domin, Hilde: *Abel steh auf.* 96 S. UB 9955
Dorst, Tankred: *Große Schmährede an der Stadtmauer.* 54 S. UB 7672
Eich, Günter: *Fabula rasa.* 64 S. UB 8284 – *Die Mädchen aus Viterbo.* 72 S. UB 8688
Enzensberger, Hans Magnus: *Dreiunddreißig Gedichte.* 75 S. UB 7674

*Erzählte Zeit.* 50 deutsche Kurzgesch. d. Gegenwart. 517 S. UB 9996
Flake, Otto: *Der Handelsherr.* 151 S. UB 7980
Frisch, Max: *Rip van Winkle.* 62 S. UB 8306
Frischmuth, Barbara: *Unzeit.* 78 S. UB 8295
Gernhardt, Robert: *Reim und Zeit.* 80 S. UB 8652
Goes, Albrecht: *Unruhige Nacht.* 79 S. UB 8458
Gomringer, Eugen: *konstellationen, ideogramme, stundenbuch.* 156 S. UB 9841
Grass, Günter: *Die bösen Köche.* 96 S. UB 9883 – *Gedichte.* 88 S. UB 8060
Grün, Max von der: *Waldläufer und Brückensteher.* 75 S. UB 8426
Härtling, Peter: *Der wiederholte Unfall.* 77 S. UB 9991
Helwig, Werner: *Raubfischer in Hellas.* 192 S. UB 8684 – *Reise ohne Heimkehr.* 375 S. UB 8706 – *Im Dickicht des Pelion.* 237 S. UB 8705
Hildesheimer, Wolfgang: *Begegnung im Balkanexpreß. An den Ufern der Plotinitza.* 71 S. UB 8529 – *Der Ruf in der Wüste.* 75 S. UB 8720
Hochhuth, Rolf: *Die Berliner Antigone.* Erzählungen und Gedichte. 86 S. UB 8346
Hochwälder, Fritz: *Das heilige Experiment.* 79 S. UB 8100 – *Der öffentliche Ankläger.* 88 S. UB 9775
Hoerschelmann, Fred von: *Das Schiff Esperanza.* 70 S. UB 8762 – *Die verschlossene Tür.* 63 S. UB 8367
Jandl, Ernst: *Laut und Luise.* 160 S. UB 9823 – *Sprechblasen.* 96 S. UB 9940
Jünger, Ernst: *Capriccios.* 72 S. UB 7796
Kasack, Hermann: *Der Webstuhl. Das Birkenwäldchen.* 69 S. UB 8052
Kaschnitz, Marie Luise: *Caterina Cornaro. Die Reise des Herrn Admet.* 71 S. UB 8731 – *Der Tulpenmann.* 87 S. UB 9824
Kempowski, Walter: *Fünf Kapitel für sich.* 103 S. UB 7983
Kiwus, Karin: *39 Gedichte.* 71 S. UB 7722
Klose, Werner: *Reifeprüfung.* 60 S. UB 8442
Koeppen, Wolfgang: *New York.* 69 S. UB 8602
*Konkrete Poesie.* 176 S. UB 9350
Kreuder, Ernst: *Phantom der Angst.* 80 S. UB 8428
Krolow, Karl: *Gedichte und poetologische Texte.* 67 S. UB 8074
Krüger, Michael: *Welt unter Glas.* 80 S. UB 8310
Kunze, Reiner: *Selbstgespräch für andere.* 103 S. UB 8543
Kunert, Günter: *Gedichte.* 79 S. UB 8380 – *Der Hai.* 87 S. UB 9716
Langgässer, Elisabeth: *Saisonbeginn.* 80 S. UB 7723
Lenz, Siegfried: *Das schönste Fest der Welt. Haussuchung.* 86 S. UB 8585 – *Stimmungen der See.* 79 S. UB 8662

Lettau, Reinhard: *Herr Strich schreitet zum Äußersten.* 160 S. UB 7873
*Lyrik für Leser.* Deutsche Gedichte der siebziger Jahre. 159 S. UB 9976
Marti, Kurt: *Wen meinte der Mann?* 120 S. UB 8636
Mayröcker, Friederike: *Das Anheben der Arme bei Feuersglut.* Gedichte und Prosa. 79 S. UB 8236
Meier, Gerhard: *Signale und Windstöße.* 74 S. UB 8552
*Moderne deutsche Naturlyrik.* 336 S. 6 Abb. UB 9969
Müller, Heiner: *Revolutionsstücke.* 147 S. UB 8470
Muschg, Adolf: *Besuch in der Schweiz.* 88 S. UB 9876
*Nichts ist versprochen.* Liebesgedichte der Gegenwart. 254 S. UB 8559
*Reportagen.* 180 S. UB 9837
Rinser, Luise: *Jan Lobel aus Warschau.* 77 S. UB 8897
Rosei, Peter: *Franz und ich.* 79 S. UB 8099
Rühmkorf, Peter: *Selbstredend und selbstreimend.* 131 S. UB 8390
Schaper, Edzard: *Der große, offenbare Tag.* 59 S. UB 8018
Schmidt, Arno: *Windmühlen.* 78 S. UB 8600
Schnurre, Wolfdietrich: *Ein Fall für Herrn Schmidt.* 78 S. UB 8677
Schutting, J.: *Findhunde.* 85 S. UB 8517
Seghers, Anna: *Fünf Erzählungen.* 159 S. UB 9805
Späth, Gerold: *Commedia.* 79 S. UB 8245
Strauß, Botho: *Trilogie des Wiedersehens.* 135 S. UB 9908 – *Über Liebe.* 151 S. UB 8621
Vesper, Guntram: *Landeinwärts.* 92 S. UB 8037
*Vier Kurzhörspiele.* 63 S. UB 9834
Walser, Martin: *Versuch, ein Gefühl zu verstehen, und andere Versuche.* 131 S. UB 7824 – *Die Zimmerschlacht.* 68 S. UB 7677
Weyrauch, Wolfgang: *Das grüne Zelt. Die japanischen Fischer.* 69 S. UB 8256
Wickert, Erich: *Der Klassenaufsatz. Alkestis.* 71 S. UB 8443
Wohmann, Gabriele: *Treibjagd.* 88 S. UB 7912
Wolf, Christa: *Neue Lebensansichten eines Katers. Juninachmittag.* 69 S. UB 7686
Zuckmayer, Carl: *Austreibung 1934-1939.* 133 S. UB 7969

---

Philipp Reclam jun. Stuttgart